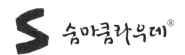

어법

ENGLISH GRAMMAR & USAGE

MANUAL

이룸이앤비
Education & Books

SUMMA CUM LAUDE·ENGLISH
COPYRIGHT

숨마쿰라우데® [어법 매뉴얼]

지은이 소개

김제현
서강대학교 영어영문학과 졸업 및 동 대학원 수료
전 종로학원 영어과 대표강사
현 일산 숨마쿰 영어학원 원장

이 책을 검토한 선생님

염진형 진명여고 교사

2판 25쇄 발행일 : 2025년 1월 20일
지은이 : 김제현
펴낸이 : 이동준, 정재현
기획 및 편집 : 박희라, 안혜원
디자인 : 굿윌디자인

펴낸곳 : (주)이룸이앤비
출판신고번호 : 제379-2024-000051호
주소 : 경기도 성남시 수정구 위례광장로 21-9 kcc 웰츠타워 2층 2018호(우 13646)
대표전화 : 02-424-2410
팩스 : 070-4275-5512
홈페이지 : www.erumenb.com
ISBN : 978-89-5990-309-2

THINK MORE ABOUT YOUR FUTURE
INTRODUCTION

[이 책을 펴내면서]

어법은 문장을 구성하는 요소들이 결합되는 규칙으로, 문장 구조 파악을 위해서 뿐만 아니라 더 나아가서는 정확한 독해를 위해서도 반드시 필요한 부분입니다. 그러나 대부분의 학생들이 어법을 품사 위주의 골치 아프고 딱딱한 문법과 동일시하고 있다는 것과, 또한 어법 구조를 명확하게 설명해 주는 교재가 없다는 점에서 어법을 어렵고 복잡한 분야로 인식하고 있습니다.

어법이 문법과 분리될 수 없는 것은 사실이지만, 어법을 이해하기 위해 반드시 자세한 문법적 지식이 필요하지는 않습니다. 어법은 문장 요소들이 결합되는 규칙이므로 문법의 핵심적인 개념만 인식하면 쉽게 이해할 수 있는 분야입니다. 그런데 지금까지 대부분의 어법 관련 교재들은 기존의 문법서와 별 차이 없이 지나치게 자세한 문법적인 내용을 설명하거나, 또는 문법적인 개념 정리조차 없이 실전 문제 풀이만을 강조하여 학생들이 어법 학습을 기피하는 데 일조하고 있습니다.

따라서 이 책은 문장 구조를 이해하기 위한 필수적인 문법 사항을 일목요연하게 정리하여 문법에 대한 기본 개념을 정리한 다음, 어법과 관련된 다양한 유형에 대한 명확한 해결책을 제시함으로써 학생들이 어법에 대한 두려움을 떨치고 문장에 대한 정확한 구조를 이해하도록 하는 데 중점을 두었습니다.

마지막으로 이 책이 빛을 보게 해 준 모든 분들에게 진심어린 감사를 드립니다.
또한 이 책을 통해 많은 분들이 영어 학습의 재미와 보람을 느끼게 되길 바라고, 열심히 공부한 모든 독자 여러분에게 좋은 결과가 있길 소망합니다.

- 김 제 현 -

SUMMA CUM LAUDE-ENGLISH

STRUCTURE

[이 책의 구성과 특징]

01 ── BASIC GRAMMAR [어법 개념 정리]

영문법의 기초가 없어도 쉽게 영어를 이해할 수 있도록
영문법의 이론적인 부분을 알기 쉽게 체계적으로 정리하
였습니다. 간결하면서도 머리에 쏙쏙 들어오는 알찬 문법
설명으로 수능 어법을 위한 필수 개념을 잘 정리하시기
바랍니다.

02 ── PATTERN STUDY [유형 학습]

각 챕터별로 수능이나 각종 모의고사에 자주 나오는 어
법의 유형을 분석하여 유사한 유형의 문제가 나오면 쉽
게 접근할 수 있도록 입체적인 문제 풀이 전략을 제시하
였습니다. 또한 각 유형마다 시험의 출제 빈도를 표시하
여 중요한 문제를 쉽게 파악할 수 있게 하였습니다.

03 ── GRAMMAR PLUS [심화 개념 학습]

유형 학습 문제와 관련하여 부가적으로 알아야 될 문법
사항들을 정리해 놓았습니다. 더 알아두면 좋을 내용들이
기 때문에 함께 숙지해 두시면 어법 실력 향상에 큰 도움
이 될 것입니다.

— THINK MORE ABOUT YOUR FUTURE —
STRUCTURE

04 — **○ PATTERN PRACTICE [유형 훈련]**

각 챕터의 유형 학습을 응용한 양질의 문제들을 집중적으로 풀어봄으로써 어법 문제에 효율적으로 대비할 수 있도록 하였습니다. 또한 각 문제에는 문제 수준을 3단계 (난이도 하: ●○○ 난이도 중: ●●○ 난이도 상: ●●●)로 표시해 자신이 틀린 문제의 난이도를 알 수 있게 하여 스스로의 실력을 평가하는 데 도움이 되도록 하였습니다.

05 — **○ ACTUAL TEST [실전 문제]**

실전 문제를 직접 풀어봄으로써 앞에서 배웠던 어법 문제 유형을 확실하게 익힐 수 있도록 하였습니다. 최신 수능 경향을 반영한 지문 길이와 난이도의 문제들을 통해 실전 감각을 익힘과 동시에 자신의 실력을 점검해 볼 수 있습니다.

06 — **○ SUB NOTE [정답 및 해설]**

지문 해석 및 상세한 정답 해설, 오답 확인, 단어 및 숙어 등을 자세하게 설명하여 실었으며, 지문에 사용된 중요 구문에 대해서는 구조 분석 및 해설을 첨가하여 자가 학습에 도움이 되도록 하였습니다. SUB NOTE를 잘 활용하여 학습의 효과를 극대화시키기 바랍니다.

SUMMA CUM LAUDE-ENGLISH

CONTENTS

[이 책의 차례]

THINK MORE ABOUT YOUR FUTURE

CONTENTS

SUMMA CUM LAUDE·ENGLISH

CONTENTS

THINK MORE ABOUT YOUR FUTURE

CONTENTS

PART **II** 실전 어법 100제

SUMMA CUM LAUDE-ENGLISH

SCHEDULE

['26일' 완성 Study Plan] Part Ⅰ 수능 핵심 어법은 16일, Part Ⅱ 실전 어법 100제는 10일을 목표로 하여 총 '26일'로 완성하는 학습 계획표입니다.

PART Ⅰ 수능 핵심 어법 '16일'에 끝내기

:: 「실전 어법 100제」를 풀기 전에 수능 핵심 어법 [개념 정리] 부분을 빠르게 읽으면서 다시 한 번 중요한 내용을 반복하여 학습해야 합니다.

THINK MORE ABOUT YOUR FUTURE
SCHEDULE

:: 「ACTUAL TEST」에서 틀린 문항에 관한 어법 내용은 자신이 취약한 부분이므로 반드시 해당 [어법 개념] 부분을 정독하여 완전히 숙지해야 합니다.

SUMMA CUM LAUDE
GRAMMAR & USAGE MANUAL

To be a great champion
you must believe you are the best.
If you're not, pretend you are.

- Muhammad Ali

숨마쿰라우데®
[어법 매뉴얼]

PART **I**

수능 핵심 어법

CHAPTER 01
~
CHAPTER 13

CHAPTER 01 주어와 동사의 일치

SUMMA CUM LAUDE GRAMMAR & USAGE

명사를 포함한 다양한 형태가 주어 역할을 할 수 있는데, 각각의 주어에 맞게 동사의 형태를 사용하는 것을 '주어와 동사의 일치'라 한다. 특히 <S+V> 형태로 주어와 동사가 연달아 나오면 동사를 판단하기 쉽지만, 주어 뒤에는 다양한 형태의 수식어가 연결될 수 있다는 점과, 주어의 형태(동명사, 부정사, 절 등)에 따라 또는 수식어의 형태에 따라 동사가 결정될 수 있다는 점에 주의해야 한다.

■ 주어와 동사 결합의 기본 형태

(1) S+V

주어와 동사가 바로 연결되는 형태로 ⌈ **단수 주어 + 단수 동사** ⌉ 로 연결한다.
⌊ **복수 주어 + 복수 동사** ⌋

<u>Laughter</u> is the best medicine.   웃음이 최고의 약이다.

<u>Most comets</u> have two kinds of tails.   대부분의 혜성들은 두 종류의 꼬리를 가진다.

(2) S+[수식어]+V

주어 뒤에 전치사구, 부정사구, 분사구, 관계사절 등의 수식어구(절)가 연결되어 주어와 동사의 거리가 멀어지기 때문에 수 일치에 주의해야 한다.

<u>Waves</u> [in the water] are caused by wind.   물속의 파도는 바람으로 인해 일어난다.

<u>A new way</u> [to recycle waste materials] is being developed.
폐기물을 재활용하기 위한 새로운 방법이 개발 중에 있다.

<u>The amount of information</u> [stored in our memory] is enormous.
우리 기억 속에 저장된 정보의 양은 엄청나다.

<u>People</u> [who run sports camps] do their best to create enjoyable environment.   스포츠 캠프를 운영하는 사람들은 즐거운 환경을 만들기 위해 최선을 다한다.

■ 항상 단수 동사가 따르는 주어

(1) 동명사/to부정사/절이 오는 경우

<u>Balancing your work and private life</u> leads to a higher quality of life.
일과 사생활의 균형을 맞추는 것이 더 높은 삶의 질로 이끈다.

To communicate in English is an important goal for English learners.

영어로 의사소통하는 것이 영어 학습자들에게 중요한 목표이다.

That all vegetarians do not eat fish is not true.

모든 채식주의자들이 어류를 먹지 않는다는 것은 사실이 아니다.

Why some animals hibernate in winter is related to saving energy.

일부 동물들이 겨울에 동면하는 이유는 에너지 절약과 관련이 있다.

What makes cats most different from other animals is their body structure.

고양이를 다른 동물들과 가장 다르게 만드는 것은 고양이의 신체구조이다.

(2) 수량형용사 또는 부정대명사가 오는 경우

> every/each + 단수 명사 + 단수 동사
> one/either/neither of + 복수 명사 + 단수 동사❶
> every/some/any/no + -one/-body/-thing + 단수 동사

❶ 「either/neither of + 복수 명사」에는 단수 동사를 쓰는 것이 원칙이지만, 격식체가 아닌 경우에는 복수 동사를 쓰기도 한다.

In a form of ozone each molecule bears three atoms of oxygen.

오존의 형태에서 각각의 분자는 세 개의 산소 원자를 가진다.

One of the coffee cups has a stain.   커피잔들 중 하나에 얼룩이 있다.

Nothing in the world compares to a mother's love.

이 세상의 어떤 것도 모성애에 버금갈 수 없다.

■ 항상 복수 동사가 따르는 주어

(1) 명사+and+명사❷

Water and sunlight are vital to all creatures.   물과 햇빛은 모든 생명체에게 필수적이다.

❷ 「명사+and+명사」가 단일 개념으로 쓰이는 경우는 단수 취급한다.
ex. trial and error (시행착오)
bread and butter (버터 바른 빵)

(2) (a) few, both, several, many + 복수 명사

In the last century, few inventions have altered the way we live more than television.   지난 세기에 TV보다 더 우리가 살아가는 방식을 바꾸어 놓은 발명품은 거의 없다.

Due to global warming several coastal regions become the victims of floods each year.   지구온난화 때문에 몇몇 해안 지역들이 매년 홍수의 피해를 입고 있다.

(3) the+형용사[분사]❸

형용사나 분사 앞에 정관사 the를 써서 '~ 사람들'의 의미로 쓰이는 경우에는 복수 취급한다.

❸ 「the+형용사[분사]」가 추상 명사로 쓰이는 경우는 단수 취급한다.
ex. the true (진리)
the unknown (미지의 것)

In Egypt the dead were buried with loaves of bread.

이집트에서는 죽은 사람들이 빵 덩어리와 함께 매장되었다.

The wounded were carried to a nearby hospital.

부상자들은 근처의 병원으로 옮겨졌다.

❹ There는 유도부사로 쓰이기 때문에 해석하지 않는다.

■ 주의해야 할 주어–동사 수 일치

(1) ┌ There〔Here〕❹ + 단수 동사 + 단수 주어
    └ There〔Here〕+ 복수 동사 + 복수 주어

There are a number of questions that should be answered.

대답 돼야만 하는 많은 질문들이 있다.

Here comes the old man with white beard. 여기 흰 턱수염을 가진 그 노인이 오고 있다.

(2) All이 홀로 주어인 경우 : ┌ 사람 → 복수 동사
                          └ 사물 → 단수 동사

All have personal reasons for working.

모든 사람들은 일을 하기 위한 개인적인 이유를 가지고 있다.

All was calm but the sound of insects. 벌레 소리를 제외한 모든 것들이 고요했다.

(3) 부분을 나타내는 명사

| all, most, some, half, part, the rest, the majority, percent, 분수 + of + | ┌ 단수 명사 → 단수 동사
└ 복수 명사 → 복수 동사 |

Most of the water vapor occurs as fog, steam, and clouds.

수증기의 대부분은 안개, 증기 그리고 구름으로 발생한다.

Some of the chocolates raise the heart rate and blood pressure.

초콜릿의 일부는 심장박동과 혈압을 증가시킨다.

(4) ┌ the number of + 복수 명사 + 단수 동사 : ~의 수
    └ a number of + 복수 명사 + 복수 동사 : 많은 ~

The number of languages spoken in India is very large.

인도에서 사용되는 언어의 수는 매우 많다.

A number of languages are spoken in India. 많은 언어가 인도에서 사용된다.

(5) 상관접속사가 쓰인 경우

not A but B A가 아니라 B

either A or B A 또는 B

neither A nor B A와 B 둘 다 아닌

not only A but (also) B A뿐만 아니라 B도

= B as well as A

동사의 수를 B에 일치

cf. both A and B + 복수 동사 A와 B 둘 다

Not cake itself but chocolates and strawberries on it attract children.

케이크 그 자체가 아니라 케이크 위에 있는 초콜릿과 딸기가 아이들을 매료시킨다.

Neither he nor his parents are ready to accept the fact.

그나 그의 부모님 양쪽 다 그 사실을 받아들일 준비가 되지 않았다.

Not only the local government but also volunteers are working together to host the game.

지방자치단체뿐만 아니라 자원봉사자들도 그 게임을 주최하기 위해 함께 일하고 있다.

Both science and religion seek to explain the mysteries of the universe.

과학과 종교 둘 다 우주의 신비를 설명하려고 노력한다.

(6) 도치된 문장 구조[5]

[5] Chap. 13 병렬/도치/어순 참조

❶ 장소 부사구가 문장 앞에 쓰이면 〈V+S〉로 도치되므로 동사 뒤에 쓰인 주어에 동사의 수를 일치시킨다.

Beneath the ancient ruins was found a frozen mummy.

그 고대 유적 아래에서 얼어붙은 미라 한 구가 발견되었다.

❷ $\begin{bmatrix} S+be동사+형용사 〈2형식〉 \\ S+be동사+p.p. 〈수동태〉 \end{bmatrix}$ 문장에서 주어가 길어서 또는 형용사나 p.p. 부분

을 강조하기 위해 $\begin{bmatrix} 형용사+be동사+S \\ p.p.+be동사+S \end{bmatrix}$ 로 쓰는 경우, 뒤에 오는 주어에 동사의

수를 일치시킨다.

To lose weight, more important than exercise are our eating habits.

몸무게를 줄이기 위해서는 우리의 식습관이 운동보다 더 중요하다.

Tied to the water shortage are dam projects upstream.

상류 지역의 댐 프로젝트는 물 부족과 관련이 있다.

(7) 강조구문에서의 일치

It ~ that 강조구문에서 주어(명사)가 강조된 경우에 강조어에 동사의 수를 일치시킨다.

It is mainly junk food that makes our children obese.

우리의 아이들을 비만이 되게 하는 것은 주로 인스턴트 식품이다.

It is not good genes alone that make people succeed.

사람들을 성공하게 하는 것이 좋은 유전자 하나인 것만은 아니다.

(8) 주격 관계대명사가 쓰인 문장에서의 동사의 수 일치

〈주격 관계대명사+V〉에서 동사의 수는 선행사와 일치시킨다.

Jargon is language which uses special words and phrases that hold no meaning for the people outside of the circle.

전문 용어란 같은 분야에 있지 않은 사람들에게는 아무런 의미를 갖지 못하는 특별한 단어와 어구를 사용하는 언어이다.

PATTERN STUDY [유형 학습]

유형 1. 명사 주어

출제 빈도 ●●●

Concern over the environmental impact of burning fossil fuels [has / have] helped spur interest in an alternative fuel.

해설 | 주어 역할을 할 수 있는 명사가 많이 쓰여 있는 문장 구조로, 일반적으로 「전치사＋명사」 형태에서 '명사'는 전치사와 함께 구를 이루면서 수식어로 쓰이기 때문에 주어 역할을 할 수 없으며, 주어의 수에 영향을 미치지 않는다.

이 문장은 Concern / over the environmental impact / of burning fossil fuels ~의
　　　　　　S　　　　전치사구　　　　　　　　　　전치사구

구조로, 주어는 명사 Concern(단수)이므로 동사도 단수형인 **has**가 와야 한다.

해석 | 화석연료를 태움으로써 미치는 환경적인 영향에 대한 걱정이 대체연료에 대한 관심을 자극하는 데 도움을 주고 있다.

정답 | has

유형 2. 동명사 주어

출제 빈도 ●●○

Forming a circle with the thumb and index finger [means / mean] money to a Korean person but it stands for OK to an American person.

해설 | Forming a circle / with the thumb and index finger ~의 구조로
　　　　　　S　　동명사의 목적어　　　　　　부사구

동명사 Forming이 주어로 쓰였으며, 동명사가 주어 역할을 하면 동사는 단수로 쓴다. 따라서 단수 동사 means가 와야 한다.

해석 | 엄지와 검지로 원을 만드는 것은 한국 사람에게는 돈을 의미하지만 미국 사람에게는 OK를 상징한다.

정답 | means

유형 3. 부정사 주어

출제 빈도 ●●○

To have some experiences about something different from our job [broadens / broaden] our horizon about the world around us.

1
impact 영향, 충격
fossil fuel 화석연료
spur 자극하다
alternative 대안의, 대체의

2
thumb 엄지
index finger 검지
stand for 상징하다, 나타내다

3
broaden 넓히다
horizon 시야, 수평선

해설 | <u>To have</u> <u>some experiences</u> / <u>about something different from our job</u> ~의
　　　S　　　부정사의 목적어　　　　　　　전치사구

구조로 부정사 To have가 주어로 쓰였으며, 부정사가 주어 역할을 하면 동사는 단수로 쓴다. 따라서 단수 동사 broadens가 와야 한다.

해석 | 우리 직업과 다른 것에 대한 경험을 가지는 것은 우리 주변 세계에 대한 시야를 넓혀준다.

정답 | broadens

유형 4 절 주어　　　　　　출제 빈도 ●○○

How a flock of birds moves flawlessly as an organized group
| has been / have been | discovered by some physicists.

해설 | 접속사나 의문사로 시작하는 절이 주어로 쓰이는 경우에는 단수 동사를 쓴다.
　　이 문장은 How <u>a flock of birds</u> <u>moves</u> ~의 형태로 의문사절이 주어로 쓰였기 때문에
　　　　　　　　S　　　　　V
　　단수 동사 has been이 와야 한다.

해석 | 새 떼가 조직화된 무리로 완벽하게 이동하는 방법이 일부 물리학자들에 의해 발견되었다.

정답 | has been

유형 5 부분을 나타내는 명사 주어　　　　　　출제 빈도 ●●○

They also found that about three fifths of adults in the United States
| does / do | not exercise enough.

해설 | that절 속에 주어로 쓰인 three fifths(5분의 3)의 경우는 단수인지 복수인지 판단할 수가 없다. 이와 같이 일부분을 의미하는 명사가 주어로 쓰인 경우는 전치사 of 뒤에 오는 명사의 단·복수에 따라 동사가 결정된다. 이 문장은 전치사 of 뒤의 명사가 복수(adults)이므로 복수 동사 do가 와야 한다.

해석 | 그들은 또한 미국 성인들의 약 5분의 3이 충분한 운동을 하고 있지 않다는 것을 알아냈다.

정답 | do

유형 6 There + be동사 + 주어　　　　　　출제 빈도 ●○○

In every country, there | is / are | laws against serious offenses: murder,
robbery, violence against people, and the like.

해설 | 「There + be동사 + 명사(주어)」 형태는 '~가 있다, 존재하다'로 해석되며, There는 의미가 없이 문장을 이끄는 기능(유도부사)만을 하고 be동사 뒤에 주어가 온다는 점에 주의해야 한다. 주어가 laws로 복수형이므로 동사는 복수 동사 are가 와야 한다.

해석 | 모든 나라에는 살인, 강도, 사람들에 대한 폭력 등 중대한 범죄를 막기 위한 법률이 존재한다.

정답 | are

4
a flock of (새, 양 등의) 떼, 무리
flawlessly 흠 없이, 완벽하게
physicist 물리학자

6
offense 범죄, 위반
robbery 강도
and the like 기타 등등

유형 **7** 주어가 강조된 문장

출제 빈도 ●○○

Most musicians agree that it is not the age of violins that makes / make old violins sound wonderful.

해설 | it ~ that 강조구문에서 that 바로 뒤에 이어지는 동사는 that 앞의 명사와 일치시킨다. 이 문장은 it is not the age of violins that ∨ makes / make old violins ~의 구조에서
S(강조어) V
강조된 주어 the age of violins가 단수 명사이므로 단수 동사 makes가 와야 한다.

해석 | 대부분의 음악가들은 오래된 바이올린이 멋진 소리가 나도록 만드는 것은 바이올린의 나이가 아니라는 점에 동의한다.

정답 | makes

유형 **8** 주어와 동사 찾기

출제 빈도 ●●○

Lots of greenhouse gases that many countries produce cause / causing droughts and floods to occur more often and be more severe.

해설 | 이 문장은 Lots of greenhouse gases that many countries produce ~의 구조로
S S' V'
관계대명사절(목적격)

네모 안에는 주어 Lots of greenhouse gases에 대한 동사가 필요하므로 cause가 와야 한다.

해석 | 많은 국가들이 만들어내는 다량의 온실 가스는 가뭄과 홍수가 더 자주 발생하고 또 더 심각해지도록 초래하고 있다.

정답 | cause

8
drought 가뭄
flood 홍수, 범람
severe 심한

PATTERN PRACTICE [유형 훈련]

SUMMA CUM LAUDE GRAMMAR & USAGE

SUB NOTE 2쪽

난이도 ● : 하   ●● : 중   ●●● : 상

[01~14] 각 네모 안에서 어법에 맞는 표현을 고르시오.

●○○
01 One way to overcome our natural self-centeredness in human relations is / are to try to see things from other people's perspectives.

overcome 극복하다
self-centeredness 이기심
perspective 관점, 시각

●○○
02 The number of historical sites in England is / are quite large compared to the size of the country.

historical site 사적지
compared to ~와 비교하여

●○○
03 There is / are a number of reasons why computers won't replace books entirely.

●●○
04 When we meet people from a different culture, being sensitive to cultural differences often helps / help us avoid misunderstanding.

●○○
05 One of the interesting things about learning and attention is / are that once something becomes automated, it gets executed in a rapid string of events.

automated 자동화된, 자동의

●●○
06 Doctors now believe that some of the health problems people suffer from is / are simply caused by dehydration, or a shortage of water in the body.

dehydration 탈수
shortage 부족, 결핍

●○○

07　Investing regularly in learning opportunities is / are one of the greatest gifts you can give yourself.

●●○

08　The chain of food supply is like an hourglass. On one end is / are the farmers and other suppliers of food; on the other are consumers.

mentally　정신적으로
be faced with　~에 직면하다

●●○

09　In addition, the mentally ill is / are faced with a unique set of challenges, and their interests will not be adequately represented if they cannot vote.

examination　조사, 검토
profound　심오한, 엄청난
species　종(種)
gene　유전자

●●●

10　More recent examination shows that despite profound differences in the two species, just a 1.23 percent difference in their genes separates / separating humans and chimpanzees.

sound wave　음파
ultrasound imaging
초음파 화상 진단

●●○

11　The frequency of sound waves used in ultrasound imaging ranges / range above human hearing.

contribute　기여(공헌)하다,
원인이 되다

●●●

12　Genes may contribute to one's weight problems. But it is one's environment and lifestyle, in the end, that actually puts / put the fat-making genes into action.

●○○

13　That everybody should get at least eight hours of sleep a day is / are commonly believed by all of us.

●●○

14 On the map is / are many symbols that show national boundaries and the sizes of cities.

boundary 경계

[15~20] 밑줄 친 부분이 올바르게 쓰였는지 판단하고, 필요하면 어법에 맞게 고치시오.

●●○

15 The combustion of oxygen that keeps us alive and active sending out by-products called oxygen free radicals.

combustion 연소
by-products 부산물
oxygen free radical
활성산소

●○○

16 Crop ecologists have found that each 1℃ rise in temperature during the growing seasons reduce the yield of grain — wheat, rice, and corn — by 10%.

ecologist 생태학자
yield 수확(량)

●●●

17 Attached to nerves in the skin are a cat's whiskers which detect vibrations as minute as a slight change in the breeze.

whisker (동물의) 수염
vibration 진동
minute 미세한, 작은
breeze 산들바람

●●○

18 In recent years, rising oil prices ① has focused the world's attention on the depletion of vital reserves, but the drying up of underground water resources from excessive pumping for irrigation ② are a far more serious issue.

depletion 감소, 고갈
vital 필수적인
reserves 비축량
excessive 지나친
irrigation 관개

●○○

19 Every musical expert believe that the rhythms of most music have their origin in the human heart rate of about 60 beats per minute.

origin 기원
beat 맥박, 고동

●●●

20 Furthermore, a general lack of knowledge and insufficient care being taken when fish pens were initially constructed meaning that pollution from excess feed and fish waste created huge barren underwater deserts.

excess 초과한
barren 불모의

CHAPTER 02 자동사와 타동사

SUMMA CUM LAUDE GRAMMAR & USAGE

■ 자동사

자동사는 목적어를 필요로 하지 않는 동사이며, 보어의 유무에 따라 1형식 또는 2형식 문장 구조로 쓰인다. 자동사는 **수동태로 쓸 수 없다**는 점에 주의해야 한다.

(1) 1형식 동사

목적어나 보어의 도움 없이 「주어(S)＋동사(V)」로만 이루어진 문장이다.

be 있다, 존재하다	**occur** 나타나다, 발생하다	**happen / take place** 발생하다
appear 나타나다	**disappear** 사라지다	**stay/remain** 머무르다

There is proof of the damage [cell phones can cause].
유도부사 V   S   관계대명사절
휴대전화가 일으킬 수 있는 피해의 증거가 있다.

Great advances have occurred in genetic engineering.
      S   V   부사구
유전공학 분야에서 엄청난 진보가 나타나고 있다.

Many sea creatures have disappeared because of pollution.
       S   V   부사구
많은 바다 생물들이 오염 때문에 사라졌다.

(2) 2형식 동사

목적어 없이 보어의 도움을 받아 「주어(S)＋동사(V)＋보어(C)」로 이루어진 문장으로, 동사의 의미에 따라 다음과 같이 분류할 수 있다.

become형: 되다	get, turn, fall, run, go, grow, come
prove형: 입증되다	turn out
seem형: ~처럼 보이다	appear
감각동사	look, sound, feel, smell, taste
상태동사: ~인 상태로 있다	stay, remain, keep

The children <u>got</u> <u>really excited</u> <u>on Christmas Eve.</u>
  S   V   C   부사구

아이들은 크리스마스 이브에 정말로 신이 났다.

<u>All their attempts</u> <u>have proved</u> <u>to be a failure.</u>   그들의 모든 노력은 실패로 판명되었다.
       S   V   C

<u>The book</u> <u>seems</u> <u>dull or difficult</u> <u>to read.</u>   그 책은 읽기에 따분하거나 어려워 보인다.
   S   V   C   부정사구

<u>The whole village</u> <u>looked</u> <u>deserted.</u>   마을 전체가 황량하게 보였다.
       S   V   C

<u>Korea</u> <u>has remained</u> <u>free of the deadly disease.</u>
  S   V   C

한국은 그 치명적인 질병의 위험으로부터 벗어난 상태를 유지해 왔다.

■ 타동사

타동사는 목적어를 가지는 동사로 한 개의 목적어만 가지고 「주어(S) + 동사(V) + 목적어(O)」 형태로 쓰이는 3형식, 두 개의 목적어를 가지고 「주어(S) + 동사(V) + 간접목적어(I.O) + 직접목적어(D.O)」 형태로 쓰이는 4형식, 그리고 목적어와 목적격 보어를 가지고 「주어(S) + 동사(V) + 목적어(O) + 목적격 보어(O.C)」 형태로 쓰이는 5형식이 있다.

(1) 3형식

「S + V + O」 형태로 쓰이며 명사, to부정사, 동명사, 절 등 다양한 형태의 목적어가 올 수 있다.

<u>Bees</u> <u>have</u> <u>two stomachs.</u>   꿀벌은 두 개의 위(胃)를 가지고 있다.
  S   V   O(명사)

<u>I</u> <u>refused</u> <u>to wait there</u> <u>in the cold.</u>   나는 추운 날씨에 그곳에서 기다리는 것을 거부했다.
S   V   O(to부정사)   부사구

<u>I</u> <u>always</u> <u>enjoy</u> <u>hearing jazz</u> <u>while I'm driving.</u>
S   부사   V   O(동명사)   부사절

나는 항상 운전 중에 재즈 음악을 듣는 것을 즐긴다.

<u>We</u> <u>learned</u> <u>that Platinum is a heavy silvery metal.</u>
 S   V   O(절)

우리는 Platinum이 무거운 은백색의 금속이라는 사실을 배웠다.

(2) 4형식

「S + V + I.O + D.O」 형태로 쓰이며 직접목적어로는 명사, 절 등이 주로 쓰인다. 이와 같이 4형식으로 쓰이는 동사를 수여동사라고 하는데 give, tell, teach, show, lend, buy, make, ask 등이 있다.

We must teach young people the importance of exercise.
S   V   I.O   D.O(명사)

우리는 젊은 사람들에게 운동의 중요성을 가르쳐야만 한다.

The teacher asked Ken how he could solve the problem.
S   V   I.O   D.O(절)

선생님은 Ken에게 그 문제를 어떻게 풀었는지를 물었다.

(3) 5형식

「S+V+O+O.C」 형태로 쓰이며, 목적격 보어로는 명사, 형용사, to부정사, 분사, 동사원형 등이 쓰인다. **❶**

❶ Chap. 04 5형식 문장 구조 참조

Computers have made communicating more convenient.
S   V   O   O.C(형용사)

컴퓨터는 의사소통을 더욱 편리하게 만들었다.

You must persuade him to eat more vegetables.
S   V   O   O.C(to부정사)

당신은 그가 더 많은 야채를 먹도록 설득해야만 한다.

Respect makes people feel important. 존경심은 사람을 중요하게 느끼도록 만든다.
S   V   O   O.C(동사원형)

■ 헷갈리는 자동사와 타동사

(1) 타동사와 혼동되는 자동사

자동사와 타동사의 형태가 비슷하고 시제변화(과거/과거분사)와 어우러져 쓰임에 혼동을 주는 동사들이다.

자동사	타동사
lie - lay - lain 눕다, 있다 lie - lied - lied 거짓말하다	lay - laid - laid 두다, 놓다
rise - rose - risen 일어나다, 증가하다 arise - arose - arisen 발생하다	raise - raised - raised 올리다, 기르다 arouse - aroused - aroused ~을 불러일으키다
fall - fell - fallen 넘어지다, 떨어지다	fell - felled - felled 넘어뜨리다, 베다

She **lay / laid** crying and exhausted on her bed.
S   V   C   부사구

그녀는 침대 위에서 울면서 지친 채로 누워 있었다.

Yesterday temperature **rose / raised** to almost 36℃ in the region.
S   V   부사구   부사구

어제 그 지역에서 온도가 거의 섭씨 36도까지 올라갔다.

(2) 형태가 비슷한 타동사

전혀 다른 뜻을 가졌지만, 형태가 비슷하여 쓰임에 혼동을 주는 동사들이다.

find - found - found 찾다, 발견하다	found - founded - founded 설립하다
hang - hung - hung 걸다, 매달다	hang - hanged - hanged 목을 매달다
wind - wound - wound 감다	wound - wounded - wounded 부상을 입히다

Reptiles are mainly **found** / founded in the tropics.

파충류는 열대지역에서 주로 발견된다.

He was seriously wound / **wounded** in the slope.

그는 비탈길에서 심하게 부상을 당했다.

(3) 자동사로 착각하기 쉬운 타동사

타동사는 전치사 필요 없이 '타동사 + 목적어' 형태로 쓰이는데, 일부 타동사들의 경우 우리말의 의미와 혼동하여 '타동사 + 전치사 + 목적어' 로 쓰기 쉬우므로 전치사를 붙여 쓰지 않도록 주의해야 한다.

reach at 도착하다	marry with 결혼하다	leave from 출발하다
attend at 참석(출석)하다	discuss about 토론하다	enter into 들어가다
resemble with 닮다	survive in 생존하다	greet to 인사하다
mention about 언급하다	answer to 대답하다	await for 기다리다

He was scheduled to leave from this city yesterday.

그는 어제 이 도시를 떠나기로 예정되어 있었다.

We discussed about the current problems with the other employees.

우리는 다른 직원들과 최근의 문제점들을 토론했다.

(4) 4형식으로 착각하기 쉬운 3형식 동사들

우리말로 '~에게 …을(를)' 로 해석되어 4형식으로 쓰기 쉬운 동사들로, 전치사구를 이용하여 반드시 3형식으로 써야 한다.

❶ 「S+V+O(사람)+ of ~ 」형으로 쓰는 동사 : ~에게 …를 ~하다

inform 알리다	remind 상기시키다	warn 경고하다
rid/clear 제거하다	rob/deprive 빼앗다	cure 치료하다

This picture reminds me of my school days.

이 사진은 나에게 학창시절을 생각나게 한다.

❷ 「S+V+O+to사람」형으로 쓰는 동사 : ~에게 …를 ~하다

say 말하다	introduce 소개하다	suggest/propose 제안하다
explain 설명하다	announce 알리다	describe 묘사하다, 설명하다

Father suggested to me that I should stop watching TV at night.❷

아빠는 나에게 밤에 TV 시청하는 것을 그만두라고 말씀하셨다.

❷ 목적어(that절)가 길어서 부사구(to me)를 앞에 쓴 형태이다.

PATTERN STUDY [유형 학습]

SUMMA CUM LAUDE GRAMMAR & USAGE

유형 **1** 보어의 형태　　　　　　　　　　　　　　　출제 빈도 ●●○

What you must do to stay | healthy / healthily | during your trip is to relax, sleep, and eat well.

해설 | 「주어(S) + 동사(V) + 보어(C)」 형태로 2형식으로 쓰이는 동사는 보어(주격 보어)를 가지는데, 보어의 형태로는 형용사가 쓰여야 하며 부사는 쓸 수가 없다. stay(~한 상태로 있다)는 2형식 동사이므로 형용사 healthy가 와야 한다.

해석 | 당신이 여행하는 동안 건강을 유지하기 위해 해야 할 것은 잘 쉬고, 잘 자고, 그리고 잘 먹는 것이다.

정답 | healthy

유형 **2** 자동사와 타동사의 선택 (1)　　　　　　　　출제 빈도 ●●●

Research has shown that the key to long engine life | lies / lays | in the frequent changing of engine oil.

해설 | 자동사와 타동사의 쓰임을 구별하는 문제로 문장 속에서 다음과 같이 판단하면 된다.

구 분	목적어	수동태
자동사	불필요	불가능
타동사	필요	가능

뒤에 목적어가 없고 <u>the key to long engine life</u> + | lies / lays | ~의 형태로
　　　　　　　　　　　　　　　　　S　　　　　　　　　　V
〈S + V〉로만 이루어진 문장이므로 자동사 lies가 와야 한다.

해석 | 엔진의 오랜 수명을 위한 비결은 엔진 오일을 자주 교환하는 데 있다는 사실을 연구가 보여주고 있다.

정답 | lies

1
relax 쉬다

2
frequent 자주, 빈번한

유형 3. 자동사와 타동사의 선택 (2)

> Questions have been risen / raised about whether genetically modified
> food is harmful to our health or not.

해설 | Questions + have been risen / raised ~의 형태로 동사가 수동태(현재완료 수동태)
　　　　 $\underline{S}$ 　　　　　　　 $\underline{V}$
로 쓰여 있기 때문에 타동사 **raised**가 와야 한다.

해석 | 유전적으로 변형된 음식이 우리 건강에 해로운지 아닌지에 대한 질문이 제기되어 왔다.

정답 | **raised**

유형 4. '타동사 + 부사'의 목적어 위치

출제 빈도 ●●○

> I can't guess what the author means by the term "placebo effect." I have
> to look it up / look up it in the dictionary.

해설 | '타동사 + 부사'로 이루어진 구동사가 대명사를 목적어로 가질 때는

　　　┌ 타동사 + 대명사 + 부사 (O) ┐
　　　└ 타동사 + 부사 + 대명사 (X) ┘ 형태로 쓴다는 점에 주의해야 한다. 따라서 **look it up**이 와야

한다.

해석 | 나는 그 작가가 '플라시보 효과'라는 용어로 무엇을 말하는지를 짐작할 수 없다. 사전에서 그것을
찾아봐야만 하겠다.

정답 | **look it up**

3
genetically 유전적으로
modify 변형하다, 고치다

4
placebo effect 가짜 약으
로 치료 효과를 보는 것
look up (사전에서) ~을 찾다

Grammar Plus

■ 타동사 + 부사

'타동사 + 부사'는 타동사가 본래의 뜻과 다른 새로운 의미를 갖게 되며, 목적어가 명사이면 부사 앞이나 뒤에 올 수 있
으나 대명사이면 동사와 부사 사이에만 올 수 있다.

on	put on 입다	turn on 켜다		
off	turn off 끄다	call off 취소하다	put off 연기하다	take off 벗다
up	take up (시작)하다, 차지하다	pick up 줍다, 데리러 가다	use up 다 써버리다	
down	turn down 거절하다	put down 기록하다, 내려놓다		
away	drive away 내쫓다	throw away 버리다		

Put the coat **on**.
= **Put on** the coat. 코트를 입어라.

Jogging is a popular sport. Millions of Americans are **taking** it **up**.

조깅은 인기 있는 스포츠이다. 수백만 명의 미국인들이 조깅을 한다.

유형 5. 자동사로 착각하기 쉬운 타동사

Mary | resembles / resembles with | her mother who died twenty years ago.

해설 | 우리말로 해석하면 'Mary는 엄마와 닮았다'로 resembles with가 맞는 형태인 것처럼 보일 수 있다. 그러나 동사 resemble은 타동사로 뒤에 전치사 없이 바로 목적어를 갖기 때문에 with가 없어야 한다.

해석 | Mary는 20년 전에 돌아가신 엄마와 닮았다.

정답 | resembles

유형 6. 수동태로 쓰기 쉬운 자동사

출제 빈도 ●●○

The new theory about why dinosaurs | suddenly disappeared / were suddenly disappeared | from the earth has yet to be proved.

해설 | dinosaurs | suddenly disappeared / were suddenly disappeared | from the earth는 '공룡이 지구상에서 갑자기 사라지게 되었다'로 해석되어 수동태(were suddenly disappeared)로 쓰기 쉬운데, disappear는 자동사이기 때문에 목적어를 취할 수 없고 수동태로 쓰지 못한다. 따라서 suddenly disappeared가 와야 한다.

해석 | 공룡이 지구상에서 갑자기 사라진 이유에 관한 새로운 이론은 아직 입증되지 않았다.

정답 | suddenly disappeared

유형 7. 4형식으로 착각하기 쉬운 3형식 동사

출제 빈도 ●○○

Psychologists say | us / to us | that liars try hardest to control their words and face.

해설 | Psychologists + say + us + that liars try hardest ~ 의 형태로
         S   V   I.O(~에게)   D.O(~을)

4형식으로 쓰기 쉽다. 그러나 say 동사는

Psychologists + say + to us + that liars try hardest ~ 의 형태로
      S   V   부사구   O

두 개가 아닌 한 개의 목적어를 갖는 3형식 구조를 취해야 한다. 따라서 to us가 와야 한다.

해석 | 거짓말하는 사람들은 그들의 말과 얼굴을 관리하기 위해 매우 열심히 노력한다고 심리학자들은 우리에게 말한다.

정답 | to us

6
theory 이론
dinosaur 공룡

7
psychologist 심리학자

PATTERN PRACTICE [유형 훈련]

SUMMA CUM LAUDE GRAMMAR & USAGE

SUB NOTE 6쪽

난이도 ● : 하　●● : 중　●●● : 상

[01~10] 각 네모 안에서 어법에 맞는 표현을 고르시오.

●○○

01　Scientists found that if genetically identical twins were
laid / lain in different environments, their physical and behavioral
characteristics would differ.

identical 동일한
characteristic 특성

●●○

02　It seems like / likely that diseases associated with aging, not
the aging process itself, cause decline in one's ability to learn.

aging 노화
decline 감소, 쇠퇴

●○○

03　The town was originally found / was originally founded as a
mining town in the late 1880s when a large amount of silver was
discovered there.

●○○

04　Fainting, the condition of a brief loss of consciousness,
occurs / is occurred from lack of oxygen in the brain.

fainting 기절, 실신
brief 짧은, 간결한
consciousness 의식

●●○

05　While enjoying a bike ride one weekend, I was reminded of
how different / differently the world looks from the seat of a bicycle.

strategy 전략

●○○
06 A company's messaging and communication strategies must change over time in order to remain effective / effectively .

aggressive 공격적인

●●○
07 I'm not very successful in business, because I'm the youngest child and thus less aggressive / aggressively than my older brothers and sisters.

●●●
08 He tells us / to us that children can develop their bodies and brains while watching television.

●○○
09 The most effective way to focus on your goals is to write them down / write down them .

practice 관습, 관례

●●●
10 Strange / Strangely as it appears, it is not always possible to break the old practices even when they clearly do not apply.

[11~15] 밑줄 친 부분이 올바르게 쓰였는지 판단하고, 필요하면 어법에 맞게 고치시오.

cube 정육면체

●●●
11 If you have ever seen an MRI machine, it <u>looks</u> a very big cube.

revolutionary 혁명적인

●○○
12 Fast food <u>has proven</u> to be a revolutionary force in American life.

○●○○

13 Meteors get very hot when they pass through the atmosphere. Most of them burn up before they <u>reach at</u> the ground.

meteor 운석
burn up 다 타버리다

●●○

14 Some problem-solving researchers have emphasized the need to look <u>closely</u> at the way problems are defined.

emphasize 강조하다

●●○

15 At the bottom of a cliff near the valley, <u>lays</u> a pile of fossilized horse bones that covers two acres.

fossilized 화석화된

CHAPTER 03 수동태

SUMMA CUM LAUDE GRAMMAR & USAGE

■ 수동태 전환 및 시제

(1) 능동태에서 수동태로의 전환

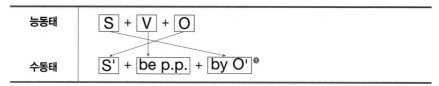

O'가 일반인(we, they, people)이거나 불분명할 때 'by+O''는 주로 생략한다.

(2) 수동태 시제

수동태의 시제는 'be+p.p.'에서 be동사의 시제로 결정하며 다음의 8가지 시제가 주로 사용된다.

미래진행형은 수동태로 쓰이지 않는다.

현재	am/is/are+p.p.	The ceremony **is held** every week. 그 의식은 매주 **거행된다**.
과거	was/were+p.p.	The ceremony **was held** last week. 그 의식은 지난주에 **거행되었다**.
미래	will be+p.p.	The ceremony **will be held** next week. 그 의식은 다음 주에 **거행될 것이다**.
현재진행	am/is/are+being+p.p.	The ceremony **is being held** now. 그 의식은 현재 **거행 중이다**.
과거진행	was/were+being+p.p.	The ceremony **was being held** when I was entering the hall. 내가 그 방에 들어갔을 때, 그 의식은 **거행 중이었다**.
현재완료	have/has+been+p.p.	The ceremony **has been held** since 1950. 그 의식은 1950년 이후 **거행되고 있다**.
과거완료	had+been+p.p.	The ceremony **had been held** until that time. 그 의식은 그때까지 **거행되고 있었다**.
미래완료	will have+been+p.p.	The ceremony **will have been held** by next week. 그 의식은 다음 주까지 **거행될 것이다**.

■ 문장의 형식에 따른 수동태의 형태

(1) 3형식 문장의 수동태

❶ 목적어가 명사인 문장의 수동태
가장 기본적인 수동태 문장으로 「주어(S)+be p.p.」 형태로 쓰인다.

They use canals for transporting goods. 그들은 물품을 운송하기 위해 운하를 이용한다.
→ **Canals are used for transporting goods (by them).**
>   운하는 물품을 운송하기 위해 이용된다.

❷ 목적어가 that절인 문장의 수동태
목적어가 that이 이끄는 명사절인 경우에는 가주어 It을 사용해 「It+be p.p.+절」❸
의 형태로 쓰거나, 또는 that절 안의 주어를 주절의 주어로 위치시켜 사용한다.

> ❸ 이때 that 명사절은 목적어가 아니라 진주어가 되는 것이다.

People say that we spend a third of our lives sleeping.
> 사람들은 우리가 우리 삶의 3분의 1을 잠자면서 보낸다고 말한다.
→ **It is said that we spend a third of our lives sleeping.**
→ **We are said to spend a third of our lives sleeping.**
>   우리는 우리 삶의 3분의 1을 잠자면서 보낸다고 말한다.

(2) 4형식 문장의 수동태
「주어(S)+동사(V)+간접목적어(I.O)+직접목적어(D.O)」 형태로 쓰이는 4형식 문장의 경우는 목적어가 두 개이기 때문에 두 개의 수동태가 가능한데, 간접목적어를 주어로 사용하여 수동태로 바꾸는 경우에 「주어(S)+be p.p.+직접목적어(D.O)」로 수동태로 쓰인 동사가 목적어를 가지게 되는 것에 주의해야 한다.

The doctor gave the patient a medicine. 의사는 그 환자에게 약을 주었다.
→ **The patient was given a medicine by the doctor.** <간접목적어 the patient가 주어로 쓰임>
>   그 환자는 의사에 의해 약을 받았다.
→ **A medicine was given to the patient by the doctor.** <직접목적어 a medicine이 주어로 쓰임>
>   약이 의사에 의해 그 환자에게 주어졌다.

cf. 직접목적어를 주어로 사용하여 수동태로 쓰는 경우에는 간접목적어 앞에 전치사 to나 for 등을 써주며, 문장 의미상 make, buy, bring, write 등은 간접목적어를 수동태의 주어로 쓸 수 없다.

My friend bought me a teddy bear. 내 친구가 나에게 곰 인형을 사 주었다.
→ **A teddy bear was bought for me by my friend. (O)**
>   곰 인형이 내 친구에 의해 나를 주려고 구입되었다.
→ **I was bought a teddy bear by my friend. (X)**

(3) 5형식 문장의 수동태
「주어(S)+동사(V)+목적어(O)+목적격 보어(O.C)」 형태로 쓰이는 5형식 문장의 경우는 목적격 보어의 형태가 다양하기 때문에 수동태 또한 다양한 형태를 가질 수 있다.

❹ 「주어(S)+be p.p.+명사(N)」에서 명사는 보어이기 때문에 '~로(라고)'로 해석되며 call, name, consider, think, believe 등이 동사인 경우에 주로 쓰인다.

❺ Chap. 04 5형식 문장 구조 참조

❶ 목적격 보어가 명사인 문장의 수동태 ❹

People call him *the founder of modern geography*.

사람들은 그를 현대 지리학의 창시자라고 부른다.

→ He is called the founder of modern geography (by people).

그는 현대 지리학의 창시자라고 불린다.

❷ 목적격 보어가 형용사인 문장의 수동태 ❺

The technical developments have made electronic media *possible*.

기술적인 발달이 전자 매체를 가능하게 만들었다.

→ Electronic media have been made possible by the technical developments.

전자 매체는 기술적인 발달에 의해 가능해졌다.

❸ 목적격 보어가 to부정사(구)인 문장의 수동태

People consider hydrogen *to be a very clean fuel*.

사람들은 수소를 매우 깨끗한 연료로 간주한다.

→ Hydrogen is considered to be a very clean fuel.

수소는 매우 깨끗한 연료로 간주된다.

❹ 지각동사나 사역동사의 수동태

「주어(S)+지각동사/사역동사+목적어(O)+동사원형(O.C)」으로 쓰인 문장을 수동태로 쓰는 경우에 「주어(S)+be p.p.+to부정사」로 쓰는데, 지각동사 see, hear, observe와 사역동사 make가 주로 이러한 형태로 쓰인다.

I *made him repair* the CD player.　나는 그에게 CD 플레이어를 수리하도록 시켰다.

→ He was made to repair the CD player.　그는 CD 플레이어를 수리해야 했다.

■ 동사구의 수동태

'자동사+전치사'나 '타동사+부사'로 결합하여 뜻을 만드는 동사구는 수동태로 쓰일 때도 한 단어처럼 묶여서 쓰인다.

look after 돌보다	look for 찾다	look up to 존경하다
bring up 기르다	bring about 초래하다	refer to 언급하다
laugh at 비웃다	put off 연기하다	account for (비율을) 차지하다, 설명하다

All his students look up to Mr. Williams.　그의 학생들 모두 Williams 선생님을 존경한다.

→ Mr. Williams is looked up to by all his students.

Williams 선생님은 그의 모든 학생들에 의해 존경받고 있다.

His parents brought him up in rural areas.　그의 부모님은 그를 시골에서 길렀다.

→ He was brought up in rural areas by his parents.

그는 그의 부모님에 의해 시골에서 길러졌다.

■ by 이외의 전치사를 쓰는 수동태의 관용적인 표현

동사에 따라 수동태로 쓰일 때 by 이외의 전치사가 관용적으로 쓰이기도 한다.

with	be associated with ~와 관련되다 be crowded with ~로 붐비다 be faced with ~에 직면하다 be pleased with ~에 기뻐하다	be covered with ~로 덮여 있다 be equipped with ~을 갖추다 be filled with ~로 가득 차 있다 be satisfied with ~에 만족하다
of	be ashamed of ~을 부끄러워하다 be convinced of ~을 확신하다 be possessed of ~을 소유하다	be composed of ~로 구성되다 be made of(from) ~로 만들어지다 be tired of ~에 싫증나다
in	be absorbed(lost) in ~에 몰두하다 be interested in ~에 흥미가 있다	be engaged in ~에 종사하다 be involved in(with) ~와 관련되다
for	be suited for ~에 적합하다 be noted(known) for ~로 유명하다	be named for(after) ~을 본따서 이름짓다
to	be accustomed to ~에 익숙하다 be exposed to ~에 노출되다 be opposed to ~에 반대하다	be devoted to ~에 헌신하다 be married to ~와 결혼하다 be related to ~와 관계가 있다
at	be surprised(startled/astonished/amazed) at ~에 놀라다 be disappointed at ~에 실망하다	

■ 수동태를 쓰지 않는 동사들

(1) 자동사

자동사는 단독으로 목적어를 취할 수 없으므로 수동태가 불가능하다.[6]

Water is the only substance that is appeared(→ appears) at ordinary temperatures as a solid, a liquid, and a gas.

물은 상온에서 고체, 액체 그리고 기체로 나타나는 유일한 물질이다.

(2) 일부 타동사

상태동사들과 일부 소유동사들은 무의지 상태이므로, 타동사라 할지라도 수동태가 불가능하다.

become 어울리다(=suit, fit)	have 가지다(=own)	belong to ~에 속하다
lack 부족하다	resemble 닮다	hold 수용하다

He lacks common sense. 그는 상식이 부족하다.

→ Common sense is lacked by him. (X)

[6] Chap. 02 자동사와 타동사 참조

PATTERN STUDY [유형 학습]

유형 **1** 수동태 판단하기 (1) 출제 빈도 ●●●

> People today are using more and more water, and water use ⬚expects / is expected⬚ to grow by 40 percent over the next twenty years.

해설 ┃ 수동태로 쓰여진 문장의 가장 기본적인 해석 방식은 주어와 동사의 관계를 'S가 당하다, 되다, 받다'로 해석하는 것이다. 이 문장에서는 뒤에 목적어가 없고 '물 사용은 증가할 것으로 예상된 다'는 의미이므로 수동태 **is expected**가 와야 한다.

해석 ┃ 오늘날 사람들은 더욱 더 많은 물을 사용하고 있으며, 물 사용은 향후 **20**년에 걸쳐 **40%**까지 증 가할 것으로 예상된다.

정답 ┃ is expected

Grammar Plus

■ 수동태의 기본 해석

당하다	be persuaded 설득당하다	be forced 강요당하다
하게 되다	be expected 예상되다	be considered 간주되다
받다	be offered 제공받다	be asked 질문(요청)받다

He **was persuaded** to remain there until next month.
그는 다음 달까지 거기에 머물도록 설득당했다.

To pet owners pets **are considered** members of their family.
애완동물 주인들에게 애완동물들은 그 가족의 일부로 간주된다.

유형 **2** 수동태 판단하기 (2) 출제 빈도 ●●●

> At some nursing homes depressed people ⬚give / are given⬚ pets as a means of therapy.

2
nursing home 양로원
depressed 우울한
therapy 치료

해설 | 수동태로 쓰인 문장은 '당하다, 되다, 받다' 이외에 수동으로 쓰인 동사의 반대 의미로 해석되는 경우도 있다. 이 문장에서는 '우울증에 걸린 사람들은 애완동물을 받는다'는 의미이므로 수동태 are given이 와야 한다. 뒤에 목적어(pets)가 있기 때문에 능동태로 착각할 수 있으나, give는 4형식 동사로 수동태이면 「S+be p.p.+O」 형태가 온다는 점에 유의한다.

해석 | 일부 양로원에서 우울증에 걸린 사람들은 치료의 수단으로 애완동물을 받는다.

정답 | are given

Grammar Plus

■ **동사의 반대 의미로 해석되는 수동태**

be told 듣다	be taught 배우다	be given 받다, 가지다
be shown 보다	be handed 받다	be lent 빌리다

The children **were taught** English in Canada. 그 아이들은 캐나다에서 영어를 배웠다.

Americans **are given** 14 days per year for vacation on average.

미국인들은 평균적으로 연중 14일의 휴가를 받는다.

유형 3 수동태로 쓰지 못하는 동사

출제 빈도 ●●○

Water is an important part of all living cells. For example, the blood of animals consists mostly of / is consisted mostly of water.

해설 | consist of는 '~로 구성되다'는 뜻으로 수동으로 해석되지만 자동사이기 때문에 수동태로 쓸 수 없다.

해석 | 물은 살아 있는 모든 세포들의 중요한 일부이다. 예를 들어, 동물의 피는 주로 물로 구성되어 있다.

정답 | consists mostly of

유형 4 자주 쓰이는 수동태형 동사

출제 빈도 ●●●

The Imperial Valley locates / is located 18 meters below sea level and was once a desert.

해설 | locate는 '~을 두다, (위치를) 알아내다'의 의미로 쓰이는 타동사이며, '~에 위치하다'의 의미로 쓰일 때는 항상 수동태로 쓰기 때문에 is located가 와야 한다.

해석 | Imperial Valley는 해수면 18미터 아래에 위치해 있으며, 한때는 사막이었다.

정답 | is located

3
cell 세포

4
desert 사막

Grammar Plus

■ 항상 수동태로 쓰이는 동사

be located(situated) 위치하다	be seated 앉다, 앉아 있다
be placed 놓여 있다, 위치하다	be lost(absorbed) in 몰두하다
be concerned with 관련이 있다, 관심이 있다	be concerned about 걱정하다

She **was seated** like a princess.
그녀는 공주처럼 앉아 있었다.

Some people **are not concerned with** saving energy.
일부 사람들은 에너지를 절약하는 일에 관심이 없다.

유형 **5** 지각동사와 사역동사의 수동태 출제 빈도 ●○○

Like our basic instinct to sleep at night, some flowers can be observed
close / to close when the sun goes down.

해설 | 지각동사와 사역동사가 「S + 지각동사/사역동사 + O + O.C(동사원형)」 형태의 능동태에서 수동
태로 바뀌는 경우에는 'S + be p.p. + to부정사' 형태로 써야 한다. 이 문장에서는 지각동사
observe가 수동태로 쓰였기 때문에 to close가 와야 한다.

해석 | 밤에 잠을 자는 우리의 기본적 본능과 마찬가지로, 해가 질 때 일부 꽃들은 지는 것이 관찰될 수
있다.

정답 | to close

5
instinct 본능
go down (해가) 지다

PATTERN PRACTICE [유형 훈련]

SUMMA CUM LAUDE GRAMMAR & USAGE

SUB NOTE 8쪽

난이도 ● : 하 ●● : 중 ●●● : 상

[01~10] 각 네모 안에서 어법에 맞는 표현을 고르시오.

●○○

01 Stores must be forced to charge for plastic bags. That's the only way consumers can persuade / be persuaded to cut down on the plastic bags they use.

plastic bag 비닐봉지
cut down on 줄이다

●○○

02 The average American office worker relaxes for a little over two hours a day — that is not counting / is not counted lunches or breaks.

●●○

03 Due to water pollution, it thinks / is thought that over a billion people lack access to clean drinking water.

pollution 오염

●●○

04 In ancient times, art ① created / was created to be used as part of ceremonies which ② meant / were meant to please the gods.

●●●

05 The bodies of flowing ice we call glaciers are the most spectacular of natural features. They result from densely packed snow. Unlike a stream, a glacier cannot be seen move / to move .

spectacular 장관인
feature 특징, 볼거리
densely 빽빽(조밀)하게

association 연관성
reckless 난폭한
influence 영향을 미치다

●●○
06 Evidence suggests an association between loud, fast music and reckless driving, but how might music's ability to influence driving in this way | explain / be explained |?

child-rearing 자녀 양육
separation 분리

●○○
07 For decades, child-rearing advice from experts | has encouraged / has been encouraged | the nighttime separation of baby from parent.

pickup truck 소형 트럭

●●●
08 They entered a contest to guess how many soda cans the back of a pickup truck | held / was held |.

●○○
09 Easter Island is famous all over the world. It | situates / is situated | in the Pacific Ocean, about 3,700 km west of Chile.

tape measure 줄자
determine 결정하다
javelin 투창
regardless of ~에 상관없이

●●○
10 For example, using a tape measure to determine the distance a javelin | threw / was thrown | yields very similar results regardless of who reads the tape.

[11~16] 밑줄 친 부분이 올바르게 쓰였는지 판단하고, 필요하면 어법에 맞게 고치시오.

resign 사임하다

●●●
11 The company president was made <u>resign</u> suddenly by the committee members.

○●○

12 Dolphins <u>are known by</u> the friendliest creatures in the sea and stories of them helping drowning sailors have been common.

drown 물에 빠지다, 익사하다

●●●

13 The rise in the earth's temperature <u>is referred to as</u> global warming.

●●○

14 When a concert violinist ① <u>asked</u> the secret of her success, she replied, "Planned neglect." Then she explained, "When I was in school, there were many things that ② <u>were demanded</u> my time and energy."

neglect 태만, 무시
demand 요구하다

●●○

15 As I <u>was seated</u> on the nearly empty train, a homeless man came through the door of the adjoining car.

adjoining 인접한, 옆의

●●○

16 More than half of the future growth in energy demand in Asia <u>expects</u> to come from the transportation sector.

demand 수요
transportation 운송
sector 부문

CHAPTER 04 5형식 문장 구조

SUMMA CUM LAUDE GRAMMAR & USAGE

5형식 문장은 목적어와 목적격 보어를 취하여 「주어(S)＋동사(V)＋목적어(O)＋목적격 보어(O.C)」의 형태로 쓰이며, 목적격 보어는 동사의 형태 및 목적어와의 관계에 따라 다양한 형태를 가질 수 있다.

■ S+V+O+O.C[명사]

목적격 보어로 명사가 쓰이면 O=O.C 관계에 있으며, 'S는 O를(가) O.C로서(라고) V한다' 로 해석한다.

<u>Many people</u> <u>consider</u> <u>television</u> <u>a necessity of life</u>. <television = a necessity of life>
      S   V   O   O.C

많은 사람들이 TV를 생활필수품으로 간주한다.

■ S+V+O+O.C[형용사]

형용사가 목적격 보어로 쓰이면 목적어를 설명·표현하는 역할을 하며 〈O+O.C〉는 〈S＋be동사＋C〉의 2형식 관계에 놓인다. 목적격 보어로 형용사를 필요로 하는 주요 동사로는 think, believe, find, feel, make, consider, keep, leave 등이 있다.

<u>Mass production</u> <u>has made</u> <u>stylish clothes</u> <u>available</u> to almost everyone.
        S   V   O   O.C

→ stylish clothes are available(멋진 옷이 이용 가능하다)

대량 생산은 멋진 옷이 거의 모든 사람들에게 이용 가능하도록 만들었다.

■ 지각동사

지각동사(see, watch, observe, notice, hear, feel 등)가 쓰이면 목적격 보어는 목적어와의 관계에 따라 다음과 같이 쓰인다.

```
                    ┌ 능동 관계 ┐
                    ┌─  동사원형(~ing)
    S + 지각동사 + O + ┤
                    └─  p.p.
                    └ 수동 관계 ┘
```

I saw <u>Andy</u> <u>cry(crying)</u>[●] behind the wall.
└─ 능동 관계 ─┘

나는 Andy가 벽 뒤에서 우는 것을 보았다.

I heard <u>my favorite song</u> <u>played</u> in the concert hall.
└─ 수동 관계 ─┘

나는 내가 좋아하는 노래가 연주회장에서 연주되는 것을 들었다.

[●] 지각동사 뒤에 동사원형이 오
면 처음부터 끝까지 보거나 들
은 것이고 현재분사(~ing)를 쓰
면 진행 중인 동작을 잠시 보거
나 들은 것을 의미한다.
┌ cry : 우는 장면을 처음부터
│   끝까지 지켜본 경우
└ crying : 우는 장면을 중간
         에 잠깐 본 경우

■ 사역동사

(1) 사역동사
사역동사(have, make, let)가 쓰이면 목적격 보어는 목적어와의 관계에 따라 다음
과 같이 쓰인다.

```
              ┌ 능동 관계 ┐
                       ┌ 동사원형
S+사역동사+O+│
                       └ p.p.
              └ 수동 관계 ┘
```

Don't <u>let</u> <u>those children</u> <u>eat</u> a lot of candy.
       └─ 능동 관계 ─┘

그 아이들이 사탕을 많이 먹지 못하게 해라.

<u>Viewing TV can</u> make <u>preschoolers</u> better prepared for school.
                            └─ 수동 관계 ─┘

TV 시청은 취학 전 아동들이 학교에 대한 준비가 더 잘 되도록 만들 수 있다.

(2) 준사역동사
help는 준사역동사로 목적격 보어 자리에 동사원형 또는 to부정사를 쓸 수 있다.

Hope may help a patient (to) fight diseases.

희망은 환자가 질병과 싸우는 데 도움이 될 수 있다.

(3) 사역동사로 착각하기 쉬운 일반동사 get
일반동사 get은 사역동사처럼 '시키다'의 뜻을 가질 수 있는데, 다음과 같은 형태
로 쓰인다.

❶ S+get+사람+to부정사 : ~에게 …하도록 시키다

<u>I</u> <u>got</u> <u>my neighbor</u> <u>to repair</u> the leak in the kitchen.
S   V   O   O.C

나는 이웃에게 부엌에 새는 곳을 수리하도록 시켰다.

❷ S+get+<u>무생물</u>+p.p. : ~을 …시키다(당하다)[❷]
         └─ 수동 관계 ─┘

[❷] 이 형태에서는 get 대신
have(사역동사)를 써도 된다.

Amy got (had) her bag┌ repaired yesterday.   Amy는 어제 그녀의 가방을 수선시켰다.
                     └ stolen yesterday.   Amy는 어제 그녀의 가방을 도난당했다.

CHAPTER **04** 5형식 문장 구조 ● **45**

■ S+V[일반동사]+O+to부정사

지각동사나 사역동사가 아닌 일반동사가 쓰이면 목적격 보어 자리에 동사원형을 쓰지 못하고 to부정사를 쓴다.

> cause, allow, ask, enable, force,
> tell, forbid, persuade, encourage ┐ + 목적어 + **to**부정사

Frost causes the moisture within the plants to freeze.
　S 　　V 　　　　　　O 　　　　　　　　　　O.C
서리는 식물 내부의 습기가 얼어붙게 한다.

■ S+V+O+~ing/p.p.

지각동사나 사역동사가 아닌 동사가 목적격 보어 자리에 ~ing나 p.p.를 가지는 경우로 find, keep, leave 등의 동사가 주로 쓰인다.

I found many students dozing during the class.
S 　V 　　　O 　　　　O.C
　　　　　　　└─ 능동 관계 ─┘
나는 수업 중에 많은 학생들이 졸고 있는 것을 발견했다.

He left four vacation days unused this year.
S 　V 　　　　O 　　　　　O.C
　　　　　　　└─ 수동 관계 ─┘
그는 올해 4일간의 휴가를 사용하지 않은 채로 남겨 두었다.

■ 가목적어

think, believe, find, feel, make, consider 등의 5형식 동사가 to부정사나 that절을 목적어로 가질 경우 목적어 자리에 가목적어 it을 쓰고, to부정사나 that절은 문장 맨 뒤로 보낸다.

❸ 가목적어가 쓰인 문장은 5형식으로, 목적격 보어 자리에 부사를 쓰지 않도록 주의해야 한다.

> S+V+it+형용사(명사)❸ + ┌ **(for/of 의미상 주어)+to**부정사
> 　　　 가목적어 　O.C 　　 └ **that**절
> 　　　　　　　　　　　　　　　　진목적어

Kindergartens can make it easier for young children to grow up in this
　　　S 　　　　　V 　가목적어 O.C 　　의미상 주어 　　　　진목적어
changing society.

유치원은 어린 아이들이 이러한 변화하는 사회에서 성장하는 것을 보다 용이하게 해 줄 수 있다.

I think it strange that she rejected the offer.
S 　V 가목적어 O.C 　　　　진목적어
나는 그녀가 그 제안을 거절한 것을 이상하게 생각한다.

PATTERN STUDY [유형 학습]

SUMMA CUM LAUDE GRAMMAR & USAGE

유형 1. S+V+O+형용사   출제 빈도 ●●●

People who hack into computers or spread malicious viruses can make our lives miserable / miserably .

해설 I People [who hack into computers or spread malicious viruses] can make
　　　 S　　　　　　　　　　　관계대명사절(주격)　　　　　　　　　　　　　　 V

our lives miserable / miserably .는 '~하는 사람들은 우리의 삶을 비참하게 만들 수
　O　　　　　　O.C

있다' 는 의미로 해석되기 때문에 부사 miserably를 쓰기 쉽다.
그러나 각각의 형태에 따라 문장 구조를 풀어보면

　make + our lives + miserable : 우리의 삶을 비참하게 만든다
　　　　　 → our lives are miserable (우리의 삶이 비참하다)　　　　　　 의 의미가 되기

　make + our lives + miserably : 우리의 삶을 만든다
　　　　　　　　　　　　　　 동사 수식　　 비참하게 (만드는 동작이 비참하다는 의미)

때문에 목적격 보어로 형용사 miserable이 와야 한다.

해석 I 컴퓨터를 해킹하거나 악성 바이러스를 퍼뜨리는 사람들은 우리의 삶을 비참하게 만들 수 있다.

정답 I miserable

유형 2. 수동태로 쓰인 5형식 동사   출제 빈도 ●○○

The number 7 is consistently considered lucky / luckily , even in very different cultures.

해설 I 이 문장을 능동태로 고치면

People consistently consider the number 7 lucky / luckily ~인데,
일반인 주어　　　 V　　　　　　 O　　　　　 O.C

People consider the number 7 lucky는 '사람들은 7이라는 숫자를 운이 좋은 것으로 간주한다' 는 의미이므로 목적격 보어로 형용사 lucky가 와야 한다.

해석 I 7이라는 숫자는 매우 다른 문화들에서도 운 좋은 것(행운)으로 항상 간주된다.

정답 I lucky

1
malicious 악성의, 악의적인
miserable 비참한

2
consistently 항상, 일관되게

유형 3. S+V+O+ to부정사

The current heavy snowfall has caused vegetable prices | rise / to rise |
daily for the last two months.

해설 | The current heavy snowfall | has caused | vegetable prices | rise / to rise | ~의
 S   V   O   O.C

구조에서 앞에 지각동사나 사역동사가 아닌 일반동사 cause가 쓰였기 때문에 목적격 보어로 to
rise가 와야 한다.

해석 | 최근의 폭설은 지난 두 달 동안 채소값이 매일 오르게 했다.

정답 | to rise

유형 4. S+V+O+ ~ing/p.p.

출제 빈도 ●●○

When a fire follows an earthquake, it is better to keep the doors and
windows | closing / closed | in order to keep the fire from spreading.

해설 | keep | the doors and windows | closing / closed | ~의 구조에서
 V   O   O.C

목적어 the doors and windows와 목적격 보어는 '문과 창문이 닫히다'는 의미로 수동 관
계에 있기 때문에 과거분사(closed)가 와야 한다.

해석 | 지진 후에 화재가 발생할 때, 화재가 번지는 것을 막기 위해 문과 창문을 닫은 채로 두는 것이 더
좋다.

정답 | closed

유형 5. 가목적어

출제 빈도 ●●○

Computers have made it easier for workers | store / to store | data
conveniently and accurately.

해설 | Computers | have made | it | easier | for workers | store / to store | ~의 구조로
 S   V   가목적어 O.C   의미상 주어   진목적어

진목적어 역할을 하는 to부정사(to store)가 와야 한다.

해석 | 컴퓨터는 근로자들이 자료를 편리하고 정확하게 저장하는 것을 더 쉽게 해 주었다.

정답 | to store

4
follow 뒤따르다
earthquake 지진

5
accurately 정확하게

유형 6 지각동사 출제 빈도 ●●●

If you see a play | perform / performed | in a theater, the action takes place in front of you.

해설 | you see a play | perform / performed | ~의 구조로
S 지각동사 O O.C

목적어 a play와 목적격 보어가 '연극이 공연된다'는 의미로 수동 관계에 있기 때문에 과거분사 (performed)가 와야 한다.

해석 | 당신이 극장에서 연극이 공연되는 것을 본다면, 연기는 당신 바로 앞에서 펼쳐진다.

정답 | performed

유형 7 사역동사 (1) 출제 빈도 ●●●

You can have your monthly payments automatically | draft / drafted | from your accounts.

해설 | you can have your monthly payments automatically | draft / drafted | ~의
S 사역동사 O O.C

구조에서 목적어 your monthly payments와 목적격 보어가 '당신의 월지급금이 인출된다' 는 의미로 수동 관계에 있기 때문에 과거분사(drafted)가 와야 한다.

해석 | 당신은 당신의 월지급금이 당신의 계좌로부터 자동적으로 인출되게끔 할 수 있다.

정답 | drafted

유형 8 사역동사 (2) 출제 빈도 ●●○

The color of the sky in the sunlight that reflects off the ocean surface makes the oceans | appear / appeared | blue.

해설 | The color of sky ~ makes the oceans | appear / appeared | blue. 의 구조에서
S 사역동사 O O.C

'바다가 푸른색으로 보이도록 만든다'로 해석되기 때문에 목적어와 목적격 보어를 수동 관계로 보기 쉽다. 그런데 자동사인 appear는 수동태로 쓸 수 없기 때문에 목적격 보어 자리에 appear가 와야 한다.

해석 | 바다 위에 반사된 햇빛 속의 하늘의 색은 바다가 푸른색으로 보이게 만든다.

정답 | appear

6
take place 일어나다

7
automatically 자동적으로
draft 인출하다

8
reflect 반사하다

Grammar Plus

■ S + make[사역동사] + O + O.C[자동사]

사역동사 make 뒤에서 〈O+O.C〉를 해석상 수동 관계로 착각하여 목적격 보어 자리에 과거분사(p.p.)를 쓰기 쉽다. 그러나 〈O+O.C〉를 〈S+V〉 관계로 풀어보면 자동사는 수동태로 쓰일 수 없기 때문에 목적격 보어 자리에 과거분사(p.p.)를 쓸 수 없다.

Organic food does not contain chemicals to *make* it **look** better.

유기농 식품은 그것이 더 좋아 보이도록 만들기 위한 화학약품을 함유하고 있지 않다.

Some statistics can *make* trivial findings **seem** important or important findings **seem** trivial.

일부 통계는 사소한 발견들을 중요하게 보이거나 중요한 발견들을 사소하게 보이도록 만들 수 있다.

PATTERN PRACTICE [유형 훈련]

SUMMA CUM LAUDE   GRAMMAR & USAGE

SUB NOTE 11쪽

난이도 ● : 하   ●● : 중   ●●● : 상

[01~10] 각 네모 안에서 어법에 맞는 표현을 고르시오.

●●○

01   Rain forests affect the world's climate by helping to keep the temperature more | even / evenly |, thus preventing searing heat and freezing cold.

even 균일한, 일정한
searing 타는 듯한, 무더운

●●○

02   We need to take the importance of our positive emotional state in disease risk management more | serious / seriously |.

positive 긍정적인
emotional 감정의
management 관리

●●○

03   The government launched a campaign to get fastfood restaurants | recycle / to recycle | 90% of their waste.

launch 시작하다, 착수하다

●○○

04   Parents who let their infant children | sleep / to sleep | in the same bed with them do their babies more harm than good.

infant 유아의
do ~ good(harm) 이익(해)
을(를) 주다

●●○

05   This lack of time for relaxation makes it more difficult | get / to get | the most out of your studies.

get the most out of
~에서 최대한 많이 얻다

general knowledge
상식, 일반적 지식

●●●
06 If we want to make ourselves understand / understood in English, we need not only good language skills but also clear thinking and a broad general knowledge.

●●●
07 They have made it clear / clearly that the warming atmosphere will cause dramatic changes that will affect every corner of the earth.

site 위치, 장소
archeologist 고고학자

●●○
08 The city has made a lot of laws help / to help protect historical sites that archeologists may not have studied yet.

●●●
09 There will be winners and losers from climate change. Global warming will leave America and other rich countries ① unharming / unharmed and the developing world, which lacks resources, ② carrying / carried the full burden of the coming changes.

cloning 복제
ban 금지하다

●●○
10 Many people believe that cloning represents man's attempt to "play God," and want to see it ban / banned .

[11~18] 밑줄 친 부분이 올바르게 쓰였는지 판단하고, 필요하면 어법에 맞게 고치시오.

be a long way from
~에서 멀다
extinct 멸종한

●●○
11 Books and movies like *Jurassic Park* have made cloning <u>looked</u> easy, but in reality researchers say they are a long way from cloning an extinct animal.

●●●
12   The government can't solve the overweight problem by simply telling the poor and the rich alike <u>eat</u> more fruit and vegetables and do more exercise.

A and B alike A와 B 둘 다(= both A and B)

●●●
13   Corporations that produce genetically modified foods claim that the technology has many advantages. Crops can <u>be made resistant</u> to pesticides and diseases.

corporation 회사
resistant 저항력 있는
pesticide 살충제

●●○
14   While humans may have shifted from signs to speech long ago, Stokoe and Armstrong suggest that we should not consider sign language <u>primitively</u>.

sign language 수화

●●○
15   Driving home with my family one day, I noticed smoke <u>rising</u> from the roof of an apartment building.

●●○
16   Depressed people find it <u>easily</u> to interpret large images or scenes, but struggle to 'spot the difference' in fine detail.

interpret 해석하다
struggle 어려움을 겪다

●●○
17   Examine your thoughts, and you will find them wholly <u>occupied</u> with the past or the future.

●●○
18   For this reason, users must be advised not to leave a terminal <u>logging</u> in, without use of a password-protected screen saver.

CHAPTER 05 시제 / 조동사

SUMMA CUM LAUDE GRAMMAR & USAGE

1 시제

시제는 기본시제, 완료시제, 그리고 진행시제가 결합하여 12시제로 활용된다.

기본시제	현재	He **studies** every day.
	과거	He **studied** for two hours yesterday.
	미래	He **will study** another two hours tomorrow.
완료시제	현재완료	He **has** just **finished** the work.
	과거완료	He **had finished** the work by 6:00 yesterday.
	미래완료	He **will have finished** the work by 6:00 tomorrow.
진행시제	현재진행	He **is studying** now.
	과거진행	He **was studying** at 6:00.
	미래진행	He **will be studying** at 6:00.
	현재완료진행	He **has been sleeping** all day.
	과거완료진행	He **had been sleeping** for two hours.
	미래완료진행	He **will have been sleeping** for two hours by 6:00.

[시제의 도식화]

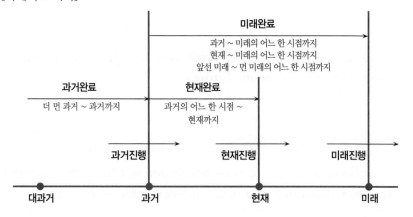

■ 기본시제

시제의 기본적인 형태는 현재, 과거 그리고 미래이며 다음과 같은 의미를 가진다.

(1) 현재 시제

❶ 현재의 사실 또는 습관적인 동작

Trees grow more quickly in summer than in winter.

나무는 겨울보다는 여름에 더 빨리 자란다.

I always brush my teeth after each meal.   나는 매 식사 후 항상 양치질을 한다.

❷ 속담·불변의 진리❶

We learned that too many cooks spoil the broth.

우리는 사공이 많으면 배가 산으로 간다고 배웠다.

We were taught in school that water freezes at 0℃.

우리는 물은 0도에서 언다는 사실을 학교에서 배웠다.

❶ 속담·격언 및 불변의 진리는 주절의 시제와 상관없이 항상 현재형을 쓴다.

(2) 과거 시제

❶ 과거 사실

In 1878 he wrote his last great work in Vienna.

1878년에 그는 비엔나에서 그의 마지막 대작을 썼다.

❷ 과거의 습관적 동작

과거의 습관적인 동작에는 조동사 would나 used to를 주로 쓴다.❷

They ⌈ would frequently take walks.   그들은 자주 산책을 하곤 했다.
      ⌊ frequently used to take walks.

❷ would와 used to는 둘 다 과거의 습관적인 동작으로 '~하 곤 했다'라는 뜻으로 쓰인다. 그 러나 '과거에 ~였는데 지금은 아니다'라는 의미로 '과거의 상 태'를 표현할 때는 used to만 써야 한다.

(3) 미래 시제

❶ 미래 사실

The weather will be better tomorrow.   내일은 날씨가 더 좋을 것이다.

❷ 시간과 조건의 부사절

시간이나 조건을 나타내는 부사절에서는 미래 시점일지라도 미래 시제 대신에 현재 시제를 사용한다.

> **시간** : when, as soon as, until(till), before, after, by the time
> **조건** : if, once, unless, as(so) long as

I will return your notes as soon as I will finish(→ finish) copying them.

네 노트 복사를 끝내자마자 노트를 너에게 돌려주겠다.

If it will rain(→ rains) tomorrow, the tennis match will be postponed.

내일 비가 온다면 테니스 경기는 연기될 것이다.

■ 완료시제

완료시제는 과거, 현재, 그리고 미래 이전 시점에 일어난 각각의 동작이 과거, 현재, 미래 시점까지 영향을 미치는 경우로 완료, 경험, 계속, 결과 등의 의미로 해석된다.

(1) 완료시제의 용법

❶ 완료 : '막[이미] ~했다'의 의미로 already, yet, just, by the time ~ 등과 많이 쓰인다.

By the time you get home I will have washed the car.
네가 집에 도착할 무렵이면, 나는 이미 세차를 끝냈을 것이다.

❷ 경험 : '~한 적이 있다'의 의미이며 ever, never, before, once, ~ times, How many times ~? 등과 많이 쓰인다.

Sally has been to most European countries which use the Euro.
Sally는 유로를 이용하는 대부분의 유럽 국가에 간 적이 있다.

cf. have gone to : ~에 가고 없다 〈결과〉
　　　Sally has gone to Europe.　Sally는 유럽에 가고 없다.

❸ 계속 : '~해 오고 있다'의 의미이며 since, still, 'for+기간', How long ~? 등과 많이 쓰인다.

Herbs have been used as spices and medicine since ancient times.
허브는 고대 이후로 향신료와 약으로 이용되어 오고 있다.

❹ 결과 : '~해서 (그 결과) …하다'의 의미로 쓰인다.

When he got to the station, everyone had left.
그가 역에 도착했을 때, 모두가 출발하고 없었다.

(2) 완료시제/완료진행시제, 과거완료/대과거의 차이

❶ 완료시제/완료진행시제의 차이

완료시제는 동작이 끝난 상태를 나타내고, 완료진행시제는 동작이 진행 중임을 나타낸다.

The sun has set. → The sun is down.
해가 졌다.　　　　　해가 져서 보이지 않는다.

The sun has been setting for the last 5 minutes. → The sun is still setting.
해가 5분 동안 지고 있는 중이다.　　　　　　　　　해가 지금도 지고 있다.

❷ 과거완료/대과거의 차이

had p.p.는 과거 이전 시점에서 일어난 일로 일반적으로 과거완료라고 부르는데, 문장 속에서의 의미에 따라 과거완료/대과거로 분류할 수 있다.❸

When I got to the classroom, the test had already started. 〈과거완료 – '완료'의 의미〉
내가 교실에 도착했을 때, 시험은 이미 시작되어 있었다.

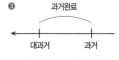

❸　　　과거완료
　　　⌒⌒⌒⌒
←──┼──────┼──→
　대과거　　　과거

과거완료는 과거 이전 시점에서 일어난 일이 과거까지 이어지면서 완료, 경험, 계속, 결과의 의미를 가지는 반면, 대과거는 과거 이전의 시점에서 일어난 일로 과거와의 연속성은 없다.

I realized that she had lied to me. 〈대과거〉

나는 그녀가 나에게 거짓말을 했었다는 사실을 알게 되었다.

(3) 명백한 과거

ago, last night, yesterday, 'in + 연도', just now 등의 명백한 과거를 나타내는 어
(구)나 의문사 when이 쓰여 있는 문장은 현재완료를 쓰지 못하고 과거 시제를 쓴다.

The ancient Olympic Games has begun(→ began) in the year 776 B.C.

고대 올림픽은 기원전 776년에 시작했다.

(4) 때나 조건의 부사절에서는 미래완료 대신에 현재완료를 쓴다.

Please call me back as soon as you will have finished(→ have finished)
the work.

그 일을 다 끝내자마자 나에게 전화해 주세요.

■ 진행시제

현재, 과거, 미래 시점에서 진행 중인 동작을 나타내며, 기본적인 형태는 'be + ~ing'
이다.

현재진행 (am/is/are + ~ing)	We **are using** robots in many factories. 우리는 많은 공장에서 로봇을 이용하고 있는 중이다.
과거진행 (was/were + ~ing)	Sandy **was studying** in the library when I saw her two hours ago. 내가 두 시간 전에 Sandy를 봤을 때, 그녀는 도서관에서 공부하는 중이었다.
미래진행 (will be + ~ing)	We **will be visiting** the castle next week. 우리는 다음 주에 그 성을 방문하고 있을 것이다.

cf. 감정, 상태, 인식, 지각, 소유를 나타내는 동사들은 일반적으로 진행형을 쓰지
않는다. 그러나 일시적으로 일어나는 동작의 경우에는 진행형을 쓰기도 한다.

감정	love, hate, like, dislike, prefer
상태	resemble, consist, lack, appear, exist
인식	agree, know, believe, remember, forget
지각	see, hear, taste, feel, smell
소유	belong, own, possess, have, include

I love playing golf.

나는 골프 치는 것을 좋아한다. (→ 골프는 나의 취미라는 의미)

I'm loving playing golf with you now.

나는 지금 너와 함께 골프 치는 것이 좋다. (→ 평상시에 골프를 좋아하지 않을 수도 있다.)

2 조동사

■ 조동사의 기본 종류

조동사들은 다양한 의미를 가지며, 그 기본 의미들은 꼭 알아둬야 한다.

can(could)	He can count to ten in five languages. 〈능력(be able to)〉 그는 다섯 개 언어로 10까지 셀 수 있다. Coral can be yellow, blue, or green. 〈추측/가능성〉 산호는 노랑, 파랑 또는 녹색을 띨 수 있다.
may(might)	You may come if you wish. 〈허락〉 원한다면 와도 좋다. He may be back next year. 〈추측〉 그는 아마 내년에 돌아올 것이다.
must	You must go to the bank right now. 〈의무(have(got) to)〉 너는 지금 당장 은행에 가야만 한다. They must be twins. 〈강한 추측〉 그들은 쌍둥이임에 틀림없다.
will(would)	You'll be in time if you hurry. 〈미래 시제〉 서두르면 제시간에 도착할 것이다. He would spend all day reading books. 〈과거의 습관(used to)〉 그는 책을 읽으면서 하루를 보내곤 했다.
should	You should be very careful if you go there. 〈의무(ought to)〉 거기에 가면 매우 조심해야만 한다.

■ 조동사 + have p.p.

조동사 뒤에 have p.p.를 써서 과거에 일어난 일에 대한 판단을 나타낸다.

> must have p.p. ~했음에 틀림없다
> cannot have p.p. ~했을 리가 없다
> may(might) have p.p. ~했을지도 모른다
> would(could) have p.p. ~했을 수도 있다
> should(ought to) have p.p. ~했어야만 했는데 (~하지 않았다)
> need not have p.p. ~할 필요가 없었는데 (~했다)

Look at all the water on the ground. It must have rained really hard last night. 땅 위에 저 물 좀 봐라. 지난밤에 엄청나게 비가 온 것이 틀림없다.

The English in this letter is too good. He cannot have written it himself.
이 편지에 쓴 영어는 너무 잘 썼다. 그가 직접 그것을 썼을 리가 없다.

He may have been lost in this heavy fog.
그는 이 짙은 안개 속에서 길을 잃었을지도 모른다.

You could have **really** hurt **yourself.** 당신은 심하게 다칠 수도 있었어요.

Jim should have arrived **here already. I'm afraid he has lost his way.**

Jim은 이미 여기에 도착했어야만 했는데. 그가 길을 잃었을까봐 걱정이다.

You need not have given **such detailed explanation.**

당신은 그렇게 자세한 설명을 해 줄 필요가 없었다.

■ '당위성' 을 나타내는 should

명령, 요구, 주장, 제안 등을 나타내는 동사가 주절에 쓰이면 목적어로 쓰인 that절 속에 '(당연히) ~해야 한다' 의 의미로 조동사 should가 쓰인다. 이때 조동사 should를 생략하고 동사원형만을 쓸 수도 있다.

명령	order, command	요구	ask, demand, require, request
주장	insist	제안	suggest, propose

My parents <u>insisted</u> that my sister (should) visit **the dentist.**

부모님은 내 여동생이 치과에 가야만 한다고 주장했다.

cf. that절 속의 내용이 '(당연히) ~해야 한다' 의 의미를 나타내는 경우가 아니면 should를 쓰지 못한다.

They insist that water shortages should(→ will) be a disaster in the future.

그들은 물 부족이 미래에 재앙이 될 거라고 주장한다.

■ 조동사의 관용 표현

조동사를 이용한 관용 표현으로, 이러한 표현에 쓰이는 조동사 뒤에는 반드시 동사원형이 쓰여야 한다.

> may well + 동사원형 ~하는 것도 당연하다
>
> may(might) as well + 동사원형 = had better + 동사원형 ~하는 것이 더 낫다
>
> ┌ may(might) as well + 동사원형[A] + as + 동사원형[B]
> │   B할 바에는 차라리 A하겠다
> └ would rather(sooner) + 동사원형[A] + than + 동사원형[B]
>
> ┌ cannot but + 동사원형
> │   ~할 수 밖에 없다(=have no choice(alternative) but to부정사)
> └ cannot help ~ing
>
> cannot ~ too ... 아무리 …해도 지나치지 않다

You had better **take a nap in the daytime when you lack sleep.**

잠이 부족할 때는 낮에 낮잠을 자두는 것이 더 낫다.

I would rather **go to the movie theater** than **stay home.**

집에 있기보다는 차라리 극장에 가겠다.

PATTERN STUDY [유형 학습]

유형 1. 시제의 기본 형태 (1)   출제 빈도 ●●●

Advances in the science of organ transplantation since the 1980s
significantly broadened / have significantly broadened the range of trans-
plantable organs.

해설 | since the 1980s(1980년대 이후로)가 쓰여 있어 동작이 과거에서 현재까지 계속되는 의미이
므로 현재완료 시제(have significantly broadened)가 와야 한다.

해석 | 1980년대 이후의 장기이식술의 진보는 이식 가능한 장기들의 범위를 엄청나게 넓혀왔다.

정답 | have significantly broadened

유형 2. 시제의 기본 형태 (2)   출제 빈도 ●●○

The concert hall closed / has closed its doors last August due to a fire
safety issue.

해설 | last August(지난 8월)는 명백한 과거 시제를 나타내는 어구이기 때문에 현재완료를 쓸 수 없
고 과거 시제(closed)가 와야 한다.

해석 | 그 연주회장은 화재 안전 문제 때문에 지난 8월에 문을 닫았다.

정답 | closed

유형 3. 시제의 기본 형태 (3)   출제 빈도 ●●●

She asked me how long they were engaged / had been engaged before
they decided not to get married.

1
organ 장기
transplantation 이식
significantly 엄청나게
range 범위

3
be engaged 약혼하다

해설 | how long they were engaged / had been engaged 는 '얼마나 오랜 기간 약혼한
상태로 지냈는지'라는 의미로 앞에 쓰인 She asked(과거 시제)나 뒤에 쓰인 they decided(과
거 시제)보다 이전에 일어난 일이므로 과거완료 시제(had been engaged)가 와야 한다.

해석 | 그녀는 나에게 그들이 결혼하지 않기로 결정하기 전에 얼마나 오랜 기간 약혼한 상태로 지냈는지
를 물었다.

정답 | had been engaged

유형 4 시간의 부사절 판단

출제 빈도 ●○○

> Scientists will have enough time to find a solution before the dangerous asteroid threatens / will threaten our planet.

해설 | 접속사 before 뒤의 내용은 '그 위험한 소행성이 우리 행성을 위협할 것이다' 라는 뜻으로 미래의 의미이지만 접속사 before 이하가 시간을 나타내는 부사절이기 때문에 미래 시제 대신에 현재 시제(threatens)가 와야 한다.

해석 | 과학자들은 그 위험한 소행성이 우리 행성을 위협하기 전에 해결책을 찾기 위한 충분한 시간을 가질 것이다.

정답 | threatens

유형 5 조건의 부사절 판단

출제 빈도 ●○○출제 빈도 ●○○

> Fertility rates fall when women are free to determine if they have / will have children on their own.

해설 | ~ determine if they have / will have children은 '그들이 자녀를 가질지를 결정한다' 는 의미로 미래 시제를 나타내며, if절은 부사절이 아닌 determine의 목적어 역할을 하는 명사절로 쓰였기 때문에 미래 시제(will have)를 그대로 써야 한다.

해석 | 여성들이 자녀를 가질지를 그들 스스로 자유롭게 결정할 수 있을 때 출산율은 떨어진다.

정답 | will have

4
asteroid 소행성
threaten 위협하다

5
fertility rate 출산율
on one's own 스스로

Grammar Plus

■ **명사절 또는 형용사절로 쓰인 when / if**

when → 명사절, 형용사절(관계부사절)
if → whether(~인지 아닌지)의 의미로 명사절] 로 쓰이는 경우는 미래 시제를 쓴다.

We cannot predict when the price of oil will rise again. 〈명사절〉
우리는 언제 석유 가격이 다시 오를지를 예상할 수 없다.

Do you know the day when he will be back? 〈형용사절〉
당신은 그가 돌아올 날짜를 알고 있습니까?

I cannot tell if John will come to the party tomorrow. 〈명사절〉
나는 John이 내일 파티에 올지 안 올지 알 수 없다.

유형 6 조동사의 관용 표현

출제 빈도 ●●●○

You had better | not see / not to see | him now, I suppose, as he is in a bad mood.

해설 | had better는 '~하는 것이 더 좋다'의 의미로 뒤에 동사원형을 쓰는 조동사의 관용적인 표현이며, had better가 부정문으로 쓰일 때는 'had better not + 동사원형'으로 쓴다.

해석 | 내가 짐작컨대 그는 기분이 좋지 않기 때문에 지금 그를 보지 않는 것이 더 좋다.

정답 | not see

유형 7 조동사 + have p.p.

출제 빈도 ●●●○

The builders of the pyramids in Egypt | must have used / should have used | some kind of lifting mechanism to raise the stones used in their construction.

해설 | 문맥상 '어떤 종류의 장치를 사용했음에 틀림없다'는 의미가 되어야 하므로 must have used가 와야 한다.

해석 | 이집트에서 피라미드를 만든 사람들은 건축에서 이용된 돌을 올리기 위해 일종의 들어 올리는 장치를 사용했음에 틀림없다.

정답 | must have used

유형 8 당위성을 나타내는 should

출제 빈도 ●●●○

A psychologist suggests that children | are given / be given | the chance to freely learn about what interests them.

해설 | 주절의 동사로 '제안'을 나타내는 suggests가 쓰여 있고, that절 내용이 '아이들은 ~의 기회를 가져야만 한다'는 의미로 당위성을 나타내므로 네모 안에는 조동사 should가 쓰여야 한다. 이때 should는 생략될 수 있으므로 be given이 와야 한다.

해석 | 한 심리학자는 아이들은 그들을 흥미롭게 하는 것에 관하여 자유롭게 배울 수 있는 기회를 가져야만 한다고 제안한다.

정답 | be given

6
be in a bad mood 기분이 나쁘다

7
lift 들어(끌어) 올리다
mechanism 기계장치, 구조

PATTERN PRACTICE [유형 훈련]

SUMMA CUM LAUDE GRAMMAR & USAGE

SUB NOTE 14쪽

난이도 ● : 하   ●● : 중   ●●● : 상

[01~10] 각 네모 안에서 어법에 맞는 표현을 고르시오.

●●○

01 We have been playing / had been playing baseball for about half an hour when it started to rain very heavily.

●○○

02 Evolution is the process of gradual change that living beings on earth have undergone since life first began / had begun .

evolution 진화, 발달
gradual 점진적인

●●○

03 In the summer of 2001, former U.S. president Jimmy Carter visited / has visited Asan, Korea, to participate in a house-building project.

●●●

04 Everyone brought out gifts for Mary: stockings from Elena and a pair of very old silver earrings from Christina, who said she had / had had them since she was a little girl.

●●○

05 We should prepare for the time when all the natural resources run out / will run out .

run out 고갈되다

cultivate 경작하다

●●○
06 Onions │may have been / should have been│ one of the earliest cultivated crops because they could be grown in a variety of soils and climates.

certainty 확실성
attract 마음을 끌다

●○○
07 If you are a rather calm and quiet person who seeks certainty in life, you might well │are / be│ attracted to a more outgoing person.

stress 강조하다
independence 독립심

●○○
08 College is totally different from high school because you are on your own. I │cannot / may not│ stress too much about the idea of learning independence.

atmosphere 대기
substantially 상당히, 많이

●○○
09 The amount of carbon dioxide in the atmosphere │increased / has increased│ substantially over the past one hundred years.

contain 억제하다
compromise 손상시키다

●●●
10 The costs of providing first-rate education just keep going up. We've done everything we can │contain / to contain│ costs without compromising quality.

[11~16] 밑줄 친 부분이 올바르게 쓰였는지 판단하고, 필요하면 어법에 맞게 고치시오.

process 처리하다
to the extent that ~
~하는 정도로까지

●●●
11 Over the past 12 to 15 years, the amount and types available on the Internet and, in particular, the speed at which we can process the data, <u>have increased</u> to the extent that few people could have imagined.

○○○

12 The medical writer, Thomas McKeown, showed that most of the fatal diseases of the 19th century <u>have disappeared</u> before the arrival of antibiotics or immunization programmes.

fatal 치명적인
antibiotic 항생제
immunization 예방접종

○○○

13 Scientists say that there <u>must have been</u> an alternative source of energy such as hydrogen which can support bacteria living under the Earth's surface without sunlight.

alternative 대안의, 대체의

○○○

14 It was difficult to determine exactly where the car accident had taken place. Many witnesses insisted that the accident <u>should take place</u> on the crosswalk.

witness 목격자, 증인
crosswalk 횡단보도

○○○

15 Newton explained why the planets <u>moved</u> in ellipses around the sun from his law of universal gravitation.

ellipse 타원(형)
universal gravitation
만유인력

○○○

16 City officials went to the state capital again and again to ask that something <u>was done</u> about quieting the highway noise.

quiet 조용하게 하다

CHAPTER 06 부정사

SUMMA CUM LAUDE GRAMMAR & USAGE

■ 부정사의 일반적인 용법

to부정사는 문장 속에서 명사적 용법, 형용사적 용법, 부사적 용법으로 쓰인다.

(1) 명사적 용법

명사처럼 주어, 목적어, 보어 역할을 한다.

To live comfortably without a car in a city is practically impossible. 〈주어〉

도시에서 자동차 없이 편안하게 사는 것은 사실상 불가능하다.

He doesn't want to start a new business. 〈목적어〉

그는 새로운 사업을 시작하는 것을 원하지 않는다.

The best way to combat a cold is to give the body ample rest. 〈보어〉

감기와 싸우기 위한 가장 좋은 방법은 충분한 휴식을 취하는 것이다.

(2) 형용사적 용법

형용사와 마찬가지로 명사를 수식하는 제한적 용법과 주어를 설명하는 서술적 용법이 있다.

❶ 제한적 용법

명사 뒤에서 그 명사를 수식한다.

He developed a device to locate iceberg at sea.

그는 바다에서 빙산을 찾아내는 장치를 개발했다.

❷ 서술적 용법

'S+be동사+to부정사' 형태로 쓰여 주어에 대해 서술〔설명〕하는 보어의 역할을 하는 경우로, 문맥에 따라 예정, 의무, 의도, 가능, 운명 등의 의미로 해석된다.

They are to leave for the island tomorrow. 〈예정〉

그들은 내일 그 섬으로 출발할 예정이다.

We are to develop new method of preventing phishing. 〈의무〉

우리는 피싱을 막기 위한 새로운 방법을 개발해야만 한다.

If you are to lose weight, you must exercise regularly. 〈의도〉

몸무게를 줄이려면 규칙적으로 운동해야만 한다.

The work was not to be finished in time. 〈가능〉

그 일은 제시간에 끝내질 수가 없었다.

They were never to meet each other again. 〈운명〉

그들은 서로 다시는 만나지 못할 운명이었다.

(3) 부사적 용법

to부정사가 문장 속에서 부사의 역할을 하여 형용사, 부사, 동사 등을 수식하면서 다양한 방식으로 해석된다.

An elephant is easy and funny for children to draw. 〈형용사 수식〉

코끼리는 아이들이 그리기에 쉽고 재미있다.

All organisms need food and other resources to survive. 〈목적〉

모든 유기체들은 생존하기 위해 먹이와 다른 자원들을 필요로 한다.

In order(So as) to react to the world around them, animals use their senses.❶

그들 주변 세계에 반응하기 위해, 동물은 그들의 감각을 이용한다.

All the passengers were relieved to hear the announcement. 〈이유 / 원인〉

모든 승객들이 그 안내방송을 듣고 안도했다.

Bacteria break up plants to release the hydrogen and oxygen. 〈결과〉

박테리아는 식물을 분해해서 그 결과 수소와 산소를 방출한다.

I finally arrived at the destination only to find my documents missing.❷

나는 마침내 목적지에 도착했으나 서류가 없어진 것을 발견했다.

You would be surprised to hear the result of the game. 〈조건〉

그 게임의 결과를 들으면 너는 놀랄 것이다.

❶ '~하기 위해'라는 목적의 의미를 명확히 하기 위해 in order to 또는 so as to를 쓰기도 한다.

❷ only가 to부정사 앞에 오면 결과적 용법으로 사용되어 '~했으나 결국 …하다'로 해석된다.

Tip 부사적 용법의 관용 표현

- 형용사(부사) + enough to부정사
  = so + 형용사(부사) + as to부정사   ~할 정도로 충분히(매우) ~한(하게)
- too + 형용사(부사) + to부정사   매우 ~해서 …할 수 없다

The grapes are not ripe enough to eat.

= The grapes are not so ripe as to eat.

　포도가 먹을 수 있을 정도로 충분히 익지 않았다.

The grapes are too sour to eat.

포도가 너무 시어서 먹을 수 없다.

■ 목적어로 쓰이는 부정사

(1) to부정사만을 목적어로 가지는 동사들

want	wish	hope	expect	intend	pretend	choose
decide	refuse	promise	plan	can(not) afford ...		

He <u>plans</u> to build **a wooden house.**   그는 목재 주택을 지을 계획이다.

The company <u>decided</u> to hold **an official meeting with consumers.**
그 회사는 소비자들과의 공식 모임을 가지기로 결정했다.

(2) to부정사/동명사에 따라 의미가 달라지는 동사들

❶ remember/forget/regret ┌ to부정사 : ~할 것을 기억하다(잊어버리다)/~해서 유감이다
　　　　　　　　　　　　└ ~ing : ~했던 것을 기억하다(잊어버리다/후회하다)

Please remember **to stop** by his office before you go home.
집에 가기 전에 그의 사무실에 들러야 하는 것을 기억해라.

I will never forget <u>seeing</u> **the wonderful sunrise.**
나는 그 멋진 일출을 본 것을 절대 잊지 않겠다.

❷ try ┌ to부정사 : ~하려고 노력하다
　　　└ ~ing : (시험 삼아) ~해 보다

They tried ┌ **to grow tomatoes.**   그들은 토마토를 재배하려고 노력했다.
　　　　　　　└ **growing tomatoes.**   그들은 토마토를 시험 삼아 재배해 보았다.

❸ ┌ help + to부정사 : ~을 돕다
　 └ cannot help ~ing : ~을 피할 수 없다(~할 수 밖에 없다)❸

Raising pets can help **(to) lower stress levels and blood pressure.**❹
애완동물을 기르는 것은 스트레스 수준과 혈압을 낮추는 데 도움을 줄 수 있다.

They couldn't help <u>calling off</u> **the concert.**
그들은 그 음악회를 취소할 수밖에 없었다.

❹ mean ┌ to부정사 : ~을 의도하다
　　　　└ ~ing : ~을 의미하다

I didn't mean <u>to hurt</u> **you.**   나는 당신을 다치게 할 의도는 아니었다.

For children, divorce means <u>living</u> **with only one parent.**
아이들에게 이혼은 단지 부모님 한 분하고만 살아야 하는 것을 의미한다.

❺ stop ┌ to부정사 : ~하기 위하여 멈추다
　　　　└ ~ing : ~하는 것을 멈추다❺

He stopped ┌ <u>to use</u> **his cell phone.**   그는 휴대전화를 걸기 위해 멈추었다.
　　　　　　　└ <u>using</u> **his cell phone.**   그는 휴대전화 사용을 중단했다.

❸ help는 동명사를 목적어로 가지는 경우 '피하다'의 뜻으로 cannot과 함께 쓰인다.

❹ 'S + help + to부정사[O]' 에서 to는 생략될 수 있다는 점에 주의한다.

❺ stop 뒤의 동명사는 목적어로 쓰인 반면, to부정사는 목적어가 아니라 '~하기 위해'라는 '목적'을 나타내는 부사적 용법이다.

■ 부정사의 의미상 주어

'to+동사원형'으로 쓰인 to부정사에서 동사원형의 행위 주체를 표시하는 것을 의미상 주어라 한다.

(1) for + 목적격 + to부정사

to부정사의 의미상 주어는 보통 to부정사 앞에 'for+목적격'의 형태로 쓰며, 〈S+V〉 관계로 해석한다.

School should be a time for students to develop their strengths.

학교는 학생들이 그들의 장점을 개발하는 시기가 되어야만 한다.

cf. to부정사의 의미상 주어가 문장 내의 주어나 목적어로 쓰여 있을 때는 for를 쓰지 않는다.

Markets enable buyers and sellers to exchange goods and services.
　　　　　　　　O(의미상 주어)　　　　O.C

시장은 구매자와 판매자가 상품과 서비스를 교환 가능하게 해 준다.

(2) of + 목적격 + to부정사

사람의 성격을 나타내는 형용사(kind, careful, rude, wise, foolish, silly, cruel, thoughtful 등)가 쓰이면 의미상 주어 앞에 전치사 of를 쓴다.

It was rude of him to come to the party without being asked.

그가 요청받지도 않고 파티에 온 것은 무례했다.

■ 부정사의 시제와 태

to부정사의 시제는 동사와의 관계에 따라 동일형/이전형으로, 태는 의미상 주어와의 관계에 따라 능동형/수동형으로 구분한다.

(1) 시제 ┌ 동일형 : 본동사와 동일 시제❻
　　　　 └ 이전형 : 본동사보다 이전 시제

(2) 태 ┌ 능동형 : 의미상 주어와 능동 관계
　　　　└ 수동형 : 의미상 주어와 수동 관계

❻ 대부분의 교재에서 부정사의 시제를 단순형과 완료형으로 설명하는데, 용어 이해를 쉽게 하기 위해 이 책에서는 동일형과 이전형으로 칭하였다.

	동일형	이전형
능동형	to V	to have p.p.
수동형	to be p.p.	to have been p.p.

Money that is obtained easily tends to be spent easily.
S　　　　　　　　　　　　　　　V　　시제→동일형, 태→수동형

쉽게 번 돈은 쉽게 소비되는 경향이 있다.

Edison is said to have invented the electric light bulb.
S   V   시제 → 이전형, 태 → 능동형

에디슨이 전구를 발명했다고 사람들은 말한다.

The city is believed to have been destroyed by volcanic eruption.
S   V   시제 → 이전형, 태 → 수동형

그 도시는 화산 분출에 의해 파괴된 것으로 생각된다.

■ 가주어/진주어와 가목적어/진목적어

to부정사가 문장의 주어로 쓰여 길어지면 주어 자리에 가주어 It을 써서 'It is(was) ~ (for/of 의미상 주어) + to부정사' 형태로 쓰는 것이 일반적이다. 또한 5형식 문장에서 to부정사가 목적어로 쓰이면 반드시 가목적어 it을 써야 한다.

(1) 가주어

It is not possible to know the exact number of stars in the sky.

하늘에 있는 별들의 정확한 숫자를 아는 것은 불가능하다.

❼ Chap. 04 5형식 문장 구조 참조

(2) 가목적어❼

A weak light on the road makes it more difficult for a biker to see at night.

도로의 약한 조명은 자전거 타는 사람이 야간에 보는 것을 더 어렵게 만든다.

■ 부정사의 부정

to부정사를 부정할 경우에는 부정어 not, never 등을 to부정사 앞에 둔다.

Many women in their late 20s are choosing not to marry.

20대 후반의 많은 여성들이 결혼하지 않으려고 한다.

■ 부정사의 관용적 표현

to부정사를 관용적으로 쓰는 표현으로 숙어처럼 암기해야 한다.

make it a rule to부정사 　규칙적으로 ~하다	be about to부정사 　막 ~하려고 하다
manage to부정사 　간신히(그럭저럭) ~하다	be(feel) inclined to부정사 　~하고 싶다
be likely(apt/liable) to부정사 　~하기 쉽다, ~할 것 같다	
It take + 시간/노력/돈 + (for 의미상 주어) + to부정사 　~하는 데에 (시간/노력/돈 등)이 필요하다	

I managed to persuade him to give up the plan.

나는 그에게 그 계획을 포기하도록 간신히 설득했다.

It will take at least three weeks for you to finish the work.

당신이 그 일을 끝내는 데는 적어도 3주가 걸릴 것이다.

PATTERN STUDY [유형 학습]

유형 1. 부정사를 목적어로 가지는 동사

출제 빈도 ●●●

When my family visited a national park by car, we decided to park / parking the car and walk by a stream and enjoy the sights of nature.

해설 | decide는 목적어로 to부정사를 취하기 때문에 to park가 와야 한다.

해석 | 우리 가족이 자동차로 국립공원을 방문했을 때, 우리는 자동차를 주차시키고, 개울가를 걸어가면서 자연의 경치를 즐기기로 결정했다.

정답 | to park

유형 2. 목적어에 따라 의미가 달라지는 동사

출제 빈도 ●●●

It suddenly occurred to me that I forgot to include / including his name in the e-mail.

해설 | It suddenly occurred to me that절의 구조인데,
　　　　가주어　　　　　　　V　　　　진주어

‘forget+to부정사(~할 것을 잊어버리다)’와 ‘forget +~ing(~한 것을 잊어버리다)’의 쓰임을 구별할 줄 알아야 한다. 이 문장은 문맥상 ‘이메일에 그의 이름을 포함시키는 것을 잊어버리고 하지 않은 것’이므로 to부정사가 와야 한다.

해석 | 내가 이메일에 그의 이름을 포함시키는 것을 잊고 있다는 생각이 갑자기 떠올랐다.

정답 | to include

유형 3. 부정사의 시제

출제 빈도 ●●○

The police haven't found any clues. The thief seems to wear / to have worn gloves in order not to leave any fingerprints when he broke in.

해설 | 문장의 동사인 seems(현재)의 시제보다 도둑이 장갑을 긴 사실이 먼저 일어났으므로 이전형(to have worn)이 와야 한다.

해석 | 경찰은 어떤 단서도 발견하지 못했다. 그 도둑은 침입했을 때 지문을 남기지 않기 위해 장갑을 끼고 있었던 것처럼 보인다.

정답 | to have worn

1
walk by ~의 옆을 걷다
stream 개울, 흐름

2
suddenly 갑자기
occur to 떠오르다, 생각나다

3
clue 단서, 실마리
fingerprint 지문
break in 침입하다

유형 **4** 부정사의 태 　　　　　　　　　　　　출제 빈도 ●●●○

Global computer networks allow data │ to access / to be accessed │ by millions of people around the world.

해설 │ Global computer networks　allow　data │ to access / to be accessed │ ~의 구조
　　　　　　　 S　　　　　　　　 V　　 O　　　　　　　 O.C

에서 목적어와 목적격 보어의 관계가 '자료가 접근되다'는 의미로 수동 관계이기 때문에 수동형 (to be accessed)이 와야 한다.

해설 │ 전 세계적인 컴퓨터망은 세계 도처의 수백만 명의 사람들에게 자료가 접근되는 것을 허용한다.

정답 │ to be accessed

유형 **5** 가주어의 형태 　　　　　　　　　　　　출제 빈도 ●●○

I think │ it / which │ was quite common to believe in the magical power of numbers in ancient times.

해설 │ I　think　(that) │ it / which │ was　~의 구조이므로, 접속사 that 뒤에 주어 역할을 하는 it이
　　　　 S　 V　　 접속사 생략　　 S'　　 V'

쓰여야 하며, that절은 it　was　quite common　to believe ~의 형태로 쓰인 문장이다.
　　　　　　　　　　　　　　 가주어　 V　　　 C　　　　 진주어

해석 │ 나는 고대에 숫자의 마술적인 힘을 믿었던 것은 아주 흔한 일이었다고 생각한다.

정답 │ it

유형 **6** 진주어의 형태 　　　　　　　　　　　　출제 빈도 ●●○

It was not proper for the scholar who had much experience │ coming / to come │ to such a hasty conclusion.

해설 │ It　was　not proper　for the scholar　[who had much experience] │ coming /
　　　 가주어　 V　　 C　　　　 의미상 주어　　　　　 관계대명사절(주격)

│ to come │ ~의 구조로 연결되어 진주어 역할을 하는 to부정사(to come)가 와야 한다. to부정사의 의미상 주어는 'for + 목적격'으로 나타내고, 동명사의 의미상 주어는 소유격이나 목적격으로 나타낸다는 것에 유의한다.

해석 │ 많은 경험을 가진 그 학자가 그렇게 성급한 결론에 도달한 것은 적절하지 못했다.

정답 │ to come

4
network 방송망, 통신망

6
proper 적절한
hasty 성급한
conclusion 결론

PATTERN PRACTICE [유형 훈련]

SUMMA CUM LAUDE GRAMMAR & USAGE

SUB NOTE 17쪽

난이도 ● : 하   ●● : 중   ●●● : 상

[01~10] 각 네모 안에서 어법에 맞는 표현을 고르시오.

●●○

01 Emily regrets keeping / to keep it a secret. She thinks she should have told her friend the truth.

should have p.p. ~했어야만 했는데

●○○

02 Although the exact function of the earliest map is unknown, the discovery of it makes one thing certain: humans have long desired to represent / to be represented their physical surroundings.

function 기능

●●○

03 Involving your children in conversation helps develop / developing their language and vocabulary skills.

●●○

04 Drinking an adequate amount of fluid each day helps to keep our bodies healthy. If you have a kidney or liver problem, however, the first thing you have to do is restrict / restricted your intake of fluid.

kidney 신장
liver 간
restrict 제한하다
intake 섭취

●●○

05 To show respect to the receiver, it is customary in several Asian cultures using / to use two hands when giving gift to another person.

customary 관습적인

obtain 얻다

●●○

06 This island is said to obtain / to have obtained its name from the desire Christopher Columbus felt of seeing land on his second voyage in 1493.

forehead 이마

●●●

07 In India, some women have red marks called *tikas*, which were once symbols of marriage worn by all married women to paint / to be painted on their foreheads.

●●○

08 Some birds catch the insects out of the air close to our head, but would never be so unskilled as to / unskilled so as to fly into our hair.

sufficient 충분한

●●○

09 In Africa, there is a unique kind of woodpecker. When it is ready to mate, it locates a proper tree with a hole sufficient for the female and male enlarge / to enlarge for their nest.

extinction 멸종
be related to ~와 관련
(관계)되다

●●○

10 The extinction of the *Neanderthals* seems to have closely related / to have been closely related to climate change.

[11~16] 밑줄 친 부분이 올바르게 쓰였는지 판단하고, 필요하면 어법에 맞게 고치시오.

ultrasound 초음파
wave-length 파장

●●○

11 The short ultrasound wave-lengths enable bats to be located exactly even very small moving objects, such as mosquito-sized insects.

●●○

12   As early as 1840, the noted German anatomist, Jacob Henle, identified the existence of infectious agents that were <u>too small to observe</u> with the ordinary microscope.

noted 저명한, 유명한
anatomist 해부학자
infectious agent 병원균, 전염성 인자

●○○

13   As decades of chemical pollution have seriously damaged the ozone layer of the upper atmosphere, we <u>cannot afford to postpone</u> the total banning of chemical refrigerant known as CFCs.

postpone 미루다, 연기하다
ban 금지하다
refrigerant 냉동제

●●○

14   It only takes 10 to 15 minutes of sun exposure <u>making</u> adequate amounts of Vitamin D.

adequate 적절한, 충분한

●●●

15   Children come from many different cultural, ethnic, and religious backgrounds. This means that it is difficult to agree on <u>which set of values to teach.</u>

ethnic 인종적인

●●●

16   Some of the animals have tusks and horns to protect themselves with. Others have wings <u>with which to fly</u> away from danger.

tusk (코끼리 등의) 엄니
horn 뿔

CHAPTER 07 동명사

SUMMA CUM LAUDE GRAMMAR & USAGE

■ 동명사의 일반적인 용법

동명사는 문장 속에서 명사 역할을 하기 때문에 주어, 목적어, 보어로 쓰인다.

(1) 주어

Staying out in the cold too long can lead to frostbite.

추위 속에 너무 오래 머물러 있으면 동상에 걸릴 수 있다.

(2) 목적어

동명사는 타동사와 전치사의 목적어로 쓰인다.

❶ 동명사만을 목적어로 가지는 동사들

stop	enjoy	avoid	mind	imagine	consider
appreciate	postpone	deny	finish	give up	put off ...

We can hardly imagine using a computer without a mouse.

우리는 마우스 없이 컴퓨터를 사용하는 것을 거의 상상할 수 없다.

He has finally given up smoking.

그는 마침내 담배 피우는 것을 포기했다.

❷ 전치사의 목적어

전치사 뒤에는 전치사의 목적어로 동사를 쓸 수 없고 반드시 동명사를 써야 한다.

I am sure of his not coming to the party.

나는 그가 파티에 오지 않을 것을 확신한다.

He insists on resting for a few days.

그는 며칠 동안 쉴 것을 주장한다.

(3) 보어

Production is making goods and providing services.

생산은 상품을 만들고 서비스를 제공하는 것이다.

■ 동명사의 의미상 주어

동명사의 행위 주체를 나타내는 의미상 주어를 표시할 때 사람은 소유격이나 목적격으로, 무생물은 목적격으로 쓴다. '의미상 주어＋동명사'는 〈S＋V〉 관계로 해석한다.

I was not aware of her being a famous movie star.

나는 그녀가 유명한 영화배우라는 것을 몰랐다.

Imagine the river running dry. 그 강이 말라버리는 것을 상상해 봐라.

Globalization is the process of the world becoming a single place.

세계화는 이 세상이 하나의 장소가 되는 과정이다.

■ 동명사의 시제와 태

동명사의 시제는 동사와의 관계에 따라 동일형/이전형으로, 태는 의미상 주어와의 관계에 따라 능동형/수동형으로 구분한다.

(1) 시제 ┌ 동일형 : 본동사와 동일 시제[●]
         └ 이전형 : 본동사보다 이전 시제

(2) 태 ┌ 능동형 : 의미상 주어와 능동 관계
        └ 수동형 : 의미상 주어와 수동 관계

❶ 대부분의 교재에서 동명사의 시제를 단순형과 완료형으로 설명하는데, 용어 이해를 쉽게 하기 위해 이 책에서는 동일형과 이전형으로 칭하였다.

	동일형	이전형
능동형	V-ing	having p.p.
수동형	being p.p.	having been p.p.

He denied having taken money from the bag.
<u>S</u> <u>V</u> 시제→이전형, 태→능동형
그는 가방에서 돈을 가져갔던 것을 부인했다.

My father objected to being treated like a criminal.
<u>S</u> <u>V</u> 시제→동일형, 태→수동형
우리 아버지는 죄인처럼 취급받는 것에 반대했다.

He is ashamed of having been humiliated in public yesterday.
<u>S</u> <u>V</u> 시제→이전형, 태→수동형
그는 어제 공개적으로 창피당했던 것을 부끄러워한다.

■ 동명사의 부정

동명사를 부정할 경우에는 부정어 not, never 등을 동명사 앞에 둔다.

Many common illnesses are caused by not drinking enough water.

많은 흔한 질병들이 충분한 물을 마시지 않음으로써 생겨난다.

❷ 전치사 to의 목적어이므로 ~ing 대신에 명사가 쓰일 수도 있다.

■ 전치사 to와 동명사가 쓰인 표현들❷

전치사 to의 목적어로 동명사를 쓰는 경우로, 일반적인 전치사 뒤에 동사원형을 쓰지 못하고 동명사를 쓰는 형태와 같다. 이 형태는 'to+동사원형'으로 쓰는 to부정사와 혼동하기 쉽기 때문에 주의해야 한다.

look forward to ~ing ~을 기대(고대)하다	contribute to ~ing ~에 기여하다
pay attention to ~ing ~에 주의를 기울이다	lead to ~ing ~을 초래하다
devote oneself to ~ing ~에 몰두(헌신)하다	be committed to ~ing ~에 헌신하다
apply A to ~ing[B] A를 B에 적용하다	in addition to ~ing ~ 외에도
prefer A to ~ing[B] B보다 A를 선호하다	from ~ing[A] to ~ing[B] A로부터 B로(까지)
be used(accustomed) to ~ing ~하는 데 익숙하다	
object to ~ing = be opposed to ~ing ~에 반대하다	
when it comes to ~ing ~로 말하자면, ~에 관해서는	

We are really looking forward to seeing him in April.
우리는 4월에 그를 만나기를 정말로 기대하고 있다.

Foods which contain vitamins can contribute to keeping us healthy.
비타민을 함유하고 있는 음식은 우리를 건강하게 유지시키는 데 기여한다.

Many young people prefer surfing the Internet to reading books.
많은 젊은 사람들은 독서보다는 인터넷 검색을 선호한다.

■ 동명사의 관용적 표현

동명사를 관용적으로 쓰는 표현으로 숙어처럼 암기해야 한다.

on(upon) ~ing ~하자마자	There is no ~ing ~하는 것은 불가능하다
be worth ~ing ~할 만한 가치가 있다	make a point of ~ing 규칙적으로 ~하다
have difficulty(a hard time) ~ing ~하느라 고생하다	
It is no use(good) ~ing = There is no point in ~ing ~해야 소용없다	
be on the point(edge/verge/brink) of ~ing 막 ~하려고 하다	
feel like ~ing = feel(be) inclined to부정사 ~하고 싶다	
keep(stop/prevent/prohibit) A from ~ing A가 ~하는 것을 막다(방해하다)	

History is worth studying because it is a creative act.
역사는 창의적인 활동이기 때문에 연구할 가치가 있다.

It's no use worrying about what you have already done.
당신이 이미 행한 일에 관하여 걱정하는 것은 소용이 없다.

I was on the point of leaving for work when the phone rang.
막 직장으로 출발하려던 참에 전화가 울렸다.

PATTERN STUDY [유형 학습]

유형 1 ● 동명사를 목적어로 가지는 동사 출제 빈도 ●●●

When flying in large groups, each bat uses a different sound so it can distinguish its own echo and avoid | losing / to lose | its direction.

해설 |
each bat uses a different sound so (that) it can distinguish its own echo ~의
　　　S　　V　　　O　　　　　목적의 부사절을 이끔(~하기 위해서)

구조이며, 동사 avoid는 목적어로 동명사를 취하기 때문에 losing이 와야 한다.

해석 | 큰 무리를 지어서 날아갈 때, 각각의 박쥐는 그 자신만의 반사파를 구별하고 방향을 잃는 것을 피하기 위해 서로 다른 소리를 이용한다.

정답 | losing

유형 2 ● 전치사의 목적어 출제 빈도 ●○○

The amount of light entering through cornea is controlled by | widen or narrow / widening or narrowing | the pupil which acts like a camera aperture.

해설 | 전치사 뒤에 나오는 단어는 그 전치사의 목적어 역할을 하기 때문에 동사 형태로는 절대로 쓰일 수가 없고, 목적어 역할을 하는 동명사 형태로 쓰여야 한다. 따라서 이 문장은 전치사 by 뒤에 widening or narrowing이 와야 한다.

해석 | 각막 속으로 들어가는 빛의 양은 카메라 조리개처럼 기능하는 동공을 넓히거나 좁힘으로써 조절된다.

정답 | widening or narrowing

1
distinguish 구분(구별)하다
echo 반향, 반사파

2
cornea 각막
pupil 동공
aperture 틈, (카메라) 조리개

유형 **3** 전치사 to와 동명사

Some kids are so used to eat / eating junk food that they are exposed to child obesity.

해설 | '~하는 데 익숙하다'의 뜻이 문맥상 적절하므로 'be used to ~ing' 형태로 써서 eating이 와야 한다.

해석 | 일부 아이들은 인스턴트 음식을 먹는 데 너무도 익숙해서 소아 비만에 노출되어 있다.

정답 | eating

Grammar Plus

■ be used to ~ing / be used to부정사 / used to＋동사원형 구분

형태가 비슷하여 헷갈리기 쉬운데 해석상으로 구분해야 한다.

┌ **be used to ~ing** ~하는 데 익숙하다
├ **be used to부정사** ~하기 위하여 사용되다
└ **used to＋동사원형** ~하곤 했다(과거의 습관) / ~였는데(과거의 상태)

Nicknames **are used to express** feeling toward a person.
별명은 어떤 사람에 대한 느낌을 표현하기 위해 이용된다.

In the ancient world, people **used to explain** the universe with myths.
고대에 사람들은 우주를 신화로 설명하곤 했다.

The streams around here **used to have** an abundance of fish.
이곳 주변의 개울에는 물고기가 많이 있었다 (지금은 그렇지 않다).

유형 **4** 동명사의 의미상 주어

Cat owners are familiar with the problem of their pets bring / bringing home dead mice, birds and other small animals.

해설 | 전치사 of 뒤에 〈S＋V〉의 구조로 of their pets bring은 쓸 수가 없고,
of ＋ their pets ＋ bringing의 구조로 전치사의 목적어로 쓰인 동명사(bringing) 앞에
　　　　의미상 주어　　동명사
의미상 주어(their pets)가 쓰인 형태가 되어야 한다.

해석 | 고양이 주인들은 그들의 애완동물이(고양이가) 죽은 쥐나 새, 그리고 다른 작은 동물들을 집으로 가져오는 문제를 흔히 경험한다.

정답 | bringing

3
be exposed to ~에 노출
되다
obesity 비만

유형 5. 동명사의 시제

They couldn't find the evidence of the company | violating / having violated |
safety regulations when the fire had broken out.

해설 | 주절의 동사는 과거(couldn't find) 시제이고, when 이하 부사절은 과거완료(had broken
out) 시제로 화재가 났을 당시 안전 규정을 위반했다는 것이므로 이전형(having violated)이
와야 한다.

해석 | 그들은 화재가 났을 때 그 회사가 안전 규정을 위반했다는 증거를 발견할 수 없었다.

정답 | having violated

유형 6. 동명사의 태

He insisted on | allowing / being allowed | to go immediately because of
his appointment.

해설 | 뒤에 because of his appointment(그의 약속 때문에)가 쓰여 있어 앞에 나온 내용은 '그는
즉시 가도록 허락(허용)되다'로 수동의 의미가 되는 것이 자연스럽다. 따라서 네모 안에는 수동형
동명사(being allowed)가 와야 한다.

해석 | 그는 약속 때문에 즉시 가는 것을 허락해 달라고 주장했다.

정답 | being allowed

5
violate 위반하다
safety regulations 안전
규정
break out 발생하다

6
insist 주장하다
immediately 즉시
appointment 약속

PATTERN PRACTICE [유형 훈련]

SUMMA CUM LAUDE GRAMMAR & USAGE

SUB NOTE 21쪽

난이도 ●○○ : 하 ●●○ : 중 ●●● : 상

[01~08] 각 네모 안에서 어법에 맞는 표현을 고르시오.

participant 참가자
cooperative 협력(협동)하
는

●○○

01 Because the play requires three to four participants working closely together, it is also great for development / developing cooperative skills among children.

excessive 지나친

●●○

02 Many scientists have been studying the effects that release / releasing excessive amounts of carbon dioxide into the atmosphere can have on the world's oceans.

considerable 엄청난, 상
당한
mine 채굴하다
deplete 고갈되다

●●○

03 A considerable amount of water use, especially the pumping of ground water, is like mine / mining the depleting natural resources.

●●○

04 In the field of sports we clearly see how much children can learn without anyone teach / teaching them anything.

prairie dog 프레리도그(북
미 대초원에 서식하는 다람쥣과
의 동물)
predator 포식자, 포식 동물

●●○

05 Prairie dogs devote much of their time to build / building their homes for protection from predators and weather.

○●○

06   Organisms get the energy they |use to carry out / are used to carrying out| their life processes from the chemicals in food.

organism 유기체
carry out 수행하다
chemicals 화학물질

○●○

07   The overuse of salt causes high blood pressure, which leads to salt |banning / being banned| from baby food.

high blood pressure 고
혈압
ban 금지하다

○●○

08   It is worth |examining / to examine| just how powerful an effect climate really has on our species from an evolutionary perspective.

examine 검토하다
species 종(種)
evolutionary 진화의
perspective 관점

[09~12] 밑줄 친 부분이 올바르게 쓰였는지 판단하고, 필요하면 어법에 맞게 고치시오.

○●○

09   Scientists agree that <u>exposing</u> to a wide range of allergens early in life helps children to develop greater immunity.

allergen 알레르기 물질
immunity 면역

○●○

10   However, if you are eating burgers and ice cream to feel comforted, relaxed and happy, <u>try</u> to replace them with broccoli and carrot juice is like dealing with a leaky bathroom tap by repainting the kitchen.

leaky 구멍이 난, 새는

●●○

11   One researcher said, "We are using genetics to move from treating the disease after it happens <u>to prevent</u> the worst symptoms of the disease before it happens."

genetics 유전학
symptom 증상, 징조

●●●

12   When glaciers were moving to villages, ancient people thought it was a hint of <u>their having done</u> something to anger the gods.

glacier 빙하

SUMMA CUM LAUDE GRAMMAR & USAGE

1 분사

분사는 형태에 따라 현재분사와 과거분사로 나뉘며 각각의 형태는 자동사와 타동사에 따라 그 의미가 다르다. 또한 분사는 문장 속에서 형용사와 같이 명사를 수식하거나 서술해 주는 보어 역할을 한다.

■ 자동사, 타동사에 따라 달라지는 분사의 의미

❶ '완료'의 의미로 쓰인 경우를 제외하면, 자동사는 목적어를 취할 수 없기 때문에 과거분사로 쓸 수 없다.
　┌ low-lying cloud (O)
　└ low-lain cloud (X)

현재분사		과거분사	
원래 자동사였던 현재분사	원래 타동사였던 현재분사	원래 자동사❶였던 과거분사	원래 타동사였던 과거분사
진행 의미	능동 의미	완료 의미	수동 의미
falling leaves 떨어지고 있는 나뭇잎	**surprising** look 놀라게 하는 표정	**fallen** leaves (이미) 떨어진 나뭇잎 → 낙엽	**surprised** look 놀란 표정

■ 분사의 역할

분사는 문장 속에서 형용사 역할을 하기 때문에 명사를 앞, 뒤에서 수식하거나 보어로 쓰일 수 있다.

(1) 명사 수식

❶ 명사 앞 수식 : 분사 홀로 명사를 수식할 때는 명사 앞에서 수식한다.

Biofuels can be mixed into existing products – gasoline and diesel.

생물연료는 가솔린과 디젤 같은 기존의 제품과 섞일 수 있다.

They have well-balanced meals year round.

그들은 일 년 내내 균형이 잘 잡힌 식사를 한다.

❷ 명사 뒤 수식 : 분사에 수식어가 붙어 분사구❷ 형태로 길어지면 명사 뒤에서 수식한다.

❷ 분사구란 분사와 다른 성분 (목적어, 보어, 부사)이 결합하여 구를 이룬 것이다.

Not all rainwater falling from a cloud reaches the ground.

구름에서 떨어지는 모든 빗방울이 땅에 떨어지는 것은 아니다.

Vegetables cooked at high temperature lose most of their vitamins.

고온에서 조리된 야채는 그 비타민의 대부분을 잃어버린다.

(2) 주격 보어나 목적격 보어 역할
❶ 주격 보어 : 2형식 문장에서 주어를 설명하면서 주격 보어 역할을 한다.

Many people are standing watching a lunar eclipse.

많은 사람들이 월식을 보면서 서 있다.

Plenty of treasures remain undiscovered in the region.

많은 보물들이 발견되지 않은 채로 그 지역에 있다.

❷ 목적격 보어 : 5형식 문장에서 목적어를 설명하면서 목적격 보어 역할을 한다. ❸

❸ Chap. 4 5형식 문장 구조 참조

I saw people sitting in a circle under the trees.

나는 나무 아래에서 사람들이 원을 이루어 앉아 있는 것을 보았다.

The pouring rain left streets flooded.

폭우로 인해 길거리가 물에 잠겼다.

■ 형용사 또는 부사와의 결합

분사가 형용사 또는 부사와 결합하여 쓰일 수 있다.

a strange-looking cat   이상하게 보이는[생긴] 고양이

a newly-discovered cause of disease   새롭게 발견된 질병의 원인

■ 명사와의 결합

분사가 명사와 결합하여 ⌈ 명사[A]−~ing + 명사[B] : A를 ~하는 B
⌊ 명사[A]−p.p. + 명사[B] : (A에 의해) ~된[되는] B ⌋ 의
의미를 가진다.

Organ transplantation is a life-extending medical procedure.

장기이식은 생명을 연장시키는 의학적인 행위이다.

In the past, organic food was produced by a small family-run farms.

과거에 유기농 식품은 소규모의 가정에 의해 운영되는 농장에서 생산되었다.

2 분사구문

분사구문은 「접속사 + S' + V' ~ , S + V ... 」로 쓰인 문장에서 종속절을 분사를 이용
하여 간단하게 줄여 쓴 구문이다.

(종속절 / 주절)

■ 분사구문 만드는 법

첫째, 접속사를 생략한다.(단, 접속사의 의미를 강조하는 경우는 그대로 남겨둠)

둘째, 종속절에 쓰인 주어는 ┌ 주절의 주어와 일치하면 생략한다.
└ 주절의 주어와 일치하지 않으면 그대로 써 주며,
　　　　　　　　　　　　 이를 '독립 분사구문' 이라고 한다.

셋째, 종속절에 쓰인 동사를 분사로 전환하는데, 분사의 형태는 종속절에 쓰인 동
사의 태와 주절 동사와의 시제를 비교하여 결정한다.

■ 분사구문의 시제와 태

시제는 동일형/이전형, 태는 능동형/수동형으로 구분되는데, 각각의 의미는 다음
과 같다.

❹ 대부분의 교재에서 분사의 시
제를 단순형과 완료형으로 설명
하는데, 용어 이해를 쉽게 하기
위해 이 책에서는 동일형과 이
전형으로 칭하였다.

(1) 시제 ┌ 동일형 : 주절 동사와 동일 시제❹
　　　　└ 이전형 : 주절 동사보다 이전 시제

(2) 태 ┌ 능동형 : 종속절 속에서 능동태
　　　 └ 수동형 : 종속절 속에서 수동태

❺ 수동형은 being / having
been이 생략되어 p.p. 형태로
만 자주 쓰인다.

	동일형	이전형
능동형	V-ing	having p.p.
수동형❺	being p.p.	having been p.p.

■ 분사구문의 종류

(1) 기본 형태

부사절로 쓰인 문장을 시제와 태에 따라 분사구문으로 고친 기본적인 형태는 아래
와 같다. 그리고 분사구문으로 쓰인 문장을 해석할 때는 시간(when(as), while,
after), 조건(if), 이유(because(as), since), 양보(though(as), although, even if), 동
시동작(while(as)) 등의 생략된 접속사를 문맥에 맞게 선택해야 한다.

As I didn't know which course to take, I decided to ask for advice.

→ ⁶Not knowing which course to take, I decided to ask for advice. 〈동일형＋능동형〉

어떤 길을 택할지 알 수 없었기 때문에, 나는 조언을 구하기로 결심했다.

⁶ 분사구문에서 부정어(not, never 등)는 분사 앞에 쓴다.

After they had recognized the value of the plant, they tried to conserve it.

→ Having recognized the value of the plant, they tried to conserve it. 〈이전형＋능동형〉

그 식물의 가치를 깨달은 후에, 그들은 그것을 보존하기 위해 노력했다.

If the doll is viewed from this angle, it looks more attractive.

→ (Being) viewed from this angle, the doll looks more attractive. 〈동일형＋수동형〉

그 인형은 이 각도에서 보여지면, 더 매력적으로 보인다.

Although e-mail was invented for military purposes, it is now being used by all of us.

→ (Having been) invented for military purposes, e-mail is now being used by all of us. 〈이전형＋수동형〉

이메일은 군사적인 목적을 위해 발명되었지만, 지금은 우리 모두에 의해 이용되고 있다.

After the sun had set, we stayed there during the night.

→ **The sun** having set, we stayed there during the night. 〈독립 분사구문〉

해가 진 후에, 우리는 밤새도록 거기에 머물렀다.

(2) with 동시동작⁷

「명사＋~ing/p.p.」로 쓰인 독립 분사구문이 동시동작(~하면서, ~한 채)으로 해석되는 경우, 앞에 with를 써서 「with＋명사＋~ing/p.p.」 형태로 쓸 수 있다.

With night coming on, the orange light of sunset disappeared.
        └ 능동 관계 ┘

밤이 다가오면서 석양의 오렌지 빛이 사라졌다.

He lay on the sofa with arms folded and soon fell asleep.
                  └ 수동 관계 ┘

그는 팔짱을 낀 채 소파에 누워서 곧 잠들었다.

⁷ 대부분의 책에서 'with 부대상황'으로 설명하는 부분인데, 용어 이해를 쉽게 하기 위해 이 책에서는 'with 동시동작'으로 칭하였다.

(3) 비인칭 독립 분사구문

종속절에 주어로 'We'(일반적인 의미의 '우리')가 쓰여 있으면 주절의 주어와 다르더라도 표시하지 않고 생략해서 쓰는 표현으로, 숙어처럼 암기해 두는 것이 좋다.

judging from ~로 판단하면	depending on(upon) ~에 의존하여(~에 따라)
considering ~ = taking ~ into consideration ~을 고려하면	
generally(frankly/strictly/roughly) speaking 일반적으로(솔직히/엄격히/대충) 말하면	

Judging from the look of the sky, it will rain in the afternoon.
하늘의 모양으로 판단하건대, 오후에 비가 올 것이다.

Generally speaking, women live longer than men.
일반적으로 말하면, 여성이 남성보다 더 오래 산다.

(4) 동시동작/연속동작

분사구문이 문장 앞에 쓰이지 않고 「S+V ~, ~ing/p.p.」 구조로 쓰일 때, 주로 '~하면서, ~한 채(동시동작)' 또는 '그래서 ~한다(연속동작)' 로 해석되는 경우가 많다.

❶ 동시동작

We sat under the trees, feeding the campfire with some twigs and leaves.
우리는 가지와 나뭇잎으로 모닥불을 피우면서 나무 아래에 앉아 있었다.

❷ 연속동작

Recently, a severe disease hit Asian nations hard, causing several hundred deaths.
최근에 심각한 질병이 아시아 국가들에 퍼져서, 수백 명의 사망자를 내었다.

(5) 접속사 + $\begin{bmatrix} \text{~ing} \\ \text{p.p.} \end{bmatrix}$ ~, S+V ...

분사구문에서 접속사의 의미를 분명히 하기 위해 생략하지 않고 써준 형태이며, 접속사 뒤에 'S(주절과 같은 주어)+be동사' 가 생략된 구조로 보면 된다.

If (it is) discovered in time, even cancer can be cured.
만약 제때에 발견되면 암조차도 치료될 수 있다.

Many children die by getting struck by cars while (they are) walking.
많은 아이들이 걸어가다가 차에 치여 죽는다.

(6) 형용사 ~, S+V ...

원래 「Being+형용사 ~」로 쓰인 분사구문에서 Being이 생략된 형태이다.

(Being) Unable to explain the problem, he remained calm.
→ As he was unable to explain the problem, he remained calm.
그 문제를 설명할 수 없었기 때문에, 그는 조용히 있었다.

PATTERN STUDY [유형 학습]

SUMMA CUM LAUDE GRAMMAR & USAGE

유형 1. 보어로 쓰인 분사
출제 빈도 ●●●

The coin collector was very exciting / excited about the old gold coin he found at a flea market.

해설 | 주격 보어로 쓰인 분사는 주어와의 관계에 따라 결정한다. 이 문장은 '동전 수집가가 매우 흥분되었다'는 수동적인 의미가 되어야 하므로 excited가 와야 한다.

해석 | 그 동전 수집가는 그가 벼룩시장에서 발견한 오래된 황금 주화에 매우 흥분했다.

정답 | excited

유형 2. 수식어로 쓰인 분사
출제 빈도 ●●●

Water pollution has negatively affected water supplies in almost all of the world's densely populating / populated industrialized nations.

해설 | 분사가 명사 앞에서 수식하는 경우에는 수식받는 명사와의 관계로 결정한다. 수식받는 명사와 분사의 관계가 능동이면 현재분사, 수동이면 과거분사를 쓴다. 여기서는 명사 industrialized nations와 분사와의 관계가 '인구가 밀집된 산업 국가들'이라는 수동적인 의미가 되어야 하므로 populated가 와야 한다.

해석 | 수질 오염은 거의 모든 지구상의 인구가 밀집된 산업 국가들의 물 공급에 부정적으로 영향을 미쳐 왔다.

정답 | populated

유형 3. 분사구문 판단 (1)
출제 빈도 ●●●

Selecting / Selected plants to grow in your backyard, you should consider the kind of soil in it.

1
flea market 벼룩시장

2
densely 조밀하게, 빽빽하게
populate 거주시키다

3
backyard 뒤뜰

해설 ┃ 「~ing/p.p. ~, S＋V ...」의 구조로 쓰이는 기본적인 형태의 분사구문은 주절의 주어를 분사 앞에 써서, ┌ S＋~ing(능동형) → S＋V(능동태) ┐ 의 관계로 판단하면 된다.
└ S＋p.p.(수동형) → S＋be p.p.(수동태) ┘

이 문장은

You ┌ selecting the plants ~ → You select the plants (당신이 식물을 선택한다) ┐
└ selected the plants ~ → You are selected the plants (당신이 식물을 선택된다) ┘

로 p.p.가 쓰이면 어색하므로 능동형인 Selecting이 와야 한다.

해석 ┃ 뒤뜰에서 기를 식물을 선택할 때, 당신은 토양의 종류를 고려해야만 한다.

정답 ┃ Selecting

유형 4. 분사구문 판단 (2)

출제 빈도 ●●●

Locating / Located on a quiet street next to the railroad tracks, my little hamburger shop sits apart from other buildings.

해설 ┃ 주절의 주어 my little hamburger shop을 분사 앞에 써 보면,

My little hamburger shop ┌ locates on a quiet street ~ ┐ 가 된다.
└ is located on a quiet street ~ ┘

동사 locate가 '위치하다'의 뜻으로 쓰일 때는 항상 수동태로 쓰기 때문에 Located가 와야 한다.

해석 ┃ 철로 옆 조용한 길 위에 위치해 있어서, 나의 조그마한 햄버거 가게는 다른 빌딩들로부터 떨어져 있다.

정답 ┃ Located

유형 5. 독립 분사구문

출제 빈도 ●○○

The price of coffee falling / fallen so low, many farmers abandoned their land and went to the cities to find work.

해설 ┃ 「명사＋~ing/p.p.」 형태로 쓰이는 독립 분사구문은 분사 앞에 쓰인 명사가 주어 역할을 하기 때문에 ┌ 명사＋~ing(능동형) → S＋V(능동태) ┐ 의 관계로 판단하면 된다.
└ 명사＋p.p.(수동형) → S＋be p.p.(수동태) ┘

이 문장은 The price of coffee ┌ fell so low(능동태) ┐ 로 써 보면
└ was fallen so low(수동태) ┘

주어와 능동 관계에 있고 동사 fall은 자동사여서 수동태로 쓸 수 없기 때문에 능동형(falling)이 와야 한다.

해석 ┃ 커피 가격이 너무 낮게 떨어지면서, 많은 농부들이 그들의 땅을 포기하고 일자리를 찾기 위해 도시로 갔다.

정답 ┃ falling

4
railroad tracks 철로

5
abandon 포기하다

유형 6 with 동시동작

출제 빈도 ●●●

With our natural resources | exhausting / exhausted | rapidly, perhaps Antarctica will become the land of the future.

해설 | 「명사＋~ing/p.p.」 형태의 독립 분사구문이 '~하면서, ~한 채'로 해석되어 동시동작을 나타내는 경우에 「with＋명사＋~ing/p.p.」로 쓸 수 있다. 이때 전치사 with는 단지 동시동작으로 해석하라는 기호이므로, with를 제외한 「명사＋~ing/p.p.」 구조로 문장을 풀어보면,

our natural resources ⎡ exhaust rapidly(능동태)
⎣ are exhausted rapidly(수동태) ⎤ 가 된다.

'자원이 고갈되다'는 의미로 분사가 주어와 수동 관계에 있기 때문에 수동형(exhausted)이 와야 한다.

해석 | 우리의 천연자원이 빠르게 고갈되면서, 아마도 남극 대륙이 미래의 땅이 될 것이다.

정답 | exhausted

유형 7 분사구문 동시동작

출제 빈도 ●●○

Some heroes do their work quietly, ① | unnoticing / unnoticed | by most of us, but ② | making / made | a difference in the lives of other people.

해설 | 「S＋V ~, ~ing/p.p.」에서 현재분사와 과거분사는 문맥에 따라 '~하면서, ~한 채(동시동작)' 또는 '그래서 ~한다(연속동작)'로 해석한다.

이때, 각각의 형태는 S＋V ~, ⎡ ~ing ⎤ 의 관계에 있으므로,
　　　　　　　　　　　　　　⎣ p.p. ⎦
　　　　　　　　　┌── 능동 ──┐
　　　　　　　　　└── 수동 ──┘

이 문장은

Some heroes do their work quietly, ⎡ unnoticed by most of us(일부 영웅들은
　　S　　　V　　　　　　　　　　　　우리들 대부분에 의해 눈에 띄지 않은 채로)
　　　　　　　　　　　　　　　　　　⎣ making a difference(일부 영웅들은 변화
　　　　　　　　　　　　　　　　　　를 가져오면서)

의 의미가 된다. 따라서 ①은 unnoticed, ②는 making을 써야 하며 문맥상 동시동작을 나타낸다.

해석 | 일부 영웅들은 우리들 대부분에 의해 눈에 띄지 않은 채로, 그러나 다른 사람들의 삶에 변화를 가져오면서 조용하게 그들의 일을 한다.

정답 | ① unnoticed ② making

6
exhaust 고갈시키다
Antarctica 남극 대륙

7
make a difference 변화를 가져오다, 영향력을 주다

유형 8 분사구문 연속동작

Water molecules are polar, that is, they have positive and negative ends, cause / causing them to stick together and separate other molecules from each other.

해설 ┃ they have positive and negative ends , cause / causing ~에서 cause를 쓰면
　　　　S　V　　　O

「S+V ~, V'」의 구조로 한 문장에 접속사 없이 두 개의 동사가 쓰여 틀린 문장이 된다. 따라서 이 문장은 causing을 써서 분사구문으로 만들어 문맥상 연속동작으로 해석해야 한다.

해석 ┃ 물 분자는 극성이 있다. 즉 물 분자는 양극과 음극을 가지며, 그래서 두 개의 극이 함께 달라붙게 도 하고 서로에게서 다른(반대 극의) 분자들을 떼어놓기도 한다.

정답 ┃ causing

유형 9 접속사 + 분사구문

When asking / asked to explain what her biggest dream was, she answered, "My biggest dream is to become an Olympic Champion."

해설 ┃ 접속사 when 뒤에 「주어+be동사」인 she was가 생략된 형태의 분사구문이다. 주절에 she answered(그녀는 대답했다)가 쓰여 있기 때문에 문맥상 '설명하도록 요청받았다'는 의미의 수동태가 되도록 asked가 와야 한다.

해석 ┃ 그녀의 가장 큰 꿈이 무엇인지 설명하도록 요청받았을 때, 그녀는 "나의 가장 큰 꿈은 올림픽 챔피언이 되는 것입니다."라고 대답했다.

정답 ┃ asked

8
molecule 분자
polar 극성이 있는
stick 달라붙다

PATTERN PRACTICE [유형 훈련]

SUMMA CUM LAUDE GRAMMAR & USAGE

SUB NOTE 23쪽

난이도 ● : 하   ●● : 중   ●●● : 상

[01~10] 각 네모 안에서 어법에 맞는 표현을 고르시오.

●○○

01 Being musicians and playing together in a group looked like more fun and was more satisfying / satisfied .

●●○

02 Mineral resources can be defined as naturally occurring / occurred substances that can be extracted from the Earth and are useful as fuels and raw materials.

define 정의(규정)하다
substance 물질
extract 추출하다
raw material 원자재

●○○

03 He goes on to describe his daily routine of strolling through the village observing / observed the intimate details of family life.

routine (판에 박힌) 일상
intimate 친근한, 사소한

●●○

04 Manufacturing / Manufactured commercially just about eighty years ago, aluminum today ranks behind only iron and steel among metals serving humankind.

manufacture 제조(생산)
하다

●●○

05 Making / Having made his first movie earlier this year, he is presently starring in a new musical.

star in (영화나 연극에서) 주
연을 맡다

●●○

06 By using / Used with this oil paint, painters were able to express the light glowing on furniture or on people's skins.

oil paint 유화 물감
glow 빛나다

residual 남은, 잔여의

●●○○
07 Remove all residual moisture by drawing it away, with a vacuum cleaner holding / held over the affected areas for up to twenty minutes.

put on (태도를) 취하다
display 전시, 과시
intense 강렬한

●●○○
08 Nature puts on an incredible display, changing / changes the leaves of trees from ordinary green to intense yellows and reds.

contribution 기부, 기여

●●○○
09 However limiting / limited your ability may be, you can make an important contribution to your school.

once 일단 ~하면
trap 가두다
gradual 점진적인

●●○○
10 Once releasing / released into the atmosphere, these gases trap heat and cause a gradual warming of the earth known as the "green-house effect".

[11~20] 밑줄 친 부분이 올바르게 쓰였는지 판단하고, 필요하면 어법에 맞게 고치시오.

given that + S + V ~
~을 고려할 때
enhance 높이다, 강화하다
circumstance 상황, 환경

●●○○
11 Given that music appears to enhance physical and mental skills, are there circumstances where music is <u>damaged</u> to performance?

modest 별로 많지 않은

●●○○
12 Some young people choose jobs that have modest incomes but are very <u>rewarding</u> in other ways.

●●○○
13 <u>Giving</u> thirty minutes to describe herself, Mary couldn't say anything for a moment.

○○○
14 <u>We considering</u> the effect of higher temperatures on crop yields, the urgency of cutting carbon emissions sharply cannot be overlooked.

urgency 긴급(절박)함
emission 배출
overlook 간과하다

○○○
15 I laced up her tiny skates, my fingers <u>performed</u> the act as if I did it every day.

○○○
16 With the new rule <u>taken</u> effect in five months, concerns over non-English speaking players in the Premier League are arising.

○○◐
17 The chameleon's ability to change color is its most outstanding feature, <u>permitting</u> it to blend into many different environments.

outstanding 뛰어난, 두드러진
feature 특징

○◐○
18 <u>Other things being equal</u>, we generally resist change until the pain of making a switch becomes less than the pain of remaining in our current situation.

resist 저항(반대)하다

○○○
19 <u>Suspicious</u> about what the man said, the police started to investigate his office.

suspicious 의심하는
investigate 조사하다

○○○
20 Another girl mentioned that girls were not supposed to speak unless <u>speaking</u> to. Restraint in speech was valued by these students and their families.

restraint 절제, 자제

CHAPTER 09 대명사

SUMMA CUM LAUDE GRAMMAR & USAGE

대명사는 형태에 따라 여러 가지 종류가 있으며 명사와 마찬가지로 주어, 목적어, 또는 보어 역할을 한다. 또한 대명사는 경우에 따라 특정하게 쓰이는 형태들이 있기 때문에 각각의 쓰임을 정확히 알아야 하며, 단·복수 형태에도 주의해야 한다.

■ 대명사의 종류

대명사에는 인칭대명사, 재귀대명사, 부정대명사, 소유대명사, 지시대명사 등이 있다.

(1) 재귀대명사

oneself[oneselves] 형태로 쓰이는 재귀대명사는 문장 속에서 다음과 같은 역할을 한다.

❶ 목적어 역할

타동사의 목적어가 주어와 일치하는 경우에는 반드시 재귀대명사를 써야 하며, 생략할 수 없다. 보통 '~ 자신'이라고 해석된다.

First, I'll introduce myself. 먼저, 저를 소개하겠습니다.

He keeps himself in good shape by jogging every day.

그는 매일 조깅함으로써 (자기) 자신을 좋은 건강 상태로 유지한다.

❷ 강조

주어나 목적어를 강조하는 의미로 쓰이며 생략 가능하다. 보통 '스스로, 직접'이라고 해석된다.

Time itself remains unchanged throughout history.

유사(有史) 이래로 시간 그 자체는 변하지 않은 채로 있다.

❸ 재귀대명사의 관용 표현

• 타동사의 목적어

kill oneself 자살하다	avail oneself of 이용하다
devote[give] oneself to 몰두하다	help oneself 마음껏 먹다
seat oneself 앉다	overwork oneself 과로하다
oversleep oneself 늦잠자다	lose oneself 몰두하다, 길을 잃다

• 전치사의 목적어

for oneself 혼자 힘으로, 스스로	of oneself 자발적으로
by oneself 홀로, 혼자서	of itself 저절로
in itself 본래, 본질적으로	in spite of oneself 무의식적으로
between ourselves 우리끼리 얘긴데	beside oneself 제정신이 아닌

My parents raised me to think for myself.

우리 부모님은 내가 스스로 생각하도록 기르셨다.

The door into his room opened of itself.

그의 방으로 들어가는 문이 저절로 열렸다.

(2) 부정대명사

❶ 일반적으로 많이 쓰이는 부정대명사로는 all, some, any, both, most, each, either, neither 등이 있다.

some/any	**Some** of the chairs are broken. 〈대명사〉 의자들 중 일부가 부서졌다. There is **some** water in the bottle. 〈형용사〉 그 병 속에는 약간의 물이 있다.
	Have you read **any** of those books? 〈대명사〉 그 책들 중 어느 것을 읽은 적이 있니? There isn't **any** food in the house. 〈형용사〉 집에 남아 있는 음식이 아무것도 없다.
each/every	**Each** of them phoned to thank me. 〈대명사〉 그들 각자가 내게 감사하다는 전화를 걸어왔다. **Each** child learns at his or her own pace. 〈형용사〉 각각의 아이들은 각자의 속도대로 배운다.
	Every child in the class can play the game. 〈형용사〉❶ 그 반의 모든 아이들이 그 게임을 할 수 있다.
either/neither	Has **either** of your parents visited you? 〈대명사〉 부모님들 중의 한 분이 너를 방문하셨니? You can park on **either** side of the street. 〈형용사〉 당신은 길 양쪽에 주차할 수 있다.
	Neither of them could answer the question. 〈대명사〉 그들 중 누구도 그 질문에 대답할 수 없었다. **Neither** answer is correct. 〈형용사〉 어떤 대답도 옳지 않다.

❶ every는 형용사로만 쓰이고, 대명사 기능은 없다.

cf. some, any, most, each, either, neither 등의 대명사가 정관사나 소유격과 함께 쓰일 때는 「대명사＋of＋the[소유격]＋명사」 형태로 써야 한다.

Most of the passengers are now on board.　그 승객들의 대부분이 이제 탑승하고 있다.

❷ one, another, the other(s)의 용법

• **one ~, the other ~** : (둘 중에서) 하나는 ~, 나머지 하나는 ~

★   ○
one   the other

Two cultures may be different, but one is not better than the other.

두 문화가 다를 수도 있지만, 어느 한 문화가 나머지 다른 문화보다 더 나은 것은 아니다.

• **one ~, another ~, the other ~** : (셋 중에서) 하나는 ~, 또 하나는 ~, 나머지 하나는 ~

★   ○   ◆
one   another   the other(the third)

Here are three flowers. One is a lily, another is a rose, and the other is a tulip. 꽃 세 송이가 있다. 한 송이는 백합, 또 한 송이는 장미, 그리고 나머지 한 송이는 튤립이다.

• **some ~, others ~** : 일부는 ~, 또 다른 일부는 ~

There are twenty roses in the vase. Some are white and others are red.

꽃병 속에 20송이의 장미가 있다. 일부는 흰색이고, 또 다른 일부는 붉은색이다.

• **some ~, the others ~** : 일부는 ~, 나머지 전체는 ~

He colored some flowers blue, and the others yellow.

그는 일부 꽃들은 파란색으로, 나머지 꽃들은 노란색으로 색칠했다.

cf. the one ~, the other ~

the one ~, the other ~는 앞에 쓰인 두 개의 명사를 각각 가리켜 '전자는 ~, 후자는 ~'의 표현으로 쓰인다.

Work and play are both necessary to health; the one gives us energy and the other gives us rest.

일과 놀이는 둘 다 건강을 위해 필요하다. 전자는 우리에게 에너지를 주고, 후자는 우리에게 휴식을 준다.

(3) 소유대명사

'소유격+명사'를 대신하는 역할로 '~의 것'이란 의미를 나타낸다.

	1인칭	2인칭	3인칭
단수	mine	yours	his, hers
복수	ours	yours	theirs

Compared with other firms, ours is in a convenient location.

다른 회사들과 비교해 보면, 우리 회사는 가까운 위치에 있다.

■ 앞에 쓰인 명사(구/절)를 받을 때 주의할 형태

(1) one / it

- one(s) : 앞에 쓰인 명사와 '(같은 종류의) 것(들)'
- it(them) : 앞에 쓰인 명사 '(바로) 그것(들)'

As I had my bicycle stolen, I bought a new one .
= bicycle

나는 자전거를 도둑맞아서 새 것을 샀다.

Red apples are sweet, and green ones are sour.
= apples

붉은색 사과는 달고, 푸른색 사과는 시다.

I can't find my umbrella. Someone must have taken it by mistake.
= my umbrella

내 우산을 찾을 수가 없다. 누군가가 실수로 그것을 가져갔음에 틀림없다.

All the computers in our office are very old, and we must replace them .
= all the computers

우리 사무실의 모든 컴퓨터는 매우 오래되어서, 우리는 그것들을 교체해야만 한다.

(2) that / those

전치사구의 수식을 받는 경우에 앞에 쓰인 명사가 단수이면 that을, 복수이면 those를 쓰는데, 일반적으로 that(those) of ~의 형태로 전치사 of의 수식을 받는 경우가 많다.❷

London's annual rainfall is not very different from that of Paris or Berlin.

런던의 연간 강우량은 파리나 베를린의 그것(연간 강우량)과 많이 다르지 않다.

The features of society are like those of family.

사회의 특징들은 가족의 특징들과 유사하다.

> ❷ of 이외에 다른 전치사가 쓰일 수도 있다.
> ex. The grass here is greener than that on the other side. (여기 있는 풀이 반대쪽 풀보다 더 푸르다.)

(3) 앞에 쓰인 구(to부정사/동명사)나 절을 받을 경우, 단수로 받는다.

Giving flowers as a gift is wonderful, and it(that) is shown in many countries.
= giving flowers as a gift

선물로 꽃을 주는 것은 멋진 일이며, 그것은 많은 나라에서 눈에 띈다.

He made us stay late, and it(that) irritated us.
= he made us stay late

그는 우리를 늦게까지 머물게 했으며, 그것은 우리를 짜증나게 했다.

PATTERN STUDY [유형 학습]

SUMMA CUM LAUDE GRAMMAR & USAGE

유형 **1** 대명사의 단·복수 구분   출제 빈도 ●●○

> Children from nearly 100 countries met in Connecticut recently to learn about the environment and discuss ways to protect it / them .

해설 | 동사 protect의 목적어 자리에는 앞에 있는 단수 명사 the environment를 받는 대명사가 들어가야 하므로 단수인 it이 와야 한다.

해석 | 거의 100여개 나라에서 온 아이들이 환경에 대해 배우고 그것을 보호하기 위한 방법들을 토론하기 위해 최근에 Connecticut에서 만났다.

정답 | it

유형 **2** 재귀대명사   출제 빈도 ●●○

> When you attempt to do something and fail, you have to ask you / yourself why you have failed to do what you intended.

해설 | 네모 안에 들어갈 단어는 주어(you)와 일치하며, 문장 주어가 다시 목적어로 사용될 경우에는 반드시 재귀대명사를 써야 하기 때문에 재귀대명사 yourself가 와야 한다.

해석 | 당신이 어떤 일을 시도해 보고 실패할 때, 당신은 왜 의도한 것에 실패했는지를 당신 자신에게 질문해야만 한다.

정답 | yourself

1
environment 환경
discuss 토론하다
protect 보호하다

2
attempt 시도하다
intend 의도하다

유형 3. 부정대명사의 용법 구분 (1)

출제 빈도 ●●●

Even though Jane and Judy are completely alike in appearance, their parents can tell one from the other / another .

해설 | the other는 '(두 개만 있는 데서) 다른 한쪽'을 나타내고, another는 '(여러 개 있는 데서) 또 다른 하나'를 나타낸다. 이 문장에서는 구분하는 대상이 Jane과 Judy 두 사람이므로 '하나 (one)는 ~, 나머지 하나(the other)는 ~'로 표현해야 한다.

해석 | Jane과 Judy는 외모 면에서 완벽하게 닮았지만, 그들의 부모님은 한 아이와 다른 아이를 구별할 수 있다.

정답 | the other

유형 4. 부정대명사의 용법 구분 (2)

출제 빈도 ●●●

Being considerate means thinking not only about yourself, but also about others / the others .

해설 | others는 '불특정 다수의 다른 사람들'을 나타내고, the others는 정관사 the가 붙어 한정된 범위 내의 '나머지 사람들 전체'를 나타낸다. 이 문장에서는 '(자기 자신을 제외한) 불특정 사람들'의 의미이므로 others가 와야 한다.

해석 | 배려심이 있다는 것은 당신 자신뿐만 아니라 다른 사람들에 대해서도 생각해 준다는 것을 의미한다.

정답 | others

유형 5. that과 those의 구분

출제 빈도 ●●○

Trademarks make it possible for a company to distinguish its products from that / those of another company.

해설 | 앞에 나온 명사를 받는 대명사가 뒤에 오는 전치사구의 수식을 받을 때는 that이나 those를 쓰는데, 앞에 나온 명사가 단수이면 that을, 복수이면 those를 쓴다. 여기서는 앞에 쓰인 products(복수 명사)를 가리키기 때문에 복수인 those가 와야 한다.

해석 | 상표는 어떤 회사가 자사의 제품을 다른 회사 제품과 구별하는 것을 가능하게 해 준다.

정답 | those

3
appearance 외모
tell A from B A와 B를 구별하다

4
considerate 배려심이 있는

5
trademark 상표
distinguish A from B A를 B와 구별(구분)하다

SUMMA CUM LAUDE GRAMMAR & USAGE

SUB NOTE 26쪽

난이도 ●○○ : 하 ●●○ : 중 ●●● : 상

[01~09] 각 네모 안에서 어법에 맞는 표현을 고르시오.

●○○

emphasis 강조, 중점

01 Although American society is productive, the emphasis on academic success is not as strong as they are / it is in some other countries.

●●○

skip 건너뛰다

02 Many people think breakfast hurts their efforts to control calories because it means one more meal. So they tend to skip their breakfast. But it / they won't work.

●●○

as long as ~하는 동안, ~하는 한

03 Supplying food to the poor without teaching how to grow ① its / their own food will help ② it / them only for as long as the food lasts.

●●●

evaluation 평가
gymnastics 체조
elaborate 정교한

04 By comparison, evaluation of performances such as diving, gymnastics, and figure skating is more subjective — although elaborate scoring rules help make it / them more objective.

●●○

05 In spite of its / their ethnic mix, Singapore has one of the world's lowest crime rates, according to the official report.

○●○

06 There is a magical power with numbers, and people tend to give them / themselves various sorts of significance.

significance 중요, 의미

●●○

07 Sometimes when I'm flying from one speaking engagement to another / other, I find myself sitting next to someone who's quite talkative.

speaking engagement
연설(강연) 약속
talkative 수다스러운

●○○

08 I have five boxes here. One is full of books and others / the others are all empty.

●○○

09 Large groups do visit wilderness, and their potential to disturb campsites differs from that / those of small groups.

wilderness 황무지
potential 가능성

[10 ~ 12] 밑줄 친 부분이 올바르게 쓰였는지 판단하고, 필요하면 어법에 맞게 고치시오.

●●●

10 Cancer patients demand high-priced drugs that will keep themselves alive for only a few months longer, in hopes that some miracle drug will come along and cure them.

●●○

11 Being a hybrid art as well as a late one, film has always been in a dialogue with another narrative genres.

hybrid art 혼합 예술

●●●

12 One of the things astronomers try to do is to understand what the universe is like as a whole.

astronomer 천문학자
as a whole 전체적으로, 대체로

① 관계대명사의 기본 역할과 격

■ 관계대명사의 기본 역할

관계대명사는 두 문장을 연결하는 **접속사**의 역할과 함께 앞에 나온 명사, 즉 선행사를 대신하는 **대명사** 역할을 동시에 한다. 이때 관계대명사가 이끄는 절은 형용사절로서 바로 앞에 나오는 명사, 즉 선행사를 꾸며주는 역할을 하며, 선행사(사람/사물·동물)의 종류와 역할에 따라 다음과 같은 형태로 쓰인다.

선행사 \ 격	주격	목적격	소유격
사람	who	who(m)	whose
사물·동물	which	which	whose, of which
사람/사물·동물	that	that	–
선행사(사물) 포함	what	what	–

Plants have <u>hormones</u>. + <u>They</u> change the color of leaves.
　　　　　　　　　　　　　　 S(→ hormones)

→ Plants have <u>hormones</u> <u>which</u> change the color of leaves.
　　　　　　　　선행사(사물)　주격 관계대명사

식물은 나뭇잎의 색깔을 바꿔주는 호르몬을 가지고 있다.

A role model is <u>an ideal person</u>. + We admire <u>him</u>.
　　　　　　　　　　　　　　　　　　　　 O(→ an ideal person)

→ A role model is <u>an ideal person</u> <u>whom</u> we admire.
　　　　　　　　　선행사(사람)　　목적격 관계대명사

역할 모델은 우리가 존경하는 이상적인 인물이다.

■ 격변화

관계대명사절 속의 문장은 주어나 목적어가 없는 불완전한 문장 구조로 쓰이며, 선행사를 관계대명사절 속으로 넣어보면 주어나 목적어 역할을 하면서 완전한 문장 구조를 이루게 된다. 따라서 관계대명사의 격은 관계대명사절 속에서의 선행사 역할에 따라 결정된다.

	관계대명사절 속에서 선행사의 역할
주격	주어 역할
목적격	타동사나 전치사의 목적어 역할
소유격	관계사절 속의 주어나 목적어 수식

(1) 주격 관계대명사

「선행사 + 주격 관계대명사 + V ~」의 형태로 쓰이며 관계대명사절 속에서 주어 역할을 한다. 이때 관계대명사가 이끄는 절 속의 동사는 선행사의 인칭과 수에 일치시켜야 한다.❶

❶ Chap. 01 주어와 동사 일치 참조

The biologics who(that) ⋁ went to the South Pole are studying penguins.

남극으로 간 그 생물학자들은 펭귄을 연구하고 있다.

(2) 목적격 관계대명사

「선행사 + 목적격 관계대명사 + S + V ~」의 형태로 쓰이며 관계대명사절 속에서 타동사나 전치사의 목적어 역할을 한다.

❶ 타동사의 목적어

Many products which(that) we use ⋁ to make our lives more convenient

contain chemicals.

우리의 삶을 보다 편리하게 만들기 위해 이용하는 많은 제품들이 화학물질을 포함하고 있다.

❷ 전치사의 목적어

0℃ is the temperature which water changes to ice at ⋁.

0도는 물이 얼음으로 바뀌는 온도이다.

이와 같이 선행사가 전치사의 목적어 역할을 하는 경우에는 전치사를 관계대명사 앞에 쓸 수도 있는데, **이 경우에는 목적격 관계대명사로 that을 쓰지 못한다.**

0℃ is the temperature at which water changes to ice.
→ at that (x)

(3) 소유격 관계대명사

「선행사 + whose + $\begin{bmatrix} 명사 + V \sim \\ 명사 + S + V \sim \end{bmatrix}$」의 형태로 쓰이며, 선행사가 whose 바로 뒤의 명사를 수식하는데 수식받는 명사는 관계대명사절 속에서 주어나 목적어 역할을 한다.

This is a new word whose meaning is very difficult to understand.
S V

이것은 의미가 이해하기 매우 어려운 새로운 단어이다.

This is a new word whose meaning I can't understand.
O S V

이것은 내가 의미를 이해할 수 없는 새로운 단어이다.

PATTERN STUDY [유형 학습]

SUMMA CUM LAUDE GRAMMAR & USAGE

유형 **1** 관계대명사의 역할　　　　　　　　　　출제 빈도 ●●○

Chemical pollutants │ are sucked up / which are sucked up │ into the atmosphere can cause great damage to us.

해설 | 얼핏 보면 'S(Chemical pollutants)+V(are sucked up)'의 구조로 판단하기 쉬운데, 뒤에 동사 can cause가 나오기 때문에 앞에 동사(are sucked up)가 쓰일 수 없는 구조이다.

이 문장은 <u>Chemical pollutants</u> [which are sucked up into the atmosphere]
　　　　　　　S↑｜＿＿＿＿＿＿＿＿＿｜ 관계대명사절(주격)

<u>can cause</u> ~.의 구조가 되어야 하므로 which are sucked up이 와야 한다.
　V

해석 | 대기 중으로 빨려 들어가는 화학 오염물질들은 우리에게 큰 피해를 초래할 수 있다.

정답 | which are sucked up

유형 **2** 선행사 찾기　　　　　　　　　　출제 빈도 ●●○

The cells in your body that │ stimulate / stimulates │ stress hormone have been identified by some doctors.

해설 | 주격 관계대명사가 이끄는 절 속의 동사는 선행사의 인칭과 수에 일치시켜야 한다. 이 문장은 관계대명사 바로 앞에 쓰인 your body(단수 명사)가 선행사가 아니라

<u>The cells</u> in your body + <u>stimulate</u> + <u>stress hormone</u>의 구조로 선행사가
　S↑｜＿＿＿＿＿＿｜　　V　　　　　　O

The cells(복수 명사)이므로 stimulate가 와야 한다.

해석 | 스트레스 호르몬을 자극하는 당신의 몸속에 있는 세포가 일부 과학자들에 의해 확인되었다.

정답 | stimulate

1
pollutant 오염물질
suck 흡수하다, 빨아들이다

2
stimulate 자극하다
identify 확인하다

3
sensitive 민감한, 예민한

유형 **3** 관계대명사 격 판단하기　　　　　　　　　　출제 빈도 ●●○

This soap is for people │ whose / whom │ skin is sensitive to ordinary soap.

해설 | 관계대명사의 격을 물어보는 문제는 선행사를 관계대명사절 속으로 넘겨서 판단해야만 한다. 이 문장에서는 관계대명사절 속의 문장이 'S(skin) + V(is) + C(sensitive)'의 형태로 쓰여서 선행사가 목적어 자리에 들어갈 수가 없다. 따라서 whom은 쓰일 수가 없고, 주어 skin을 수식하는 형태로 소유격 관계대명사 whose가 와야 한다.

해석 | 이 비누는 피부가 보통 비누에 민감한 사람들을 위한 것이다.

정답 | whose

유형 4. 전치사 + 관계대명사   출제 빈도 ●●●

In many countries, sixteen or eighteen is the age | which / at which | a person becomes an adult.

해설 | 관계대명사절 속의 문장이 'S(a person) + V(becomes) + C(an adult)'의 형태여서 which(주격 또는 목적격)를 쓸 수가 없다. 그런데 선행사와 전치사를 동시에 관계대명사절 속으로 넘기면, 'at(전치사) + the age(선행사)'로 결합하여 a person becomes an adult at the age(사람은 그 나이에 성인이 된다)로 문장이 성립한다. 따라서 at which가 와야 한다.

해석 | 많은 나라에서 16세나 18세는 사람이 성인이 되는 나이이다.

정답 | at which

유형 5. 복잡한 주격 관계대명사   출제 빈도 ●●○

Ken is a student | who / whom | the teachers believe is honest.

해설 | 관계대명사의 격과 관련하여 가장 까다로운 문제 형태이다. 목적격 관계대명사가 쓰이면 일반적으로 「선행사 + 목적격 관계대명사 + S + V」의 구조를 이루기 때문에 이 문제는 정답을 whom으로 착각할 수 있다. 그러나 선행사를 관계대명사절로 넘겨보면 the teachers believe (that) a student is honest로 결합되어 believe의 목적어가 아닌 is의 주어 역할을 하므로 주격 관계대명사 who가 와야 한다.

해석 | Ken은 선생님들이 정직하다고 믿는 학생이다.

정답 | who

Grammar Plus

■ 선행사 + 주격 관계대명사 + (S+V) + V'

「선행사 + 관계대명사 + S + V ~」의 구조로만 보면 목적격 관계대명사를 써야 하지만 <S + V> 뒤에 동사가 또 쓰여 <S + V + V'>의 구조로 되어 있다. 이런 문장 구조에서는 선행사가 V'의 주어 역할을 하기 때문에 주격 관계대명사를 써야 한다.

I was deceived by a friend who I [thought / believed / was sure] would help me.

나는 나를 도와줄 것으로 생각했던(믿었던/확신했던) 친구에게 속았다.

PATTERN PRACTICE [유형 훈련]

SUMMA CUM LAUDE GRAMMAR & USAGE

SUB NOTE 29쪽

난이도 ● : 하   ●● : 중   ●●● : 상

[01~09] 각 네모 안에서 어법에 맞는 표현을 고르시오.

bear 지니다, 간직하다

●●○
01 Old coins may bear the only remaining images of famous historical figures or of buildings have / which have long since disappeared.

●●○
02 We can use alternative sources of energy that is / are not as harmful to the environment as those which we are presently using.

stomach 위(胃)
tension 긴장(감)

●○○
03 There are a lot of people in this job which / who have stomach problems from the tension.

weed 잡초

●●○
04 Plants whose / which seeds go easily in many directions are often called weeds because they grow in unwanted places.

sewage 하수 오물
dump (쓰레기를) 버리다
breeding ground (질병 등을 일으키는) 온상, 장소

●○○
05 Sewage which / at which we dump into warm water creates a perfect breeding ground for diseases like cholera.

spectacles 안경

●●○
06 The spectacles which / through which you see the world are so familiar that you hardly notice that you are wearing them.

07 One of the key ingredients to success is having a mentor who / whom you are sure will develop your passion for your goals.

ingredient 구성 요소
mentor 스승, 조언자
passion 열정

08 Some of the damage in your life has been self-inflicted, comparing yourself to others who you think are / they are more popular, beautiful, or accomplished.

self-inflicted 자초한
accomplished 기량이 뛰어난

09 However, psychologists point to decades of research and more than a thousand studies that demonstrating / demonstrate a link between media violence and real aggression.

demonstrate 보여주다, 증명하다
aggression 공격, 침략

[10~13] 밑줄 친 부분이 올바르게 쓰였는지 판단하고, 필요하면 어법에 맞게 고치시오.

10 In 19th century America, morphine was commonly prescribed for a wide variety of conditions. For example, elderly women <u>whose</u> loved ones had died were given morphine to relieve their sadness.

prescribe 처방하다
a wide variety of 매우 다양한

11 It was Mary's thirteenth birthday. Uncle Jack gave a lengthy speech about how Mary was like a daughter to Aunt Barbara. And then, he handed her an envelope <u>in which</u> was tucked a fifty-dollar bill.

lengthy 장황한, 긴
tuck 집어넣다

12 Try to think of a choice you have made <u>what</u> was not in accord with your strongest inclination at the time.

in accord with ~와 일치하는
inclination 성향, 경향

13 Ecosystems are generally very efficient in cycling matter <u>in which</u> most matter is cycled over and over within the ecosystem itself.

ecosystem 생태계
over and over 반복적으로

② 관계대명사 that / 접속사 that / 관계대명사 what의 구분

선행사를 수식하는 형용사절 역할을 하는 관계대명사의 일반적 용법과 관련하여 주격이나 목적격 관계대명사로 쓰이는 that은 접속사 that이나 선행사를 포함하고 있는 관계대명사 what의 용법과 혼란을 일으킬 수 있기 때문에 주의해야 한다.

■ 관계대명사 that

반드시 앞에 선행사가 있어야 하며, 주어나 목적어가 없는 **불완전한 문장**이 뒤따른다.

(1) 관계대명사 who(m)/which(주격/목적격) 대신에 쓸 수 있다.

The man that(who) discovered Mayan ruins was an American explorer.

〈주격 관계대명사〉

마야 유적을 발견한 사람은 미국인 탐험가였다.

A fish has a pair of gills that(which) it uses to breathe under water. 〈목적격 관계대명사〉

물고기는 수중에서 호흡하기 위해 이용하는 한 쌍의 아가미를 가지고 있다.

(2) 선행사 앞에 the only, the very, the same, 최상급, 서수 등이 있는 경우 주로 that을 쓴다.

Billy was the only student that could solve the problem.

Billy는 그 문제를 풀 수 있었던 유일한 학생이었다.

The sunset is the most beautiful sight that I have ever seen.

그 석양은 지금껏 내가 보아온 가장 아름다운 광경이다.

■ 접속사 that

접속사 that 뒤에는 '주어＋동사＋목적어'처럼 주요 문장 성분이 빠지지 않은 **완전한 문장**이 오며 일반적으로 다음과 같은 형태로 쓰인다.

(1) 명사절로 쓰여 주어, 목적어, 보어 역할을 한다.

❶ 주어

That birth rate is being dropped is shown by the current statistics.

              S   V   부사구

출산율이 떨어지고 있다는 사실은 최근의 통계로 알 수 있다.

❷ 목적어

<u>Many people</u> <u>believe</u> <u>that blood type has something to do with personality.</u>
     S   V   O

많은 사람들은 혈액형이 성격과 관련이 있다고 믿는다.

<u>Some of us</u> <u>have believed</u> <u>from childhood</u> <u>that red apples taste sweet.</u>
   S   V   부사구   O

우리들 중의 일부는 어린 시절부터 붉은색 사과가 단맛이 난다고 믿고 있다.

❸ 보어

<u>His point</u> <u>was</u> <u>that we must save the endangered species.</u>
  S   V   C

그의 요점은 우리가 멸종위기에 처한 종(種)들을 구해야만 한다는 것이었다.

(2) 명사 + that + S+V
               명사 수식

접속사로 쓰인 that절이 명사를 수식하기 때문에 관계대명사 that과 혼동하기 쉽다. 그러나 수식받는 명사를 that절 속으로 넣어보면 that절이 완전한 문장으로 쓰여 있어서 주어나 목적어 자리에 들어갈 수가 없는 형태이다. 이러한 형태로 쓰인 절을 '동격의 that절' 이라고 한다.

There is <u>little proof</u> <u>that mobile phones are bad for our health.</u>

휴대전화가 우리 건강에 나쁘다는 증거는 거의 없다.

■ 관계대명사 what

관계대명사 what은 선행사 the thing(s)과 관계대명사 which(that)가 결합된 형태로 **선행사(주어 또는 목적어)를 포함하고 있기 때문에 뒤에 불완전한 문장**이 쓰이며, 문장 속에서 주어, 목적어, 보어로 쓰여 명사절 역할을 한다.

(1) 주어

<u>What he wants to have</u> <u>is</u> <u>a new computer.</u> 〈타동사(have)의 목적어 포함〉
        S   V   C

그가 갖고 싶어하는 것은 신형 컴퓨터이다.

(2) 목적어

<u>You</u> <u>must choose</u> <u>what is necessary for your research.</u> 〈주어 포함〉
 S   V   O

너는 연구에 필요한 것을 선택해야만 한다.

<u>Don't feel</u> <u>humble</u> about <u>what you do now.</u> 〈타동사(do)의 목적어 포함〉
    V   C   전치사의 목적어

당신이 지금 하고 있는 것에 대해 초라하게 느끼지 마라.

(3) 보어

<u>Physics</u> <u>is</u> <u>what I'm most interested in.</u> 〈전치사(in)의 목적어 포함〉
  S   V   C

물리학은 내가 가장 흥미를 느끼고 있는 것이다.

PATTERN STUDY [유형 학습]

SUMMA CUM LAUDE GRAMMAR & USAGE

유형 1. 관계대명사 that과 what의 구분 출제 빈도 ●●●

Scientists have developed new plants that / what produce more fruit than ever before.

해설 | 동사 produce 앞에 주어가 없기 때문에 선행사(주어)를 포함한 관계대명사 what을 고르면 틀린다. new plants를 관계사절로 넘기면, 'new plants(S)＋produce(V)'로 new plants가 주어 역할을 하므로 관계대명사 that이 와야 한다.

해석 | 과학자들은 이전보다 더 많은 열매를 맺는 새로운 식물들을 개발했다.

정답 | that

유형 2. 접속사 that의 역할 (1) 출제 빈도 ●●○

Most people believed for some time that / which natural resources were so plentiful that they could not be used up.

해설 | some time을 선행사로 착각하기 쉬운데 이를 네모 뒤로 넘기면 들어갈 자리가 없고,
$\underset{S}{\text{natural resources}}$ $\underset{V}{\text{were}}$ $\underset{C}{\text{so plentiful}}$ ~의 구조로 완전한 문장을 이루고 있기 때문에 접속사 that이 와야 한다. 이 문장에서 that절은 타동사인 believed의 목적절로 쓰였다.

해석 | 대부분의 사람들은 천연자원이 너무나 풍부해서 고갈되지 않을 거라고 한동안 믿었다.

정답 | that

1
produce 제조(생산)하다, 열매 맺다
2
natural resources 천연자원
plentiful 풍부한
use up 다 써버리다, 고갈시키다
3
fundamental 기본적인, 근본적인
cosmology 우주학

유형 3. 접속사 that의 역할 (2) 출제 빈도 ●●●

That / What the universe is expanding is one of the fundamental ideas of modern cosmology.

해설 | the universe is expanding은 '우주가 팽창하고 있다'로 해석되고 목적어가 필요 없는 완전한 문장의 형태이다. 따라서 문장의 주어 역할을 하는 명사절로 접속사 that이 와야 한다.

해석 | 우주가 팽창하고 있다는 것은 현대 우주학의 기본적인 개념들 중의 하나이다.

정답 | That

유형 4. 관계대명사 what의 역할 (1) 출제 빈도 ●●●

After the meeting, Harris was assigned to do that / what was necessary to reach the goal.

해설 | 네모 앞에 선행사가 없고 동사 **was**의 주어가 없기 때문에 선행사(주어)를 포함하는 **what**이 와야 한다.

해석 | 회의 후에 Harris는 그 목표에 도달하기 위해 필요한 것을 하도록 임명되었다.

정답 | what

유형 5. 관계대명사 what의 역할 (2) 출제 빈도 ●●●

You have to try to change that / what you're now doing to improve your physical health.

해설 | 네모 앞에 선행사가 없고 **you're doing**에서 **do**의 목적어가 없기 때문에 선행사(목적어)를 포함하는 **what**이 와야 한다.

해석 | 당신의 신체 건강을 향상시키기 위해서는 현재 하고 있는 것들을 바꾸기 위해 노력해야만 한다.

정답 | what

유형 6. 동격의 that 출제 빈도 ●●○

Some of us have the faith that / which we can solve our food problems with genetically modified crops.

해설 | 이 문장은 the faith ∨ we can solve ~ 의 구조로 쓰여 있어

관계대명사 **which**를 쓰기 쉬운데, 뒷문장이

we can solve our food problems with genetically modified crops 의 형태로
S   V   O   부사구
완전한 문장 구조를 이루고 있어 the faith를 네모 뒤로 넘기면 들어갈 자리가 없다. 따라서 앞에 나오는 명사를 자세히 설명해 주는 동격의 접속사 **that**이 와야 한다.

해석 | 우리들 중의 일부는 유전자 변형 농작물을 가지고 우리의 식량 문제를 해결할 수 있다는 신념을 가지고 있다.

정답 | that

4
assign 임명하다

6
genetically 유전적으로
modify 변형하다, 고치다

PATTERN PRACTICE [유형 훈련]

SUMMA CUM LAUDE GRAMMAR & USAGE

SUB NOTE 31쪽

난이도 ● : 하 ●● : 중 ●●● : 상

[01~09] 각 네모 안에서 어법에 맞는 표현을 고르시오.

immune 면역의

●○○
01 The immune system in our bodies fights the bacteria and viruses that / what cause diseases.

obviously 명확히
inappropriate 부적절한

●●○
02 Clearly the experiences of his past had helped him to develop a belief: receiving praise for doing that / what obviously was the right thing would be totally inappropriate.

reliant 의존하는

●○○
03 People become so reliant on technology that / which they are sure science can solve almost any problem.

comet 혜성
asteroid 소행성
kill off 멸종시키다

●●○
04 The notion that / which a giant comet or asteroid impact killed off the dinosaurs is not accepted by most scientists.

be grateful for ~ ~에 감사하다

●●○
05 If you are to enjoy good health, you must have much more to be grateful for. Simply start every day with a list of that / what you are grateful for.

●●●
06 I am interested in that / what I think is important, and not very interested in things that somebody comes along and tells me that I have to be interested in.

07 More and more young people buy products which / what they think are cute, such as cell phone straps with cartoon characters.

strap 끈

08 Many people travelling to the island are startled to find that it is very different from that / what it was twenty years ago.

be startled 놀라다

09 That / What we call "music therapy" today dates back to ancient Greece, where the writings of Aristotle and Plato referred to the healing influence of music on health and behavior.

date back to ~로 거슬러 올라가다

[10~13] 밑줄 친 부분이 올바르게 쓰였는지 판단하고, 필요하면 어법에 맞게 고치시오.

10 There is no evidence, for instance, <u>which</u> a person can learn math, a foreign language, or other complex skills while asleep.

evidence 증거
complex 복잡한
asleep 잠든

11 He judged by the sound <u>which</u> the fall was a mere slip and could not have hurt his father.

mere 단순한
slip 미끄러짐

12 <u>What</u> we consider to be right in our culture can be confusing to some foreigners.

13 With all the passion for being slim, it is no wonder <u>that</u> many people view any amount of fat on the body as something to get rid of.

view A as B A를 B로 여기다

CHAPTER **10** 관계대명사/관계부사

SUMMA CUM LAUDE GRAMMAR & USAGE

③ 관계대명사의 용법 / 관계대명사의 생략

■ 관계대명사의 용법

관계대명사는 선행사를 직접 수식하는 제한적 용법으로 쓰이는 동시에 선행사를 부가적으로 설명하는 계속적 용법으로도 쓰인다. 계속적 용법으로 쓰이는 관계대명사 앞에는 comma(,)를 붙여 「선행사 + 콤마(,) + 관계대명사」 형태로 쓰며, 이때 관계대명사는 「접속사(and〔but〕) + 대명사〔선행사〕」로 바꿔 쓸 수 있다. 관계대명사 중에서 that과 what은 계속적 용법으로 쓰지 못한다는 점도 주의해야 한다.

(1) 제한적 용법과 계속적 용법의 의미 차이

I have two computers which are broken.

나는 고장 난 컴퓨터를 두 대 가지고 있다. (→ 고장 난 컴퓨터 말고 다른 컴퓨터를 또 가지고 있을 수 있다는 의미이다.)

I have two computers, which are broken.
= and they

나는 컴퓨터를 두 대 가지고 있는데, 그것들은 고장 났다. (→ 내가 가진 컴퓨터가 두 대인데, 두 대 모두 고장이 났다는 의미이다.)

cf. A plastic bridge has been developed which meets the needs of a specific
선행사 | 관계대명사절

site by modifying a standard basic design.❶

표준 규격의 기본 디자인을 변형함으로써 특정한 장소의 필요에 맞게 플라스틱 교량이 개발되었다.

❶ 제한적 용법으로 쓰인 관계대명사절이 길게 쓰인 경우에 선행사와 분리되어 문장 뒤에 위치할 수 있다.

(2) 계속적 용법에서의 선행사

제한적 용법으로 쓰인 관계대명사절의 경우에 선행사는 일반적으로 바로 앞에 있는 명사인 경우가 대부분이다. 그러나 계속적 용법으로 쓰인 관계대명사의 경우에는 선행사가 다양한 형태를 가질 수 있다.

❶ 명사

I will visit my parents tomorrow, whom I have not met for years.
= and them(my parents)

나는 내일 부모님을 방문할 예정인데, 그 분들을 몇 년간 뵙지 못했다.

My teacher recommended a book, <u>whose name</u> I can't remember.
= and its(the book's) name

선생님께서 책 한 권을 추천해 주셨는데, 그 책의 이름을 기억할 수가 없다.

❷ 어구

He was scheduled to leave here yesterday, <u>which</u> was canceled abruptly.
= but it(to leave here yesterday)

그는 어제 여기를 떠날 예정이었는데, 그것은 갑자기 취소되었다.

❸ 앞 문장 전체

We pollute the sea, <u>which</u> leads to the death of many fish.
= and it(we pollute the sea)

우리는 바다를 오염시키는데, 그것은 많은 물고기의 죽음을 초래한다.

■ 관계대명사의 생략

관계대명사가 생략되는 경우는 크게 두 가지로, '주격 관계대명사+be동사' 와 '목적격 관계대명사' 이다.

(1) 명사[선행사]+(주격 관계대명사+be동사)+~ing/p.p.

Satellites (which are) <u>circling</u> the earth send us a lot of information.

지구를 도는 위성들은 우리에게 많은 정보를 보내준다.

The number of people (who are) <u>suffering</u> from hay fever is increasing rapidly.

고초열로 고생하는 사람들의 수가 급속히 증가하고 있다.

The amount of sleep (which is) <u>required</u> to maintain the body varies with age.

신체를 유지하기 위해 필요한 수면의 양은 나이와 더불어 변화한다.

Biofuel production is tied to the amount of the farmland (which is) <u>needed</u> to make sufficient quantities of ethanol.

생물연료 생산은 충분한 양의 에탄올을 만들기 위해 필요로 되는 농지의 양과 연관되어 있다.

(2) 명사[선행사]+(목적격 관계대명사)+S+V

타동사나 전치사의 목적어 역할을 하는 목적격 관계대명사는 자주 생략되어 「명사[선행사]+S+V」의 형태로 쓰이는 경우가 많다.

An ant has <u>very powerful jaws</u> (which) it uses ∨ to cut and carry leaves.

개미는 나뭇잎을 자르고 옮기기 위해 이용하는 매우 강력한 턱을 가지고 있다.

<u>The person</u> (whom) I am working with ∨ is kind of rude.

= The person with whom I am working is kind of rude.❷

내가 함께 일하는 그 사람은 다소 무례하다.

❷ 전치사가 목적격 관계대명사 바로 앞에 쓰인 경우에는 생략할 수 없다.

PATTERN STUDY [유형 학습]

유형 1. 관계대명사의 계속적 용법 (1)
출제 빈도 ●●○

Some fruits such as apples and pears have a tough skin, it / which can be harder to chew and digest.

해설 | 문장이 「S+V ~, S'+V' ...」의 구조로 쓰이면 두 개의 절을 연결하는 접속사가 없기 때문에 틀린 문장이 된다. 따라서 콤마 뒤에는 접속사를 포함하고 있는 관계대명사 which(=and it(a tough skin))가 와야 한다.

해석 | 사과와 배와 같은 일부 과일들은 질긴 껍질을 가지고 있는데, 그것은 씹고 소화시키기가 더 어려울 수 있다.

정답 | which

유형 2. 관계대명사의 계속적 용법 (2)
출제 빈도 ●●○

Radium, it / which is an element, is used for medical treatment.

해설 | 문장이 「S, S'+V' ~, V ...」의 구조로 쓰여도 두 개의 절을 연결하는 접속사가 없기 때문에 틀린 문장이 된다. 따라서 관계대명사 which(=and it (Radium))가 와야 한다.

해석 | 라듐은 하나의 원소인데, 의학 치료를 위해 이용된다.

정답 | which

1
tough 질긴, 단단한
chew 씹다
digest 소화시키다

3
Pacific 태평양
attract 끌다, 매료시키다

유형 3. 대명사+of+관계대명사
출제 빈도 ●●○

The Galapagos, located in South America's Pacific coast, attract many tourists, some of them / some of whom have caused various problems to its environment.

해설 | 「S+V ~, S'+V' ...」의 문장 구조로 두 문장을 연결하는 접속사가 필요하기 때문에 some of whom(and some of them)이 와야 한다.

해석 | 남아메리카 태평양 해안에 위치한 Galapagos 섬은 많은 관광객들을 끌어들이는데, 그들 중의 일부는 그곳의 환경에 다양한 문제들을 일으키고 있다.

정답 | some of whom

Grammar Plus

■ 대명사 + of + 관계대명사

계속적 용법으로 쓰이는 관계대명사가 다른 대명사와 결합되어서 다음과 같은 형태로 쓰일 수 있다. 이 경우 앞의 선행사가 사람이면 whom, 사물이면 which를 쓴다.

$$\boxed{\text{all, most, some, both, each, none, either, neither, 분수}} + \text{of} + \text{whom(which)} + \begin{cases} \text{V} \sim \\ \text{S+V} \sim \end{cases}$$

His parents, **both of whom** I respect, will visit me tomorrow.
= and both of them

그의 부모님들은, 두 분 다 내가 존경하는 분들인데, 내일 나를 방문하실 예정이다.

He has collected many stamps, **most of which** are very valuable.
= and most of them

그는 많은 우표를 수집해 오고 있는데, 그 대부분이 매우 가치가 있다.

유형 **4** '주격 관계대명사 + be동사'의 생략 (1)   출제 빈도 ●●●

By playing video games, we can achieve various kinds of abilities
| enhancing / enhanced | our educational performance.

해설 | 명사(abilities) 뒤에 분사가 있으므로 '주격 관계대명사+be동사'인 which are가 생략된 형태이다. 선행사 various kinds of abilities를 관계사절로 넘겨보면,

various kinds of abilities   are enhancing   our educational performance 의 형태로
　　　　S　　　　　　　　　　　V　　　　　　　　　　O

'다양한 종류의 능력이 우리의 교육적 성과를 증대시킨다'는 의미가 되므로 능동형 enhancing이 와야 한다.

해석 | 비디오 게임을 함으로써, 우리는 교육적 성과를 증대시켜 주는 다양한 종류의 능력을 얻을 수 있다.

정답 | enhancing

4
enhance 높이다, 증대(향상)시키다
performance 수행, 성과

유형 5 · '주격 관계대명사 + be동사'의 생략 (2)

The language is used / used in more than half of the world's scientific periodicals is English.

해설 | 'S(The language) + V(is used)'의 구조로 판단하기 쉬운데, 뒤에 본동사 is가 나오기 때문에 주어를 수식하는 부분이 되어야 한다. 따라서 이 문장은 The language 뒤에 '주격 관계대명사 + be동사'가 생략된 형태로

The language [(which is) used in more than half of the world's scientific
<u>   </u> 관계내명사절
S

periodicals] is English.의 구조가 되어야 한다.
           V   C

해석 | 지구상의 과학 정기 간행물의 절반 이상에서 사용되는 언어는 영어이다.

정답 | used

유형 6 · 목적격 관계대명사의 생략

A fortune-teller looks at both of a person's hands. The hand a person using / uses for writing will show the things which the person has done in life.

해설 | 네모 안에 using이 쓰이면 a person using for writing의 형태로 앞의 주어 The hand와 연결시킬 방법이 없다. 따라서 uses를 쓰면

The hand [(which(that)) a person uses for writing] will show the things ~의
    S   S'   V'   V   O

구조로 목적격 관계대명사 which 또는 that이 생략된 형태이므로 올바른 문장이 된다.

해석 | 점쟁이는 사람의 양손을 다 살핀다. 어떤 사람이 글을 쓸 때 사용하는 손은 그 사람이 인생에서 해 온 것들을 보여준다.

정답 | uses

5
scientific 과학의
periodicals 정기 간행물

6
fortune-teller 점쟁이

PATTERN PRACTICE [유형 훈련]

SUMMA CUM LAUDE GRAMMAR & USAGE

SUB NOTE 34쪽

난이도 ● : 하 ●● : 중 ●●● : 상

[01~10] 각 네모 안에서 어법에 맞는 표현을 고르시오.

●○○

01 The ash from volcanic eruption, that / which contains many useful materials, can be converted to a very fertile soil.

eruption (화산의) 분출
convert 전환시키다
fertile 비옥한

●○○

02 Hope, it / which seems like the thinnest little thread, is an incredibly powerful force leading us from the most horrible problems into a bright new day.

thread 실
incredibly 믿을 수 없을 만큼, 엄청나게

●●○

03 Scientists are developing biofuels to reduce greenhouse gases. Using ethanol from sugar cane, they / which can help reduce global warming.

greenhouse 온실
sugar cane 사탕수수

●●○

04 We humans spend millions of dollars trying to rid ourselves of insects, some of them / some of which are actually essential to our survival.

rid A of B A에게서 B를 제거하다

●●○

05 The island is home to over 10 million people, most of who / whom are desperately poor and hardly in a position to be concerned with environmental conservation.

desperately 몹시, 지독하게

pass on 전해주다, 물려주다

●●○

06 Speech, | through it / through which | culture is shared and passed on, is the most important means of communication.

relationship 관련성

●●●

07 The report's authors found no obvious relationship between children's well-being and how rich the country was | which / in which | they lived.

nutrition 영양
balanced diet 균형식, 건강식
element (구성) 요소, 성분

●●○

08 Most nutrition experts today recommend a balanced diet | containing / contained | elements of all foods, largely because of our need for sufficient vitamins.

air-cleaning device 공기 정화장치
give off 방출〔발산〕하다

●●○

09 Air-cleaning devices used in factories and automobiles ① | reduce / reducing | a great amount of pollution ② | giving off / given off |.

substance 물질
break down 분해하다

●●●

10 Supplies of salts that animals use to build up their substance can only be maintained through the activities of bacteria ① | breaking down / break down | the organic matter ② | leaving / left | in the soil by other living things.

[11~17] 밑줄 친 부분이 올바르게 쓰였는지 판단하고, 필요하면 어법에 맞게 고치시오.

●○○

11 On January 10, 1992, a ship traveling through rough seas lost 12 cargo containers, one of <u>them</u> held 28,800 floating bath toys.

○●○

12   Though many women say that part-time work reduces their chances for advancement, <u>most of whom</u> agree that even a part-time job is better than none at all.

advancement 승진, 출세

○●○

13   In many countries, amongst younger people, the habit of reading newspapers has been on the decline and some of the dollars previously <u>were spent</u> on newspaper advertising have migrated to the Internet.

decline 감소
migrate 이동하다

●●●

14   Huge areas of rain forest fall victim to banana plantation. The land can be used for just twelve years or so, <u>after it</u> the soil is no longer fertile.

fall victim to ~의 피해자
(희생자)가 되다

●●●

15   If our students are to become lifelong readers, they must be convinced that reading is worthwhile and enjoyable and that reading materials exist <u>what</u> are interesting and relevant to their lives.

worthwhile 가치 있는
relevant to ~에 관련된

○●○

16   The ultimate life force lies in tiny cellular factories of energy, called mitochondria, <u>that</u> burn nearly all the oxygen we breathe in.

ultimate 궁극적인
breathe in 숨을 들이쉬다

●●●

17   Sometimes the computer system breaks down, in <u>that</u> case you'll have to work on paper.

break down 고장 나다

4 관계부사 / 복합관계사

■ 관계부사

(1) 종류

'접속사＋대명사' 역할을 하는 관계대명사와 달리 관계부사는 '접속사＋부사' 의 역할을 하며, 선행사에 따라 그 종류가 결정되고 뒤에 완전한 문장이 나온다. 제한 적 용법으로 쓰인 관계부사는 「전치사＋관계대명사(which)」로 바꿔 쓸 수 있다.

선행사	관계부사	전치사＋관계대명사(**which**)
시간(the time, the day, the date 등)	when	at, in, on＋which
장소(the place, the city, the room 등)	where	at, in, on＋which
이유(the reason)	why	for which
방법(the way)	how❶	in which

❶ 관계부사 how는 'the way＋how'의 형태로는 쓰이지 않고 둘 중 하나를 생략한 형태로 ⌈ the way S＋V / how＋S＋V ⌉로 쓰는 것이 일반적이다.

July 12 is the day. ＋ He promised to finish the work then.

→ July 12 is the day when(on which) he promised to finish the work.

7월 12일은 그가 그 일을 끝마치기로 약속한 날이다.

Hawaii is an island. ＋ Flowers bloom all the year round there.

→ Hawaii is an island where(on which) flowers bloom all the year round.

하와이는 꽃들이 일 년 내내 피어 있는 섬이다.

(2) 용법

관계대명사의 경우와 마찬가지로, 선행사를 수식하는 제한적 용법과 「선행사＋콤마(,)＋관계부사」 형태의 계속적 용법으로 쓰인다. 계속적 용법으로 쓰이는 관계부사는 when과 where뿐이며, 이때 관계부사는 관계대명사와 마찬가지로 접속사 (and/but)를 포함하여 「접속사＋부사」로 바꿔 쓸 수 있는데 when은 and(but) then, where는 and(but) there로 바꿔 쓸 수 있다.

Art designers often work for advertising agencies, where they create striking pictures and tasteful designs.

= and there(at advertising agencies)

아트 디자이너들은 종종 광고대행사에서 일하기도 하는데, 거기에서 그들은 인상적인 그림과 멋진 디자인을 만든다.

■ 복합관계사

복합관계사는 관계사에 -ever를 붙인 것으로, 복합관계대명사는 명사절, 부사절을 이끌고, 복합관계부사는 양보 부사절과 시간, 장소의 부사절을 이끈다.

(1) 복합관계대명사

복합관계대명사는 선행사를 포함한 형태로 주어, 목적어, 보어 역할을 하는 명사절과 양보 의미를 나타내는 부사절로 쓰인다.

관계사 \ 역할	명사절(선행사 포함)	부사절(양보절)
whoever	anyone who ~ (~하는 사람은 누구나)	no matter who ~(누가 ~할지라도)
whosever	anyone whose ~ (그의 …가 ~하는 누구든지)	no matter whose ~ (누구의 …가 ~할지라도)
whomever	anyone whom ~ (~하는 사람은 누구나)	no matter whom ~ (누구를 ~할지라도)
whichever	anything that ~ (~하는 것은 어느 것이든)	no matter which ~ (어느 것이[을] ~할지라도)
whatever	anything that ~ (~하는 것은 무엇이든)	no matter what ~ (무엇이[을] ~할지라도)

❶ 명사절

Whoever(Anyone who) reads his book will find it interesting.

그의 책을 읽는 사람은 누구든지 그 책이 재미있다는 것을 알게 될 것이다.

Children usually imitate whatever(anything that) they see.

아이들은 흔히 그들이 보는 어떤 것이든 모방한다.

❷ 부사절

Whomever(No matter whom) Andy loves, I don't care.

Andy가 누구를 사랑하건, 나는 관심 없다.

Whatever(No matter what) I do, I can't solve the problem.

내가 무엇을 하건, 나는 그 문제를 풀 수 없다.

(2) 복합관계부사

복합관계부사는 양보 부사절(no matter ~ : ~일지라도)과 시간, 장소의 부사절[2]로 쓰이는데, whenever, wherever, however[3] 세 가지가 있다.

The fantastic ring will remind me of you whenever I wear it. 〈시간의 부사절〉

내가 이 멋진 반지를 낄 때마다 이것은 당신을 생각나게 할 겁니다.

There is trouble between us, however(no matter how) often we see each other. 〈양보 부사절〉

아무리 자주 만날지라도, 우리 사이에는 문제가 존재한다.

[2] 시간/장소의 부사절
whenever : ~하는 언제든지
wherever : ~하는 어디든지

[3] however(=no matter how)는 양보 부사절로만 쓰인다.

PATTERN STUDY [유형 학습]

SUMMA CUM LAUDE GRAMMAR & USAGE

유형 1 · 제한적 용법에서의 관계대명사와 관계부사 구분 (1)　　출제 빈도 ●●●

He made a lot of money in big cities and went back to the small village
which / where he was born.

해설 | 선행사로 시간 명사나 장소 명사가 쓰이는 경우에 관계대명사의 주격 또는 목적격을 쓸 것인지 관
계부사 when 또는 where를 쓸 것인지 묻는 문제로, 선행사를 반드시 관계사절 뒤로 넘겨서 구
조를 판단해야 한다.

① 주격 관계대명사 : 선행사가 주어 역할
　목적격 관계대명사 : 선행사가 타동사나 전치사의 목적어 역할

② 관계부사 : 선행사 앞에 전치사가 필요하며 '전치사＋선행사'의 형태로 부사구를 이루어 '~에
(서)'로 해석된다. (필요한 전치사는 관계부사 속에 포함)

이 문장에서 선행사 the small village를 관계사절 뒤로 넘겨보면, he was born *in* the small
village(그는 그 작은 마을*에서* 태어났다) 형태로 전치사가 필요하므로 관계부사 where가 와야
한다. which를 쓸 경우 전치사 in과 함께 쓰여 in which가 되어야 한다.

해석 | 그는 대도시에서 많은 돈을 벌었고 그가 태어났던 작은 마을로 돌아왔다.

정답 | where

유형 2 · 제한적 용법에서의 관계대명사와 관계부사 구분 (2)　　출제 빈도 ●●●

The 2008 Olympics will be a time which / when will offer an opportunity
for Chinese to show their most confident face.

해설 | 선행사 a time을 관계사절 뒤로 넘기면 동사 will offer의 주어로 쓰이기 때문에 관계대명사
which가 와야 한다.

해석 | 2008년 올림픽은 중국 사람들이 그들의 가장 자신감 있는 모습을 보여줄 기회를 제공할 것이다.

정답 | which

2
confident 자신감 있는

유형 3 계속적 용법에서의 관계대명사와 관계부사 구분   출제 빈도 ●●●

Malaysia is a country in a tropical area, | which / where | the leaves never change colors.

해설 ┃ 관계대명사와 관계부사가 계속적 용법으로 쓰이면 둘 다 접속사 and(but)를 포함하고 있으며, 선
행사를 관계사절 뒤로 넘겨 판단하면 된다. 이 문장에서는 선행사 a tropical area를 관계사절
뒤로 넘기면 the leaves never change colors *in* a tropical area (나뭇잎이 열대 지역
에서 색깔을 절대 바꾸지 않는다) 형태로 전치사가 필요하기 때문에 관계부사 where가 와야 한다.

해석 ┃ Malaysia는 열대 지역에 있는 국가인데, 그곳에서는 나뭇잎의 색깔이 절대 바뀌지 않는다.

정답 ┃ where

유형 4 복합관계대명사 격 판단하기   출제 빈도 ●○○

Free theater ticket will be given to | whoever / whomever | will arrive first at the meeting.

해설 ┃ 복합관계대명사의 격은 복합관계사절 안에서 필요한 문장 성분에 따라 결정된다. 주어가 필요하면
복합관계대명사 주격을, 목적어가 필요하면 복합관계대명사 목적격을 사용한다. 여기서는 동사
will arrive의 주어가 필요하므로 복합관계대명사 주격 whoever(=anyone who)가 와야
한다.

해석 ┃ 무료 영화 티켓이 그 모임에 제일 먼저 도착하는 누구에게든지 주어질 것이다.

정답 ┃ whoever

유형 5 의문부사 how와 복합관계부사 however 구분   출제 빈도 ●●○

Some young workers tend to choose a job that guarantees high-salary regardless of | how / however | interested they are in it.

해설 ┃ 전치사구 regardless of 뒤에서 전치사의 목적어 역할을 하는 형태로는 how절이 쓰여야 한다.

해석 ┃ 일부 젊은 근로자들은 그들이 일에 얼마나 흥미가 있는지와는 관계없이 많은 임금을 보장하는 직업
을 선택하는 경향이 있다.

정답 ┃ how

5
guarantee 보장(보증)하다
regardless of ～에 관계없
이

■ 의문부사 how와 복합관계부사 however 구분

(1) ⌈ how+형용사(부사)+S+V ~
    ⌊ how+형용사+명사+S+V ~

문장 속에서 주어, 목적어, 보어 역할(명사절)을 하며 '얼마나 ~인(한)지'로 해석된다.

He didn't tell me how boring the game was. 〈목적어〉

그는 그 게임이 얼마나 지루했는지를 나에게 말하지 않았다.

How many books he wrote isn't known to us. 〈주어〉

그가 얼마나 많은 책을 썼는지는 알려져 있지 않다.

(2) ⌈ however+형용사(부사)+S+V ~
    ⌊ however+형용사+명사+S+V ~

문장 속에서 양보 부사절로 쓰여 '아무리 ~일지라도'로 해석된다.

However careful you may be, accidents will happen.

당신이 아무리 주의할지라도, 사고는 일어나기 마련이다.

Our roads are always crowded no matter how many (roads) we build.

아무리 많은 도로를 만들지라도 도로는 항상 붐빈다.

유형 **6** 복합관계대명사와 복합관계부사 구분   출제 빈도 ●●●

┌───┐
│ Whatever / However busy you may be now, never fail to sleep at least │
│ six hours a day.   │
└───┘

해설 Ⅰ '당신이 현재 아무리 바쁠지라도'라는 의미가 되어야 하므로 「However+형용사(부사)
      +S+V」의 구조로 However가 와야 한다. Whatever 뒤에는 형용사나 부사가 쓰일 수 없다.

해석 Ⅰ 당신이 현재 아무리 바쁠지라도, 하루에 적어도 6시간은 자야만 한다.

정답 Ⅰ However

6
never fail to ~ 반드시 ~하
다

PATTERN PRACTICE [유형 훈련]

SUMMA CUM LAUDE GRAMMAR & USAGE

SUB NOTE 38쪽

난이도 ● : 하   ●● : 중   ●●● : 상

[01~11] 각 네모 안에서 어법에 맞는 표현을 고르시오.

●○○

01   Now stricter regulations are in place to ensure that fish pens are placed in sites which / where there is good water flow to remove fish waste.

strict 엄격한
regulation 규제, 규정
ensure 보장하다

●●○

02   If you grew up with brothers and sisters, you no doubt recall many remarkable moments which / when you shared together.

no doubt 틀림없이
remarkable 놀랄 만한

●○○

03   As knowledge of agriculture spread, groups of farmers clustered around the fertile areas which / where their crops would thrive.

cluster 모여들다
thrive 번창하다, 번영하다

●●○

04   When Einstein was ten, his family enrolled him in the Luitpold Gymnasium, there / where he developed a suspicion of authority.

enroll 등록하다
suspicion 의심

●●○

05   Emma was very fond of singing. As she lived in a small house, which / where she could not practice without disturbing the rest of the family, she usually practiced her high notes outside.

disturb 방해하다

participate in 참가하다
sibling 형제자매

●●○
06 At an early age, small kids eagerly try to participate in their older siblings' activities and do whatever / however it takes to be involved.

frightening 두려운
obstacle 장애(물)

●●○
07 Never give up hope, how / however frightening the obstacles lying in your path are.

sophisticated 정교한

●○○
08 Your brain is far more sophisticated than any computer. Just think of ① how / however many voices you recognize on the telephone and you will discover ② how / however amazing your memory is.

atmosphere 대기

●○○
09 What / Whatever the reason is, ozone levels in the earth's atmosphere appear to have dropped recently.

give up 포기하다

●●○
10 Whichever / However style of learning you choose, it is important to practice daily and never give up.

derive A from B B로부터
A를 이끌어내다

●○○
11 A strict vegetarian is a person who never in his or her life eats whichever / anything whichever is derived from animals.

[12~15] 밑줄 친 부분이 올바르게 쓰였는지 판단하고, 필요하면 어법에 맞게 고치시오.

●●○
12 I want to find a job <u>where</u> I can make the best use of the computer skills I studied at university.

make the best use of ~을 최대한 이용하다

●●●
13 Paul and Brian are fond of fishing. Now they want to try fishing in an area ① <u>where</u> they hear is really nice and ② <u>where</u> they can catch wonderful salmon.

salmon 연어

●○○
14 <u>Whoever</u> wants to perform this music for profit must pay a royalty to the copyright owner.

profit 이윤, 이익
copyright 저작권

●●●
15 It had long been something of a mystery where, and on what, the northern fur seals of the eastern Pacific feed during the winter, <u>when</u> they spend off the coast of North America from California to Alaska.

① 형용사·부사

■ 형용사

형용사는 명사를 수식하는 제한적(한정적) 용법으로 쓰이거나 주어나 목적어를 설명하여 보어 역할을 하는 서술적 용법으로 쓰인다.

(1) 형용사의 용법

❶ 제한적 용법 : 형용사 홀로 쓰여 명사 앞에서 수식하거나, 수식어가 붙어 길어지는 경우에는 명사 뒤에서 수식한다.

diverse **flowers**　다양한 꽃들

the island diverse in wildlife　야생생물이 다양한 그 섬

❷ 서술적 용법 : 주어를 설명하는 주격 보어와 목적어를 설명하는 목적격 보어 역할을 한다.

He is polite.　그는 예의바르다. 〈주격 보어〉

I think him polite.　나는 그가 예의바르다고 생각한다. 〈목적격 보어〉

❸ 특정한 용법으로만 쓰이는 형용사
형용사에 따라 특정한 용법으로만 쓰이는 것들이 있다.

제한적 용법	live, golden, wooden, outer, inner, upper, lower, elder, drunken ...
서술적 용법	alive, alike, alone, asleep, awake, ashamed, afraid, worth, drunk ...

We protested the company's tests on live **animals.**
우리는 그 회사의 살아있는 동물에 대한 실험에 항의했다.

She was still alive **when I reached the hospital.**
내가 병원에 도착했을 때 그녀는 아직 살아 있었다.

(2) -ly 형태의 형용사

-ly 형태로 끝나는 단어는 대부분 부사이지만 형용사로 쓰이는 단어들도 있다.

friendly 친근한	lovely 사랑스러운	lively 활발한, 생기 있는	lonely 고독한
likely ~할 것 같은	timely 시기적절한	leisurely 여유 있는	orderly 정돈된
cowardly 겁 많은	deadly 치명적인	costly 비싼	manly 남자다운
daily 매일의	weekly 매주의	monthly 매달의	yearly 연간의

She has a very lively **personality.** 그녀는 매우 활발한 성격을 가지고 있다.

Please keep in mind that the weekly **rent is due on Saturday.**
주 임대료가 토요일까지 지불되어야 함을 명심하세요.

(3) 단위 표현

길이, 높이, 깊이, 넓이, 나이 등의 단위를 나타내는 표현 방식으로 「숫자 + 단위명사 + 형용사」로 쓰며, '숫자 - 단위명사 - 형용사' 처럼 하이픈(hyphen)으로 묶여 뒤에 오는 명사를 수식하는 경우에는 숫자가 2(two) 이상이더라도 단위명사는 단수로 쓴다.

The pole is three meters long. 그 장대의 길이는 3미터이다.

He has a three-meter-long **pole.** 그는 3미터 길이의 장대를 가지고 있다.

(4) 수량 표현 형용사

특정하게 정해지지 않은 수나 양을 표현하는 형용사들로 다음과 같은 것들이 있다.

수	양
few 거의 없는 〈부정〉	little 거의 없는 〈부정〉
a few 약간의, 조금의 〈긍정〉	a little 약간의, 조금의 〈긍정〉
many = not a few = quite a few = a large(good/great) number of	much = not a little = quite a little = a good(great) deal of = a great(large) amount of = a great quantity of
a lot of = lots of = plenty of 많은	

most + 명사 대부분의 ~

most of + the(소유격) + 명사 ~의 대부분❶

almost + all(every/any) + 명사 거의 모든(어떤) ~

❶ 이때 most는 대명사이다.

He is very ill but there is a little **hope for him.** 그는 매우 아프지만 약간의 희망은 있다.

A great number of **students drop out of school every year.**
많은 수의 학생들이 매년 학교를 중퇴한다.

Most **public schools require uniforms.** 대부분의 공립학교들은 교복을 입도록 요구한다.

Most of **the students were not able to answer the question.**
그 학생들의 대부분이 그 질문에 답할 수 없었다.

■ 부사

(1) 부사의 역할
부사는 문장 속에서 동사, 형용사, 다른 부사, 구나 절 또는 문장 전체를 수식하는 역할을 한다.

He explained the fact clearly. 〈동사 수식〉 그는 그 사실을 명확하게 설명했다.

She proposed an entirely different plan. 〈형용사 수식〉

그녀는 완전히 다른 계획을 제안했다.

I didn't go there simply because I was ill. 〈절 수식〉

나는 단지 몸이 아파서 거기에 가지 않았다.

(2) -ly를 붙여서 의미가 달라지는 부사
아래 부사들은 형태는 비슷하지만 의미상 차이가 있다.

hard *a.* 딱딱한, 열심인, 힘든 *ad.* 열심히, 심하게 **hardly** *ad.* 거의 ~ 않다	It was snowing hard last night. 어젯밤에 눈이 심하게 오고 있었다. We could hardly move on the road. 우리는 도로 위에서 거의 움직일 수 없었다.
late *a.* 늦은 *ad.* 늦게 **lately** *ad.* 최근에	The bus arrived late on account of rain. 그 버스는 비 때문에 늦게 도착했다. I had some problems with my camera lately. 최근에 내 카메라에 문제가 좀 있었다.
near *a.* 가까운 *ad.* 가까이 **nearly** *ad.* 거의	She moved a little nearer to the fire. 그녀는 난로에 약간 더 가까이 갔다. It took nearly six hours to download this software. 이 소프트웨어를 내려받는 데 거의 6시간이 걸렸다.
high *a.* 높은 *ad.* 높이 **highly** *ad.* 매우(very much)	An eagle was flying high against the blue sky. 독수리 한 마리가 푸른 하늘을 배경으로 높이 날고 있었다. They were highly moved to tears. 그들은 매우 감동해서 울었다.
deep *a.* 깊은 *ad.* 깊이 **deeply** *ad.* 매우(very much)	I had to dig deep to find water. 나는 물을 찾기 위해서 깊이 파야 했다. I'm deeply appreciative of your support. 성원해 주셔서 매우 감사드립니다.
close *a.* 가까운 *ad.* 가까이에 **closely** *ad.* 밀접하게, 면밀하게	He stood close against the wall. 그는 벽에 가까이 서 있었다. He is closely related to the problem. 그는 그 문제와 밀접하게 관련되어 있다.

② 비교 표현

■ 원급을 이용한 비교 표현

형용사나 부사의 원급을 이용하여 비교하는 표현이다.

(1) 기본 표현

> as + 형용사(부사)의 원급 + as ···만큼 ~한(하게)
> not as(so) + 형용사(부사)의 원급 + as ···만큼 ~하지 않은(않게)
> as + many(much) + 명사 + as ···만큼 많은 (명사)

Nicotine is just as addictive as heroin or cocaine.
니코틴은 헤로인이나 코카인만큼 중독성이 있다.

A used car isn't as expensive as a brand new car.
중고차는 신형 차만큼 비싸지 않다.

Nothing produces as much oxygen as the forests.
숲만큼 많은 산소를 만들어 내는 것은 없다.

(2) 배수사 표현

> ~ times as + 형용사(부사)의 원급 + as ···보다 몇 배로 ~한(하게)
> = ~ times + 비교급 + than

This orange costs twice as high as that one.
= This orange costs twice higher than that one.
이 오렌지는 저것보다 두 배 더 비싸다.

■ 비교급을 이용한 비교 표현

형용사나 부사의 비교급을 이용하여 비교하는 표현이다.

(1) 기본 표현

> 비교급 + than ···보다 ~한(하게)

Women typically use more polite speech than men do.
여성들은 대체적으로 남성들보다 더 공손한 말을 이용한다.

(2) 비교급 + and + 비교급

비교급을 두 번 써서 강조하는 표현으로 '점점 더 ~한'의 의미로 쓰인다.

The world is getting smaller and smaller thanks to the Internet.
인터넷 덕택에 이 세상은 점점 더 좁아지고 있다.

(3) the + 비교급 ~, the + 비교급 ...

비교급 앞에 정관사(the)를 붙여 '~할수록 더욱 더 …하다'로 해석한다.

The more crowded we feel, the more stressed we get.

우리는 혼잡하다고 느낄수록, 더욱 더 스트레스를 받는다.

(4) 비교 표현에서 than 대신 to를 관용적으로 쓰는 경우

be superior to ~보다 우수하다	be inferior to ~보다 열등하다
be senior to ~보다 나이가 많다	be junior to ~보다 나이가 어리다
prior to ~ (보다) 이전에	

He is superior to me in maths. 그는 수학에서 나보다 우수하다.

She is senior to me by three years. 그녀는 나보다 나이가 세 살 많다.

■ 최상급의 다양한 표현 방식

최상급을 표현하는 기본 방식은 'the + 최상급'을 쓰는 것이지만, 원급과 비교급을 이용한 최상급 표현 방식도 있다.

the + 최상급

= No + (other) + 명사 ~ + $\begin{bmatrix} \text{as + 원급 + as} \sim \\ \text{비교급 + than} \sim \end{bmatrix}$ 어떤 (다른) 명사도 ~만큼(보다 더) …하지 않다

= ~ 비교급 + than + $\begin{bmatrix} \text{any other + 단수 명사} \\ \text{all the (other) + 복수 명사} \end{bmatrix}$

~는 어떤 다른 명사(모든 다른 명사)보다 더 …하다

Oil is the most valuable commodity in international trade.

= No (other) commodity is as valuable as oil in international trade.

= No (other) commodity is more valuable than oil in international trade.

= Oil is more valuable than any other commodity in international trade.

= Oil is more valuable than all the (other) commodities in international trade.

석유는 국제무역에서 가장 귀중한 필수품이다.

■ 비교급과 최상급의 강조

비교급 강조 : much, even, still, far, by far, a lot 훨씬

최상급 강조 : much, by far 단연코, 가장

❷ 비교급을 강조하는 부사로 very는 쓰지 못한다는 점에 주의해야 한다.

In major disease, men's death rate is much higher than the women's.

주요한 질병에서 남성의 사망률이 여성보다 훨씬 더 높다.❷

By far the most important issue for us is unemployment.
우리에게 가장 중요한 문제는 바로 실업이다.

■ 원급, 비교급, 최상급을 이용한 관용 표현

as + 원급 + as [possible / 주어 + can] 가능한 한 ~하게

not so much A as B = not A so much as B = B rather than A   A라기보다는 오히려 B

other than   ~을 제외하고

no longer(more) = not ~ any longer(more)   더 이상 ~하지 않다

no more than = as few(little) as   단지

no less than = as many(much) as   ~만큼이나(씩이나) 많이

not more than = at most   기껏해야

not less than = at least   적어도

not ~ in the least(slightest)   전혀 ~ 않다

His problem is psychological rather than physical.
그의 문제는 육체적이라기보다는 심리적인 것이다.

She has no close friends other than me.
그녀는 나를 제외하고는 친한 친구가 없다.

I have no more(less) than $100.
나는 단지 100달러만(100달러만큼이나 많이) 가지고 있다.

He had not in the least knowledge of me.
그는 나에 대해서는 전혀 아는 바가 없었다.

■ 의미에 따라 형태가 달라지는 비교급과 최상급

의미에 따라 비교급과 최상급의 형태가 달라지는 것들도 있다.

	용법	비교급	최상급
late	시간	later(더 늦은)	latest(가장 최근의)
	순서	latter(뒤의)	last(마지막의)
old	연령	older(더 나이 든)	oldest(가장 나이 든)
	형제관계	elder(손위의)	eldest(맏이의)

the latest news   가장 최근의 소식
the last news   마지막 소식

He is three years older than I.   그는 나보다 세 살 많다.
He is my elder brother.   그는 우리 형이다.

PATTERN STUDY [유형 학습]

SUMMA CUM LAUDE GRAMMAR & USAGE

유형 **1** 수량 형용사 (1)
출제 빈도 ●●●

Most books inevitably have ┃ a few / a little ┃ errors in them despite the careful proofreading before the final printing.

해설 ┃ a few와 a little 둘 다 긍정의 의미로 '약간의, 조금의'라는 뜻으로 쓰이지만, 뒤에 복수 명사 errors가 있기 때문에 수를 나타내는 a few가 와야 한다.

해석 ┃ 대부분의 책들은 최종 인쇄 전의 신중한 교정에도 불구하고 불가피하게 약간의 오류가 있다.

정답 ┃ a few

유형 **2** 수량 형용사 (2)
출제 빈도 ●●●

Our ancestors gathered ┃ almost / most of ┃ their food from plants but also ate insects, small animals, and occasionally, the meat of larger animals.

해설 ┃ 네모 뒤에 '소유격 + 명사' 형태로 their food가 있기 때문에 부사인 almost는 쓰일 수 없고, 'most of the(소유격) + 명사'의 형태로 most of가 와야 한다.

해석 ┃ 우리 선조들은 그들 식량의 대부분을 식물로부터 채집했지만 곤충, 작은 동물들, 그리고 가끔씩은 더 큰 동물들의 고기도 먹었다.

정답 ┃ most of

유형 **3** 혼동하기 쉬운 형용사와 부사 (1)
출제 빈도 ●●●

Our minds are ┃ living / alive ┃ museums because the ideas we hold have come down to us by way of a long historical journey.

해설 ┃ living과 alive는 둘 다 '살아있는'의 의미로 쓰이지만, alive는 명사 앞에서 수식하는 제한적 용법으로 쓰일 수 없기 때문에 living이 와야 한다.

해석 ┃ 우리가 간직하고 있는 생각은 오랜 역사적인 여정을 경유하여 우리에게 전해내려 왔기 때문에 우리의 마음은 살아있는 박물관이다.

정답 ┃ living

1
inevitably 불가피하게
proofreading 교정

2
ancestor 조상, 선조
occasionally 가끔씩

3
come down to ～에게 전해지다
by way of ～을 경유하여

유형 4   혼동하기 쉬운 형용사와 부사 (2)   출제 빈도 ●●●

He made us stay late / lately so that we could finish the report by next morning.

해설 | 같은 부사이지만 내용상 '최근에'가 아닌 '늦게'라는 의미의 부사가 필요하므로 late가 와야 한다.

해석 | 그는 우리가 다음 날 아침까지 보고서를 끝낼 수 있도록 늦게까지 머물게 했다.

정답 | late

유형 5   비교 표현의 기본 형태   출제 빈도 ●○○

If the movie calls for rivers, mountains, or jungles, it may be cheaper to film in real places as / than to build imitation scenery.

해설 | 비교 표현의 기본적인 문장 구조는 'as + 형용사(부사)의 원급 + as ~' 또는 '비교급 + than ~' 으로 써야 한다. 여기서는 앞에 비교급 cheaper가 있으므로 than이 와야 한다.

해석 | 만약 영화가 강이나 산, 또는 정글을 필요로 한다면, 모조 풍경을 만드는 것보다 실제 장소에서 영화를 촬영하는 것이 더 저렴할 수 있다.

정답 | than

유형 6   비교 대상의 일치   출제 빈도 ●●○

Studies have shown that it is better to take a number of short naps than using / to use all available sleeping time in one period.

해설 | 비교 표현에서는 비교하는 대상의 문법적인 성분이 같은 형태로 쓰여야 한다.
이 문장은 it is better to take a number of short naps than using / to use ~의
　　　　　　가주어 V C　　　　　　　　진주어
구조로, 접속사 than 앞에 진주어로 쓰인 to부정사(to take)와 같은 형태로 to use가 와야 한다.

해석 | 연구 조사에 의하면 한 번에 모든 이용 가능한 수면 시간을 이용하기보다는 여러 번 낮잠을 자는 것이 더 낫다고 한다.

정답 | to use

5
call for ~을 요구하다, 필요로 하다
imitation 모방, 모조
scenery 풍경, 경치

6
take a nap 낮잠을 자다

> Despite all the promising factors of the new energy, the future of biofuels is not as | bright / brightly | as it may appear.

해설 | 원급 비교에서 형용사나 부사를 선택하는 문제는 「S+V ~ + as + 형용사(부사)의 원급 + as ...」의 구조에서 앞의 **as**를 없앤 상태로 「S+V ~ + 형용사(부사)」의 구조로 판단하면 된다. 따라서 네모 앞에 있는 as를 없애면, the future of biofuels is not | bright / brightly | ~로 앞에 be동사가 있기 때문에 주격 보어로 형용사 **bright**가 와야 한다.

해석 | 새로운 에너지의 모든 유망한 요소들에도 불구하고, 생물연료의 미래는 (겉으로) 보이는 것만큼 밝지 않다.

정답 | bright

> Animals, despite their ability to move about and find shelter, are just as much influenced by climate as plants | do / are |.

해설 | 원급이나 비교 표현에서 동사의 일치는 S + V ~ $\begin{bmatrix} \text{as + 형용사(부사)의 원급 + as} \\ \text{비교급 + than} \end{bmatrix}$ + S' + V'...

의 구조에서 뒤에 쓰인 동사(V')를 앞에 쓰인 동사(V) 형태에 맞추어 쓰는 것을 말하며,

$\begin{bmatrix} \text{be동사} & \rightarrow & \text{be동사} \\ \text{조동사} & \rightarrow & \text{조동사} \\ \text{일반동사} & \rightarrow & \text{do/does/did} \end{bmatrix}$ 로 일치시킨다.

따라서 이 문장은 앞에 be동사가 있기 때문에 **are**가 와야 한다.

해석 | 이리저리 이동하고 은신처를 찾을 수 있는 능력에도 불구하고, 동물들은 식물들만큼이나 기후에 영향을 많이 받는다.

정답 | are

> Love is as critical for your mind and body as oxygen. The more connected you are, | the healthy / the healthier | you will be both physically and emotionally.

해설 | '~할수록 더욱 더 ...하다'를 표현할 때는 비교급 앞에 정관사(the)를 붙여 「the+비교급 ~, the+비교급 ...」의 형태로 쓴다. 앞에 The more connected you are의 형태로 'the+비교급'이 있기 때문에 **the healthier**가 와야 한다.

해석 | 사랑은 산소만큼이나 당신의 마음과 몸에 필수적이다. 당신이 더 많이 사랑할수록 당신은 육체적으로나 정서적으로 더욱 더 건강해질 것이다.

정답 | the healthier

7
promising 유망한
biofuel 생물연료

8
move about(around) 이리저리 이동하다
shelter 은신처

9
critical 중요한, 필수적인
emotionally 정서적으로

PATTERN PRACTICE [유형 훈련]

SUMMA CUM LAUDE   GRAMMAR & USAGE

SUB NOTE 40쪽

난이도 ● :하   ●● :중   ●●● :상

[01~11] 각 네모 안에서 어법에 맞는 표현을 고르시오.

●○○
01 Walking / To walk on a regular basis everyday is more effective than making intense efforts once in a while.

intense 강렬한, 격렬한
once in a while 가끔씩

●●○
02 Scientists now can make violins that have exactly the same size and shape with old ones. But the new violins still do not sound as well / good as the old ones.

●○○
03 Some New York hospitals are going so far as to send fruit baskets to new mothers, and offering tea and live / alive piano music in their atriums.

go so far as to-v (심지어)
~하기까지 하다
atrium 아트리움, 안마당

●○○
04 Our van comes with highly-trained professionals equipped with exclusive cleaning solutions and the latest / last equipment.

be equipped with (장비
를) 갖추다
exclusive 독보(배타)적인

●○○
05 Sara spent a great number / amount of time preparing for the physics examination.

●●○

06 The worm is only about one centimeter long / length , but it can still cause serious trouble.

●●○

07 It is often said that almost / most all physical problems are caused, directly or indirectly, by stress.

●●○

sleep deprivation 수면 부족
function 작동하다

08 Sleep deprivation has a great influence on the immune system. Our immune systems are not functioning as effective / effectively as they do when we are well rested, and we get sick.

●●○

frequency 주파수

09 Lower frequencies allow doctors to see structures deeper inside the body. The lower the frequency is, however, the less clear / clearly the image will become.

●●○

one-to-one basis 일대일 기반

10 Most amateur speakers do have some idea that they should speak with more power on stage than they are / do on a one-to-one basis.

●○○

pay attention to ～에 주목하다
nutrition 영양

11 It's important to pay attention to good nutrition since your teen will most likely / likely to prefer junk food.

[12~18] 밑줄 친 부분이 올바르게 쓰였는지 판단하고, 필요하면 어법에 맞게 고치시오.

●●●

12 TV creates ① an alone world of viewing, a passive state of receiving images and opinions and ② a few information. This receiving is done essentially ③ lonely, which can be personally and socially very damaging.

○●○

13 Polluted air drifts all over the earth, and it even rises <u>high</u> above the earth.

drift 떠돌다

○●○

14 The shape of fire is hard to define. In reality, fire comes in many forms <u>alike</u> candle flame, charcoal fire, and torch light.

define 정의하다
charcoal fire 숯불

●○○

15 To sympathize is to be in harmony with someone else's feelings, but, in general, it is <u>very</u> easier to sympathize with sorrow than to sympathize with joy.

sympathize 공감하다
in general 일반적으로
sorrow 슬픔

●●●

16 The better a young child can distinguish a lie from the truth, <u>the more like</u> he or she is to lie given the chance.

distinguish A from B
A와 B를 구별하다
given ~을 가지면

●●●

17 Not many years ago, schoolchildren were taught that carbon dioxide is the <u>natural</u> occurring lifeblood of plants, just as oxygen is ours.

carbon dioxide 이산화탄소
lifeblood 생명선

●●●

18 In some communities, music and performance have successfully transformed whole neighborhoods as <u>profoundly</u> as The Guggenheim Museum did in Bilbao.

transform 변형시키다
profound 완전한, 굉장한

가정법은 현재, 과거, 미래 시점에서의 상황을 상상하거나 또는 반대로 가정하는 형태이며, 상상 또는 가정하는 문장은 일반적으로 if절로 쓰지만 그렇지 않은 형태의 가정문도 있다.

■ 가정법의 기본 형태

(1) 가정법 현재

반대 사실을 가정하는 문장이 아니라 접속사 if를 이용한 조건절의 성격을 가진다.

If you plant **tomatoes, you** don't reap **apples.**

토마토를 심으면 사과를 수확할 수 없다.

She will be furious if she **finds out the truth.**[1]

그녀가 진실을 알면 화낼 것이다.

> [1] if절이 미래 의미이지만 조건절에서는 미래 시제 대신 현재 시제를 쓴다. (Chap. 05 시제/조동사 참조)

(2) 가정법 과거

현재 시점에서 현재 상태나 사실을 반대로 가정하거나 또는 순수한 상상을 하는 경우에 쓰며, 해석은 현재로 한다.

형식	If + S + 동사의 과거형[2] ~, S + would/should/could/might + 동사원형 ...
의미	만약 ~라면 …할 텐데(…할 것이다)

> [2] 가정법 과거에서 be동사는 인칭과 수에 관계없이 항상 were를 쓴다.

If I were in your shoes, I **would spend more time with my family.**

만약 내가 너의 입장에 있다면, 나는 가족과 더 많은 시간을 보낼 것이다.

If I lived in suburbs, I **could take up gardening.**

만약 내가 교외에 산다면, 정원 가꾸기를 할 수 있을 텐데.

(3) 가정법 과거완료

과거 시점에서 과거의 상태나 사실을 반대로 가정할 때 쓰며, 해석은 과거로 한다.

형식	If + S + had p.p. ~, S + would/should/could/might + have p.p. ...
의미	만약 ~했더라면 …했을 텐데(…했을 것이다)

If we had found him earlier, we could have saved his life.

우리가 그를 좀 더 일찍 발견했더라면, 그의 목숨을 구할 수 있었을 텐데.

(4) 가정법 미래

발생할 가능성이 극히 희박하다고 판단되거나 발생 불가능한 미래 사실에 대해 가정할 때 쓰며, 해석은 미래로 한다.

형식	If+S+ $\begin{bmatrix} \text{were to} \\ \text{should} \end{bmatrix}$ + 동사원형 ~, S +would/should/could/might [3] + 동사원형...
의미	만약 ~라면 …할 텐데(…할 것이다)

[3] If절 속에 should가 쓰인 경우에는 조동사의 현재형 (will / shall /can / may)이 쓰이기도 한다.

If the technology were to become available, most cancers could be cured.

만약 그 기술이 이용 가능해진다면, 대부분의 암은 치료될 것이다.

(5) 혼합 가정법

과거에 일어난 일이 현재 시점에 영향을 주는 경우로 if절은 가정법 과거완료, 주절은 가정법 과거의 형태로 주로 쓰인다.

형식	If+S+had p.p. ~, S +would/should/could/might + 동사원형...
의미	만약 (과거에) ~했더라면 (지금) …할 텐데

If you had taken my advice, you wouldn't be in such a trouble now.

만약 네가 내 충고를 들었더라면, 너는 지금 그러한 어려움에 처해 있지 않을 텐데.

■ If를 대신하는 다른 형태의 가정법

가정을 나타내는 문장은 if절 대신 다른 형태가 쓰일 수도 있다.

(1) without〔but for〕+명사

아래에 쓰인 if절을 전치사 without〔but for〕를 이용하여 간단하게 쓴 표현으로 가정법 과거와 과거완료에 쓰인다.

> 주절이 가정법 과거인 경우 : if it were not for+명사 ~이 없다면
> 주절이 가정법 과거완료인 경우 : if it had not been for+명사 ~이 없었다면

Without birds, the world would be filled with insects.

= If it were not for birds

새가 없다면, 이 세상은 곤충으로 가득할 것이다.

Without his advice, we would never have finished the work in time.

= If it had not been for his advice

그의 충고가 없었다면, 우리는 그 일을 제시간에 결코 끝내지 못했을 것이다.

CHAPTER **12** 가정법 • **145**

(2) otherwise

앞에 쓰인 문장을 반대로 가정하는 형태의 부사이며, otherwise 앞에는 직설법 문장이, 그 뒤에는 가정법 문장이 쓰인다.

> S+V 직설법 현재,
> S+V 직설법 과거, ⎤ + otherwise + ⎡ 가정법 과거 그렇지 않다면
>   ⎦   ⎣ 가정법 과거완료 그렇지 않았다면

I <u>am</u> very busy now. <u>Otherwise</u>, I <u>could help</u> you.
  현재 시제   = If I were not very busy now 〈가정법 과거〉
나는 지금 아주 바쁘다. 그렇지 않다면 내가 널 도울 수 있을 텐데.

I <u>was</u> very busy then. <u>Otherwise</u>, I <u>could have helped</u> you.
  과거 시제   = If I had not been very busy then 〈가정법 과거완료〉
나는 그때 아주 바빴다. 그렇지 않았다면 내가 널 도울 수 있었을 텐데.

■ 가정법에서 if 생략

가정법에서 가정을 나타내는 문장의 if가 생략되면 '동사+주어'로 도치되어 쓰인다.

<u>Were an earthquake to occur</u>, we would have to take immediate action.
= If an earthquake were to occur
만약 지진이 일어난다면, 우리는 즉각적인 조치를 취해야만 할 것이다.

You might have won that prize <u>had you been a little more patient</u>.
                                       = if you had been a little more patient
네가 조금만 더 인내심이 있었다면 그 상을 탔을 텐데.

<u>Were it not for the ozone layer</u>, there would be no life on earth.
= If it were not for the ozone layer
만약 오존층이 없다면, 지구상에는 어떤 생명체도 없을 것이다.

■ I wish 가정법과 as if(as though) 가정법

(1) I wish 가정법

현재 또는 과거 시점에서 소망을 나타내는 가정법으로 '~라면 좋을 텐데'의 의미를 가진다.

> I wish(ed)+(that)+S+ ⎡ 과거 시제 ▶ wish(ed)와 같은 시점
>   ⎣ had p.p. ▶ wish(ed)보다 이전 시점

I wish I had enough time to walk around the castle.
현재 → 현재 (In fact, I don't have enough time ~.)

그 성 주위를 산책할 충분한 시간을 가진다면 좋을 텐데.

I wish I had had enough time to walk around the castle.
현재 → 과거 (In fact, I didn't have enough time ~.)

그 성 주위를 산책할 충분한 시간을 가졌다면 좋을 텐데.

(2) as if [as though] 가정법

현재 또는 과거 사실을 반대로 가정하여 '마치 ~처럼'의 의미로 쓰인다.

S + V(ed) + as if [as though] + S + ┌ 과거 시제 ▶ 앞에 쓰인 동사와 같은 시점
                                      └ had p.p. ▶ 앞에 쓰인 동사보다 이전 시점

You look as if you had seen a ghost. 너는 마치 유령을 봤던 것처럼 보인다.
현재   → 과거 (In fact, you didn't see a ghost.)

He looked at me as if I were mad. 그는 마치 내가 미친 것처럼 나를 바라보았다.
과거   → 과거 (In fact, I was not mad.)

■ 기타 가정법

'지금은[이제는] ~해야 할 시간이다'를 나타내는 표현으로 다음과 같이 쓴다.

It is (high[about]) time (that) S + ┌ 과거 시제[4]
                                     └ should + 동사원형

[4] be동사는 항상 were를 사용함에 주의한다.

It's eleven o'clock now, so it is about time that you went to bed.

이제 11시이고 너는 잠잘 시간이다. (→ 11시이고 이미 잠들었어야 했는데 아직 잠들지 않았다는 의미이다.)

■ 조건을 나타내는 if 대신 쓰이는 접속사들

unless ~하지 않는다면 (= if ~ not)

if only ~하기만 하면

providing[provided] (that) ~ = suppose[supposing] (that) ~ 만약 ~한다면

granting (that) ~ = admitting (that) ~ 비록 ~일지라도

as[so] long as ~ ~하는 한, ~하는 동안

Unless she is injured, she would win easily.

그녀가 부상만 당하지 않는다면, 그녀는 쉽게 이길 것이다.

Supposing (that) they ask me why I resigned, what should I say?

내가 왜 사임했는지 그들이 물어보면, 뭐라고 말하지?

You can stay here so long as you promise to stay calm.

네가 조용히 있겠다고 약속만 한다면 여기에 머물러도 좋다.

PATTERN STUDY [유형 학습]

SUMMA CUM LAUDE GRAMMAR & USAGE

유형 **1** 가정법 과거　　　　　　　　　　　　출제 빈도 ●●○

> The water supply to humans is very limited: if the Earth were the size of an egg, all the available water on it will fit / would fit into a single drop.

해설 | 가정을 나타내는 **if**절 속의 동사가 과거 시제(**were**)로 쓰여 있는 가정법 과거 문장이므로 주절에는 '조동사의 과거형 + 동사원형'인 **would fit**이 와야 한다.

해석 | 인간을 위한 물 공급은 매우 제한되어 있다. 만약 지구가 달걀 크기라면, 지구 위의 모든 이용 가능한 물은 한 방울로 채워질 것이다.

정답 | would fit

유형 **2** 가정법 과거완료　　　　　　　　　　　출제 빈도 ●●○

> If I didn't have / had not had your timely advice then, I could not have met the company's requirement.

해설 | 주절의 동사가 가정법 과거완료 형태(**could not have met**)로 쓰여 있기 때문에 **if**절 속에는 '**had + p.p.**' 형태인 **had not had**가 와야 한다.

해석 | 만약 그때 내가 너의 시기적절한 충고를 받아들이지 않았더라면, 나는 그 회사의 요구 조건을 충족시키지 못했을 것이다.

정답 | had not had

1
supply 공급
drop (액체의) 방울
2
timely 시기적절한
requirement 요구 조건

Grammar Plus

■ If + S + had p.p. ~ 과거어(구)

가정을 나타내는 If절 속에 과거 시점을 나타내는 부사(구)인 then, yesterday, last night(year), in + 연도, those days 등이 쓰이면 '(과거에) ~했더라면'으로 해석되어 과거에 이루지 못한 사실을 나타내기 때문에 가정법 과거완료로 쓰일 수밖에 없다.

If you had left **last night**, you could not have met him.

네가 어젯밤에 떠났더라면, 그를 만나지 못했을 것이다.

If we | didn't stay up / hadn't stayed up | late last night, we would not be so tired this morning.

해설 | 주절이 가정법 과거 시제(would not be)로 쓰여 있어 if절 속의 동사를 didn't stay up으로 착각하기 쉽다. 그러나 if절 속에는 과거를 나타내는 부사구 last night가 있어 과거 사실의 반대를 가정하기 때문에 가정법 과거완료 형태인 hadn't stayed up이 와야 한다. 이와 같이 if절은 가정법 과거완료, 주절은 가정법 과거로 쓰인 문장을 '혼합 가정법'이라고 한다.

해석 | 우리가 어젯밤에 늦게까지 깨어 있지 않았더라면, 오늘 아침에 이렇게 피곤하지는 않을 텐데.

정답 | hadn't stayed up

유형 **4** without(but for) 가정법　　　　　　　　　출제 빈도 ●●○

Birds are a vital functioning part of the global ecosystem. Without them, many plants species | would face / would have faced | extinction.

해설 | 가정법으로 쓰인 문장 앞에 Birds are a vital ~로 현재 시제 문장이 있으므로, 이어지는 Without them은 '그들(새들)이 없다면'의 의미로 현재 사실의 반대 상황을 가정(가정법 과거)한다. 따라서 주절에는 would face가 와야 한다.

해석 | 새들은 지구 생태계의 필수적인 기능을 하는 일부이다. 그것들이 없다면, 많은 식물 종(種)들은 멸종위기에 직면할 것이다.

정답 | would face

유형 **5** 가정법에서의 if 생략　　　　　　　　　출제 빈도 ●○○

Were the sun to be extinguished, every living creature on earth | would die / would have died |.

해설 | Were the sun to be extinguished는 '동사 + 주어' 형태로 쓰여 가정법에서 if가 생략되면서 도치된 문장이다. 원래는 If the sun were to be extinguished(가정법 미래)로 쓰인 문장이므로 주절에는 would die가 와야 한다.

해석 | 만약 태양이 꺼진다면, 지구상의 모든 생명체들은 죽을 것이다.

정답 | would die

3
stay up 깨어 있다

4
vital 필수적인, 중요한
function 기능하다
ecosystem 생태계
extinction 멸종

5
extinguish 끄다

유형 6 I wish 가정법

출제 빈도 ●○○

I wish I | studied / had studied | Chinese instead of Japanese when I was in high school.

해설 | I wish 다음에는 가정법 과거나 과거완료 시제가 온다. 여기에서는 I wish 다음에 쓰인 부사절 (when I was in high school)이 과거 시제로 쓰여 있어 네모 안에 쓰인 동사도 과거 시점을 나타내야 한다. 따라서 I wish는 현재 시제이므로 네모 안에는 과거 시점을 나타내는 가정법 과거완료인 had studied가 와야 한다.

해석 | 내가 고등학교에 다닐 때 일본어 대신 중국어를 공부했다면 좋을 텐데.

정답 | had studied

유형 7 as if 가정법

출제 빈도 ●○○

Some managers are treating part-time workers as if they | were / had been | machine parts to be replaced.

해설 | as if 뒤에는 가정법 과거나 과거완료 시제가 온다. 여기에서는 as if절 속의 네모 안에 쓰인 동사의 시점이 주절 동사로 쓰인 are treating(현재 시제)과 같은 시점을 나타내기 때문에 가정법 과거인 were가 와야 한다.

해석 | 일부 매니저들은 임시직 근로자들을 마치 교체될 기계 부품인 것처럼 다룬다.

정답 | were

7
part-time worker 임시직
근로자
replace 교체하다, 대체하다

PATTERN PRACTICE [유형 훈련]

SUMMA CUM LAUDE   GRAMMAR & USAGE

SUB NOTE 44쪽

난이도 ● : 하   ●● : 중   ●●● : 상

[01~09] 각 네모 안에서 어법에 맞는 표현을 고르시오.

●○○

01   If there was / were free medical care, we could eliminate many common diseases.

eliminate 제거하다
disease 질병

●○○

02   A policeman, who was on the beach, said that if Clauss haven't / hadn't reacted so quickly and decisively, there would have been two drownings instead of one.

decisively 단호하게
drowning 익사자

●●○

03   If all the ice on land should melt, the ocean level could rise / could have risen as much as 80 meters globally.

melt (고체가) 녹다
as much as ~ 정도, ~만큼

●○○

04   If the recording equipment has been repaired / had been repaired earlier, we could have finished the work on time.

on time 시간에 맞게, 정각에

●●●

05   If Mary checked / had checked her papers more carefully, she would not have to get them typed again now.

breed 사육하다
clear 개간하다

●●○
06 Control over fire enabled early man to breed animals and to clear land. Without this, agriculture would not be / would not have been possible.

earthquake 지진
occur 일어나다

●●○
07 Many people would be injured / would have been injured had the earthquake occurred while they were sleeping.

●●○
08 We wish all countries began / had begun long ago to work on the problems of water shortage.

Gulf Stream 멕시코 만류
in turn 이어서, 연속해서
delicate 미묘한
interrupt 방해하다

●●●
09 The Gulf Stream brings warm water northward from the equator, which in turn warms northern Europe. What if this delicate cycle were to be / had been interrupted?

[10~15] 밑줄 친 부분이 올바르게 쓰였는지 판단하고, 필요하면 어법에 맞게 고치시오.

●●●
10 If creative minds like those of Galileo, Edison, and Einstein hadn't existed, the world <u>would be</u> a very different place now.

●○○
11 I wish I <u>have</u> more time to talk, but I'm afraid I'm too busy today.

●○○

12   I started at once; otherwise I <u>would miss</u> the last train.

●●○

13   A man was playfully teasing small boys by making a large fish move its mouth as if it <u>were talking</u>.

playfully 장난스럽게
tease 놀리다

●○○

14   It is high time that governments all over the world <u>introduced</u> emission controls on all vehicles.

emission 배기, 배기가스
vehicle 차량, 운송 수단

●●●

15   If I had known that Jane <u>was</u> in the hospital, I most certainly would have gone to visit her.

most certainly 확실히

CHAPTER **13** 병렬/도치/어순

SUMMA CUM LAUDE GRAMMAR & USAGE

1 병렬 구조

and, or, but은 단어와 단어, 구와 구 또는 절과 절을 서로 대등한 관계로 연결시키는 등위접속사들이다. 이러한 등위접속사들에 의해 앞뒤로 연결된 요소들은 동일한 문법 형태와 기능을 갖는데, 이를 병렬 구조라 한다. 이러한 병렬 관계로 쓰이는 구조에는 등위접속사 외에 상관접속사도 포함된다.

■ 일반적인 형태의 병렬 구조

(1) 단어 – 단어

They are <u>rich</u> but <u>unhappy</u>. 그들은 부유하지만 행복하지 않다.

(2) 구 – 구

You can get there <u>by bus</u> or <u>on foot</u>. 당신은 버스를 타거나 걸어서 거기에 갈 수 있다.

(3) 절 – 절

<u>We will explore a cave</u> and <u>you will need the helmet</u>.

우리는 동굴을 탐사할 것이므로 당신은 헬멧이 필요할 것이다.

■ 특정한 요소들 간의 병렬 구조

(1) 동사

Each of us lives and works on a small part of the earth's surface.

우리들 각자는 지상의 작은 지역에서 살아가고 일한다.

(2) 동명사

Early humans discovered ways of making tools and hunting animals.

옛날 사람들은 도구를 만들고 동물을 사냥하는 방법을 발견했다.

(3) to부정사

We use oil to fuel our cars, to heat our homes and to power our factories.

우리는 차에 연료를 공급하고, 집을 난방하고, 공장을 움직이기 위해 석유를 이용한다.

154 ● **PART I 수능 핵심 어법**

(4) 분사

Before long cells and tissues will be frozen, banked, marketed, and sold.
머지않아 세포와 조직이 냉동되고, 저장되고, 시장에 나오고 판매될 것이다.

■ 상관접속사

not A but B A가 아니라 B	either A or B A 또는 B
neither A nor B A도 B도 아닌	both A and B A와 B 둘 다
not only A but (also) B = B as well as A A뿐만 아니라 B도	

You can either cancel the concert or postpone it until next year.
당신은 음악회를 취소할 수도 있고 내년까지 연기할 수도 있다.

John not only likes to swim but also enjoys playing tennis.
John은 수영하기를 좋아할 뿐만 아니라 테니스 치는 것도 즐긴다.

2 도치

「주어 + 동사」의 일반적인 어순을 취하지 않고 주어와 동사의 위치가 바뀐 형태를 도치라고 하는데, 의문문을 제외하고도 다양한 경우에서 문장은 도치될 수 있다.

■ 장소, 방향의 부사구

「주어 + 자동사(1형식 동사) + 장소/방향 부사구」로 쓰인 문장에서 장소, 방향의 부사구를 문두에 쓰면 도치된다.

On the stair was sitting a red-haired girl.
　장소 부사구　　　V　　　　　S
계단에 머리색이 붉은 소녀가 앉아 있었다.

Down the street was walking a crowd of students.
　방향 부사구　　　V　　　　　S
길 아래쪽으로 많은 학생들이 걸어가고 있었다.

■ 부정어(구, 절)

문두에 부정어가 홀로 쓰이거나 또는 전치사나 접속사와 결합한 구 또는 절로 쓰여 있을 때 도치된다.

Not, Never, Hardly, Scarcely, Rarely, Seldom, Little, Not only, Not until, No sooner ...	+	be동사 + S
		조동사 + S + 본동사
		do/does/did + S + (일반동사) 원형

❶ have + p.p.에서 have는 조동사이다.

Not a single mistake have I found in his composition.**❶**

나는 그의 작문에서 단 하나의 실수도 발견하지 못했다.

Not only do they perform their work better but they also do it more quickly.

그들은 자신들의 일을 더 잘할 뿐만 아니라 또한 그것을 더 빠르게 한다.

❷ Not until he got home realized he ～로 쓰지 않도록 주의한다.

Not until he got home did he realize that he had lost it.**❷**

그는 집에 돌아오고 나서야 그것을 잃어버린 것을 알았다.

❸ Hardly(Scarcely) + had + S + p.p. + when(before) + S + 과거 시제(= No sooner + had + S + p.p. + than + S + 과거 시제는 '～하자마자 …했다'는 의미이다.

Hardly had he finished his meal when he drove to a nearby bookstore.**❸**

그는 식사를 끝내자마자 근처에 있는 서점으로 운전해 갔다.

■ so, nor, neither 뒤에서의 도치

'～도 역시 그렇다'를 표현할 때 「so + 동사 + 주어」로 도치시켜 쓰며, 앞 문장이 부정문일 때는 so 대신에 nor나 neither를 쓴다. 앞 문장의 동사가 be동사와 조동사일 때는 〈주어 + 동사〉의 어순을 바꾸어 「be동사(조동사) + 주어」로 쓰지만, 일반동사일 때는 주어의 수와 시제에 따라 「do/does/did + 주어」로 쓴다.

I am weary of doing the work, and so is my partner.

나는 그 일을 하는 데 질렸고, 내 파트너도 역시 그렇다.

Animals learn about how to live through play, so do children.

동물들은 놀이를 통해 살아가는 법을 배우며, 아이들도 역시 그렇다.

❹ ⌈ nor → 접속사 ⌉ 이기
  ⌊ neither → 부사 ⌋ 때문에 nor 앞에는 접속사(and)를 쓰지 않는다.

He hasn't mastered the subject, nor(and neither) have I.**❹**

그는 그 과목을 끝내지 못했고, 나도 역시 그렇다.

■ only 부사구(부사절)

문두에 only로 시작되는 부사구나 부사절이 쓰이면 「only 부사구 + 동사 + 주어」 형태로 도치되며, 도치되는 형태는 앞에 설명된 문두에 부정어구가 쓰인 경우와 같다.

Only recently have we begun to conserve the species.

최근에서야 비로소 우리는 그 종(種)을 보존하기 시작했다.

Only after a long discussion was Mr. Brown selected as the manager.

오랜 토론이 있고 나서야 Brown 씨가 매니저로 선정되었다.

■ 도치되는 기타 형태들

(1) 형용사(보어) + be동사 + 주어

「주어 + be동사 + 형용사(보어)」 형태로 쓰인 2형식 문장에서 긴 주어가 쓰인 경우나 형용사(보어)의 의미를 강조하기 위해 형용사를 문두에 쓰면 도치된다.

Vital to an effective diet is a regular exercise.

규칙적인 운동은 효과적인 다이어트를 위해 필수적이다.

(2) **p.p. + be동사 + 주어**

「주어+be p.p. ~」 형태로 쓰인 수동태 문장에서 긴 주어가 쓰인 경우나 p.p.를 강조하기 위해 p.p.를 문장 앞에 쓰면 도치된다.

Tied around his head is a piece of red cloth.

그의 머리 둘레에 붉은색 천 하나가 매여 있다.

(3) **so + 형용사(부사) + 동사 + 주어 + that**

「so+형용사(부사)+that ~」 형태로 '매우 ~해서 그 결과 …하다' 를 표현하는 문장에서 'so+형용사(부사)' 를 강조하여 문두에 쓰면 도치된다.

So great was my anxiety that I couldn't sleep a wink last night.

걱정이 너무 커서 나는 어젯밤에 한잠도 잘 수 없었다.

3 어순

■ so와 such의 어순

부정관사 a(n)와 형용사가 함께 쓰여 명사를 수식하는 경우에 앞에 쓰인 단어에 따라 어순이 달라진다.

> so / how / however / as / too + 형용사 + a(n) + 명사
> such / what + a(n) + 형용사 + 명사

It was so important an occasion that we couldn't miss it.

그것은 너무 중요한 행사여서 놓칠 수 없었다.

He is such a great scholar that everybody respects him.

그는 매우 대단한 학자여서 모든 사람들이 그를 존경한다.

■ 간접의문문

의문문이 다른 문장과 연결되는 경우에는 「의문사+주어+동사」의 어순을 취하는데, 이를 간접의문문이라고 한다.

Tell me. + Which brand of coffee did you choose? 〈원문장〉

나에게 말해. 너는 어떤 브랜드의 커피를 골랐니?

→ Tell me which brand of coffee you chose. 〈간접의문문〉

넌 어떤 브랜드의 커피를 골랐는지 나에게 말해 봐.

He asked me. + Where is the cottage located? 〈원문장〉

그는 나에게 물었다. 그 오두막집이 어디에 위치해 있니?

→ He asked me where the cottage is located. 〈간접의문문〉

그는 나에게 그 오두막집이 어디에 위치해 있는지를 물었다.

PATTERN STUDY [유형 학습]

유형 1. 등위접속사의 병렬 구조

출제 빈도 ●●●

> The oceans play an important role in absorbing the sun's heat and
> distribute / distributing this heat energy around the globe.

해설 | 등위접속사 and로 연결되어 있는 병렬 구조로 문맥상 전치사 in 뒤에 쓰인 동명사 absorbing
과 병렬 관계로 연결되기 때문에 distributing이 와야 한다.

해석 | 바다는 태양의 열을 흡수하고 지구 주변으로 이 열에너지를 분배하는 데 있어서 중요한 역할을
한다.

정답 | distributing

유형 2. 상관접속사의 병렬 구조

출제 빈도 ●○○

> Some pet owners not only treat pets like their family but also
> carry / carrying photos of their beloved ones in their wallets.

1
play an important role in
~에 중요한 역할을 하다
absorb 흡수하다
distribute 분배하다

2
beloved 가장 사랑하는, 소
중한

해설 | 상관접속사 「not only A but also B」에서 A와 B 자리에는 문법적으로 같은 형태가 와야 한
다. 이 문장은 not only 뒤에 동사 treat가 왔기 때문에 but also 뒤에도 동사 carry가 와야
한다.

해석 | 일부 애완동물 주인들은 애완동물을 그들의 가족처럼 다룰 뿐만 아니라 지갑 속에 그들의 소중한
애완동물 사진을 갖고 다닌다.

정답 | carry

유형 3 장소 부사구의 도치   출제 빈도 ●●○

> Across the street from the buildings | a gas station is / is a gas station | where the Greyhound bus stops.

해설 | 문두에 장소를 나타내는 부사구인 **Across the street from the buildings**가 왔으므로 '장소 부사구＋동사＋주어'의 어순으로 도치되어야 한다. 따라서 **is a gas station**이 정답이다.

해석 | 그 빌딩의 길 건너편에 Greyhound 버스가 정차하는 곳에 주유소가 하나 있다.

정답 | is a gas station

유형 4 부정어(구, 절)의 도치   출제 빈도 ●●●

> Not until around the age of four | learn children / do children learn | to cooperate when they play with other children.

해설 | 문두에 **Not until around the age of four**로 부정어구가 왔기 때문에 '부정어(구)＋동사＋주어'의 어순으로 도치되는데, 일반동사일 경우에는 조동사 **do**가 앞으로 나간다. 따라서 **do children learn**이 정답이다.

해석 | 약 4세가 지난 후에야 아이들은 다른 아이들과 놀이를 할 때 협동하는 것을 배운다.

정답 | do children learn

유형 5 so, nor, neither 도치   출제 빈도 ●○○

> The climate and geography of our planet is continually changing and so | are / do | the species that live upon it.

해설 | '～도 역시 그렇다'란 의미가 되려면 「so＋동사＋주어」의 어순이 되어야 한다. 앞 문장에 **is changing**(진행형) 형태로 be동사가 왔기 때문에 **are**가 와야 한다.

해석 | 우리 행성의 기후와 지형은 지속적으로 변하고 있으며, 거기에 살고 있는 종(種)들도 역시 그렇다.

정답 | are

3
gas station 주유소

4
not until ~ ~한 후에야
cooperate 협동(협조)하다

5
geography 지리, 지형

You should live as **active a life / an active life** as possible, meet all ranks of people, and have plenty of travel.

해설 **|** as 다음의 어순은 「형용사 + a(n) + 명사」가 되어야 하기 때문에 **active a life**가 와야 한다.

해석 **|** 당신은 가능한 한 활동적인 삶을 살고, 모든 부류의 사람들을 만나고, 그리고 많은 여행을 해야만 한다.

정답 **|** active a life

Scientists don't know for sure how **the process of recall occurs / does the process of recall occur** in the brain.

해설 **|** 의문사 how로 시작하는 문장이 앞에 쓰인 다른 문장과 연결되면 '의문사 + 주어 + 동사' 형태의 간접의문문으로 써야 하기 때문에 **the process of recall occurs**가 와야 한다.

해석 **|** 과학자들은 회상하는 과정이 두뇌 속에서 어떻게 일어나는지를 확실하게 알지는 못한다.

정답 **|** the process of recall occurs

6
as ~ as possible 가능한
한 ~한

7
for sure 확실하게
process 과정
recall 회상

PATTERN PRACTICE [유형 훈련]

SUMMA CUM LAUDE GRAMMAR & USAGE

SUB NOTE 46쪽

난이도 ● : 하   ●● : 중   ●●● : 상

[01~08] 각 네모 안에서 어법에 맞는 표현을 고르시오.

●○○

01 He remembered seeing a pocket compass when he was five years old and marveling / marvels that the needle always pointed north.

compass 나침반
marvel 놀라다

●●●

02 Folk remedies for colds usually involve ingredients with a strong smell or taste and have the effect of warming up the body and make / making it sweat.

folk remedy 민간요법
ingredient 성분
sweat 땀을 흘리다

●○○

03 The most important thing in the Olympic Games is not to win but taking / to take part in them.

take part in ~에 참가(참여)하다

●●○

04 To replace / By replacing the trees near the edge of the yard and growing grapes on the fence, we can still have enjoyable outdoor living space.

edge 가장자리
living space 생활공간

●○○

05 Color is an intimate part of our lives. Not only it is / is it present in every object that surrounds us, but it can also affect our actions.

intimate 친근한, 친밀한
surround 둘러(에워)싸다

◉◉○

06 Studies have shown that men and women find different things funny, and so have / do people of different age groups.

◉○○

07 Limiting children's freedom in too harsh a manner / a harsh manner teaches a lifelong lesson that they are always under tight control and have few options.

harsh 가혹한, 거친
lifelong 평생의
tight 엄한, 엄격한

◉◉○

08 Needed for a diver is / are nose clips and heavy gloves that provide protection for his hands against the sharp edges of the oyster shell.

nose clip 코마개
oyster 굴

[09~18] 밑줄 친 부분이 올바르게 쓰였는지 판단하고, 필요하면 어법에 맞게 고치시오.

◉◉○

09 Before leaving the nest, a young albatross <u>spending</u> some time with its parents, swimming in the ocean and learning to catch fish.

◉◉○

10 People use seas as dumping grounds for waste, destroying environments, <u>poison</u> sea creatures and threatening the health of the people who depend on them.

dumping grounds 쓰레기장
poison 중독시키다, 해치다
threaten 위협하다

◉◉○

11 Inside a tightly sealed building with poor ventilation <u>hundreds of air pollutants are found</u>.

tightly 꽉, 단단히
seal 봉인하다, 밀폐시키다
ventilation 환기(시설)

○●○
12 My friend Jack lent me a video camera, but I didn't know how to use it and <u>so did my brother</u>.

○●○
13 Only when the existence of bacteria became known <u>could man begin</u> to deal adequately with food preservation.

deal with 다루다, 대처하다
preservation 보관, 보존

○●○
14 Never before in history, at least in the developed world, <u>people have lived</u> in such a healthy environment.

●●●
15 One company developed what it called a 'technology shelf,' created by a small group of engineers, on which <u>was placed</u> possible technical solutions that other teams might use in the future.

technology 기술

○●○
16 Not until a student has mastered algebra <u>he or she can begin</u> to understand the principles of physics.

master ~에 숙달하다
algebra 대수학

●●●
17 So intimate is <u>the relation</u> between a language and the people who speak it that the two can scarcely be thought apart.

intimate 친밀한
relation 관계

●●●
18 Now available to scientists <u>are</u> the equipment to measure the composition and structure of matter on a nano-scale.

equipment 장비
composition 구성

SUMMA CUM LAUDE
GRAMMAR & USAGE MANUAL

There is no such thing on earth
as an uninteresting subject;
the only thing that can exist is
an uninterested person.

- G.K. Chesterton

숨마쿰라우데®
[어법 매뉴얼]

PART **II**

실전 어법 100제

ACTUAL TEST **01**

~

ACTUAL TEST **10**

01 (A), (B), (C)의 각 네모 안에서 어법에 맞는 표현으로 가장 적절한 것은?
●○○

Over the years, the food pyramid with its six different food groups was often criticized for being (A) ⎡confusing / confused⎤ to consumers interested in understanding the basics of good nutrition. The people at the U.S. Department of Agriculture seem to have heard the complaints because the food pyramid has disappeared; in its place (B) ⎡lies / lays⎤ a brand-new four-color image of sound nutrition, called MyPlate. MyPlate is divided into four sections: fruits, vegetable, grains, and proteins. Fats, in contrast to the disgraced and dismissed food pyramid, are nowhere to (C) ⎡see / be seen⎤ on the current nutritional symbol. MyPlate's message is clear on sight. Fruits and vegetables should be major players in our daily diet.

	(A)		(B)		(C)
①	confusing	—	lies	—	see
②	confusing	—	lies	—	be seen
③	confusing	—	lays	—	be seen
④	confused	—	lays	—	see
⑤	confused	—	lies	—	see

02 다음 글의 밑줄 친 부분 중, 어법상 틀린 것은?
●○○

How is lightning formed? The gusts of wind that whip up when a storm is developing make water droplets and ice crystals in clouds

① to rub against each other. This causes a buildup of electric charges and lightning shoots out of the cloud. Lightning always takes the fastest way to the ground. Tall buildings are most vulnerable. The Empire State Building, in New York, has been a particular target. It ② is hit on average twenty-three times a year. This dispels the myth ③ that the safest place to be in a thunderstorm is under a tall tree. ④ Destructive as lightning can be, it also plays an important part in our survival. It releases nitrogen into the atmosphere which raindrops carry into the ground, ⑤ enriching it with an ingredient necessary for life.

*whip up : 갑자기 빠르게 움직이다

03 (A), (B), (C)의 각 네모 안에서 어법에 맞는 표현으로 가장 적절한 것은?

One of the goals of UNICEF is giving children the best possible start in life. In fact, more than half of UNICEF's budget is used to help children in their first five years of life by providing them with better health care, nutrition, water, sanitation, and education. But the needs of young children around the world are (A) overwhelming / overwhelmed . According to UNICEF, "out of 100 children born in a year, 30 will most (B) likely suffer / likely to suffer from malnutrition in their first five years of life, 26 will not be immunized against the basic childhood diseases, 19 will lack access to safe drinking water and 40 to adequate sanitation, and 17 will never go to school." Each year, these problems cause the death of 11 million children under the age of 5. (C) It means / They mean each day 30,000 children die, and most of these deaths could be prevented.

	(A)	(B)	(C)
①	overwhelming	likely to suffer	They mean
②	overwhelming	likely to suffer	It means
③	overwhelming	likely suffer	It means
④	overwhelmed	likely suffer	They mean
⑤	overwhelmed	likely to suffer	It means

04 다음 글의 밑줄 친 부분 중, 어법상 틀린 것은?

Many consumers are unaware of the chemicals in common products they use every day. Chemicals ① are present in a huge variety of products to give them certain properties. For example, chemicals are added to children's pajamas to make ② them fire-resistant. Chemicals help carry the scent of perfume. Plastics contain chemicals that make ③ themselves more flexible. These are commonly found in children's toys and food containers. Many of these common chemicals are toxic to mammals and other animals. For example, one group of chemicals, called phthalates, ④ which are widely used in vinyl flooring, are toxic to the reproductive system. Not only ⑤ are these chemicals toxic, but they are not readily dissolved by bacteria.

05 (A), (B), (C)의 각 네모 안에서 어법에 맞는 표현으로 가장 적절한 것은?

Some researchers divide the elements determining who will live longer into two categories: fixed factors and changeable factors. Gender, race and heredity are fixed factors — they can't be reversed, (A) despite / although certain long-term social changes can influence them. For example, women live longer than men — at birth, their life expectancy is about seven to eight years more. There is increasing evidence (B) that / which length of life is also influenced by a number of elements that are within your ability to control. The most obvious is physical lifestyle. Cutting calories may be the single most significant lifestyle change you can make. Experiments have shown that in laboratory animals, a 40 percent calorie reduction leads to a 50 percent extension in longevity. Eating less has a more profound and diversified effect on the aging process than (C) does / has any other lifestyle change.

	(A)		(B)		(C)
①	despite	—	that	—	has
②	despite	—	which	—	does
③	although	—	which	—	does
④	although	—	that	—	has
⑤	although	—	that	—	does

06 다음 글의 밑줄 친 부분 중, 어법상 틀린 것은?

●●○

One of the technical moves of most professional figure skaters ① is to spin in circles. The ability to execute these turns has earned them fame. It also ② raises questions as to how they manage to execute such turns in a fast manner without becoming dizzy or losing their balance. Through extensive research and testing, biologists have found that the answer to the question lies within the ears. Inside each of our ears ③ is tubes of liquid called the semicircular canals. As we move, the fluid touches a series of tiny hairs covering the inside of these tubes, which in turn send messages to the brain. Turning our bodies quickly causes the liquid in our ears ④ to move continuously even after our bodies have stopped moving, causing the dizziness. To counter this problem, skaters quickly jerk their heads in the direction opposite to that which they are turning. By ⑤ doing so, the brains believe the body isn't moving and skaters can continue to perform without falling.   *semicircular canal : (귀의) 반고리관

(A), (B), (C)의 각 네모 안에서 어법에 맞는 표현으로 가장 적절한 것은?

Monet was one of a group of painters called the "Impressionists," who were active in France from 1860 to 1880. They received their name from one of Monet's early paintings of a sunrise, entitled *Impression*. The Impressionists did not believe the forms of nature were fixed and unchanging. They felt the color we see in the world actually (A) consists of / consisting of many fragments of color blended together. In a sense, they recreated on canvas the light (B) reflected / was reflected from objects they saw by using hundreds of tiny dabs of pure color. The pattern of brush strokes would give the general impression of the shade they wanted to produce. In addition, by emphasizing bright, separated colors and the resulting texture of the brush strokes, and (C) showing / showed that objects need not be painted in terms of their forms and outlines alone, they laid the foundation for much of early twentieth century modern painting.

(A)	(B)	(C)
① consists of	— reflected	— showing
② consists of	— reflected	— showed
③ consists of	— was reflected	— showing
④ consisting of	— was reflected	— showing
⑤ consisting of	— reflected	— showed

다음 글의 밑줄 친 부분 중, 어법상 틀린 것은?

In ancient Egyptians, onions were a symbol of eternity and therefore an object of worship. The Egyptians saw eternal life in the onion ① because of its circle-within-a-circle structure. In ancient Egyptian art, a priest is often pictured holding onions in his hand while ② carrying out religious ceremonies. For the ancient Egyptians, onions also figured prominently in funerals and in other practices related to death. The onion is mentioned as a funeral offering, and onions are shown on the tables of the great funeral feasts. Paintings of onions ③ are appeared on the inner walls of the pyramids, ④ where Egyptian kings and royalty were buried. King Ramses IV was buried with onions over his eyes. Some researchers think this was done because it ⑤ was believed that the strong scent of onions would prompt the dead to once again begin to breathe.

09 (A), (B), (C)의 각 네모 안에서 어법에 맞는 표현으로 가장 적절한 것은?

Unlike Americans, who prize individualism, the Fijians care more about the good of the community than they do about themselves as individuals. For them, standing out in a crowd is never as important as (A) showing / to show a caring attitude toward friends. And what is the main vehicle for showing your friends you care? It's serving them food, of course. For the Fijians, offering food to friends and family (B) indicates / indicate you're concerned about their physical and emotional well-being. As dinner time, Fijians routinely open their windows and doors so that the aroma of the meal will float outside and attract passerby. (C) It / That is, in fact, a social disgrace not to have enough food for drop-in guests.

	(A)		(B)		(C)
①	showing	—	indicates	—	It
②	showing	—	indicates	—	That
③	showing	—	indicate	—	That
④	to show	—	indicates	—	It
⑤	to show	—	indicate	—	That

10 다음 글의 밑줄 친 부분 중, 어법상 틀린 것은?

Studies show that healthier eating habits may help ① <u>lower</u> your risk for heart disease, stroke, cancer and many other health problems. The sooner you improve your eating, ② <u>the better off</u> you'll be. Begin by eating more fruits and vegetables. They naturally contain vitamins, minerals and fiber that help protect you from disease. ③ <u>Comparing with</u> people who eat only small amount of fruits and vegetables, those who eat more have a ④ <u>reduced risk</u> of cancers, stroke and heart disease. Fruits and vegetables with different colors tend to have different levels of important nutrients, such as vitamins A and C. So when you go to the grocery store, walk down the produce aisle and ⑤ <u>fill</u> your cart or basket with a variety of colors.

11 ●●○ (A), (B), (C)의 각 네모 안에서 어법에 맞는 표현으로 가장 적절한 것은?

The origins of the hula dance are clouded in mystery. It is not clear how the hula came to be, although there are a few legends to explain (A) it / them . According to one legend, the Hawaiian goddess Laka gave birth to the dance on the island of Molokai. Another story talks of Hi'iaka, who danced to calm down her sister Pele, a volcano goddess. The old version of the hula is the hula kahiko. It is a very melodic and sensual dance, (B) performing / performed to bring pleasure to the senses. The dancers gently move their hips back and forth, while singing and telling a story with their fingers. But the most serious hulas were religious performances done inside a temple. Dancers were secluded inside the temple while learning the dance. They could not be seen (C) dance / to dance by anybody, and were not allowed to leave until they knew the dance by heart and could execute it without any mistakes.

	(A)		(B)		(C)
①	it	—	performing	—	dance
②	it	—	performed	—	to dance
③	them	—	performed	—	to dance
④	them	—	performing	—	dance
⑤	them	—	performed	—	dance

12 ●●● 다음 글의 밑줄 친 부분 중, 어법상 틀린 것은?

Achievement motivation can be increased in people whose cultural training did not encourage ① it in childhood. For example, high school and college students with low achievement motivation were encouraged to develop fantasies about their own success. They imagined ② themselves concentrating on breaking a complex problem into small, manageable steps. They fantasized about working hard, failing but ③ not being discouraged, and finally feeling great about achieving success. Afterwards, the students' grades and academic success improved, ④ suggesting an increase in their achievement motivation. In short, achievement motivation is strongly influenced by social and cultural learning experiences and by the beliefs about oneself ⑤ whom these experiences help to create.

13 (A), (B), (C)의 각 네모 안에서 어법에 맞는 표현으로 가장 적절한 것은?

Scientists are concerned that the destruction of the Amazon could lead to climatic chaos. Because of the huge volume of clouds it (A) generates / is generated, the Amazon plays a major role in the way the sun's heat is distributed around the globe. Any disturbance of this process could produce far-reaching, unpredictable effects. Moreover, the Amazon region stores at least 75 billion tons of carbon in its trees, (B) and / which when burned give off carbon dioxide into the atmosphere. Since the air is already dangerously overburdened by carbon dioxide from the cars and factories of industrialized nations, the torching of the Amazon could magnify the greenhouse effect. No one knows just (C) what impact the buildup of CO_2 will have / what impact will the buildup of CO_2 have, but some scientists fear that the globe will begin to warm up, bringing on wrenching climatic changes.

	(A)		(B)		(C)
①	generates	—	and	—	what impact will the buildup of CO_2 have
②	generates	—	and	—	what impact the buildup of CO_2 will have
③	generates	—	which	—	what impact the buildup of CO_2 will have
④	is generated	—	and	—	what impact will the buildup of CO_2 have
⑤	is generated	—	which	—	what impact the buildup of CO_2 will have

다음 글의 밑줄 친 부분 중, 어법상 **틀린** 것은?

The seasons change because the Earth's axis is tilted. The axis is the imaginary line ① <u>that</u> the Earth turns around. Because the axis is not straight in relation to the sun, light does not reach all parts of the Earth ② <u>equally</u>. When one part of the Earth is being warmed by sunlight, ③ <u>the other part</u> will be getting less light and will therefore be cooler. When the northern hemisphere is pointing at the sun, it experiences summer. At the same time, the southern hemisphere will be pointing away from the sun and therefore ④ <u>receiving</u> reduced sunlight. This is why summer in the northern hemisphere corresponds to winter in southern regions. If the Earth's axis were not at an angle, all parts of the Earth ⑤ <u>would have received</u> the same amount of sunlight year-round, and there would be no seasons.

(A), (B), (C)의 각 네모 안에서 어법에 맞는 표현으로 가장 적절한 것은?

Last summer Colin Benton died after receiving a kidney transplant at a private London hospital. Several months later, however, his case made headlines throughout Britain when his widow disclosed that her husband's kidney transplant (A) came / had come from a Turkish citizen who was paid $3,000 to fly to Britain and donate the organ. The donor said he had decided to sell his kidney to pay for medical treatment for his daughter. Concern in Britain over issues raised in the case led to a law (B) being passed / be passed on July 28, 1989, in Parliament banning the sale of human organs for transplant. The same concerns and those over loopholes in the transplant laws in some other nations led the World Health Organization to condemn the practice recently. In a resolution in May, the organization asked member nations (C) ⌜take / to take⌝ appropriate measures, including legislation, to prohibit trafficking in human organs.

	(A)		(B)		(C)
①	came	—	being passed	—	take
②	came	—	be passed	—	take
③	had come	—	being passed	—	to take
④	had come	—	being passed	—	take
⑤	had come	—	be passed	—	to take

16 다음 글의 밑줄 친 부분 중, 어법상 틀린 것은?
●○○

Although we'd like to think ① that our memories accurately reflect events we've witnessed or experienced, our recollections may not be as reliable as we believe ② them to be. Contemporary memory researchers reject the view that long-term memory works like a video camera that records exact copies of experience. Their view holds that memory is a reconstructive process. ③ That we recall from memory is not a replica of the past, but a representation, or reconstruction, of the past. We stitch together bits and pieces of information stored in long-term memory ④ to form a coherent explanation or account of past experiences and events. Reconstruction, however, can lead to ⑤ distorted memories of events and experiences.

17 (A), (B), (C)의 각 네모 안에서 어법에 맞는 표현으로 가장 적절한 것은?

On December 18, 1912, an amateur archaeologist named Charles Dawson and his friend Arthur Smith Woodward presented what they claimed (A) [was / it was] an extraordinary finding to the Geological Society of London. They presented the skeleton of a creature (B) [believing / believed] to be half-man and half-ape. The two men claimed they had discovered what was believed to be the missing link between humans and apes. With relatively little investigation, Piltdown man — as the skeleton came to be called — was accepted as (C) [genuine / genuinely]. As time went by, however, doubts began to surface, and finally, close analysis of the skeleton revealed that someone had created it by fusing together the bones of a human being and an orangutan.

	(A)		(B)		(C)
①	was	—	believing	—	genuine
②	was	—	believed	—	genuine
③	it was	—	believing	—	genuinely
④	it was	—	believed	—	genuinely
⑤	it was	—	believing	—	genuine

18 다음 글의 밑줄 친 부분 중, 어법상 틀린 것은?

Two ways ① for insects to survive are called camouflage and disguise. Both are quite similar to each other in that they help the insect blend into its surroundings and avoid ② being eaten. But there are some differences. With camouflage, an insect takes on a similar shape to something common in its surroundings. For example, an insect may have a flat, triangular shape, which makes it ③ looked like the leaves that it sits on. Thus, a predator such as a bird will not notice that the insect is there because the bird thinks that the insect is only a leaf. Disguise, ④ <u>which</u> is very similar to camouflage, means that the insect looks identical to the object on which it sits. The coloring and shape of the insect can help the insect blend into its environment perfectly. If the insect does not move, predators will never know that ⑤ <u>it is there</u>.

19 (A), (B), (C)의 각 네모 안에서 어법에 맞는 표현으로 가장 적절한 것은?

The first successful blood transfusion was performed in the seventeenth century, but the practice was outlawed because of the dangers it (A) ｜posed / was posed｜ to the patient. The practice was revived in the nineteenth century, but it was accompanied by terrible risks, like blood clots and kidney failure. Austrian-born Karl Landsteiner, however, had a theory. He suggested that the blood of humans (B) ｜have / had｜ inborn differences and similarities. The key was to understand both the differences and the similarities. By 1901, finally, he had classified blood donors into three different categories called A, B, and O (AB was added in 1902), and (C) ｜following / followed｜ that discovery, the transfusion of blood became a relatively safe procedure.

	(A)		(B)		(C)
①	posed	—	have	—	following
②	posed	—	have	—	followed
③	posed	—	had	—	following
④	was posed	—	have	—	followed
⑤	was posed	—	had	—	following

20

다음 글의 밑줄 친 부분 중, 어법상 틀린 것은?

Most Americans are accustomed to ① thinking that lie detectors, because they are machines, can, without error, ② separating the guilty from the innocent. But, in fact, lie detectors can and do make mistakes. For one thing, those who administer the tests are not necessarily qualified experts. Many states don't employ licensed examiners ③ trained to read and interpret lie detector printouts. In addition, many subjects react to taking a lie detector test by becoming anxious. As a result, their bodies behave as if the subjects ④ were lying even when they are telling the truth. Unfortunately, some people are smart enough to use relaxation techniques to remain ⑤ calm when they are telling a pack of lies.

21

●●○

(A), (B), (C)의 각 네모 안에서 어법에 맞는 표현으로 가장 적절한 것은?

Chimpanzees, (A) they / who share nearly 99 percent of our DNA, are almost human, but you would never know it from the way we treat them. As photographers Michael Nichols has shown in his disturbing book *Brutal Kinship*, we use and abuse them at will for medical research and entertainment. Determined to remain blind to their suffering, we refuse to grasp how (B) like / alike us they are. For all their similarities, we appear to think little of their pain and suffering if our interests are served. Looking through Nichols's book, which is filled with image of chimps in cages or (C) lying / lain vacant-eyed with tubes dangling from their arms, it's practically impossible to understand how we can torture and maim creatures who look and behave so much like ourselves.

	(A)		(B)		(C)
①	they	—	like	—	lying
②	they	—	like	—	lain
③	who	—	alike	—	lying
④	who	—	alike	—	lain
⑤	who	—	like	—	lying

22

●○○

다음 글의 밑줄 친 부분 중, 어법상 틀린 것은?

The process of turning productive land into desert-like land ① is called desertification. Desertification can take place naturally on the edges of existing deserts, or it can start in small patches hundreds of miles away from the nearest desert. Deforestation also contributes significantly to desertification. In developing countries, 90 percent of the people ② <u>use</u> wood for cooking and heating. However, cutting down trees for firewood leaves the land ③ <u>exposed</u> to the sun. The smaller plants that grow under the trees cannot survive without the shade of the trees. And without leaves from the trees to enrich it, the soil becomes poor and ④ <u>deprives of</u> nutrients. Eventually, the smaller plants die, and nothing remains but barren land. Often, the soil is so degraded that it becomes ⑤ <u>as hard as</u> concrete. Large pieces of land cleared to grow crops can become useless in just a few seasons.

23 (A), (B), (C)의 각 네모 안에서 어법에 맞는 표현으로 가장 적절한 것은?

The history of horror films is almost as long as the history of movie-going. The first movie theater opened in 1905. But it didn't take long, only five years, for J. Searle Dawley, along with producer Thomas Edison, (A) shooting / to shoot the 1910 movie *Frankenstein* about Mary Shelley's man-made monster. Ten years later, German directors Carl Boese and Paul Wegener returned to the subject of man-made monsters in *The Golem*, a classic horror film (B) highly regarded / was highly regarded to this day. If the Germans owned the horror film in the twenties, it was the Americans who took over the genre in the thirties. The thirties saw the arrival of films like *Dracula*, *The Mummy*, *The Phantom* and *The Jekyll and Mr. Hyde*, (C) all of them / all of which being box office blockbusters.

	(A)		(B)		(C)
①	shooting	—	highly regarded	—	all of them
②	shooting	—	was highly regarded	—	all of which
③	to shoot	—	highly regarded	—	all of them
④	to shoot	—	highly regarded	—	all of which
⑤	to shoot	—	was highly regarded	—	all of which

24 다음 글의 밑줄 친 부분 중, 어법상 틀린 것은?

○●○○

An ancient Chinese form of medicine, acupuncture is based on the philosophy that energy ① <u>circulating</u> through the body controls health. Thus pain and disease are the result of a disturbance in the energy flow, ② <u>which</u> can be corrected by inserting long, thin needles at specific points in the body. Each point controls a different corresponding part of the body. Once ③ <u>inserting</u> the needles are rotated gently back and forth or ④ <u>charged</u> with a small electric current for a short time. Research studies have found that acupuncture helps ⑤ <u>alleviate</u> nausea in cancer patients undergoing chemotherapy. It also helps in treating chronic lower back pain and may be of value for irritable bowel syndrome.

*chemotherapy : 화학요법

25 (A), (B), (C)의 각 네모 안에서 어법에 맞는 표현으로 가장 적절한 것은?

●●○

Volcanic eruptions and their aftereffects are among the Earth's most destructive natural events. But whether a volcano poses an imminent threat to human life and property (A) | depend on / depends on | its status as an active, a dormant, or an extinct volcano. An active volcano is one that is currently erupting or has erupted recently. Active volcanoes can be found on all continents except Australia and on the floors of all major ocean basins. A dormant volcano is one that has not erupted recently but is considered likely to do so in the future. The presence of hot water springs or small earthquakes occurring near a volcano (B) | may indicate / may have indicated | that the volcano is stirring to wakefulness. A volcano is considered extinct if it has not erupted for a very long time (perhaps tens of thousands of years). A truly extinct volcano is no longer fueled by a magma source and, thus, no longer capable (C) ┃ to erupt / of erupting ┃.

(A)	(B)	(C)
① depend on	— may indicate	— to erupt
② depend on	— may indicate	— of erupting
③ depend on	— may have indicated	— to erupt
④ depends on	— may have indicated	— of erupting
⑤ depends on	— may indicate	— of erupting

26 다음 글의 밑줄 친 부분 중, 어법상 틀린 것은?

Hanji, literally meaning "Korean Paper", is traditional Korean paper that is hand-made by processing the bark of the mulberry plant. ① Unlike machine-made paper, Hanji is a hand-made fiber paper and goes through a long manual process. Hanji is made of 100% pure mulberry, which makes the paper fibers ② very durably while keeping its surface smooth. It has been called the "living paper" since Hanji communes with nature. In addition to the mulberry tree, Hanji also uses the fiber from pine trees, bamboo, willows, and reeds. Hanji is lightly alkaline, which makes it possible ③ to be preserved for a long time. People used it for books, documents, and artworks which need to be preserved permanently or for a long time. It ④ has been handed down from generation to generation and still shows Korea's own traditional patterns and colors ⑤ not to mention a sense of beauty blended together.

*mulberry : 뽕나무

27

(A), (B), (C)의 각 네모 안에서 어법에 맞는 표현으로 가장 적절한 것은?

Cognitive theorists believe that the way in which people interpret events contributes to emotional disorders such as depression. One of the most influential cognitive theorists is the psychiatrist Aaron Beck. Beck and his colleagues believe that people who adopt a (A) negative / negatively slanted way of thinking are prone to depression when they encounter disappointing or unfortunate life events. Along with his colleagues, Beck has identified a number of faulty thinking patterns, called cognitive distortions. These cognitive distortions are believed to increase vulnerability to the onset of depression (B) follow / following negative life events. The more distorted thinking patterns dominate a person's thoughts, (C) the great / the greater the vulnerability to depression.

	(A)		(B)		(C)
①	negative	—	follow	—	the great
②	negative	—	follow	—	the greater
③	negative	—	following	—	the great
④	negatively	—	following	—	the greater
⑤	negatively	—	follow	—	the greater

28

다음 글의 밑줄 친 부분 중, 어법상 틀린 것은?

People can successfully perform two different activities simultaneously. To perform two activities at the same time, ① <u>one of which</u> has to be automatic. Driving, for example, is automatic, so we can usually drive while talking. We can also do two things at the same time if the tasks or activities involved require different kinds of attention. When playing the piano, pressing the keys ② <u>requires a</u>

separate mode of concentration from reading the music. One forces us to pay attention to incoming stimuli; ③ <u>the other</u> requires us to produce a response. However, what's nearly impossible ④ <u>is having</u> a conversation and reading at the same time because both activities rely on similar types of attention. ⑤ <u>Neither one</u> can be performed without thinking.

---

29 (A), (B), (C)의 각 네모 안에서 어법에 맞는 표현으로 가장 적절한 것은?

When an economy grows as (A) $\boxed{\text{rapid / rapidly}}$ as the Korean economy has, there are numerous benefits for most citizens, such as new job opportunities, increased income, and improved quality of life in general. Forgotten through the euphoria of the growing economy, however, (B) $\boxed{\text{is / are}}$ those who may suffer damage from development of private projects near their homes and property. For instance, construction of a new apartment complex may lower the value of single-family homes in the area. Development of public sector projects such as new high ways is different at least in part because public sector projects are intended to benefit a large number of people as opposed to private sector projects that basically benefit their owners. The faster an economy grows, the more victims there will be (C) $\boxed{\text{who / what}}$ may lose from development of private projects adjacent to their property.

	(A)	(B)	(C)
①	rapid	— is —	who
②	rapid	— are —	what
③	rapidly	— is —	what
④	rapidly	— are —	who
⑤	rapidly	— are —	what

30 다음 글의 밑줄 친 부분 중, 어법상 틀린 것은?

Obviously, ① <u>a great deal of</u> controversy continues to surround the issue of executing criminals. Researchers generally agree that if punishment is to discourage future criminal behavior, it must be swift and certain. Neither of these conditions, however, ② <u>is met</u> by the death penalty in the United States, and few reasonable and informed people today argue that capital punishment acts as a deterrent, except in the specific case of the individual who is executed. Studies ③ <u>comparing</u> murder rates between states with and without death penalties either find no significant difference ④ <u>or disclose</u> that states with capital punishment actually have higher rates of murder. Also ⑤ <u>disturbed</u> is the fact that personal characteristics of judges influence their decisions.

31 (A), (B), (C)의 각 네모 안에서 어법에 맞는 표현으로 가장 적절한 것은?
●●○

In the third century B.C. the Chinese were the first to sight Halley's comet. In the fourteenth century, the Florentine painter Giotto put the whirling ball of light into one of his paintings; in the sixteenth century, William Shakespeare (A) mentioned / mentioned about it in two of his plays. But it took the eighteenth century astronomer Edmund Halley to recognize that the comet seen by the Chinese, the Italians, and the British was the same comet returning on a fixed schedule. Studying (B) that / what seemed to be the appearance of many different comets, Halley realized that there might be only one comet that regularly appeared every seventy-six years. As a result of his studies, he predicted that the comet would return in 1758. His prediction was proven (C) correct / correctly when the comet showed up on schedule.

(A)		(B)		(C)
① mentioned	—	that	—	correct
② mentioned	—	what	—	correctly
③ mentioned	—	what	—	correct
④ mentioned about	—	that	—	correctly
⑤ mentioned about	—	what	—	correctly

32 다음 글의 밑줄 친 부분 중, 어법상 틀린 것은?
●○○

In the nineteenth century, American and British fishermen nearly ① wiped out the seals of Antarctica. The Antarctic seals, however, after almost becoming extinct, have made an ② astonishing comeback. The population is now rapidly increasing. Although scientists admit that ③ <u>other</u> factors may be responsible for the seals' rebound, they are convinced that the severe decrease in the baleen whale population is a major cause. The baleen whale and the Antarctic seal once competed for the same food source — a tiny shellfish called krill. With the baleen whale ④ <u>becomes</u> practically extinct, the seals have inherited an almost unlimited food supply. That increase in the seal's food supply ⑤ <u>is considered</u> a major reason for the seals' comeback.

*baleen whale : 수염고래

33 (A), (B), (C)의 각 네모 안에서 어법에 맞는 표현으로 가장 적절한 것은?

(A) Surprising / Surprised as it may seem to those of us who grew up with him, Santa Claus was not always pictured as a roly-poly figure with chubby cheeks, a big belly, and a long white beard. The Santa Claus we know today was created in the mid-nineteenth century by the cartoonist Thomas Nast. The European ancestor of our Santa Claus, Saint Nicholas, was always pictured as a tall, lean, and bearded bishop who bore no trace of extra fat. However, during the years 1863 to 1885, Nast was commissioned by *Harper's Weekly* to do a series of Christmas drawings, during (B) that / which period he created the pudgy figure so beloved by children today. It was also Nast who decided that Santa (C) should wear / should have worn a fur-trimmed red suit and hat.

	(A)		(B)		(C)
①	Surprising	—	that	—	should wear
②	Surprising	—	which	—	should wear
③	Surprising	—	which	—	should have worn
④	Surprised	—	that	—	should have worn
⑤	Surprised	—	that	—	should wear

34 다음 글의 밑줄 친 부분 중, 어법상 틀린 것은?

In 1976 in an effort to combat the possible widespread outbreak of swine flu(SI), President Gerald Ford directed the Centers for Disease Control(CDC) ① <u>to launch</u> a project called the National Influenza Immunization Program(NIIP). In response four manufacturers set out to make 200 million doses of the drug because the CDC wanted every person in the United States ② <u>to vaccinate</u> against the disease. The CDC also developed a plan to take jet immunization guns into schools, factories, nursing homes, and health departments. However, troubles soon began ③ <u>to arise</u>. When three elderly people died after having vaccination, the press connected their deaths to the SI immunizations, ④ <u>despite</u> a lack of evidence. However, in time, a connection was established between the SI vaccination and a nervous system disease, and NIIP ⑤ <u>was finally cancelled</u> on December 16, 1976.

35 (A), (B), (C)의 각 네모 안에서 어법에 맞는 표현으로 가장 적절한 것은?

Comets are satellites made up (A) ⎡ most / mostly ⎤ of ice (both water and frozen gases) and dust. All comets orbit the Sun, but some complete a revolution of the Sun in just a few years while others need several hundred thousand years. When a comet passes close to the Sun, the ice in the comet melts and dust particles are released. These dust particles form the comet's famous tail, or "long hair," which can extend for more than 10 million kilometers. For much of human history, people were terrified of comets. These very strange objects seemed (B) ⎡ to appear / to have appeared ⎤ suddenly out of nowhere. Some people thought comets were messengers, bringing news of disasters to come. Comets were blamed for earthquakes, wars, floods, and other catastrophes. Not until the 17th century (C) | Sir Isaac Newton discovered / did Sir Isaac Newton discover | that comets orbit the Sun in predictable patterns.

(A)	(B)	(C)
① most	— to appear	— did Sir Isaac Newton discover
② most	— to appear	— Sir Isaac Newton discovered
③ most	— to have appeared	— Sir Isaac Newton discovered
④ mostly	— to appear	— did Sir Isaac Newton discover
⑤ mostly	— to have appeared	— did Sir Isaac Newton discover

36 다음 글의 밑줄 친 부분 중, 어법상 틀린 것은?

The term noise pollution has long been difficult to accurately define because noise differs from other forms of pollution in several respects. For one thing, noise can completely disappear. Unlike chemicals and other kinds of pollutants, ① which remain in the air, water, or soil even after polluting stops, noise does not remain in the environment after its source ceases to generate it. Second, noise pollution cannot be measured ② as easily as can other forms of pollution. Scientists can analyze soil, water, and air samples to determine how many pollutants they ③ are contained and then decide if the amounts are unhealthy. However, it is more difficult to determine ④ how much exposure to noise causes damage. Finally, the definition of the world noise is subject to individual opinion. To some people, the sound of loud music or the roar of a motorcycle engine may be pleasant while to others those same sounds ⑤ seem stressful.

(A), (B), (C)의 각 네모 안에서 어법에 맞는 표현으로 가장 적절한 것은?

The first American comic strip appeared at the end of nineteenth century. Not until the 1930s, however, (A) comic books successfully became / did comic books successfully become part of American culture. The first comic book, published by Dell Publishing Company, was a huge failure, but the second one, also published by Dell, succeeded. (B) Calling / Called *Famous Funnies*, the comic book cost ten cents, and all thirty-five thousand copies quickly sold out. Not surprisingly, many more comic books followed, most of them featuring cartoon characters, such as Popeye and Flash Gordon, (C) that / what had originally appeared in newspapers. The biggest comic book breakthrough, however, came in 1938 with the introduction of a red-caped, blue-suited figure called Superman.

(A)	(B)	(C)
① comic books successfully became	— Calling	— that
② comic books successfully became	— Called	— what
③ did comic books successfully become	— Calling	— that
④ did comic books successfully become	— Called	— what
⑤ did comic books successfully become	— Called	— that

다음 글의 밑줄 친 부분 중, 어법상 틀린 것은?

Beer ① has been defined as "a pleasant drink containing alcohol". The alcohol in beer, as in other alcoholic liquors, is produced by fermentation; this is a 'happy' chemical reaction, ② by which sugar is converted into approximately equal parts of alcohol and carbon dioxide, and it ③ is brought about by the small plant, or micro-organism, known as yeast. The earliest fermented drinks were almost certainly based on the accidental or spontaneous fermentation of the juice of ④ sugar-contained fruits. Beer derives, however, from barley, one of the earliest cereals ⑤ known to man. The ripe seed of the barley plant is not sweet, containing virtually no sugar in the free state, but it does contain certain "bound" — or polymerized — sugar in the form of starch.

*polymerize : 중합하다

39 (A), (B), (C)의 각 네모 안에서 어법에 맞는 표현으로 가장 적절한 것은?

●●○

Forest fires are tragic and should be prevented because they often destroy large areas of natural vegetation. However, forest fires are beneficial because they produce new growth with the ash from a fire (A) enriching / enriched the soil. Fire also stimulates the release of new seeds. Lodgepole pine cones, for instance, release new seeds only when temperatures greater than 113°F melt the waxy coating that encases them. Fire also burns away trees' leaves and branches, allowing sunlight, (B) it / which is necessary for seed growth, to reach the forest floor. In addition, fires strengthen existing growth by eliminating dead material that accumulates around. Fires also help weed out smaller plants. This removal of both (C) live / alive and dead vegetation reduces the remaining plants' competition for water, sunlight, nutrients, and space, allowing them to grow stronger.

	(A)		(B)		(C)
①	enriching	—	which	—	live
②	enriching	—	which	—	alive
③	enriched	—	which	—	alive
④	enriched	—	it	—	alive
⑤	enriched	—	it	—	live

다음 글의 밑줄 친 부분 중, 어법상 틀린 것은?

Recently, researchers compared monolingual infants, from homes ① <u>in which</u> only one language was spoken, to bilingual infants ② <u>exposed</u> to two languages. They found that at six months, the monolingual infants could distinguish between sounds, whether they ③ <u>uttered</u> in the language they were used to hearing or in another language not spoken in their homes. However, by ten to twelve months, they were no longer recognizing sounds in the second language, only in the language they usually heard. In contrast, the bilingual infants followed a different developmental path. At six to nine months, they did not detect differences in sounds in ④ <u>either</u> language, but when they were older — ten to twelve months — they were able to distinguish sounds in both. It's another piece of evidence ⑤ <u>that</u> what you experience shapes the brain.

41
●●○

(A), (B), (C)의 각 네모 안에서 어법에 맞는 표현으로 가장 적절한 것은?

　　If you have ever lived in the country, you are probably familiar with the croaking sound frogs make in the night. For many country dwellers, it's a comforting sound, a sign that the city has been left far behind. But unless strong action is taken immediately, the croaking of frogs might not be a sound anyone hears ten years from now. All the evidence suggests that frogs and others in the class which (A) is / are known as amphibian are threatened by extinction. There are already reports that two-thirds of several amphibian species in the Central and South America (B) has vanished / have vanished . The twin causes of the amphibians' disappearance are pollution and humans invading their natural habitats. In an effort to save frogs and other amphibians, conservationists (C) have found / have founded Amphibian Ark, a project that contacts zoos around the globe and asks them to care for at least 500 members of the amphibian class.

	(A)		(B)		(C)
①	is	—	has vanished	—	have found
②	is	—	has vanished	—	have founded
③	is	—	have vanished	—	have founded
④	are	—	have vanished	—	have found
⑤	are	—	have vanished	—	have founded

42
●●○

다음 글의 밑줄 친 부분 중, 어법상 틀린 것은?

　　Increased spells of warm weather and decreased use of pesticides have resulted in a plague of fire ants. Indeed, pleasant weather and an absence of pesticides have encouraged whole armies of ants ① to make their homes in farmers' fields, ② there they can leisurely munch on potato and other crops. ③ Should a tractor overturn their nests, the furious ants swarm over the machine and attack the driver. ④ Using their jaws to hold the victim's skin, they thrust their stingers into the flesh, maintaining the same position for up to twenty-five seconds. The sting produces a sharp burning sensations and frequently ⑤ causes painful infections that can last weeks and even months.

---

43 (A), (B), (C)의 각 네모 안에서 어법에 맞는 표현으로 가장 적절한 것은?

●●○

(A) Giving / Given that more teenagers than ever before are struggling with problems such as depression, alcoholism, and drug abuse, desperate parents are looking for help. Many are turning to wilderness programs, which promise to change the attitude and behavior of the young people by exposing them to and training them for life in the outdoors. Some of these programs are on farms or in deserts. (B) Most / Almost all share the same premise: Sustained exposure to a natural world where kids have to support themselves can provide troubled young boys and girls with new skills and increased self-confidence. Yet (C) effective / effectively as these programs may sound, they raise a crucial questions: Is the wilderness — with its overwhelming and often uncontrollable dangers — really the place to heal the troubled children?

	(A)		(B)		(C)
①	Giving	—	Most	—	effective
②	Giving	—	Most	—	effectively
③	Given	—	Most	—	effectively
④	Given	—	Almost	—	effectively
⑤	Given	—	Almost	—	effective

44 다음 글의 밑줄 친 부분 중, 어법상 틀린 것은?
●●○

"If I were given 1 hour to save the planet, I ① would spend 59 minutes defining the problem and 1 minute resolving it," Albert Einstein said. These were wise words, but most organizations don't follow them when tackling innovation projects. Indeed, when developing new products or processes, most companies don't put enough effort into defining the problems they're trying to solve or ② identify important related matters. Without that effort to define the problem, organizations miss opportunities, waste resources, and end up ③ pursuing narrow innovation projects that don't match broader strategies. How many times have you seen a project ④ go down one path only to realize later that it ⑤ should have gone down another?

45 (A), (B), (C)의 각 네모 안에서 어법에 맞는 표현으로 가장 적절한 것은?
●●●

A proverb is a short, generally known sentence of the folk which contains wisdom, truth, morals, and traditional view in a metaphorical and memorizable form, (A) which / and which is handed down from generation to generation. As part of the human heritage, therefore, proverbs are an interesting topic of study, and they have received much attention in folklore and anthropological studies, where they are often portrayed as (B) provide / providing a snapshot of a particular culture. From another perspective, proverbs can serve a psycho-sociological function, in that many people find proverbs encouraging or soothing when they are in difficult situations, and may use proverbs as a kind of support or signpost. (C) | However / Whatever | the approach to proverbs is, their value is summarized in the Icelandic proverb, "all old sayings have something in them."

	(A)		(B)		(C)
①	which	—	provide	—	However
②	which	—	provide	—	Whatever
③	which	—	providing	—	Whatever
④	and which	—	providing	—	Whatever
⑤	and which	—	providing	—	However

46 다음 글의 밑줄 친 부분 중, 어법상 틀린 것은?

In a study scientists put cold-causing viruses into the noses of 334 healthy adults. People who tended to be in good spirits ① were least likely to develop sniffles, coughs, and other cold symptoms. People who showed positive emotions were also less likely to mention their conditions to their doctors, even when medical tests indicated that they caught cold. Those results were ② interesting, but they did not prove that a person's emotions affect whether he or she gets sick. Instead, it was still possible ③ that a person's personality is ④ what really matters. Evidence suggests, for instance, that certain people are naturally more likely to be happy and confident. This would mean that who we are, not how we feel, ultimately ⑤ decide our chances of catching cold.

47

(A), (B), (C)의 각 네모 안에서 어법에 맞는 표현으로 가장 적절한 것은?

Animals have developed many ways of defending themselves against enemies. Many animals simply avoid being seen by predator, finding safe places in which to hide, sleep, rest, and raise their young. Desert toads, for example, crawl down into cracks in the mud to escape from predatory birds, while rabbits make permanent nest, (A) which / where they leave only at night when they are more difficult to be spotted. Some animals acquire the characteristics of their environment in order to blend into their surroundings and avoid (B) spotting / being spotted by enemies. The chameleon, for example, changes colors to match its background, and walking sticks assume the shape and color of the twigs they walk on. Other animals avoid predators by running, swimming, or flying away from attackers, while still (C) others / the others have evolved protective armor or chemical defenses, such as shell of a turtle or the venom of a cobra.

*walking stick : 대벌레

(A)	(B)	(C)
① which —	spotting —	others
② which —	being spotted —	the others
③ which —	being spotted —	others
④ where —	being spotted —	others
⑤ where —	spotting —	the others

48

다음 글의 밑줄 친 부분 중, 어법상 틀린 것은?

① All living languages are constantly changing and developing. In the days before the rapid and easy communications of the modern world, when one group of people moved away from another, they ② might well lose contact with each other. Their languages would then develop separately and in different ways. Each group would form

③ its own dialect, developing its own pronunciation and picking up or devising new words to suit changing circumstances. Contact with ④ other peoples in new territories would bring further changes and, after many generations, the people of one group would no longer readily understand the language of the other. By then, a new language could be said to have developed, and ⑤ stemmed from a common parent language, they both belonged to the basically same "family".

49 (A), (B), (C)의 각 네모 안에서 어법에 맞는 표현으로 가장 적절한 것은?

Matter converts to a liquid state when the energy of its atoms (A) rises / raises high enough to break cohesive bonds between molecules. Matter as liquid, therefore, loses the ability to uphold a particular structure. Liquids do not maintain a form of their own, but rather assume the shape of the container in which they are placed. Due to the fact that the forces and interactions between the atoms of a liquid are strong enough to keep its molecules in close contact, however, the volume of a liquid, like (B) that / those of solids, remains constant. Liquids also exhibit surface tension, caused by a thin layer of molecules on the surface of a liquid that together act like an elastic membrane, which allows some denser objects (C) rest / to rest on the surface of the liquid. A needle, for example, will float on the surface of a glass of water.

*membrane : 막, 세포막

	(A)		(B)		(C)
①	rises	—	that	—	rest
②	rises	—	that	—	to rest
③	rises	—	those	—	rest
④	raises	—	those	—	rest
⑤	raises	—	that	—	to rest

50 다음 글의 밑줄 친 부분 중, 어법상 틀린 것은?

Fast-food restaurants such as McDonald's, Burger King, and Taco Bell should be required to display warning notices about the fat content of the foods they sell. Animal studies have suggested that eating fatty foods seems ① <u>to provoke</u> addictive behavior. Another study suggests that high-fat foods may stimulate the brain's pleasure centers, ② <u>producing</u> an effect similar to that of drugs such as nicotine and heroin. The government requires cigarette manufacturers to print warning labels on every pack which ③ <u>informs</u> consumers that smoking is an addictive habit that causes cancer and death. It stands to reason, then, ④ <u>that</u> every fast-food wrapper and carton should be similarly labeled to make it ⑤ <u>clear</u> that their addictive contents will lead to obesity and death.

51 (A), (B), (C)의 각 네모 안에서 어법에 맞는 표현으로 가장 적절한 것은?

Whales are fairly easy to kill because of their size and their need to come to the surface to breathe. Mass slaughter became efficient with the use of radar and airplanes to (A) locate / be located them. Fast ships, harpoon guns, and inflation lances that pump dead whales full of air and make them float also (B) aiding / aided in the harvesting of the huge creatures. Whale harvesting has followed a classic pattern with whalers killing an estimated 1.5 million whales between 1925 and 1975. Such over-harvesting reduced the population of eight of the eleven major species to commercial extinction. i.e., whales were so hard to find that (C) it / they no longer paid to hunt and kill them. It also drove some commercially prized species such as the giant blue whale to the brink of biological extinction.

	(A)		(B)		(C)
①	locate	—	aiding	—	it
②	locate	—	aided	—	it
③	be located	—	aiding	—	they
④	be located	—	aided	—	they
⑤	be located	—	aided	—	it

52 다음 글의 밑줄 친 부분 중, 어법상 틀린 것은?

Evolutionists hold that amphibians descended from ① air-breathing lung fish, descendants of primitive water-dependent fish. ② Though many amphibians have lungs, their skin serves as a secondary or sometimes a primary breathing organ. Because amphibians have developed a means of breathing the air of the Earth's atmosphere, they have cleared ③ <u>themselves</u> of the need to be completely submerged in an aquatic environment at all times. Most amphibians, however, still require ④ <u>extremely moist</u> habitats since water readily evaporates through their skins. The life of many amphibians occurs in two stages, ⑤ <u>during the first of them</u> amphibians exist as tadpoles that live exclusively in water. Later, when the tadpoles develop into adults, they lose their gills and develop lungs.

53 (A), (B), (C)의 각 네모 안에서 어법에 맞는 표현으로 가장 적절한 것은?

Ironically, the organ shortage gets worse as medical technology improves. With new technology and drugs, more people who need organs are being kept (A) live / alive longer. At the same time, there is a predicted supply of only 10,000 donors annually, as social indifference and fear keep the number of donors (B) constant / constantly . One way to deal with this growing problem is to use animal transplants. Known scientifically as xenotransplantation, transplants of organs and tissues from animals to humans actually have a long history. There are records of xenotransplantation attempts from as early as the 17th century. In 1682 in Russia, bone tissue from a dog (C) used to / was used to repair the skull of an injured nobleman. Though this operation was reportedly a success, religious leaders were offended.

*xenotransplantation : 이종(異種) 간의 이식

	(A)		(B)		(C)
①	live	—	constant	—	used to
②	live	—	constantly	—	used to
③	alive	—	constant	—	was used to
④	alive	—	constantly	—	was used to
⑤	alive	—	constantly	—	used to

54 다음 글의 밑줄 친 부분 중, 어법상 틀린 것은?

Ants can teach us ① <u>that</u> it takes to be a successful species, a species that has successfully existed for tens of thousands of years. For one thing, while we may see hundreds or millions of ants ② <u>coming</u> to and fro on the same path all day long, we don't see traffic accidents ③ <u>where</u> one ant is killed or injured. Ants have mastered the art of commuting. They are not careless or inconsiderate as they travel, and it is ④ <u>unlikely</u> that anger and shouting exist on their roads. For this reason they probably are not a quarrelsome species, unlike humans. So as I watch these tiny little creatures, it strikes me that they are working together, in perfect unity, for a common goal and that they have a better organized and more perfect society than we humans ⑤ <u>do</u>.

55 (A), (B), (C)의 각 네모 안에서 어법에 맞는 표현으로 가장 적절한 것은?

I believe the best approach concerning crises prevention is for kids to think about how to handle emergencies before they (A) arise / will arise . It's smart to practice handling all sorts of emergencies whenever time permits. That way, if prevention doesn't work, young people can handle emergencies with confidence. My family played a game of Pretend Emergency a couple of times a year. My brother, Mom, Dad, and I would say, "Let's play Pretend Emergency." Then one of us would say what the supposed emergency was, and we would all react as though it (B) were / had been real. If the emergency was a "fire," we'd pretend to call 911, ensure that all family members, including pets, were safe and run outside. Someone would use a

stopwatch to see how long it took for all family members (C) ⌈ get /
to get ⌉ outside the house.

	(A)		(B)		(C)
①	arise	—	were	—	get
②	arise	—	were	—	to get
③	arise	—	had been	—	get
④	will arise	—	were	—	get
⑤	will arise	—	had been	—	to get

56 다음 글의 밑줄 친 부분 중, 어법상 틀린 것은?
●○○

Surprisingly, there are some cultures ① <u>where</u> time plays little or
no role. The Piraha tribe of the Amazon rainforest is an example of
one such group. Not only ② <u>does</u> the tribe have no concept of numbers,
but their language has no past tense. For them, everything exists in the
present. When something can no longer be perceived, it stops ③
<u>existing</u>. Because of the limitations of their language, the Piraha do
not spend time thinking or worrying about the past. ④ <u>Whatever</u> isn't
important in the present is quickly forgotten. Although it is perhaps
difficult for people in time-dependent cultures ⑤ <u>understanding</u> the
perspective of the Piraha tribe, the Piraha way of life may provide a
valuable lesson in how to slow down and enjoy each moment more
fully.

(A), (B), (C)의 각 네모 안에서 어법에 맞는 표현으로 가장 적절한 것은?

Some advocates of the government's English immersion plan (A) argues / argue that more than 90 percent of Internet contents are written in English and that English is necessary in order to seek useful information through the Internet. In fact, most Koreans do not want to surf around English pages for information. Only for academic purposes or for specific business ones (B) does / do a small number of people go to English pages. Public education is not just for a small number of people, but for the public as its name implies. In addition, if content-based classes should be carried out in English throughout the country, a few returned students from abroad will take a dominant part in class, with the rest staying (C) silent / silently or sleeping in the back. English will determine the academic achievement.

(A)	(B)	(C)
① argues	— does	— silent
② argues	— do	— silently
③ argue	— do	— silent
④ argue	— does	— silent
⑤ argue	— does	— silently

다음 글의 밑줄 친 부분 중, 어법상 틀린 것은?

Many people don't know the difference between a patent and a trademark; however, there is a difference. Usually ① granted for seventeen years, a patent protects both the name of a product and its method of manufacture. For example, between 1895 and 1912, no one ② but the Shredded Wheat company could make shredded wheat because the company had the patent. A trademark is a name, symbol, or other device ③ identifies a product and makes it memorable in the minds of consumers. ④ Aware of the power that trademarks possess, companies fight to protect them and do not allow anyone else to use one without permission. Occasionally, however, a company gets careless and loses control of a trademark. *Aspirin*, for example, ⑤ <u>is no longer considered</u> a trademark, and any company can call a pain-reducing tablet as aspirin.

*shred : 으깨다, 갈가리 찢다

59 (A), (B), (C)의 각 네모 안에서 어법에 맞는 표현으로 가장 적절한 것은?
●●●

The seashore or coastline is the unique area where seawater borders land to create a diverse and very important ecosystem. It is special in that the fresh water carried along by rivers and streams (A) | flows / which flows | into the ocean and mixes with salt water to provide rich nutrients and food to a variety of marine plants and animals. The ever-changing environments of seashores depend on the constant movement of tidal waves. According (B) | to / as | the placement of the moon in relation to the sun, the waves that pound and beat the shore can either come up to the land or move away from it. This movement is called a tide, and when the sea rises and drowns the land, there is high tide, while the reverse is a low tide. The area of the seashore submerged (C) | during / while | high tides and above water at low tides is called the intertidal zone. Subtidal zones are always under water.

*intertidal : 조간대의 **subtidal : 조하대의

	(A)		(B)		(C)
①	flows	—	to	—	during
②	flows	—	to	—	while
③	flows	—	as	—	while
④	which flows	—	as	—	during
⑤	which flows	—	to	—	during

60 다음 글의 밑줄 친 부분 중, 어법상 틀린 것은?

The immune system consists of more than a dozen different types of white blood cells, which are divided into two main groups. One group, called B cells, ① produces chemicals that eliminate poisons made by disease organisms. ② The other group, called T cells, destroys invading bacteria and viruses. The immune system, then, is controlled by the brain, either indirectly through hormones in the blood, or directly through the nerves and nerve chemicals. One theory about the cause of cancer ③ states that cancer cells are developing in our bodies all the time but are normally destroyed by white blood cells. Cancer, according to this theory, appears when the immune system becomes ④ weakened and can no longer fight off the cancer cells. Thus, ⑤ however upsets the brain's control of the immune system makes it easier for cancer to develop.

61 (A), (B), (C)의 각 네모 안에서 어법에 맞는 표현으로 가장 적절한 것은?

Traditionally, smoking prevention programs have focused on explaining the long-term health risks of smoking. But people often tend to put such gloomy long-term warnings out of their minds, and these programs have been notably ineffective. More recently, people have emphasized teaching students how to resist the social pressures that often lead young people to try (A) ⸢smoking / to smoke⸥. For example, students are shown videotapes of situation in which an adolescent is offered a cigarette by a friend but (B) ⸢turns it down / turns down it⸥. The students are then given the opportunity to practice, or role-play, the behavior of refusing a cigarette. Such training helps prepare them to deal effectively with similar social situations in real life and seems (C) ⸢to be / to have been⸥ successful recently in influencing students in the direction of deciding not to smoke.

	(A)		(B)		(C)
①	smoking	—	turns it down	—	to have been
②	smoking	—	turns it down	—	to be
③	smoking	—	turns down it	—	to be
④	to smoke	—	turns it down	—	to have been
⑤	to smoke	—	turns down it	—	to be

62 다음 글의 밑줄 친 부분 중, 어법상 <u>틀린</u> 것은?

The use of animals in scientific research is a controversial subject that ① <u>provokes</u> strong emotions on both sides. Animal rights activists define animals as sentient beings who can think, feel, and suffer. They insist, therefore, that the rights of animals ② be acknowledged and respected. The more conservative animal rights activists argue that the use of animals in research should be strictly monitored, while the more radical activists insist that research using animals should be banned ③ altogether. In response to these objections, research scientists who experiment on animals have reorganized their research to take better care of the animals ④ involved. They insist, however, that research on animals ⑤ should be ethical and necessary because it saves human lives and relieves human suffering.

*sentient : 의식을 소유한

63 (A), (B), (C)의 각 네모 안에서 어법에 맞는 표현으로 가장 적절한 것은?

The U.S. government needs to invest more money to improve and expand this country's rail service. In particular, Congress should pay attention to (A) develop / developing a national intercity network of high-speed trains. An international transportation system is essential to keeping Americans moving in the event of a crisis. During a national emergency that disrupts one mode of transportation, the others should be able to absorb the traffic and allow people to continue to travel. For example, when airplanes were grounded for several days following terrorist attacks in September 2001, people relied on Amtrak passenger trains to get them where they needed to be. Our nations (B) would be paralyzed / would have been paralyzed had it not been for the trains. Railroad transportation is an important public service, and it needs to be kept (C) efficient / efficiently and up to date.

*Amtrak : 미국 철도 여행 공사

(A)	(B)	(C)
① develop	— would be paralyzed	— efficient
② develop	— would have been paralyzed	— efficient
③ developing	— would have been paralyzed	— efficiently
④ developing	— would have been paralyzed	— efficient
⑤ developing	— would be paralyzed	— efficiently

다음 글의 밑줄 친 부분 중, 어법상 틀린 것은?

Families have become as ① diverse as the American population and reflect different traditions, beliefs, and values. Within African-American families, for instance, traditional gender roles are often reversed, with women ② serving as head of the household. Kinship bonds often unite several households, as ③ does a strong religious commitment. In Chinese-American families, both spouses may work and see themselves as breadwinners, but the wife may not have an equal role in decision making. In Hispanic families, wives and mothers ④ are acknowledged and respected as healers and dispensers of wisdom. At the same time, they are expected to defer to their husbands, who see ⑤ them as the strong, protective, dominant head of the family.

65 (A), (B), (C)의 각 네모 안에서 어법에 맞는 표현으로 가장 적절한 것은?

Preparation for examinations should begin at the outset of a course of study, in the sense that you should study the subjects (A) which / at which you are required to cover and the kinds of examinations which you will have to take. For more effective assessment fairly frequent tests are desirable, for little effort is required to relearn for an important examination (B) that / what has already been gone over a number of times. For long-term retention intermediate periods of review are also desirable. The final review preceding important examinations (C) should be carefully planned / should have been carefully planned to a schedule, to avoid any last-minute rush. Examination anxiety can be avoided by regular work, careful planning, and a normal routine which allows for exercise and recreation.

	(A)		(B)		(C)
①	which	—	that	—	should be carefully planned
②	which	—	what	—	should be carefully planned
③	which	—	what	—	should have been carefully planned
④	at which	—	that	—	should be carefully planned
⑤	at which	—	that	—	should have been carefully planned

66 다음 글의 밑줄 친 부분 중, 어법상 틀린 것은?

What is the first thing you notice about the statue called *The Thinker*? Many people respond that it shows a man in deep thought over a serious topic. That makes sense because this statue was designed ① to be placed over a set of great doors which would show the things that happened to people in hell. But, at first, critics felt that Rodin did not properly finish his work because the surface of the statue is wrinkled and rippled. ② Left the surface of the statue wrinkled and rippled, though, gives the statue an effect it would not have if ③ it were smooth. *The Thinker* shows a man in a still, quiet position, but because the "skin" of the figure shows so much movement, we get the feeling there's a lot happening here. The rippled surface of *The Thinker* adds to the impression ④ that the man must be thinking and feeling a great deal. In this way, Rodin was able to express more than ⑤ his subject matter alone could show.

67 (A), (B), (C)의 각 네모 안에서 어법에 맞는 표현으로 가장 적절한 것은?

Just like a biological virus in the human body, a computer virus replicates itself, so that it will continue to be contagious when data is shared with another computer system. In 2000, for example, the famous "Love Bug" virus, which traveled via e-mail messages, (A) destroyed / has destroyed files in computers all over the world. Worms, too, are malicious programs that reproduce and spread. But unlike viruses, they do not need to attach (B) them / themselves to other files. They are programs that run independently and spread on their own through computer networks. Thus they do not require human intervention to make their way from one computer to (C) another / the others . The famous Internet worm of 1988, for example, copied itself across the Internet, destroying many computer systems as it went.

	(A)		(B)		(C)
①	destroyed	—	themselves	—	the others
②	destroyed	—	them	—	another
③	destroyed	—	themselves	—	another
④	has destroyed	—	them	—	the others
⑤	has destroyed	—	themselves	—	another

68 다음 글의 밑줄 친 부분 중, 어법상 틀린 것은?

The circulatory system of an average human adult carries about five liters of blood, ① 60 percent of it consists of a liquid substance called plasma. ② Comprised almost entirely of water, plasma transports many different kinds of ions and molecules necessary for maintaining life and ③ contains nutrients — such as glucose, fats, and amino acids — and waste materials, such as carbon dioxide. It also carries antibodies, hormones, and enzymes, as well as the proteins that form blood clots and keep the body ④ from bleeding to death. The other 40 percent of blood is composed of red and white blood cells. Red blood cells are responsible for the transport of oxygen. Living for no more than 130 days, they are constantly replaced by bone marrow, ⑤ which can amazingly produce about two million red blood cells in a single second. White blood cells provide a strong defense against terrible viruses, bacteria, and other foreign intruders.

*plasma : 혈장   **bone marrow : 골수

69

(A), (B), (C)의 각 네모 안에서 어법에 맞는 표현으로 가장 적절한 것은?

There are few human beings who do not possess the elements of the nervous system that allow them to enjoy tones and melodies. For virtually all of us, regardless of (A) that / whether we imagine ourselves to be particularly musical, music has significant power. This tendency to respond to music appears early in a baby's life, and it seems to be present in every culture. In all likelihood, this inclination goes back to the beginning of the human species. Each culture and each environment may develop and shape it differently, and each individual has (B) his / their own particular strengths, but this love of music is such a deep part of human nature that it seems inherent. (C) Judging from / Judged from available evidence, human beings are not only a linguistic species but also a musical species.

	(A)		(B)		(C)
①	that	—	his	—	Judging from
②	that	—	their	—	Judged from
③	that	—	their	—	Judging from
④	whether	—	his	—	Judging from
⑤	whether	—	his	—	Judged from

Inside and beneath the pyramid, Egyptian workers carved elaborate corridors leading to the various rooms and chambers ① which lay the king and his possessions. Artists covered the walls of the tombs with elaborate paintings. Because they believed their scenes would come to life in the next world, their paintings depicted the pleasures of daily life ② in order to assure the comfort and joy of the deceased king in his life after death. The Egyptians trusted ③ that the pyramids would provide a secure resting place for an eternal afterlife; however, tomb robbers often broke into the pyramids, stealing gold and jewelry, destroying coffins, and ④ burning mummies for fuel. Successive raids prompted many later Egyptian kings ⑤ to place secret tombs for themselves in the sides of cliffs.

71
●○○
(A), (B), (C)의 각 네모 안에서 어법에 맞는 표현으로 가장 적절한 것은?

Franklin Delano Roosevelt held office during a time of financial crisis and economic instability: the Great Depression of the 1930s. Roosevelt, however, rose to the occasion. (A) Gathering / Gathered around him some of the finest minds in the country, known as "Roosevelt's brain trust," the president introduced a radical economic program called the "New Deal." At the heart of the New Deal (B) was / did Roosevelt's willingness to intervene in the free market through government funding of programs that would create jobs and, at the same time, improve the goods and services available to U.S. citizens. The Works Progress Administration was the largest federal agency in the government's program of economic relief, (C) providing / provided close to 8 million jobs.

*rise to the occasion : 위기에서 수완을 발휘하다

	(A)		(B)		(C)
①	Gathering	—	was	—	providing
②	Gathering	—	did	—	providing
③	Gathering	—	was	—	provided
④	Gathered	—	did	—	provided
⑤	Gathered	—	was	—	providing

72
●●○
다음 글의 밑줄 친 부분 중, 어법상 틀린 것은?

Only in modern times ① <u>have</u> most people married for love. In the "good old days," most married for money and labor — marriage was an economic arrangement between families and love was not an issue. Therefore, emotional attachments were ② of no importance to parents in arranging marriages and neither the bride nor the groom expected emotional fulfillment from marriage. The most common emotions couples expressed seem to ③ have been resentment and anger. Wife beating was commonplace, and so ④ did husband beating. And when wives beat their husbands, it was the husband, not the wife, ⑤ who was likely to be punished by the community because he had shamed the village by not controlling his wife properly.

73 (A), (B), (C)의 각 네모 안에서 어법에 맞는 표현으로 가장 적절한 것은?

Most computer users who have e-mail addresses are familiar with spam — unwanted e-mail messages advertising a product or service. It is the electronic version of the "junk mail" (A) to deliver / to be delivered to mailboxes or the online equivalent of a telemarketing phone call. Most consumers find spam extremely annoying. (B) To determine / Determining which messages are spam and then deleting them is irritating and time-consuming. Unwanted e-mail is one of the major complaints of subscribers to Internet service providers. Employers dislike spam too. On the job, when workers spend even a few minutes a day dealing with spam, the labor costs can add up quickly. As a result, many companies are spending additional money on filters to screen out spam altogether. However, these filters sometimes cause problems because they may have important, necessary messages (C) block / blocked from getting through.

	(A)		(B)		(C)
①	to deliver	—	To determine	—	block
②	to deliver	—	To determine	—	blocked
③	to deliver	—	Determining	—	blocked
④	to be delivered	—	Determining	—	block
⑤	to be delivered	—	Determining	—	blocked

74

다음 글의 밑줄 친 부분 중, 어법상 틀린 것은?

People often believe that the reflection of light from the ocean is ① what causes glaciers to appear blue. Actually, what causes glaciers to exhibit a bluish hue ② is the light that has managed to penetrate all the way through the ice. Regular ice, such as the ice that we use at home, appears white because light is able to enter and exit without the ice ③ produces any discernible change. This is due in part to the thinness of the ice, but its clean composition plays a major role as well. Glaciers are considerably denser than the ice we get from our freezers. The ice crystals that make up a glacier ④ are tightly compressed from decades of freezing and refreezing as more ice form around older ice. As the glacier continues to travel, it grows larger. This larger surface area of the glacier allows it to absorb ⑤ more and more light.

75
(A), (B), (C)의 각 네모 안에서 어법에 맞는 표현으로 가장 적절한 것은?

More and more of the great companies of the world have come to consider their own markets to be the globe, not just their home countries. The struggle in automobiles, computers and telecommunications is for shares of a world market. That is why we find companies such as IBM or General Motors (A) considering / considered the entire globe as their target, not only with regard to the purchase of raw materials, but also to the direction of sales effort. With modern rapid transportation and highly organized systems of production and distribution, manufacturing goods (B) is / are more and more easily moved to whatever country produces them most cheaply, while their sale is focused on the countries that represent the richest markets. Thus we have, for example, a DVD player (C) whose / which parts have been made in Malaysia, assembled in China, and finally sold in the United States.

	(A)	(B)	(C)
①	considering	is	which
②	considering	is	whose
③	considering	are	whose
④	considered	are	which
⑤	considered	is	which

76 다음 글의 밑줄 친 부분 중, 어법상 틀린 것은?
●●○

Responding to climate change and the threatening consequences ① is a very serious business, but it is not hopeless, ② so are all foreseeable outcomes inevitable. Realistic, effective solutions exist for both reducing emissions, and adjusting to changing conditions. In addition, most of these actions ③ save money and make good sense for other reasons as they also deal with the broader issues of sustainability through reducing dependency on increasingly scarce petroleum supplies, cutting air pollution, and preserving the ecosystems that ④ help maintain the ecological processes we rely on. Although it is ⑤ tempting to focus on technological solutions, it is essential also to deal with the issues of consumption and lifestyle that drive technologies.

77

(A), (B), (C)의 각 네모 안에서 어법에 맞는 표현으로 가장 적절한 것은?

One has the impression that blue is so popular because it is less symbolically marked (A) as / than other colors — notably red, green, white, or black. The fact that in most people's opinion blue is least often regarded as a disliked color seems to confirm its neutral position. It does not shock, offend, or disgust. In the same way, the fact that blue is the favorite color of more than half the population (B) is / being at least a sign that it is neither violent nor immoral, and probably shows its relatively weak symbolic power. When we declare that our favorite color is blue, after all, what do we really reveal about ourselves? Nothing, or almost nothing, because the response is predictable, while stating a preference for black, red, or even green reveals more. This is one of blue's essential characteristics in Western color symbolism: we paint blue on (C) what / which we think is calm and almost neutral.

	(A)	(B)	(C)
①	as	— is	— what
②	as	— being	— which
③	than	— being	— what
④	than	— is	— what
⑤	than	— is	— which

78

다음 글의 밑줄 친 부분 중, 어법상 틀린 것은?

Education is one topic that seems to attract misinformation like a magnet attracts iron. Thus, it's not surprising ① that there are common myths about education that have almost no factual basis. One classic is the belief that IQ scores don't change when in fact they can and do. Especially among children, IQ shifts of five to ten points ② can occur in a few months. According to another myth of long standing, grouping students by ability ③ improve their performance.

But, in fact, very little research supports this claim. Finally, many in education have also insisted that discovery learning, ④ where students master scientific principles through problem solving rather than direct instruction, was the best way to teach science. But, it ⑤ turns out that the opposite is true.

---

79 (A), (B), (C)의 각 네모 안에서 어법에 맞는 표현으로 가장 적절한 것은?

Banana producers concentrate their effort on a single crop, (A) that / which is a problem because it encourages insect pests and diseases to spread throughout a plantation. Hot, damp, tropical conditions make the problem worse. Also, the Cavendish variety of banana, the one most commonly cultivated on plantations, is not very resistant to disease. A high yield of bananas can thus only be guaranteed through the intensive use of insect-killing chemicals and fertilizers. Often, chemicals are used that (B) is / are subject to strict controls — or even forbidden — in the industrial nations. Another problem is that many of these chemicals are very stable, which means that they may continue to be effective over time and (C) may / can well build up in the soil. These poisonous chemicals are then carried into rivers, lakes, and oceans by rainwater.

	(A)	(B)	(C)
①	that —	is —	can
②	that —	are —	may
③	that —	are —	can
④	which —	is —	may
⑤	which —	are —	may

다음 글의 밑줄 친 부분 중, 어법상 틀린 것은?

People interested in geography and travel have probably wondered what it would be ① likely to travel to one of the Earth's poles. To be certain, an adventurous person might like to take a trip to the North Pole. In fact, there are two places ② that one could travel to, one being the Magnetic North Pole and the other being the Geomagnetic North Pole. The Magnetic North Pole ③ is located in Canada, near a place called Ellesmere Island. If one holds a compass, its needle will point toward the direction of the Magnetic North Pole. In addition, the north end of a bar magnet ④ is attracted in this direction. The Geomagnetic North Pole also attracts the north end of a magnet, but it is not located in the same place ⑤ as the Magnetic North Pole. Rather than Canada, the Geomagnetic North Pole is located off the coast of Greenland.

*Geomagnetic : 지자기(地磁氣)의

81 (A), (B), (C)의 각 네모 안에서 어법에 맞는 표현으로 가장 적절한 것은?

Life today is incomparably more convenient than it was. However, we must become aware that our excessive consumption today is not only rapidly using up the accumulated wealth built by our ancestors, but also (A) borrows / borrowing from the wealth of our descendants as well. At least, we ought to abandon immediately our so-called progressive attitude that rejects our ancestors' lifestyle which placed long-term thinking ahead of short-term convenience. The impressive recycling structures of our ancestors may appear (B) to be / to have been irrational and inefficient in the short-term. But they made extensive use of the rice crop. And though rice growing was accompanied by a tremendous amount of physical labor and care, still it was valuable as a recycling system. The reason that traditional rice agriculture continues today is that it did not impose ever increasing burden on the environment that modern industry (C) does / is .

	(A)		(B)		(C)
①	borrows	—	to be	—	is
②	borrows	—	to be	—	does
③	borrowing	—	to have been	—	is
④	borrowing	—	to have been	—	does
⑤	borrowing	—	to be	—	does

82 다음 글의 밑줄 친 부분 중, 어법상 틀린 것은?

Many companies today want to have the most talented people work for them. It is important to them ① to recruit intelligent, creative, and motivated employees, and they compete with other companies to attract the best people possible. Google, the Internet company, has become a well-known example of a company which spends large amounts of money and resources to find smart, hard-working employees. The company tries to make the experience of working at the company ② as happily as possible, while providing very generous benefits. Google offers benefits that ③ few companies can equal. Most professional employees can choose their working times. Many workers are also ④ excited to have the chance to develop something new based on their own ideas. No wonder highly motivated talented people who are looking for interesting jobs ⑤ apply to join Google.

83 (A), (B), (C)의 각 네모 안에서 어법에 맞는 표현으로 가장 적절한 것은?

●●○

　　Americans are addicted to bottled water. But a growing number of U.S. cities are calling on Americans to kick the habit. Author Charles Fishman says people drink so much bottled water that it's starting to hurt the environment. "Bottled water is something that you wouldn't suspect would have (A) | so a significant impact / such a significant impact |," says Fishman. Last year, Americans consumed more than 30 billion bottles of water. Most of the bottles — about 80 percent — end up in landfills. (B) | Lain / Laid | end to end, that's enough non-biodegradable plastic to circle the Earth more than 150 times. "We just need to get away from these wasteful, environmental disastrous consumer habits that have been developed and (C) | get back / have been got back | to drinking water out of the tap," say experts. Experts also say the widely held perception that bottled water is better than tap water is simply not true.　　*non-biodegradable : 미생물에 의해 분해되지 않는

	(A)		(B)		(C)
①	so a significant impact	—	Lain	—	get back
②	so a significant impact	—	Lain	—	have been got back
③	such a significant impact	—	Laid	—	get back
④	such a significant impact	—	Laid	—	have been got back
⑤	such a significant impact	—	Lain	—	get back

84 다음 글의 밑줄 친 부분 중, 어법상 틀린 것은?

The past thirty to forty years ① <u>have seen</u> a huge increase in the number of children who suffer from allergies, and scientists are still looking for the explanation. A currently popular explanation for the rise in allergies is the so-called "hygiene hypothesis." The basic idea is that young children ② <u>brought up</u> in an environment which is too clean are more at risk of developing allergies. Nowadays, people bathe and wash their clothes ③ <u>more frequently</u> than in the past, and thanks to vacuum cleaners homes are less dusty, too. One result of all these changes is that in their early lives children are exposed to fewer allergens, ④ <u>which mean</u> that their bodies cannot build up natural immunity to them. Simply put, exposure to allergy-causing substances ⑤ <u>is</u> necessary for natural protection against them to develop.

85 (A), (B), (C)의 각 네모 안에서 어법에 맞는 표현으로 가장 적절한 것은?

Robots are still far from being the chatty companions seen in science-fiction movies. But some toy robots are becoming more than just sophisticated machines. According to James Kuffner, a professor of robotics, a robot could imitate most human movements if it had twenty or more motors. (A) There is / It is no accident that such a robot has a humanoid shape. He says, "A dish-washer will only wash dishes, but a humanoid robot can do more." Among the things that they do is having a fight. In Korea and Japan, the centers of the toy-robot industry, people often enjoy toy robot battles. By 2026, he estimates, consumer robots will be able to perform (B) that / what people find hazardous or unpleasant. A leading company in robot design and research has the prospect that a robot of the size of a typical twelve-year-old can do most household tasks. The obstacles to building a robot of that size have to do with weight and cost. The larger robots get, the more gears they need (C) | moving / to move |, causing them heavier and more expensive.

*humanoid : 인간 모양의

	(A)		(B)		(C)
①	There is	—	what	—	moving
②	There is	—	that	—	moving
③	It is	—	that	—	to move
④	It is	—	what	—	moving
⑤	It is	—	what	—	to move

86 다음 글의 밑줄 친 부분 중, 어법상 틀린 것은?

●○○

Just like adults, when children arrive home from school or play feeling hungry, they will eat ① whatever is easiest. Often their food choices are not always ② the healthiest they could make. But if the right ingredients are available, children will make smart choices and they might even learn to cook in the process. For example, here is a recipe for an easy and healthy pizza snack. First ③ spread spaghetti sauce on English muffin halves. Top this with sliced olives, slices of meat and fresh vegetables. Before heating, don't forget ④ sprinkling some cheese on the top. After that, heat this pizza in a toaster or a microwave oven until the cheese is melted. Last but not least, let it ⑤ cool off a bit before you enjoy your self-made easy pizza.

*muffin : 작고 둥근 빵

(A), (B), (C)의 각 네모 안에서 어법에 맞는 표현으로 가장 적절한 것은?

The environment is one of the most important factors in prompting human adaptation. Climatic variations cannot usually be affected or avoided by humans. Here (A) │ lays / lies │ the need to adapt. For example, when a person moves from a cool, rainy, and coastal region to a hot, dry, and mountainous area, he must undergo a number of physiological changes that allow survival in the new environment. First, the body changes in order to regulate body temperature more efficiently. To keep from overworking the heart, the body's heart rate slows down. Additionally, the body also perspires less to prevent dehydration. Furthermore, people who are unaccustomed to (B) │ live / living │ in high altitudes usually have trouble breathing because of the decreased oxygen levels. A hormone called erythropoietin causes an increase in red blood cells, making it possible for humans to breathe in higher elevations. Human body tries to do all it (C) │ can survive / can to survive │ in a new environment.

*erythropoietin : 에리스로포이에틴(적혈구 생성 촉진 인자)

(A)		(B)		(C)
① lays	—	living	—	can survive
② lays	—	live	—	can to survive
③ lies	—	live	—	can survive
④ lies	—	living	—	can survive
⑤ lies	—	living	—	can to survive

88 **다음 글의 밑줄 친 부분 중, 어법상 틀린 것은?**

Advances in genomics are beginning to revolutionize the face of medicine. Three years after scientists announced they ① had sequenced the human genome, new knowledge about ② how our genes affect our health is transforming the way diseases are understood, diagnosed, treated — and even predicted. Today, gene tests are available for more than 1,300 diseases. And now, as genetic screening gets ③ cheaper and faster, researchers are hunting down the biological bases of more complex disorders that involve multiple genes — serious or deadly illnesses like Alzheimer's disease, heart disease and depression. ④ Though the vast potential offered by genomic advances, however, scientific revolutions must be tempered by reality. Genes are not ⑤ the only factor involved in complex diseases — lifestyles and environmental influences are also critical. And predictions about new tests and treatments may not come to pass as fast as researchers hope — they may not even come at all.

*genomics : 유전체학

89 (A), (B), (C)의 각 네모 안에서 어법에 맞는 표현으로 가장 적절한 것은?

Humans have relied on birds for a wide range of services. The potential value from supporting native bird populations is clearly great, but (A) it is / they are largely ignored. Human culture aside, birds are a vital functioning part of the global ecosystem. They are important hunters, active in limiting the growth of insect populations. We would probably notice their absence most in the rapid increase in the number of harmful insects. In the 1880s, researchers in northern Washington State found birds that eat worms (B) brings / brought considerable savings in protecting forest plantations. They are also important pollinators and seed-spreaders for countless thousands of plant species that could not manage without them, and are vital to giving birth to new generations of dozens of tree and shrub species through spreading seeds. Indeed, but for birds many species (C) will / would face extinction.

	(A)		(B)		(C)
①	it is	—	brought	—	would
②	it is	—	brought	—	will
③	it is	—	brings	—	will
④	they are	—	brings	—	will
⑤	they are	—	brought	—	would

90 다음 글의 밑줄 친 부분 중, 어법상 틀린 것은?

Jazz singer Ella Fitzgerald was a quiet and humble woman who experienced little of the love she ① <u>sang about</u> so exquisitely for more than fifty years. Her voice, even in later years when she suffered from ② <u>crippling</u> arthritis, was always filled with a clear, light energy that could leave the toes of even the stubborn listeners ③ <u>tapping</u>. Although Fitzgerald, an African American, came of age in an era when racism was prevalent, ④ <u>whatever</u> she felt never spilled over into her music. She sang the lyrics of a white Cole Porter or a black Duke Ellington with the same impossible-to-imitate ease and grace, earning every one of the awards heaped on her in her later years. ⑤ <u>Performing</u> with Duke Ellington at Carnegie Hall in 1958, critics called Fitzgerald "The First Lady of Song." Although she died in 1996, no one has come along to challenge her title, and Ella Fitzgerald is still jazz's first lady.

91

(A), (B), (C)의 각 네모 안에서 어법에 맞는 표현으로 가장 적절한 것은?

The most common complaint about advertising is that it presents misleading or untruthful claims about products. In the United States the Federal Trade Commission can stop advertising it (A) | considers / is considered | misleading. Such authority, however, is rarely used, since the advertising industry tends (B) | controlling / to control | its members voluntarily. Dishonest selling practices are the most difficult to control because many questionable selling practices are not illegal. For example, a smart salesperson may talk a buyer into signing a contract to buy goods that, upon reflection, he may not want. Many American states and some nations regulate this kind of selling by what is called a "cooling-off" period, in the course of (C) | it / which | buyers may get out of sales contracts.

	(A)		(B)		(C)
①	considers	—	to control	—	it
②	considers	—	to control	—	which
③	is considered	—	to control	—	which
④	is considered	—	controlling	—	it
⑤	is considered	—	controlling	—	which

92

다음 글의 밑줄 친 부분 중, 어법상 틀린 것은?

There are many kinds of common materials that we use and work with every day. These materials include wood, metal, water, and oil. The former two materials are considered to be solids. ① The latter two are considered to be liquids. But there ② is another kind of material which cannot be categorized so easily. That material is glass. About two centuries ago some construction workers ③ were restoring an old church. They watched the panes of glass in the windows ④ to appear to be thicker at the bottom than at the top. Other construction workers started to notice the same thing in windows in other buildings as well. This made people ⑤ start to think about the actual quality of glass. For many years since, people have been wondering and debating whether glass can be best classified as a liquid or a solid. This is a very popular topic among both scientists and non-scientists.

93 (A), (B), (C)의 각 네모 안에서 어법에 맞는 표현으로 가장 적절한 것은?

Albert Einstein had many passions beyond his physics. He spent much time thinking, writing and speaking on human rights, democracy, and education reform. Less well known, however, (A) is / are his contributions to philosophy. Einstein thought deeply about the nature of knowledge and of reality, about scientific theories and their relation to the world. He often wondered how the hidden, unseen world (B) which / where his equation described was possible. How is it that the mind can venture into realms of knowledge divorced from our everyday experiences? Einstein answered with a bold philosophical conviction: our minds have access to the reality beyond what we can see. This was a controversial, even rash statement to make, but rarely (C) Einstein was afraid / was Einstein afraid of walking into the deep waters of new disciplines.

	(A)		(B)		(C)
①	is	—	which	—	Einstein was afraid
②	is	—	where	—	was Einstein afraid
③	are	—	where	—	Einstein was afraid
④	are	—	where	—	was Einstein afraid
⑤	are	—	which	—	was Einstein afraid

94 다음 글의 밑줄 친 부분 중, 어법상 틀린 것은?

Antarctica contains approximately 70 percent of the world's fresh water supply, and yet it ① is considered to be one of the world's largest deserts. That's because Antarctica's enormous supply of fresh water is locked up in ice that ② averages over two kilometers in thickness. If the ice sheets melted, the seas would rise as much as 60 meters. However, like ③ every other deserts on Earth, Antarctica receives less than 250 millimeters of rain a year. It's hard to believe that, 500 million years ago, Antarctica had a warm climate and a cover of luxuriant vegetation. While the surface of Antarctica is inhospitable to ④ most living things, the water surrounding the continent is crowded with living creatures. At the bottom of the food chain in Antarctic waters ⑤ is a hardy type of algae which huge numbers of krill feed on.

*algae : 해조류

95 (A), (B), (C)의 각 네모 안에서 어법에 맞는 표현으로 가장 적절한 것은?

Last year there was a boom in the number of electric bicycles on the roads of Japan. The great thing about riding an electric bicycle is that it's so simple: just turn a pedal or press a button to activate the motor, and you're on your way. It's much like (A) riding / to ride a regular bicycle but requires less effort! On an electric bicycle you do not have to pedal as hard, and you can cycle up long, steep hills with ease. Nearly 300,000 electric bicycles have been sold (B) during / for last year, but manufacturers are not directing their sales efforts towards the business person or student who cycles every day to their local station. "The people we mainly (C) sell / sell to are seniors, or housewives in their 30s who have children," says a manager of Panasonic Cycles.

Similarly, Yamaha Motor Corporation reports they are also developing a market among companies that provide delivery services, such as pizza companies, which are attracted by the economy of such bicycles.

	(A)		(B)		(C)
①	riding	—	during	—	sell to
②	riding	—	during	—	sell
③	riding	—	for	—	sell to
④	to ride	—	for	—	sell
⑤	to ride	—	during	—	sell to

96 다음 글의 밑줄 친 부분 중, 어법상 틀린 것은?

Control of evaporation, and particularly transpiration of water through plants, is obviously ① of crucial importance in all regions of the world where water is scarce. It is being investigated thoroughly in connection with the use of sea water for agriculture. Sea water can actually be used for ② watering certain plants, on certain soils. But it seems ③ unlikely that it can be widely used for growing plants useful for food, and it is not at all certain how long it can be carried on before the accumulation of salt in the lower parts of the soil makes it unusable. Therefore, most attempts to use sea water for agriculture depend on first removing the excess salt. There are two basic methods of desalination. One depends on using a membrane which will allow the water ④ to pass, but will hold back the salts. The other is a process of distillation, in which water vapor or steam, not containing salts, forms fresh water when ⑤ condensing.

*transpiration : 배출, 발산   **desalination : 염분 제거

97 (A), (B), (C)의 각 네모 안에서 어법에 맞는 표현으로 가장 적절한 것은?

For decades, scientists have attempted to trace the peopling of the far north. The earliest Paleo-Eskimos showed up all across the Arctic region about 4,500 years ago, but about 1,000 years ago, they were replaced by new migrants called the Neo-Eskimos, (A) ⏢whom / who⏢ researchers have concluded are the ancestors of modern Eskimo groups such as the Inuit. Scientists found human hair during their excavations 20 years ago at a Paleo-Eskimo site, and its DNA was well-preserved by permafrost. The DNA (B) ⏢derived / was derived⏢ from the hair carried a relatively rare genetic marker called D2a1, which is absent in modern Native Americans. To check possible links between the Paleo-Eskimo sample and Neo-Eskimo, scientists analyzed the DNA from 14 Greenland Inuits; none had the D2a1 marker. The D2a1 marker found in the Paleo-Eskimo is closely related to a marker called D2a1a, found in present-day inhabitants of the Bering Sea area. Scientists agree that this suggests that Paleo-Eskimos (C) ⏢arose / was arisen⏢ from this area.

*Paleo-Eskimo : 고대 에스키모인   **Neo-Eskimo : 신 에스키모인

***permafrost : 영구 동토층

	(A)		(B)		(C)
①	whom	—	derived	—	arose
②	whom	—	was derived	—	arose
③	who	—	was derived	—	was arisen
④	who	—	derived	—	arose
⑤	who	—	derived	—	was arisen

98 다음 글의 밑줄 친 부분 중, 어법상 틀린 것은?

Self-esteem refers to our positive and negative evaluations of ourselves. Though some people have higher self-esteem than others, a feeling of self-worth is not a single trait ① <u>written permanently</u> in stone. There are two social psychological answers to our need for self-esteem. One theory is that people are inherently social animals, and ② <u>that</u> the need for self-esteem is driven by this more primitive need to connect with others and gain their approval. Our self-esteem thus serves as an indicator of ③ how are we doing in the eyes of others. The other theory is that people are motivated to see themselves as valuable members of society as a way of coping with ④ a deeply rooted fear of death that privately haunts us all. In a series of experiments, investigators found that after participants ⑤ were given positive feedback that boosted their self-esteem, they reacted to graphic scenes of death, or to the thought of their own death, with less defensiveness and anxiety.

99 (A), (B), (C)의 각 네모 안에서 어법에 맞는 표현으로 가장 적절한 것은?

If Bangladesh were to count her blessings, they would number three: the Brahmaputra, the Meghna and the mighty Ganges. But these blessings, (A) allying / allied with the regions' summer monsoon climate, are also a curse. Although almost two metres of rain fall on Bangladesh each year, more than two-thirds arrive in just four months. For much of the year, the vast delta formed by the three rivers is parched, but in many summers their banks burst, causing massive floods. Lacking proper sanitation and water-storage facilities, Bangladesh is also prone to epidemics of water-borne disease. In addition, climate change will only make matters worse, with shifting patterns of rainfall and rising sea levels (B) threatening / threatened to render large tracts of agricultural land useless. It is clear that Bangladesh represents a challenging case study for (C) whoever / whomever wants to solve the world's water problems.

*parch : 바싹 마르다

	(A)		(B)		(C)
①	allying	—	threatening	—	whoever
②	allying	—	threatening	—	whomever
③	allying	—	threatened	—	whomever
④	allied	—	threatened	—	whoever
⑤	allied	—	threatening	—	whoever

100 다음 글의 밑줄 친 부분 중, 어법상 **틀린** 것은?

As a result of the tsunami disaster that struck Japan in 2011, hundreds of thousands of people were left ① <u>homeless</u>. In response to the tragedy, many people began suffering from the symptoms of severe depression. While efforts are being made to reunite families and ② <u>rebuild</u> lost housing, all of these efforts to return to normal will take time. In this period of intense sorrow and heartache, though, one small, quick fix has emerged in the shape of a fluffy, robot seal called Paro. Paro is programmed to respond to human touch and is being used ③ <u>to combat</u> depression among those who have lost everything but their lives. In response to ④ <u>be stroked</u>, the seals emit gurgling sounds of pleasure and wiggle their flippers. There are some signs ⑤ <u>that</u> the seals are doing some good.

*gurgling : 까르륵거리는

미래를 생각하는
(주)이룸이앤비

이룸이앤비는 항상 꿈을 갖고 무한한 가능성에 도전하는 수험생 여러분과 함께 할 것을 약속드립니다.
수험생 여러분의 미래를 생각하는 이룸이앤비는 항상 새롭고 특별합니다.

내신·수능 1등급으로 가는 길
이룸이앤비가 함께합니다.

http://www.erumenb.com

| 이룸이앤비 | 🔍 |

인터넷 서비스

- 이룸이앤비의 모든 교재에 대한 자세한 정보
- 각 교재에 필요한 듣기 MP3 파일
- 교재 관련 내용 문의 및 오류에 대한 수정 파일

숨마 어린이®

숨마 주니어®

숨마쿰라우데®

이룸이앤비 고등수학 시리즈

쉽고 상세하게 설명한 수학 개념기본서의 결정판!

숨마큠라우데 고등수학 `개념기본서` 시리즈
기본 개념이 튼튼하면 어떠한 시험도 두렵지 않다!

공통수학 1 / 공통수학 2 / 대수 / 미적분 I / 미적분 II / 확률과 통계
(전 6권 – 순차적 출간 예정)

한 개념씩 매일매일 공부하는 반복 학습서!

숨마큠라우데 고등수학 `스타트업` 시리즈
개념을 쉽게 이해하고 반복 학습으로 수학의 자신감을 갖는다!

공통수학 1 / 공통수학 2 / 대수 / 미적분 I / 미적분 II / 확률과 통계
(전 6권 – 순차적 출간 예정)

유형으로 수학을 정복하는 본격 문제 기본서!

숨마큠라우데 고등수학 `유형 총정리` 시리즈 (가칭)
내신·수능의 모든 수학 문제를 단계별·유형별로 분류하고 정복한다!

공통수학 1 / 공통수학 2 / 대수 / 미적분 I / 미적분 II / 확률과 통계
(전 6권 – 순차적 출간 예정)

THINK MORE ABOUT YOUR FUTURE!

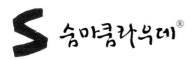

어법

ENGLISH GRAMMAR & USAGE

MANUAL

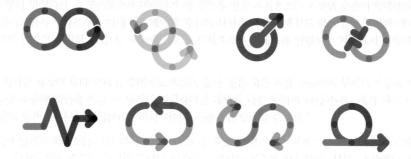

㊙ 서브노트 SUB NOTE

최신
증보판

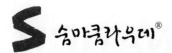
숨마쿰라우데®

어법
ENGLISH GRAMMAR & USAGE
MANUAL

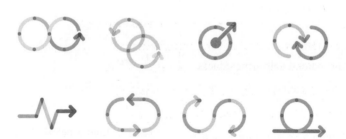

秘 서브노트 SUB NOTE

이룸이앤비
Education&Books

ANSWER & EXPLANATION

PART I 수능 핵심 어법

CHAPTER 01 주어와 동사의 일치

PATTERN PRACTICE [유형 훈련]   본문 21쪽

01 is

One way to overcome our natural self-centeredness
in human relations is to try to see things from other
people's perspectives.

| 해설 | One way / to overcome our natural self-
centeredness in human relations is / are 에서 주어 역할을

하는 것은 One way이다. 문장의 주어 One way가 단수이므로 단수
동사 is가 와야 한다.

| 해석 | 인간 관계에서 우리의 타고난 이기심을 극복하기 위
한 한 가지 방법은 다른 사람들의 관점에서 상황을 바라보려고
노력하는 것이다.

02 is

The number of historical sites in England is quite

large / compared to the size of the country.

| 해설 | The number of historical sites는 '사적지들의 수'라
는 의미이다. 주어인 The number of ~는 단수 동사를 취하므로 is
가 와야 한다.

| 해석 | 영국에 있는 사적지들의 수는 그 나라의 크기에 비해
상당히 많다.

03 are

There are a number of reasons [why computers
won't replace books entirely].

| 해설 | 「There + be동사 + S」 구조로, a number of reasons
가 주어이다. 「a number of + 복수 명사」는 '많은 ~'의 의미로 복수
동사를 취하므로 are가 와야 한다.

| 해석 | 컴퓨터가 책을 완전히 대체할 수 없는 수많은 이유가
있다.

04 helps

[When we meet people from a different culture,]
being sensitive to cultural differences often helps us
avoid misunderstanding.

| 해설 | being sensitive / to cultural differences often
　　　　　S　　　　　　　　　　부사구
helps / help ~의 구조로 동명사(being) 주어는 단수 취급하므로
V
단수 동사 helps가 와야 한다.

| 해석 | 우리가 다른 문화에서 온 사람들을 만날 때, 문화적인 차이에 민감해지는 것은 오해를 피하는 데 때로 도움을 준다.

05 is

One of the interesting things about learning and
　　　　　　　　　　　　　　　　　　　　　S
attention is that once something becomes automated,
　　　　　V　　　　　　　　　　　　　C
it gets executed in a rapid string of events.

| 해설 | One / of the interesting things / about learning
　　　　S　　　전치사구　　　　　　　전치사구
and attention is / are ~ 의 구조에서 One이 주어로 쓰였기 때문에 단수 동사 is가 와야 한다.

| 해석 | 학습과 주의에 대한 흥미로운 사실들 중의 하나는 일단 어떤 일이 자동적으로 이루어지게 되면, 그것은 빠른 일련의 연속된 행위로 처리된다는 것이다.

06 are

Doctors now believe that some of the health
　S　　　　V　　　　　　some of the health
problems [(which) people suffer from] are simply
　　　　　　관계대명사절(목적격 생략)　　　V'
caused by dehydration, or a shortage of water in the
　　　　　　　부사구
body.

| 해설 | 부분 명사는 of 뒤의 명사에 따라 단·복수가 결정되는데, that절의 주어는 some of the health problems이므로 복수 동사
　　　　　　　　　　　　　부분 명사　　　　복수 명사
are가 와야 한다.

| 해석 | 오늘날 의사들은 사람들이 겪는 건강 문제들 중의 일부는 단지 탈수, 즉 몸속의 물 부족으로 인해 일어난다고 믿는다.

07 is

Investing regularly in learning opportunities is one
　　　　　　　　　　　　　　　　S　　　　　　V
of the greatest gifts you can give yourself.
　　　　　　　　C

| 해설 | 동명사 Investing이 주어로 쓰였으므로 단수 동사인 is가 쓰여야 한다.

| 해석 | 학습 기회에 규칙적으로 투자하는 것이 당신이 스스로에게 줄 수 있는 최고의 선물들 중의 하나이다.

08 are

The chain of food supply is like an hourglass. On
　　　　　S　　　　　V　　　　　　부사구
one end are the farmers and other suppliers of food;
부사구　V　　　　　　　　　　S
on the other are consumers.
부사구　　　V　　S

| 해설 | 두 번째 문장은
On one end is / are the farmers and other suppliers
장소 부사구　　　V　　　　　　　　S
of food 도치 구조로 the farmers and other suppliers of food가 주어로 쓰였기 때문에 복수 동사 are가 와야 한다.

| 해석 | 식량 공급의 사슬은 모래시계와도 같다. 한쪽 끝에는 농부와 음식의 다른 공급자들이 있고, 또 다른 끝에는 소비자들이 있다.

09 are

In addition, the mentally ill are faced with a unique
　　　　　　　　S　　　　　　　　　　　　　　　
set of challenges, and their interests will not be
O(전치사 with의 목적어)　　　　　S　　　　　　V
adequately represented [if they cannot vote].
　　　　　　　　　　　　　부사절

| 해설 | 주어로 쓰인 the mentally ill은 형태는 단수처럼 보이지만, 「the + 형용사」 형태로 복수 명사 역할을 하여 '정신적으로 아픈 사람들'의 의미로 해석되기 때문에 동사로 are가 와야 한다.

| 해석 | 게다가, 정신적으로 아픈 사람들은 독특한 형태의 도전에 직면해 있는데, 만약 그들이 투표할 수 없다면 그들의 이익은 적절히 대변되지 못할 것이다.

10 separates

More recent examination shows that despite
　　　　　S　　　　　V
profound differences in the two species, just a 1.23
　　　　　　　　　　　　O
percent difference in their genes separates humans
and chimpanzees.

| 해설 | 목적어 역할을 하는 접속사 that절에서 despite profound differences in the two species는 부사구 역할을 하므로 just a 1.23 percent difference in their genes + separates
　　　S　　　　　　　　　　　　　　　　　　　V

+ humans and chimpanzees의 구조로 네모 안에는 동사 separates가 와야 한다. (O under humans and chimpanzees)

| 해석 | 보다 더 최근의 조사는 두 종(種) 사이의 엄청난 차이에도 불구하고, 그들의 유전자에 있어서 단지 1.23퍼센트의 차이만이 인간과 침팬지를 구분한다는 것을 보여준다.

11 ranges

The frequency of sound waves [(which are) used in ultrasound imaging] ranges above human hearing.
(S: The frequency of sound waves, 주격 관계대명사+be동사 생략, V: ranges, 부사구)

| 해설 | The frequency(단수 명사)가 주어로 쓰였기 때문에 단수 동사인 ranges가 와야 한다.

| 해석 | 초음파 화상 진단에 사용되는 음파의 주파수는 사람이 들을 수 있는 범위 이상이다.

12 put

Genes may contribute to one's weight problems. But it is one's environment and lifestyle, in the end, that actually put the fat-making genes into action.
(S: Genes, V: contribute, 부사구, it, 강조어 that, it ~ that 강조용법)

| 해설 | 'S(that)+V(puts)' 구조로 보면 틀린다. 이 문장은 that 뒤에 주어가 없는 형태로 it ~ that 강조구문에서 주어가 강조된
it is one's environment and lifestyle ~ that actually
(강조어(S))
puts / put ~의 구조가 되어야 한다. 강조된 주어가 복수(one's environment and lifestyle)이므로 복수 동사 put이 와야 한다.
(V: puts/put)

| 해석 | 유전자가 사람의 체중 문제의 원인이 될 수 있다. 그러나 결국 지방을 만드는 유전자가 실제로 활동하도록 하는 것은 그 사람의 환경과 생활방식이다.

13 is

That everybody should get at least eight hours of sleep a day is commonly believed by all of us.
(S: That everybody should get at least eight hours of sleep a day, V: is, 부사구)

| 해설 | That절은 everybody + should get + at least
(S: everybody, V: should get)

eight hours of sleep a day의 구조로 접속사 That이 이끄는 절 전체가 주어 역할을 하기 때문에 단수 동사 is가 와야 한다.

| 해석 | 모든 사람들이 하루에 적어도 8시간의 잠을 자야만 한다는 것은 우리 모두의 일반적인 생각이다.

14 are

On the map are many symbols [that show national boundaries and the sizes of cities].
(장소 부사구, V: are, S: many symbols, 관계대명사절(주격))

| 해설 | 문두에 장소 부사구가 쓰여 '장소 부사구+V+S'로 도치된 문장으로, many symbols가 주어이므로 복수 동사 are가 쓰여야 한다.

| 해석 | 지도에는 국경과 도시들의 크기를 보여 주는 많은 기호들이 있다.

15 sending → sends

The combustion of oxygen [that keeps us alive and active] sends out by-products [(which are) called oxygen free radicals].
(S: The combustion of oxygen, 관계대명사절(주격), V: sends out, O: by-products, 주격 관계대명사+be동사 생략)

| 해설 | The combustion이 주어이므로 동사도 단수 형태인 sends로 고쳐야 한다.

| 해석 | 우리를 살아있게 하고 활동적이게 유지하는 산소의 연소는 활성산소라고 불리는 부산물을 내보낸다.

16 reduce → reduces

Crop ecologists have found that each 1°C rise in temperature during the growing seasons reduces the yield of grain — wheat, rice, and corn — by 10%.
(S: Crop ecologists, V: have found)

| 해설 | that절은 each 1°C rise / in temperature / during
(S: each 1°C rise, 전치사구)

the growing seasons + reduces + the yield of grain ~
(전치사구, V: reduces, O: the yield of grain)
구조로 주어(each 1°C rise)가 단수이므로 동사 reduce를 reduces로 고쳐야 한다.

| 해석 | 농작물 생태학자들은 성장기 동안에 온도의 1도 상승은 밀, 쌀, 그리고 옥수수와 같은 곡물의 수확량을 10% 정도 감소시킨다는 것을 알아냈다.

17 고칠 필요 없음

[Attached to nerves in the skin] are a cat's whiskers
    p.p.   V   S
[which detect vibrations as minute as a slight
관계대명사절(주격)
change in the breeze].

| 해설 | A cat's whiskers ~ + are attached to nerves in
               S   V   부사구
the skin. 구조의 수동태 문장에서 주어가 길기 때문에 p.p. 이하를 문장 앞에 쓰면서
Attached to nerves in the skin + are + a cat's whiskers ~
  p.p.   V   S
구조로 도치된 형태이므로, 동사 are는 맞게 쓰였다.

| 해석 | 산들바람의 사소한 변화만큼 미세한 진동을 감지할 수 있는 고양이의 수염은 피부에 있는 신경에 붙어 있다.

18 ① has focused → have focused
② are → is

In recent years, rising oil prices have focused the
부사구   S   V
world's attention on the depletion of vital reserves,
                        O
but the drying up of underground water resources
                           S
from excessive pumping for irrigation is a far more
                           V   C
serious issue.

| 해설 | ① rising oil prices를 '동명사(rising) + 목적어(oil prices)', 즉 '기름값을 올리는 것'으로 본다면 단수 동사를 써야 하지만, rise는 자동사이므로 목적어를 가질 수 없고 또 해석상으로도 뒷부분과의 연결이 어색하다. 따라서 rising oil prices는 분사 rising이 oil prices를 수식하여 '상승하는 기름값'이라는 의미로 oil prices가 주어가 되므로 동사 has focused에서 조동사 has를 have로 고쳐야 한다.
② 주어부는 the drying up / of underground water
                    S   전치사구
resources / from excessive pumping / for irrigation의 구
                  전치사구   전치사구
조로 동명사가 주어이므로 단수 동사 is로 고쳐야 한다.

| 해석 | 최근에 상승하는 기름값은 세상 사람들의 관심을 필

수적인 (기름) 비축량의 고갈에 집중하도록 했지만, 관개를 위해 지나치게 물을 퍼올려 초래된 지하수자원의 고갈이 훨씬 더 심각한 문제이다.

19 believe → believes

Every musical expert believes that the rhythms of
          S   V   O
most music have their origin in the human heart rate
of about 60 beats per minute.

| 해설 | 「every + 단수 명사 + 단수 동사」 형태로 쓰기 때문에 believe를 believes로 고쳐야 한다.

| 해석 | 모든 음악 전문가들은 대부분 음악의 리듬은 분당 약 60번의 인간의 심장 맥박 속도에 기원을 두고 있다고 믿는다.

┌─ *Plus Tip* ─────────────

■ **every 용법 : ~마다**

보통 every는 '모든'이라는 뜻이지만, 뒤에는 단수 명사가 온다. 그런데 every가 기간을 나타내는 명사와 결합되어 '~마다'라는 뜻으로 사용되면 「every + 숫자 + 복수 명사」 형태로 쓴다.

The mail arrives every four days.

그 우편물은 나흘마다 도착한다.

20 meaning → meant

Furthermore, a general lack of knowledge and
                              S
insufficient care being taken [when fish pens were
                                    부사절
initially constructed] meant that pollution from
                      V
excess feed and fish waste created huge barren
underwater deserts.

| 해설 | a general lack of knowledge and insufficient care being taken의 구조로 주어로 쓰인 a general lack of knowledge and insufficient care에 상응하는 동사가 쓰여야 하므로 meaning을 meant로 고쳐야 한다.

| 해석 | 더욱이, 수산 양식용 가두리가 처음 지어졌을 때 일반적인 지식의 부족과 불충분하게 행해지던 관리는 초과 사료와 어류 폐기물로부터 발생하는 오염이 거대한 불모의 해저 사막을 만들어냈다는 것을 의미했다.

CHAPTER 02 자동사와 타동사

PATTERN PRACTICE [유형 훈련]　　본문 31쪽

01 laid

Scientists found that if genetically identical twins
were laid in different environments, their physical
and behavioral characteristics would differ.

| 해설 |　genetically identical twins were [laid / lain] in ~
에서 네모 안의 동사는 앞의 be동사와 결합해 수동태로 쓰였기 때문에
타동사 laid가 와야 한다.

| 해석 |　과학자들은 유전적으로 동일한 쌍둥이가 다른 환경에
놓인다면, 그들의 신체적이고 행동적인 특징들이 다를 수 있다
는 사실을 발견했다.

02 likely

It seems likely that diseases (which are) associated
with aging, not the aging process itself, cause
decline in one's ability to learn.

| 해설 |　seem은 자동사이기 때문에 네모 안에는 보어 역할을 하는
형용사(likely)가 쓰여야 한다. likely는 형용사로 '~할 것 같은'의 의
미이고, like는 전치사로 '~처럼'의 의미이다.

| 해석 |　노화과정 그 자체가 아니라 노화와 관련된 질병이 사
람의 학습능력에 있어서의 저하를 초래하는 것처럼 보인다.

03 was originally founded

The town was originally founded as a mining town
in the late 1880s [when a large amount of silver was
discovered there].

| 해설 |　found는 find(발견하다)의 과거분사이며(find-found-
found), founded는 found(설립하다)의 과거분사이다(found-

founded-founded). 문맥상 '은이 발견된 1880년대 후반에 광산촌
으로 세워진' 것이므로 founded가 되어야 한다.

| 해석 |　그 도시는 엄청난 양의 은이 거기에서 발견되었던
1880년대 후반에 광산촌으로 처음 세워졌다.

04 occurs

Fainting, the condition of a brief loss of conscious-
ness, occurs from lack of oxygen in the brain.

| 해설 |　'S(Fainting) + V(is occurred)'로 써서 '기절은 발생
하게 된다'로 해석하여 수동태로 쓰기 쉬운데, occur는 자동사로 수동
태로 쓰지 못하기 때문에 occurs가 와야 한다.

| 해석 |　짧게 의식을 잃는 상태인 기절은 뇌 속의 산소 부족으
로부터 발생한다.

05 different

While enjoying a bike ride one weekend, I was
reminded of how different the world looks from the
seat of a bicycle.

| 해설 |　네모 안의 단어를 how절의 주어와 동사 뒤로 보내면 how
the world looks [different / differently] from ~ 형태로 쓰이게
되는데, look은 자동사이므로 보어로 형용사(different)가 와야 한다.

| 해석 |　어느 주말 자전거를 타는 동안에, 나는 자전거 의자에
서 보면 세상이 얼마나 다르게 보이는지를 깨닫게 되었다.

Plus Tip

■ how + 형용사(부사) + S + V : 얼마나 ~인(한)지

문장 속에서 주어, 목적어, 보어 역할을 하며, '형용사/부사'
선택 문제는 형용사나 부사를 how절 뒤로 넘겨 판단한다.

Tell me how [silent / silently] the children remained
in the museum.　↑ 보어

아이들이 박물관에서 얼마나 조용히 있었는지 말해다오

How [clear / clearly] you explain it is a key to passing
the test.　↑ 동사(explain) 수식

당신이 그것을 얼마나 분명하게 설명하느냐가 그 시험을 통과하기 위한 비법이다.

06 effective

A company's messaging and communication
<u>strategies</u> <u>must change</u> over time in order to remain
effective.
- S
- V
- 부사구 to부정사(부사적 용법: ~하기 위하여)

| 해설 | to부정사의 부사적 용법으로 쓰인 in order to remain
effective / effectively 에서 remain은 '~한 상태로 있다'의 뜻으
로 쓰일 때 2형식 동사로 쓰이므로 빈칸에 보어 역할을 하는 형용사
effective가 와야 한다.

| 해석 | 한 회사의 메시지 전달과 의사소통 전략이 효과적으
로 유지되기 위해서는 시간이 지남에 따라 변화해야만 한다.

07 aggressive

<u>I'm</u> <u>not</u> <u>very successful in business,</u> [because <u>I'm</u>
the youngest child and thus <u>less aggressive</u> than my
older brothers and sisters].
- S V C
- 부사절 S' V'
- C'₁
- C'₂

| 해설 | 부사절에서 등위접속사 and를 기준으로
I'm ┌ the youngest child
   └ thus less aggressive / aggressively 의 구조로
쓰인 문장으로, 네모 안에 쓰인 단어는 동사 am에 연결되고 있다. 따라
서 형용사(aggressive)가 와야 한다.

| 해석 | 나는 사업에서 그다지 성공을 하지 못하고 있는데, 그
이유는 내가 막내이고, 그래서 형과 누이들보다 덜 공격적이기
때문이다.

08 us

<u>He</u> <u>tells</u> <u>us</u> that children can develop their bodies and
brains while watching television.
- S V I.O D.O
- 부사절

| 해설 | 네모 안의 형태는 둘 다 동사 tell과 결합하여 '~에게 …를
말하다'로 해석은 같다. 그러나 각각의 형태에 따라 문장 구조는 다음과
같이 달라진다.

He + tells + ┌ us + that children can develop ~ <4형식> (O)
- S   V   │ I.O   D.O
              └ to us + that children can develop ~ <3형식> (X)
                 부사구   O

위와 같이 동사 tell은 3형식으로 쓰지 않고 <S+V+I.O+D.O> 형태
로 4형식으로 쓰는 동사이므로 us가 와야 한다.

| 해석 | 그는 우리에게 아이들은 TV를 시청하는 동안에 그들
의 몸과 마음을 발달시킬 수 있다고 말한다.

09 write them down

The most effective way to focus on your goals <u>is</u> to
write them down.
- S V
- C

| 해설 | 네모는 '타동사+부사'의 목적어 위치를 묻는 문제로, 대명
사(them)가 목적어로 쓰였기 때문에 반드시 타동사와 부사 사이에 들
어가야 한다. 따라서 write them down이 와야 한다.

| 해석 | 당신의 목표에 집중할 수 있는 가장 효과적인 방법은
그것들을 기록하는 것이다.

10 Strange

Strange as it appears, <u>it</u> <u>is</u> not always <u>possible</u> to
break the old practices even when they clearly do
not apply.
- 부사절
- 가주어
- C
- 진주어
- 부사절

| 해설 | 네모 안의 단어를 접속사 as절 뒤로 넘기면 it appears
strange / strangely 형태로 쓰이는데, appear는 자동사이기 때
문에 보어 역할을 하는 형용사(strange)가 와야 한다.

| 해석 | 이상한 것처럼 여겨질지라도, 오래된 관습들은 분명
하게 적용되지 않을 때조차도 그것들을 깨뜨리는 것이 항상 가
능한 것은 아니다.

Plus Tip

■ 형용사(부사) + as + S + V
일반적으로 양보절로 쓰여 '~일지라도'로 해석하며, '형용사/
부사' 선택 문제는 형용사나 부사를 as 뒤로 넘긴 상태에서 판
단한다.

Strange / Strangely as his story may sound ∨, it's
                                            ↑ 보어
very real.

그의 이야기는 이상하게 들리지만, 매우 사실적이다.

Close / Closely as our work is ∨ connected, we
                               ↑ 동사(is connected) 수식
rarely share ideas.

우리가 하는 일은 밀접하게 관련되어 있지만, 아이디어는 거의 공유하지 않는다.

11 looks → looks like

If you have ever seen an MRI machine, <u>it</u> <u>looks like</u>
a very big cube.
- 부사절
- S V
- 부사구

| 해설 | it looks a very big cube는 '그것은 매우 큰 정육면체 물건처럼 보인다'로 해석되어 올바른 문장처럼 보이지만, look은 뒤에 명사가 오는 경우에 「look like + 명사」 형태로 써야 한다.

| 해석 | 네가 MRI 기계를 본 적이 있다면, 그것은 큰 정육면체 물건처럼 보일 것이다.

─ *Plus Tip* ────────────

■ S + V + like + 명사

2형식 동사 중 seem과 감각동사 look, sound, feel, smell, taste는 뒤에 명사가 연결되는 경우에 전치사 like와 함께 써야 한다.

I **felt like** *a princess* when I stepped onto the red carpet.
나는 붉은색 카펫 위를 걸어갈 때 공주인 것처럼 느꼈다.

It **sounds like** *a fairytale*, but it actually happened.
그것은 동화처럼 들리지만, 실제로 일어났다.

12 고칠 필요 없음

Fast food has proven to be a revolutionary force in
　　S　　　V　　　　　　　　　C
American life.
　부사구

| 해설 | 수동태 구문 Fast food has been proven to ~를 써서 '패스트푸드는 ~로 입증되어 왔다'로 쓰기 쉽지만, prove(입증되다)는 여기서 자동사로 사용되었으므로 수동태로 쓸 수 없다.

| 해석 | 패스트푸드는 미국인의 삶에서 혁명적인 원동력으로 입증되어 왔다.

13 reach at → reach

Meteors get very hot when they pass through the
　S　　V　 C　　　　　　　부사절
atmosphere. Most of them burn up before they reach
　　　　　　　　S　　　V　　　　부사절
the ground.

| 해설 | before they reach at the ground는 '그것들이 땅에 도달하기 전에'로 해석되어 전치사 at을 쓰는 자동사로 착각할 수 있다. 그러나 reach는 타동사이기 때문에 뒤에 전치사를 쓰지 않는다.

| 해석 | 운석은 대기를 통과할 때 매우 뜨거워진다. 그것들의 대부분은 땅에 도달하기 전에 다 타버린다.

14 고칠 필요 없음

Some problem-solving researchers have emphasized
　　　　　　S　　　　　　　　V
the need to look closely at the way problems are
　O　　to부정사(형용사적 용법)

defined.

| 해설 | 2형식 동사인 look 뒤에 부사인 closely가 쓰여 있어 틀린 문장으로 보기 쉬운데, 이 문장에서 look은 '~처럼 보이다'의 의미를 가지는 2형식 동사로 쓰인 것이 아니라, 뒤에 있는 전치사 at과 결합하여 '~을 보다'의 뜻으로 쓰였다. 해석은 '문제가 정의되는 방식을 면밀하게 볼 필요성'이며 타동사인 look at을 꾸며주므로 부사인 closely가 쓰여야 한다.

원래 문장은 look at the way problems are defined closely로
　　　　　　 V　　　　　　 O　　　　　　　　 부사(look at 수식)
쓰인 구조인데, 부사로 쓰인 closely를 앞에 쓴 형태이다.

참고) To observe stars, you must **look** carefully **at** the night sky.
별들을 관찰하기 위해서는 밤하늘을 주의 깊게 보아야만 한다.

| 해석 | 일부 문제 해결 연구원들은 문제가 정의되는 방식을 면밀하게 살펴 볼 필요성을 강조해 왔다.

15 lays → lies

At the bottom of a cliff near the valley, lies a pile of
　　　　　 장소 부사구　　　　　　　　 V　　 S
fossilized horse bones [that covers two acres].
　　　　　　　　　　　 관계대명사절(주격)

| 해설 | 장소 부사구 뒤에 〈V +S〉형태로 도치된 문장 구조가 쓰여 있으며, 원래 문장 구조는 a pile of fossilized horse bones +lies
　　　　　　　　　　　　　　　 S　　　　　　　　　　　　 V
로 '한 무더기의 화석화된 말뼈들이 놓여 있다'로 자동사인 lies가 쓰여야 한다.

| 해석 | 그 계곡 근처에 있는 절벽 바닥에 2에이커의 면적을 덮고 있는 한 무더기의 화석화된 말뼈들이 놓여 있다.

CHAPTER 03 수동태

PATTERN PRACTICE [유형 훈련]　　　본문 41쪽

01 be persuaded

Stores must be forced to charge for plastic bags.
　S　　　　　V　　　　　　　　C
That's the only way [(how) consumers can be
　S　 V　　　　　 C　　　　 관계부사절(how 생략)
persuaded to cut down on the plastic bags they use].

| 해설 | 소비자들이 비닐봉지를 줄이도록 설득당하는 것이므로 수동태 be persuaded가 와야 한다.

| 해석 | 가게들은 비닐봉지에 대한 비용을 청구해야만 한다. 그것은 소비자들이 그들이 이용하는 비닐봉지를 줄이도록 설득당할 수 있는 유일한 방법이다.

02 is not counting

The average American office worker relaxes for a
little over two hours a day — that is not counting
lunches or breaks.

| 해설 | dash(—) 이하는 「S(that)+V(is not counting)+ O(lunches or breaks)」의 구조로 목적어가 쓰여 있기 때문에 능동태(is not counting)가 와야 한다.

| 해석 | 평균적인 미국 사무직 근로자는 매일 2시간 이상 가량 휴식을 취하는데, 그것은 점심시간이나 휴식시간을 계산하지 않은 것이다.

03 is thought

Due to water pollution, it is thought that over a
billion people lack access to clean drinking water.

| 해설 | it이 가주어이고 that 이하가 진주어인 구조로, 원래 that 절이 목적어로 쓰인 3형식 문장의 수동태이므로 is thought가 와야 한다.

| 해석 | 수질 오염 때문에 10억 명 이상의 사람들이 깨끗한 식수를 마시지 못하고 있다고 생각된다.

04 ① was created   ② were meant

In ancient times, art was created [to be used as part of
ceremonies which were meant to please the gods].

| 해설 | ① '예술은 이용되기 위하여 창조되었다' 는 의미가 되어야 하므로 수동태를 써서 art was created to be used ~가 되어야 한다.
② 관계사절의 주어는 ceremonies로 '의식이 의도되어진' 것이므로 수동태(were meant)를 써야 한다.

| 해석 | 고대에 예술은 신을 기쁘게 하기 위한 의식의 일부로서 이용되기 위해 창조되었다.

05 to move

The bodies of flowing ice [(which) we call glaciers]
are the most spectacular of natural features. They
result from densely packed snow. Unlike a stream, a
glacier cannot be seen to move.

| 해설 | 지각동사나 사역동사가 사용된 능동태 문장에서 목적격 보어인 동사원형은 수동태가 될 때에는 to부정사 형태가 되어야 한다. 여기서는 지각동사 see가 수동태로 쓰였기 때문에 to move가 와야 한다.

| 해석 | 우리가 빙하라고 부르는 유빙(遊氷) 덩어리는 자연의 볼거리들 중에서 가장 장관을 이룬다. 빙하는 빽빽하게 쌓인 눈으로부터 만들어진다. 시내와 달리 빙하는 움직이는 것이 목격될 수 없다.

06 be explained

Evidence suggests an association between loud, fast
music and reckless driving, but how might music's
ability to influence driving in this way be explained?

| 해설 | but 뒤에 이어지는 how ~ 이하의 문장에서 '주어(music's ability)+동사(might be explained)'로 '음악의 영향력이 설명될 수 있다' 의 의미이므로 수동태인 be explained가 쓰여야 한다.

| 해석 | 시끄럽고 빠른 음악과 난폭한 운전 사이의 연관성을 제시하는 증거가 있는데, 이런 방식으로 운전에 대한 음악의 영향력이 어떻게 설명될 수 있을까?

07 has encouraged

For decades, child-rearing advice from experts has
encouraged the nighttime separation of baby from
parent.

| 해설 | 「S(child-rearing advice)+V(has encouraged)+ O(the nighttime separation)」 구조로 쓰인 문장이므로 능동태인 has encouraged가 와야 한다.

| 해석 | 수십 년 동안, 전문가들로부터의 양육에 대한 충고는 야간에 아이들을 부모로부터 분리시킬 것을 권장해 왔다.

08 held

They entered a contest [to guess how many soda
— S — — V — — O — 부정사구(형용사적 용법)
cans the back of a pickup truck held].

| 해설 | 이 문장은 간접의문문(의문사+S +V)의 형태로 쓰여 있고,

how many soda cans the back of a pickup truck
— O —   — S —

held / was held ~ 구조로 타동사 hold(싣다)가 how many soda
— V —

cans를 목적어로 취하고 있기 때문에 능동태인 held가 쓰여야 한다.

ex) Tell me how many book you **have**.

(네가 얼마나 많은 책을 가지고 있는지 말해다오.)

| 해석 | 그들은 소형 트럭의 뒤칸이 얼마나 많은 탄산음료를
싣는지를 알아맞추기 위한 시합에 참가했다.

09 is situated

Easter Island is famous all over the world. It is
— S —   — V — ————————— 부사구 — S — V —

situated in the Pacific Ocean, about 3,700 km west
———— ————————————
          부사구

of Chile.

| 해설 | '~에 위치하다'의 의미가 되려면 be situated(located)
형태로 항상 수동태를 써야 하기 때문에 is situated가 와야 한다.

| 해석 | Easter Island는 전 세계에 잘 알려져 있다. 그 섬은
태평양에 위치해 있는데, 칠레 서쪽으로 약 3,700km 지점이다.

10 was thrown

For example, using a tape measure to determine the
          ————————————————————
                                              S

distance a javelin was thrown yields very similar
——————————————— ———— ——— ————
                        V   — O —

results regardless of who reads the tape.
———————
        부사구

| 해설 | ~ to determine the distance (where) a javelin
                            ————————   ——————
                             선행사   ↑   관계부사절

threw / was thrown 에서 '투창이 던지는 거리'가 아니라 '투창이
던져진 거리'의 의미이므로 수동태인 was thrown을 써야 한다.

| 해석 | 예를 들어, 투창이 던져진 거리를 판정하기 위해서 줄
자를 사용하는 것은 누가 줄자의 눈금을 읽느냐에 상관없이 매
우 비슷한 결과를 산출한다.

11 resign → to resign

The company president was made to resign
———————————————— ——— ———— —————————
          S   V   C

suddenly by the committee members.
———————
        부사구

| 해설 | The company president was made resign ~에서
사역동사 make가 수동태로 쓰여 있으므로 밑줄 친 resign을 to
resign으로 고쳐야 한다.

| 해석 | 그 회사 사장은 위원회 회원들에 의해 갑자기 사임하
도록 강요당했다.

12 are known by → are known as

Dolphins are known [as the friendliest creatures in
———— ——————— ——————————————————
  S   V   부사구

the sea] and stories of them [helping drowning
—— ———   ——————————— ——————————
                      S   분사구

sailors] have been common.
————————— ————— ——————
           V   C

| 해설 | 「주어 + be known ~」형태로 동사 know가 수동태로
쓰이는 경우에 의미에 따라 be known 뒤에는 다음과 같은 전치사가
나올 수 있다.

	as ~ : ~로(라고) 알려져 있다
be known	to ~ : ~에게 알려져 있다
	for ~ : ~로 유명하다
	by ~ : ~로(에 의해) 안다(판단의 기준)

이 문장에서 Dolphins are known by the friendliest
creatures를 해석해 보면 '돌고래는 친근한 동물에 의해 안다'로 어색
한 문장이 된다. 따라서 위에 쓰인 전치사 중에서 as로 바꾸어 주면 자
연스럽다.

| 해석 | 돌고래는 바다에 사는 가장 친근한 동물로 알려져 있
으며 물에 빠진 선원들을 구한 그들의 이야기는 흔하다.

13 고칠 필요 없음

The rise in the earth's temperature is referred to as
———————————————————————— —————— ——
              S   V

global warming.
——————
    부사구

| 해설 | 동사 is referred 뒤에 to as 형태로 전치사가 연속해서
두 개가 쓰여 어색한 문장으로 보기 쉬운데, '언급하다'라는 의미의
refer to가 수동태로 쓰이면서 전치사 as(~라고)와 결합된 형태로 「A
be referred to as B」로 쓰여 맞는 문장이다.

| 해석 | 지구의 기온 상승은 지구온난화라고 일컬어진다.

14 ① asked → was asked
   ② were demanded → demanded

[When a concert violinist was asked the secret of
　　　부사절　　　　S'　　　　V'　　　　　O'
her success,] she replied, "Planned neglect." Then
　　　　　　　　S　　　V
she explained, " [When I was in school,] there were
　S　　　V　　　　　　부사절　　　　　유도부사　V
many things [that demanded my time and energy]."
　　S　　　　　관계대명사절(주격)

| 해설 |　① 첫 문장의 when절을 「S(a concert violinist)+V
(asked)+O(the secret of her success)」의 구조로 보면 '바이올
린 연주자가 질문을 하고, 대답하는' 어색한 형태가 된다. 따라서 asked
를 was asked로 고쳐 '질문을 받고, 대답하는' 형태로 올바른 문장
이 된다. 고친 문장은 「S(a concert violinist)+V(was asked)+O
(the secret of her success)」의 구조로 4형식 동사(ask)가 수동태
로 쓰여 목적어를 가진 형태이다.
② 선행사 many things는 관계사절의 주어이므로 '많은 것들이 나의
시간과 에너지를 요구했다'는 의미로 밑줄 친 부분 뒤에 목적어가 나왔
다. 따라서 「S(many things)+V(demanded)+O(my time and
energy)」의 능동태로 쓰여야 한다.

| 해석 |　연주회의 한 바이올린 연주자가 그녀의 성공 비결을
질문받았을 때, 그녀는 '계획된 무시'라고 대답했다. 그리고 나
서 그녀는 "학창시절 때, 나의 시간과 에너지를 요구하는 많은
것들이 있었다."고 설명했다.

15　고칠 필요 없음

As I was seated on the nearly empty train, a
　　　　　　　　　　부사절
homeless man came through the door of the
　　　　S　　　　V　　　　　　부사구
adjoining car.

| 해설 |　밑줄 친 부분을 '내가 앉혀지다'로 해석하여 틀린 문장으로
생각하고 I seated(내가 앉았다)로 고쳐 쓰기 쉽다. 그러나 타동사
seat(앉히다)는 be seated라는 수동태로 써서 '앉다'의 뜻을 나타낸
다는 점에 유의해야 한다.

| 해석 |　내가 거의 텅 빈 기차에 앉아 있었을 때, 노숙자 한 사
람이 옆 차량의 문을 통과해 들어왔다.

𝒫lus 𝒯ip

■ 타동사 seat

seat는 타동사로 '~을 앉히다, 착석시키다'의 뜻으로 쓰이며,
'앉다'의 의미로 쓰일 때는 재귀대명사를 목적어로 가진 seat
oneself나 수동태 be seated로 써야 한다.

She **seated herself** on the sofa.

= She **was seated** on the sofa.

　　　그녀는 소파에 앉았다.

16　expects → is expected

More than half of the future growth in energy demand
　　　　　　　　　　　　　　S
in Asia is expected to come from the transportation
　　　　　V　　　　　　to부정사구
sector.

| 해설 |　이 문장을 해석해 보면 '아시아에서의 에너지 수요에서의
미래의 증가의 절반 이상은 운송 부문으로부터 나올 것으로 예상된다.'
의 의미로, 〈S+V〉가 수동관계에 있으므로 expects를 수동태인 is
expected로 고쳐야 한다.

| 해석 |　아시아에서의 에너지 수요에서의 미래의 증가 절반
이상은 운송 부문으로부터 나올 것으로 예상된다.

CHAPTER 04　5형식 문장 구조

PATTERN PRACTICE [유형 훈련]　　본문 51쪽

01　even

Rain forests affect the world's climate by helping to
　　S　　　　V　　　　　O　　　　　부사구
keep the temperature more even, thus preventing
　　　　　　　　　　　　　　　　　분사구문(연속동작)
searing heat and freezing cold.

| 해설 |　이 문장에서 keep 뒤에 오는 the temperature more
[even / evenly]는 the temperature is more even(기온이 더
일정하다)으로 「S(the temperature)+be동사+C」의 2형식 관계와
같은 5형식 문장 구조이다. 따라서 네모 안에는 목적격 보어로 형용사
(even)가 와서 목적어의 상태를 설명해야 한다.

| 해석 |　우림은 기온을 더 일정하게 유지하는 것을 도와줌으
로써 지구의 기후에 영향을 주기 때문에 심한 더위와 매서운 추
위를 막아준다.

02　seriously

We need to take the importance of our positive
　S　　V　　　　　　　　　　　　O
emotional state in disease risk management more

seriously.

| 해설 | 「take+O(the importance ~)+O.C(more serious)」 구조로 '중요성이 진지하다'는 의미가 아니라 take the importance ~ more seriously로 '중요성을 진지하게 받아들인다'는 의미이므로 부사(seriously)가 와야 한다.

| 해석 | 우리는 질병 위험을 관리하는 데 있어서 우리의 긍정적인 감정 상태의 중요성을 더 진지하게 받아들일 필요가 있다.

03 to recycle

The government launched a campaign [to get fastfood restaurants to recycle 90% of their waste].
  S   V   O   부정사구(형용사적 용법)

| 해설 | 부정사구에서 get이 5형식 동사로 쓰인 구조로 get은 '~시키다'라는 사역의 뜻을 가지고 있지만 일반동사이기 때문에 목적어(fastfood restaurants) 뒤에 목적격 보어로 to부정사인 to recycle이 와야 한다.

| 해석 | 정부는 패스트푸드 식당들에게 쓰레기의 90%를 재활용하도록 하는 캠페인을 시작했다.

04 sleep

Parents [who let their infant children sleep in the
  S   관계대명사절(주격)
same bed with them] do their babies more harm than
                    V   I.O   D.O
good.
D.O

| 해설 | 앞에 사역동사 let이 있기 때문에 목적어(their infant children) 뒤에 목적격 보어로 동사원형(sleep)이 와야 한다.

| 해석 | 유년기 아이들을 자신들과 같은 침대에서 자도록 하는 부모들은 아이들에게 이익보다는 해를 더 끼친다.

05 to get

This lack of time for relaxation makes it more
               S   V 가목적어
difficult to get the most out of your studies.
O.C   진목적어

| 해설 | 이 문장은 「S+make(사역동사)+O+O.C(동사원형)」 구조로 생각하여 get을 답으로 착각하기 쉽다. 그러나 이 문장은 「makes+it(가목적어)+more difficult(보어)+to get ~(진목적어)」 구조로 네모 안에는 진목적어 역할을 하는 to get이 와야 한다.

| 해석 | 이와 같은 휴식 시간의 부족은 학업에서 최대한 많은 것을 얻는 것을 더욱 어렵게 만든다.

06 understood

[If we want to make ourselves understood in
                                부사절(조건)
English,] we need not only good language skills
          S   V   O
but also clear thinking and a broad general
         not only A but also B 구문
knowledge.

| 해설 | If절은 「사역동사(make)+목적어(ourselves)+목적격 보어(understand/understood)」 구조로 목적어와 목적격 보어의 능동·수동 관계를 살펴보아야 한다. 목적어 ourselves가 이해되는 대상이므로 과거분사(understood)가 와야 한다. make oneself understood는 '우리 자신이 (상대방에 의해) 이해되도록 만들다', 즉 '상대방과 의사소통하다'라는 의미의 관용적 표현이다.

| 해석 | 우리가 영어로 의사소통하기를 원한다면, 우리는 훌륭한 언어 능력뿐만 아니라 분명한 사고와 광범위한 일반적 지식을 필요로 한다.

07 clear

They have made it clear that the warming
  S   V   가목적어 O.C   진목적어
atmosphere will cause dramatic changes that will
affect every corner of the earth.

| 해설 | it은 가목적어, that절이 진목적어인 구조로 네모 안에는 목적격 보어 역할을 하는 형용사(clear)가 와야 한다.

| 해석 | 그들은 따뜻해지는 대기가 지구의 모든 지역에 영향을 주게 될 엄청난 변화를 초래할 것이라는 사실을 분명히 했다.

08 to help

The city has made a lot of laws to help protect
  S   V   O   부정사구
historical sites [that archeologists may not have
                  관계대명사절(목적격)
studied yet].

| 해설 | 사역동사 make의 목적격 보어로 동사원형 help가 온 구조로 보면 '그 도시는 많은 법률이 돕도록 시키다'는 의미가 되어 어색한 문장이 된다. 따라서 이 문장은

The city + has made + a lot of laws to help ~ <3형식>
  S   V   O   부정사구(형용사적 용법)
로 써서 '그 도시는 ~을 도와주는 많은 법률을 만들어 왔다.'로 해석하는 것이 알맞다.

| 해석 | 그 도시는 고고학자들이 아직 연구하지 않았을 수도 있는 사적지 보호를 도와주는 많은 법률을 만들어 왔다.

09 ① unharmed ② carrying

There will be winners and losers from climate
<u>유도부사</u> <u>V</u> <u>S</u> <u>부사구</u>
change. Global warming will leave America and
<u>S</u> <u>V</u> <u>O₁</u>
other rich countries unharmed and the developing
<u>O.C₁</u> <u>O₂</u>
world, [which lacks resources], carrying the full
<u>관계대명사절(주격)</u> <u>O.C₂</u>
burden of the coming changes.

| 해설 | ① 목적어(America and other rich countries)와 목적격 보어(unharming/unharmed)의 관계가 '미국과 다른 부유한 국가들이 피해를 입지 않다'의 의미로 수동 관계에 있기 때문에 unharmed가 와야 한다.
② 목적어(the developing world)와 목적격 보어(carrying/carried)의 관계가 '개발도상국들이 모든 짐을 떠맡다'의 의미로 능동 관계에 있기 때문에 carrying이 와야 한다.

| 해석 | 기후 변화로 인해 승자와 패자가 존재할 것이다. 지구 온난화는 미국과 다른 부유한 국가들은 피해를 입지 않은 상태로 남겨둘 것이고, 자원이 부족한 개발도상국들은 다가오는 변화의 모든 짐을 떠맡도록 남겨둘 것이다.

10 banned

Many people believe that cloning represents man's
<u>S</u> <u>V₁</u> <u>O₁</u>
attempt to "play God," and want to see it banned.
<u>V₂</u> <u>O₂</u>

| 해설 | 「지각동사(see) + 목적어(it) + 목적격 보어(ban/banned)」 구조로 목적어 it(cloning)과 목적격 보어가 '그것(복제)은 금지된다'는 의미로 수동 관계에 있기 때문에 과거분사(banned)가 와야 한다.

| 해석 | 많은 사람들은 복제가 '신의 역할을 하고자' 하는 인간의 시도를 보여준다고 믿고 있으며, 그래서 그것이 금지되는 것을 보고 싶어한다.

11 looked → look

Books and movies like *Jurassic Park* have made
<u>S</u> <u>V</u>
cloning look easy, but in reality researchers say they
<u>O</u> <u>O.C</u> <u>S</u> <u>V</u>
are a long way from cloning an extinct animal.
<u>O(접속사 that 생략)</u>

| 해설 | 앞 절에서는 make가 5형식 사역동사로 쓰였는데, 목적격 보어 자리에 쓰인 look은 자동사이기 때문에 과거분사형을 쓸 수 없고 동사원형(look)으로 써야 한다.

| 해석 | '주라기 공원'과 같은 책과 영화는 복제를 쉬워 보이도록 만들었지만, 실제로 연구자들은 멸종한 동물을 복제하기까지는 아직 멀었다고 말한다.

12 eat → to eat

The government can't solve the overweight problem
<u>S</u> <u>V</u> <u>O</u>
[by simply telling the poor and the rich alike to eat
<u>부사구</u>
more fruit and vegetables and do more exercise].

| 해설 | 전치사 뒤에 동명사로 쓰인 telling 뒤의 구조가 「V(telling)+O(the poor and the rich alike)+O.C(eat)」로 쓰여 있는데, tell은 일반동사이기 때문에 목적격 보어 자리에 to eat가 와야 한다.

| 해석 | 정부는 가난한 사람들과 부유한 사람들 모두에게 똑같이 더 많은 과일과 야채를 먹고 더 많은 운동을 하라고 말하는 것만으로는 비만 문제를 해결할 수 없다.

13 고칠 필요 없음

Corporations [that produce genetically modified
<u>S</u> <u>관계대명사절(주격)</u>
foods] claim that the technology has many
<u>V</u> <u>O</u>
advantages. Crops can be made resistant to
<u>S</u> <u>V</u> <u>C</u>
pesticides and diseases.
<u>부사구</u>

| 해설 | 두 번째 문장을 능동태로 바꾸어 보면 「S(The technology - 수동태에서 생략)+V(can make)+O(crops)+O.C(resistant)+ to pesticides and diseases」로 <O+O.C>가 crops are resistant(농작물이 내성이 있다)의 의미이므로 올바르게 쓰인 문장이다.

| 해석 | 유전자 변형 음식을 생산하는 회사들은 그 기술이 많은 이점을 가지고 있다고 주장한다. 농작물은 살충제와 질병에 내성이 생기게 만들어질 수 있다.

14 primitively → primitive

[While humans may have shifted from signs to
<u>부사절(양보)</u>
speech long ago,] Stokoe and Armstrong suggest
<u>S</u> <u>V</u>
that we should not consider sign language primitive.
<u>O</u>

| 해설 | that절 안은 「S(we)+V(should not consider)+O

(sign language) + 부사(primitively)」의 구조로 3형식인데, consider sign language primitively는 '수화를 원시적으로 간주한다(간주하는 동작이 원시적이라는 의미)' 의 의미로 어색한 표현이 된다. 따라서 primitively를 primitive로 고쳐 5형식 문장으로 만들면 <O + O.C>가 the sign language is primitive(수화가 원시적이다)의 의미이므로 올바른 문장이 된다.

| 해석 | 인간이 오래 전에 기호에서 언어로 전환했을지 모르지만, Stokoe와 Armstrong은 우리가 수화를 원시적인 것으로 간주해서는 안 된다고 제안한다.

15 고칠 필요 없음

[Driving home with my family one day,] I noticed smoke rising from the roof of an apartment building.

| 해설 | 「S(I) + 지각동사(noticed) + O(smoke) + O.C(rising)」에서 목적어 smoke와 목적격 보어 rising은 능동 관계로 올바르게 쓰인 문장이다. smoke risen처럼 수동 관계로 착각하기 쉬운데, rise는 자동사이므로 과거분사형(risen)을 쓸 수 없다.

| 해석 | 어느 날 가족과 함께 집으로 운전해 가는 중, 나는 한 아파트 건물의 꼭대기에서 연기가 올라오는 것을 목격했다.

16 easily → easy

Depressed people find it easy to interpret large images or scenes, but struggle to 'spot the difference' in fine detail.

| 해설 | 이 문장은 「S(Depressed people) + V(find) + 가목적어(it) + O.C(easy) + 진목적어(to interpret)」의 구조로 쓰여 있기 때문에 부사인 easily를 목적격 보어 역할을 하는 형용사 easy로 고쳐야 한다.

| 해석 | 우울증이 있는 사람들은 큰 이미지나 장면을 해석하는 것은 쉽다고 생각하지만, 세심하게 '틀린 부분을 찾는 것' 에는 어려움을 겪는다.

17 고칠 필요 없음

Examine your thoughts, and you will find them wholly occupied with the past or the future.

| 해설 | 「S(you) + V(will find) + O(them) + O.C(wholly occupied)」로 쓰인 5형식 문장에서 목적어인 them(=your thoughts)과 목적격 보어인 occupied가 수동 관계이므로 올바르게 쓰인 문장이다.

| 해석 | 당신의 생각을 점검해봐라, 그러면 당신은 그것들이 완전히 과거나 미래에 사로잡혀 있다는 것을 알게 될 것이다.

18 logging → logged

For this reason, users must be advised [not to leave a terminal logged in], without use of a password-protected screen saver.

| 해설 | 「~V'(leave) + O'(a terminal) + O.C'(logged in)」의 구조로 '단말기가 로그인된 상태로 두다' 의 의미로 목적어와 목적격 보어가 수동 관계에 있기 때문에 logging을 logged로 고쳐야 한다.

| 해석 | 이런 이유 때문에, 사용자들은 패스워드로 보호되는 화면 보호기를 사용하지 않고 단말기가 로그인된 상태로 두지 말아야 한다.

CHAPTER 05 시제/조동사

PATTERN PRACTICE [유형 훈련]　　본문 63쪽

01 had been playing

We had been playing baseball for about half an hour [when it started to rain very heavily].

| 해설 | 주절의 내용인 '우리가 약 30분 동안 야구를 하고 있었다'는 접속사 when 이하에 쓰인 '비가 엄청나게 오기 시작했다'의 과거시제(started)보다 이전에 일어나고 있던 동작이므로 과거완료진행형 시제(had been playing)가 와야 한다.

| 해석 | 비가 엄청나게 오기 시작했을 때 우리는 약 30분 동안 야구를 하고 있었다.

02 **began**

Evolution is the process of gradual change [that
<u>S</u> <u>V</u>   <u>C</u>
living beings on earth have undergone since life first
began].
관계대명사절(목적격)

| 해설 | that절 속의 since 앞 주절에는 living beings on
earth have undergone(지구상의 생명체들이 겪어오고 있다)과 같
이 현재완료 시제가 쓰여 있으므로, since 뒤에는 주절보다 앞선 시제
인 과거 시제(began)가 와야 한다.

| 해석 | 진화는 생명체가 처음 나타난 이후로 지구상의 생물
들이 겪어오고 있는 점진적인 변화의 과정이다.

03 **visited**

In the summer of 2001, former U.S. president
              부사구
Jimmy Carter visited Asan, Korea, to participate in a
<u>S</u> <u>V</u> <u>O</u>   부정사구(목적)
house-building project.

| 해설 | 문장 앞에 명백한 과거 시점을 나타내는 어구(In the
summer of 2001)가 있으므로 현재완료를 쓰지 못하고 과거 시제
(visited)를 써야 한다.

| 해석 | 2001년 여름에 전직 미국 대통령이었던 Jimmy
Carter가 집짓기 프로젝트에 참가하기 위해 한국에 있는 아산
을 방문했다.

04 **had had**

Everyone brought out gifts for Mary: stockings from
<u>S</u>   <u>V</u>   <u>O</u>   전치사구
Elena and a pair of very old silver earrings from
Christina, [who said (that) she had had them since she
관계대명사절(주격) V 접속사 that 생략   O
was a little girl].

| 해설 | Christina(=she)가 them(=a pair of very old silver
earrings)을 소유해 온 것은 주절의 동사인 과거 시제의 said보다 이
전 시제이므로 과거완료인 had had가 와야 한다.

| 해석 | 모두가 Mary를 위해 가져온 선물들을 꺼냈다.
Elena는 스타킹을, Christina는 아주 오래된 은 귀고리 한 쌍
을 가지고 왔는데, Christina는 그 귀고리는 자기가 어린 아이
였을 때부터 가지고 있었던 것이라고 말했다.

05 **will run out**

We should prepare for the time [when all the natural
<u>S</u> <u>V</u>   선행사   관계부사절
resources will run out].

| 해설 | when 이하 문장은 all the natural resources will
run out(모든 천연자원은 고갈될 것이다)로 미래 시제를 나타내는데,
여기서 when절은 앞에 쓰인 선행사(the time)를 수식하는 관계부사
절로 형용사절 역할을 하기 때문에 미래 시제(will run out)를 그대로
써야 한다.

| 해석 | 우리는 모든 천연자원이 고갈될 때를 대비해야만 한
다.

06 **may have been**

Onions may have been one of the earliest cultivated
<u>S</u> <u>V</u>   <u>C</u>
crops [because they could be grown in a variety of
          부사절(이유)
soils and climates].

| 해설 | 부사절에 쓰인 '그것들(양파)은 다양한 토양과 기후에서 재
배될 수 있었기 때문에'의 의미로 보아 문맥상 주절에는 '가장 일찍 경
작된 농작물들 중의 하나였을지도 모른다'와 같이 추측의 의미로 may
have been이 오는 것이 자연스럽다.

| 해석 | 양파는 다양한 토양과 기후에서 재배될 수 있었기 때
문에 가장 일찍 경작된 농작물들 중의 하나였을지도 모른다.

07 **be**

[If you are a rather calm and quiet person who seeks
                          부사절
certainty in life,] you might well be attracted to a
<u>S</u> <u>V</u>
more outgoing person.
        부사구
| 해설 | may (might) well은 뒤에 반드시 동사원형을 써서
「may (might) well + 동사원형」의 형태로 쓰이며 '~하는 것은 당연
하다'의 의미이므로 동사원형인 be가 적절하다.

| 해석 | 당신이 삶에 있어서 확실성을 추구하는 다소 차분하
고 조용한 사람이라면, 당신이 보다 외향적인 사람에게 끌리는
것은 당연하다.

08 **cannot**

College is totally different from high school
<u>S</u> <u>V</u>   <u>C</u>   부사구
[because you are on your own]. I cannot stress too
          부사절   <u>S</u>   부사
much about the idea of learning independence.
              부사구
| 해설 | 「cannot ~ too (much) ....」는 '아무리 ~해도 지나치지
않다'는 조동사의 관용적 표현으로 네모 안에는 cannot이 와야 한다.

| 해석 | 대학은 당신이 혼자 힘으로 해내야 하기 때문에 고등학교와는 완전히 다르다. 독립심을 배운다는 생각에 관해선 아무리 강조해도 지나치지 않다.

09 has increased

The amount of carbon dioxide in the atmosphere has

　　　　　　　S　　　　　　　　　　　　　　　　　　V
increased substantially over the past one hundred
　　　　　　부사　　　　　　　부사구
years.

| 해설 | 〈S+V〉 뒤에 쓰인 부사구 over the past one hundred years는 '지난 백년에 걸쳐서'의 의미이며 과거부터 현재까지 이어지는 시제를 나타내므로, 현재완료인 has increased가 와야 한다.

| 해석 | 대기 중의 이산화탄소의 양이 지난 백년에 걸쳐 엄청나게 증가해 왔다.

10 to contain

The costs of providing first-rate education just keep

S　　　　　　　　　　　　　　　　　　　　　C
going up. We've done everything [(that) we can to
　　　　　　S　　V　　　O　　　　관계대명사절
contain costs without compromising quality].

| 해설 | everything (that) we can contain costs without compromising quality ~로 보기 쉽지만 관계대명사절로 쓰인 that 이하의 문장이 〈S+V+O〉로 완전한 문장이 되기 때문에 관계대명사절 역할을 할 수 없다. 따라서 이 문장은 we can contain에서 조동사 can 뒤에, 앞에서 쓰인 주절 동사 have done에 연결된 do가 생략되고 to contain ~ 이하는 '~하기 위하여'의 의미인 to부정사의 부사적 용법(목적)으로 쓰였으며 everything (that) we can (do) to 〔목적격 관계대명사 + do 생략〕 contain costs without compromising quality ~의 구조가 되어야 한다.

| 해석 | 최고 수준의 교육을 제공하기 위한 비용이 계속 오르고 있다. 우리는 교육의 질을 손상시키지 않으면서 비용을 억제하기 위해 우리가 할 수 있는 모든 일을 해 왔다.

─ Plus Tip ─

■ 조동사 뒤의 동사원형 생략

「조동사 + 동사원형」 형태에서 조동사 뒤에 쓰인 동사와 같은 동사가 앞에 쓰여 있으면 생략할 수 있다.

You can **get** responses more quickly from the Internet than you would **(get)** from a letter.
당신은 편지로 응답을 받을 수 있는 것보다 인터넷을 통해 훨씬 더 빨리 응답을 받을 수 있다.

11 고칠 필요 없음

[Over the past 12 to 15 years], the amount and types
　　　　부사구　　　　　　　　　　　　　　S
[available on the Internet] and, in particular, the
speed [at which we can process the data], have
　S　　　　　형용사구　　　　　　　　　　　　　　V
increased [to the extent that few people could have
　V　　　　관계대명사절(목적격)　　　　부사절
imagined].

| 해설 | 문장 앞의 Over the past 12 to 15 years(지난 12년 내지 15년간에 걸쳐서)는 특정한 과거 시점이 아닌 과거에서 현재까지 연속되는 기간을 나타내기 때문에 밑줄 친 부분은 현재완료 시제(have increased)가 맞다.

| 해석 | 지난 12년 내지 15년간에 걸쳐서, 인터넷에서 이용 가능한 양과 형태, 그리고 특히 우리가 자료를 처리할 수 있는 속도는 사람들이 거의 상상할 수 없었던 정도로까지 증가해 왔다.

─ Plus Tip ─

■ to the extent that + S + V ~ : ~하는 정도로〔정도까지〕
정도를 나타내는 부사절로 쓰인다.

The carpet was badly stained **to the extent that** you couldn't tell its original color.
그 카펫은 당신이 원래 색을 알아볼 수 없을 정도로 심하게 더럽혀져 있었다.

12 have disappeared → had disappeared

The medical writer, Thomas McKeown, showed that

　　　　　　　S　　　　　　　　　　　　　V
most of the fatal diseases of the 19th century have
　　　　　　　　　　　　O
disappeared before the arrival of antibiotics or
immunization programmes.

| 해설 | 주절동사가 과거시제(showed)이고, 목적어 역할을 하는 that절에서 '치명적인 질병의 대부분(most of the fatal diseases)'이 사라진 것은 그 이전 시제이므로, 현재완료(have disappeared)를 과거완료(had disappeared)로 고쳐 써야 한다.

| 해석 | 의학 저술가인 Thomas McKeown은 19세기의 치명적인 질병의 대부분은 항생제나 예방접종 프로그램이 나오기 이전에 사라졌다는 것을 보여주었다.

13 must have been → must be

Scientists say that there must be an alternative

　S　　　V　　　　　유도부사　　V'　　　　　S'
　　　　　　　O(that절)

source of energy [such as hydrogen [which can support bacteria living under the Earth's surface without sunlight]].

전치사구 / 관계대명사절(주격) / 분사구 후치수식

| 해설 | 밑줄 친 must have p.p.는 '~했음에 틀림없다'의 의미로 과거 사실에 대한 추측을 나타낸다. 그런데, 이 문장의 뒤에 연결되는 관계대명사절은 which can support bacteria living under the Earth's surface without sunlight로 '햇빛이 없는 지구 표면 아래에 살고 있는 박테리아를 부양할 수 있는'의 의미로 현재 사실을 나타내고 있기 때문에 밑줄 친 부분을 must be로 써야 현재 시제에 대한 추측으로써 '대체 에너지원이 (현재) 틀림없이 존재하고 있다'의 의미가 되어 맞는 문장이 된다.

| 해석 | 햇빛이 없는 지구 표면 아래에 살고 있는 박테리아를 부양할 수 있는 수소와 같은 대체 에너지원이 틀림없이 존재하고 있다고 과학자들은 말한다.

14 should take place → had taken place

It was difficult to determine exactly where the car accident had taken place. Many witnesses insisted that the accident had taken place on the crosswalk.

가주어 V C / 진주어 / S V / O

| 해설 | 주절 동사로 insist(주장하다)가 쓰여 있어 that절 속에 조동사 should를 쓸 경우 '많은 목격자들은 그 사고가 횡단보도에서 일어나야만 한다고 주장했다'는 의미가 되어 어색한 문장이 된다. 따라서 that절 속에는 당위성의 조동사 should를 쓰지 못하며, 주절 동사인 insisted(과거 시제)보다 이전에 일어난 동작이므로 과거완료 시제 (had taken place)로 고쳐야 한다.

| 해석 | 그 자동차 사고가 어디에서 일어났는지를 정확하게 단정하기가 어려웠다. 많은 목격자들은 그 사고가 횡단보도에서 일어났었다고 주장했다.

15 moved → move

Newton explained why the planets move in ellipses around the sun from his law of universal gravitation.

S V O / 부사구

| 해설 | 문장의 <S+V>가 Newton explained(Newton은 설명했다)로 과거 시제로 쓰여 있지만 the planets moved in ellipses around the sun(행성들은 태양 주변을 타원형으로 돈다)은 불변의 진리이므로 주절 동사 시제와 관계없이 현재 시제(move)로 써야 한다.

| 해석 | Newton은 그의 만유인력의 법칙으로부터 행성들이

태양 주변을 타원형으로 도는 이유를 설명했다.

16 was done → (should) be done

City officials went to the state capital again and again to ask that something (should) be done about quieting the highway noise.

S V 부사구 부사구 / 부사적 용법(목적)

| 해설 | '요구하다'의 뜻으로 쓰인 ask 뒤에 이어지는 that절의 내용은 '고속도로의 소음을 줄이기 위해 뭔가가 (당연히) 행해져야만 한다'의 의미가 되어야 적절하므로 (should) be done이 되어야 한다.

| 해석 | 시 공무원들은 고속도로의 소음을 줄이는 일에 관해 어떤 조치를 취해 줄 것을 요구하기 위해 여러 차례 주 의회에 갔다.

CHAPTER 06 부정사

PATTERN PRACTICE [유형 훈련]   본문 73쪽

01 keeping

Emily regrets keeping it a secret. She thinks (that) she should have told her friend the truth.

S V / S V / O(접속사 that 생략)

| 해설 | 뒤에 쓰인 문장이 '진실을 말했어야만 했다고 생각한다.'로 해석되므로, 앞 문장은 '그것을 비밀로 간직했던 것(과거 사실)을 후회한다'의 의미가 되어야 자연스럽다. 따라서 동명사 keeping이 와야 한다. 「regret + to부정사」는 '~하게 되어서 유감이다'의 의미를 가진다.

| 해석 | Emily는 그것을 비밀로 간직했던 것을 후회한다. 그녀는 친구에게 진실을 말했어야만 했다고 생각한다.

02 to represent

[Although the exact function of the earliest map is unknown,] the discovery of it makes one thing certain: humans have long desired to represent their physical surroundings.

부사절 / S V C / O.C S V(long은 부사) O

| 해설 | humans have long desired [to represent / to be represented] their physical surroundings 구조로 동사 have desired 뒤에 쓰인 to부정사의 행위 주체는 주어인 humans 이므로 능동형 부정사인 to represent를 써야 한다.

(주석: S / V / O, 'to represent / to be represented' 아래 '사람들이 그들의 물리적인 환경을 표현하다')

| 해석 | 최초로 제작된 지도의 정확한 기능은 비록 알려져 있지 않지만, 그 지도의 발견은 한 가지 사실을 확실하게 해 주는데, 인간은 오랫동안 그들의 물리적인 환경을 나타내기 위해 왔다는 것이다.

03 develop

Involving your children in conversation helps develop their language and vocabulary skills.

(주석: S / V / O)

| 해설 | helps 뒤에 develop이 오면 <V+V'> 구조가 되어 틀린 문장으로 판단하기 쉽지만, 이 문장은 'V(helps) + O(to develop)' 에서 to가 생략된 형태이기 때문에 develop이 오는 것은 적절하다. developing이 되려면 동사가 cannot help ~ing(~할 수 밖에 없다) 형태로 쓰여야 하는데, 이 문장에서는 의미도 맞지 않는다.

| 해석 | 당신 자녀들을 대화에 끌어들이는 것은 그들의 언어와 어휘 능력을 개발하는 데 도움을 준다.

04 restrict

Drinking an adequate amount of fluid each day helps to keep our bodies healthy. [If you have a kidney or liver problem], however, the first thing [(that) you have to do] is restrict your intake of fluid.

(주석: S / V / O / 부사절 / S / 관계대명사절(목적격 생략) / V / C)

| 해설 | 문장의 동사(is) 뒤에 또 다른 동사원형인 restrict가 연결되면 어색한 문장으로 판단하여 is restricted(수동태) 형태로 답을 고르기 쉽다. 그러나 이 문장의 원래 형태는 the first thing [(that) you have to do] is to restrict your intake of fluid로, 주격 보어로 쓰인 to부정사(to restrict)에서 to가 생략된 형태이다. 이와 같이 to 부정사가 be동사 뒤에서 주격 보어 역할을 하는 경우에 to를 생략하고 원형부정사(동사원형)를 쓸 수 있는 경우가 있다.

| 해석 | 매일 적당량의 음료를 마시는 것은 우리 몸을 건강하게 유지해 준다. 그러나 당신이 만약 신장이나 간에 문제가 있다면, 당신이 제일 먼저 해야 할 일은 음료 섭취를 제한하는 것이다.

Plus Tip

■ S + be + (to) 동사원형

: be동사 뒤에 쓰인 to부정사가 보어 역할을 할 때, to가 생략되어 원형부정사(동사원형) 형태로 쓰이기도 하므로 유의한다. 이런 경우 문장의 주어는 'all / the only(first / best) thing 등의 목적격 관계대명사의 수식을 받거나, 관계대명사 what이 이끄는 절이 주어로 쓰이는 것이 보통이다.

ex) All
The only(first / best) thing (that) you have to do
What

is (to) get out of the box of traditional thinking.

네가 해야만 하는 모든 것(유일한 것/첫 번째 것/최선의 것)은 전통적인 사고방식의 틀에서 벗어나는 것이다.

05 to use

To show respect to the receiver, it is customary in several Asian cultures to use two hands [when giving gift to another person].

(주석: 부사구 / 가주어 / C / 부사구 / 진주어 / 부사절)

| 해설 | it is customary in several Asian cultures [using / to use] two hands ~는 '가주어–진주어' 용법으로 쓰인 문장 구조이므로 진주어 역할을 하는 to use가 와야 한다.

(주석: 가주어 / C / 진주어)

| 해석 | 받는 사람에게 존경심을 보여주기 위해서, 타인에게 선물을 줄 때 몇몇 아시아 국가들에서는 두 손을 사용하는 것이 관습적이다.

06 to have obtained

This island is said to have obtained its name from the desire [(that) Christopher Columbus felt of seeing land on his second voyage in 1493].

(주석: S / V / to부정사 / 관계대명사절(목적격 생략))

| 해설 | This island is said에서 동사 시제는 '이 섬은 (~라고) 일컬어진다'의 의미로 현재 시제이다.

This island is said ┌ to obtain its name ~
　　　　현재 시제　　　동일형(→ 현재 시제)
　　　　　　　　　　└ to have obtained its name ~
　　　　　　　　　　　이전형(→ 과거 시제)

따라서, 의미상 문장의 본동사인 is said보다 한 시제 이전을 나타내는 to have obtained가 와야 한다.

| 해석 | 이 섬은 크리스토퍼 콜럼버스가 1493년에 그의 두 번째 항해에서 육지를 보려고 느꼈던 욕망으로부터 그 이름을

얻게 되었다고 일컬어진다.

07 **to be painted**

In India, some women have red marks [called *tikas*],
which were once symbols of marriage [worn by all
married women] [to be painted on their foreheads].

| 해설 | 이 문장은 symbols of marriage worn by all
married women 형태로 분사구가 명사를 수식하고 있고, 네모 안의
to부정사 또한 symbols of marriage to paint / to be painted
형태로 명사를 수식하는 구조이다. 이 구조에서 '그려진 결혼의 상징' 이
란 의미로 부정사와 수식받는 명사가 수동 관계가 되는 것이 자연스러
우므로 to be painted가 와야 한다.

| 해석 | 인도에서는 일부 여성들이 'tikas' 라 불리는 빨간 점
을 가지고 있는데, 그것은 한때 모든 기혼 여성들이 지녔던 결혼
의 상징으로 그들의 이마 위에 그려졌다.

08 **so unskilled as to**

Some birds catch the insects out of the air close to
our head, but would never be so unskilled as to fly
into our hair.

| 해설 | so unskilled as to fly ~는 '날아올 정도로 서투른' 이라
는 의미이고, unskilled so as to fly ~는 '날아가기 위해 서투른' 이
라는 의미이다. 문맥상 네모 안에는 「so + 형용사 + as to부정사(~할
정도로 매우 …한)」의 형태가 와야 한다.

| 해석 | 일부 새들은 우리 머리 가까이 있는 공중에서 곤충을
잡지만, 우리 머리카락 속으로 날아올 정도로 절대 서투르지는
않다.

09 **to enlarge**

In Africa, there is a unique kind of woodpecker.
[When it is ready to mate,] it locates a proper tree
with a hole sufficient for the female and male to
enlarge for their nest.

| 해설 | 전치사구로 쓰인 with a hole (which is) sufficient
「주격 관계대명사 + be동사」 생략

for the female and male enlarge / to enlarge for their
nest에서 for the female and male to enlarge for their nest
의미상의 주어   to부정사
의 문법적인 구조가 적절하므로 to enlarge가 와야 한다.

| 해석 | 아프리카에는 특이한 종류의 딱따구리가 있다. 짝짓
기할 준비가 되었을 때, 그 딱따구리는 암컷과 수컷이 그들의 둥
지를 위해 넓히기에 충분한 구멍을 가진 나무를 찾는다.

10 **to have been closely related**

The extinction of the *Neanderthals* seems to have
been closely related to climate change.

| 해설 | 문장의 본동사로 현재 시제(seems)가 쓰여 있는데, 네모
안의 내용은 그보다 이전인 과거 사실에 대한 것이므로 이전형으로 쓰
여야 하며, '~와 관련되다' 의 의미로는 be related to(수동태) 로 쓰기
때문에 to have been closely related가 와야 한다.

| 해석 | 네안데르탈인의 멸종은 기후 변화와 밀접하게 관련이
있었던 것처럼 보인다.

11 **to be located → to locate**

The short ultrasound wave-lengths enable bats to
locate exactly even very small moving objects, such
as mosquito-sized insects.

| 해설 | be located는 '~에 위치하다' 라는 의미인데, <O + O.C>
구조를 bats to be located exactly even very small moving
objects로 보면 '박쥐가 심지어 움직이는 매우 작은 물체를 정확하게
위치한다' 라는 어색한 문장이 된다. 따라서 수동형(to be located)을
능동형(to locate)으로 고쳐 '박쥐가 물체를 찾아낸다' 는 의미가 되도
록 해야 한다.

| 해석 | 극초음파 파장은 박쥐가 모기 크기의 곤충과 같은 움
직이는 매우 작은 물체조차도 정확하게 찾도록 해 준다.

12 **too small to observe → too small to be observed**

As early as 1840, the noted German anatomist,
Jacob Henle, identified the existence of infectious
agents [that were too small to be observed with the
관계대명사절(주격)
ordinary microscope].

| 해설 | 선행사(infectious agents)를 관계대명사 that 뒤로 넘기면 infectious agents were too small to observe with the ordinary microscope로 '전염균이 관찰하다'는 의미가 되어 어색하므로, 주어(infectious agents)가 '관찰된다'는 수동적 의미가 되도록 to observe를 수동형인 to be observed로 고쳐야 한다.

| 해석 | 일찍이 1840년에, 유명한 독일 해부학자인 Jacob Henle는 너무 작아서 보통 현미경으로는 관찰될 수 없는 전염균의 존재를 확인했다.

13 고칠 필요 없음

[As decades of chemical pollution have seriously damaged the ozone layer of the upper atmosphere,] we cannot afford to postpone the total banning of chemical refrigerant known as CFCs.

| 해설 | we cannot afford to postpone에서 cannot afford는 '~할 여유가 없다'라는 뜻으로 목적어로 to부정사를 취하기 때문에 맞는 문장이다.

| 해석 | 수십 년간의 화학적인 오염이 대기층 상부의 오존층을 심각하게 손상시켜 오고 있기 때문에, 우리는 CFCs로 알려져 있는 화학적 냉동제의 전면적인 금지를 미룰 여유가 없다.

14 making → to make

It only takes 10 to 15 minutes of sun exposure to make adequate amounts of Vitamin D.

| 해설 | 문맥상 '…하는 데 ~의 시간이 걸리다'라는 뜻의 「It(가주어)+take+시간+to부정사(진주어)」 구조가 적절하므로, 밑줄 친 making을 진주어 역할을 하는 to부정사 형태인 to make로 고쳐야 한다.

| 해석 | 적절한 양의 비타민 D를 만드는 데에는 단지 10 내지 15분 동안 햇빛에 노출되기만 하면 된다.

15 고칠 필요 없음

Children come [from many different cultural, ethnic, and religious backgrounds]. This means that it is difficult to agree on which set of values to teach.

| 해설 | 밑줄 친 which set of values to teach는 「의문형용사+명사+to부정사」 형태로 쓰였기 때문에 맞는 문장이다.

| 해석 | 아이들은 많은 다양한 문화적, 인종적 그리고 종교적 배경으로부터 온다. 이것은 어떤 가치 체계를 가르칠지에 관하여 합의하기가 어렵다는 것을 의미한다.

Plus Tip
■ 의문사 + to부정사

① 의문사 what, when, where, how 등이 to부정사와 결합하여 명사적 용법으로 쓰이는데, 주로 목적어 역할을 하는 경우가 많다.

He has not decided **when to resign** from his job.
그는 그의 직장에서 언제 은퇴할지를 아직 결정하지 못했다.

② which와 what은 의문형용사로 「which/what + 명사 + to부정사」 형태로 쓰일 수도 있다.

Tiny cells in the nerves direct **which part of our body to move**.
신경에 있는 작은 세포들이 우리 몸의 어떤 부분을 움직일지를 지시한다.

16 고칠 필요 없음

Some of the animals have tusks and horns to protect themselves with. Others have wings with which to fly away from danger.

| 해설 | 목적어로 쓰인 wings 뒤에서 「전치사+관계대명사+to부정사」로 쓰인 to부정사구가 wings를 수식하는 형용사적 용법으로 쓰인 형태로 맞는 문장이다.

| 해석 | 그 동물들의 일부는 자신을 보호할 엄니와 뿔을 가지고 있다. 다른 동물들은 위험으로부터 벗어나 날아갈 수 있는 날개를 가지고 있다.

Plus Tip
■ (대)명사 + 전치사 + 관계대명사 + to부정사

: to부정사의 형용사적 용법인데 「전치사 + 관계대명사 + to부정사」 형태로 앞에 있는 (대)명사를 수식하는 구조이다.

ex) I need a man **with whom to work**.

= I need a man **with whom I will work**.
나는 함께 일할 사람을 필요로 한다.

There is no chair **on which to sit**.

= There is no chair **on which I can sit**.
내가 앉을 의자가 없다.

| 해석 | 엄청난 양의 물 사용, 특히 지하수를 퍼 올리는 것은 고갈되고 있는 천연자원을 채굴하는 것과 같다.

CHAPTER 07 동명사

PATTERN PRACTICE [유형 훈련]   본문 82쪽

01 developing

[Because the play requires three to four participants
$\underset{부사절}{}$
working closely together,] it is also great for developing
                        S V   C   부사구
cooperative skills among children.

| 해설 | 전치사 for 뒤에서 목적어 역할을 하는 형태로 명사 (development)와 동명사(developing) 둘 다 쓰일 수 있지만, 뒤에 연결되는 cooperative skills를 목적어로 취하여 developing cooperative skills와 같이 '협력 기술을 개발하다' 의 의미가 되어야 하기 때문에 동명사인 developing이 와야 한다.

| 해석 | 그 놀이는 서 너 명의 참가자가 함께 긴밀하게 일하는 (노력하는) 것을 필요로 하기 때문에, 아이들 간의 협력 기술을 개발하는 데도 좋다.

02 releasing

Many scientists have been studying the effects [that
     S   V   O 관계대명사절(목적격)
releasing excessive amounts of carbon dioxide into
S'
the atmosphere can have on the world's oceans].
                 V'

| 해설 | 네모 앞에 쓰인 that은 the effects를 선행사로 가지는 목적격 관계대명사이며, that절 속에서 동사로 쓰인 can have의 주어 역할을 할 수 있는 동명사(releasing)가 와야 한다.

| 해석 | 많은 과학자들은 지나친 양의 이산화탄소를 대기 중으로 방출하는 것이 지구 대양에 미칠 수 있는 영향을 연구해 오고 있다.

03 mining

A considerable amount of water use, especially the
                  S
pumping of ground water, is like mining the
       삽입구   V   부사구
depleting natural resources.

| 해설 | 이 문장은 동사 mine과 동명사 mining 둘 다 '고갈되는

04 teaching

In the field of sports we clearly see how much
          부사구   S   V
children can learn without anyone teaching them
                                  O
anything.

| 해설 | without anyone teach / teaching 에서 전치사 (without) 뒤에 anyone teach로 <S+V>를 쓸 수 없고, 「without + anyone + teaching」 구조가 되어야 하므로 teaching이 와야 한다.
                                    의미상 주어   동명사
| 해석 | 스포츠 분야에서, 우리는 누군가가 아이들에게 어떤 것을 가르쳐주지 않아도 아이들은 너무도 많이 배울 수 있다는 사실을 분명히 알고 있다.

05 building

Prairie dogs devote much of their time to building
     S   V   O   부사구
their homes for protection from predators and weather.
                     부사구
| 해설 | Prairie dogs devote much of their time 뒤에 나오
            S   V   O
는 to는 앞의 동사 devote와 연결되어 「devote A to B」의 형태로 'B에 A를 바치다'의 의미로 to부정사가 아니라 전치사 역할을 하기 때문에 동명사인 building이 적절하다.

| 해석 | Prairie dogs는 포식자와 날씨로부터의 보호를 위하여 그들의 집을 짓는 데에 대부분의 시간을 보낸다.

06 use to carry out

Organisms get the energy [(that) they use to carry
     S   V   O   관계대명사절(목적격 생략)
out their life processes] from the chemicals in food.
                              부사구
| 해설 | 선행사 the energy를 관계사절로 넘기면 「S(they)+V (use)+O(the energy)+ 부정사구(to carry out ~)」 구조로 쓰이기 때문에 use to carry out이 와야 한다.

| 해석 | 유기체들은 그들의 삶을 영위하는 데 사용하는 에너지를 음식물 속의 화학물질로부터 얻는다.

07 being banned

The overuse of salt causes high blood pressure,

S   V   O
which leads [to salt being banned from baby food].

S'   V'   부사구

| 해설 | leads to(~로 이끌다) 뒤의 '의미상 주어 + 동명사'의 관계는 leads to + salt + being banned(소금이 금지되다)의 의미이기 [수동 관계] 때문에 수동형(being banned)이 와야 한다.

| 해석 | 소금의 과용은 고혈압을 초래하며, 이 사실은 소금이 유아용 음식에서 금지되도록 이끌고 있다.

08 examining

It is worth examining just how powerful an effect

가주어V   C   진주어
climate really has on our species from an evolutionary perspective.

| 해설 | 형용사 worth(~할 가치가 있는)는 관용적으로 be worth ~ing로 써서 '~할 가치가 있다'는 뜻으로 쓰인다. 이 문장은 ~ing로 쓰인 부분이 길어서 「It(가주어) + is + worth + examining ~(진주어)」 형태로 쓰인 문장이다.

| 해석 | 기후가 진화의 관점에서 우리 종(種)에게 얼마나 강력한 영향을 실제로 미치는지를 검토하는 것은 가치가 있다.

09 exposing → being exposed

Scientists agree that being exposed to a wide range

S   V   O(that절)   S'
of allergens early in life helps children to develop

                      V'   O'   O.C'
greater immunity.

| 해설 | 능동형으로 쓰인 exposing은 exposing to ~ in life가 '인생에서 일찍 광범위한 알레르기 물질에 노출시키는 것'으로 해석되어 어색하다. 따라서 '인생에서 일찍 광범위한 알레르기 물질에 노출되는 것'이라는 의미가 되도록 수동형인 being exposed로 고쳐야 한다.

| 해석 | 과학자들은 어린 시절에 광범위한 알레르기 물질에 노출되는 것이 아이들로 하여금 더 큰 면역을 발달시키는 데 도움을 준다는 사실에 동의한다.

10 try → trying 또는 to try

However, [if you are eating burgers and ice cream to

                            부사절
feel comforted, relaxed and happy], trying to replace

                                     S
them with broccoli and carrot juice is like dealing

                                   V   부사구
with a leaky bathroom tap by repainting the kitchen.

| 해설 | if로 시작된 부사절 뒤에서 trying ~ [S] + is[V] 형태로 주절이 쓰여야 하기 때문에, 주어 역할을 할 수 있는 동명사 형태(trying) 또는 to부정사 형태(to try)로 써야 한다.

| 해석 | 그러나 당신이 위로받고, 편안하고, 행복한 기분을 느끼기 위해 햄버거나 아이스크림을 먹는다면, 그것들을 브로콜리나 당근주스로 바꾸려고 하는 것은 화장실의 수도꼭지가 새는데 부엌의 페인트칠을 다시 하는 것과 같다.

11 to prevent → to preventing

One researcher said, "We are using genetics [to

S   V   S'   V'   O'
move from treating the disease after it happens

           부정사구(목적)
to preventing the worst symptoms of the disease
before it happens]."

| 해설 | 「from A to B(A에서 B로)」는 from과 to 모두 전치사이기 때문에 뒤에 동시원형을 쓸 수 없고 동명사로 써야 한다. 따라서 from treating ~ to prevent에서 prevent를 preventing으로 고쳐야 한다.

| 해석 | 어떤 연구자는 "우리는 질병이 발생한 후에 그것을 치료하는 것으로부터 질병이 발생하기 전에 그것의 최악의 증상을 예방하는 쪽으로 전환하기 위해 유전학을 이용하고 있다."고 말했다.

12 고칠 필요 없음

[When glaciers were moving to villages,] ancient

                     부사절
people thought (that) it was a hint of their having

S   V   O(접속사 생략)
done something to anger the gods.

| 해설 | it was a hint of their having done something

        V[과거]   의미상 주어 이전형 동명사[과거완료]
구조로 쓰여 '그것은 그들이 무언가를 했다는 암시였다.'로 해석되며, 시제상 앞의 본동사(was)보다 이전에 일어난 일이므로 이전형 동명사(having done)가 맞게 쓰였다.

| 해석 | 빙하가 마을로 이동해 올 때, 옛날 사람들은 그것이 신을 분노케 하는 무엇인가를 그들이 했다는 암시라고 생각했다.

CHAPTER 08 분사/분사구문

PATTERN PRACTICE [유형 훈련]

01 satisfying

Being musicians and playing together in a group
looked like more fun and was more satisfying.

| 해설 | Being musicians and playing together in a group was more satisfying '음악가가 되고 그룹을 이루어 함께 연주를 하는 것이 더 만족스럽게 해 주었다'의 의미로 능동의 의미를 가지므로 현재분사인 satisfying이 와야 한다.

| 해석 | 음악가가 되고 그룹을 이루어 함께 연주를 하는 것이 더 재미있어 보였으며, 보다 만족스러운 것이었다.

02 occurring

Mineral resources can be defined as naturally
occurring substances [that can be extracted from the
Earth and are useful as fuels and raw materials].

| 해설 | '자연적으로 발생되는 물질'이라고 해석하여 naturally occurred substances로 쓰기 쉬운데, 동사 occur는 자동사이기 때문에 과거분사(occurred)를 쓸 수 없고 현재분사(occurring)를 써서 수식해야 한다.

| 해석 | 광물자원은 지구에서 채굴되고 연료와 원자재로 유용한 자연 발생 물질로 정의될 수 있다.

03 observing

He goes on to describe his daily routine of strolling
through the village observing the intimate details of
family life.

| 해설 | He goes on to describe his daily routine ~
observing(능동)
observed (수동) — the intimate details of family life에서

'그가 가정생활의 사소한 세부사항들을 관찰하면서'의 의미로 주어(He)와 능동관계에 있으면서 뒤에 오는 the intimate details를 목적어로 가지는 observing이 와야 한다.

| 해석 | 그는 가정생활의 사소한 세부 사항들을 관찰하면서 마을 구석구석을 이리저리 돌아다니는 판에 박힌 일과에 대해서 계속 기술하고 있다.

04 Manufactured

[Manufactured commercially just about eighty years
ago,] aluminum today ranks behind only iron and steel
among metals serving humankind.

| 해설 | 분사구문이 쓰인 문장인데, 주절의 주어인 aluminum을 분사 앞에 써 보면 aluminum was manufactured commercially '알루미늄이 상업적으로 만들어졌다'로 수동의 의미가 맞기 때문에 수동의 의미를 가지는 과거분사(Manufactured)가 와야 한다.

| 해석 | 불과 약 80년 전에 만들어졌지만 알루미늄은 오늘날 인류에게 도움을 주는 금속들 중에서 단지 쇠와 강철 다음에 위치한다.

05 Having made

[Having made his first movie earlier this year,] he is
presently starring in a new musical.

| 해설 | 분사구문의 시제(동일형/이전형)를 묻는 문제로 주절 동사가 현재 시제(is)로 쓰여 있기 때문에
Making(동일형) → makes(현재)
Having made(이전형) → made(과거) 의 의미를 가진다.
그런데 네모 뒤에 earlier this year(올해 초에)가 쓰여 과거 시점을 나타내기 때문에 주절보다 이전 시제인 Having made가 와야 한다.

| 해석 | 올해 초에 그의 첫 번째 영화를 만든 후에, 그는 현재 새로운 뮤지컬에서 주연을 맡고 있다.

06 By using

By using this oil paint, painters were able to express
the light [glowing on furniture or on people's skins].

| 해설 | 네모 안에 Used with를 쓰면 분사구문인데, 주절의 주어와 연결하면 Painters were used with this oil paint로 '화가들

CHAPTER 08 분사/분사구문 ● 23

이 이 유화 물감을 가지고 이용되었다'와 같이 해석되어 의미가 맞지 않는다. 따라서 부사구인 By using this oil paint((화가들이) 유화 물감을 이용함으로써)가 와야 한다.

| 해석 | 이 유화 물감을 이용함으로써, 화가들은 가구나 사람들의 피부 위에 빛나는 빛을 표현할 수 있었다.

07 held

Remove all residual moisture by drawing it away,

V   O   부사구
with a vacuum cleaner held over the affected areas

with 동시동작
for up to twenty minutes.

| 해설 | with를 이용한 동시동작 표현으로 with를 제외한 문장형태로 써 보면, a vacuum cleaner is held over the affected areas ~ '진공청소기가 젖은 부분 위로 잡혀 있다'의 의미로 수동 관계에 있기 때문에 과거분사인 held가 와야 한다.

| 해석 | 이십 분 정도 물에 젖은 부분 위로 진공청소기를 잡은 채로 모든 남아있는 습기를 끌어내어 제거하라.

08 changing

Nature puts on an incredible display, [changing the

S   V   O   동시동작
leaves of trees from ordinary green to intense
yellows and reds].

| 해설 | changes를 쓰면 앞에 쓰인 동사(puts)와 함께 한 문장에 접속사 없이 두 개의 동사가 쓰이는 형태가 되어 맞지 않으며, changing을 써서 문맥상 동시동작으로 해석되는 분사구문이 되어야 한다.

| 해석 | 자연은 평범한 푸른색에서 강렬한 노란색과 붉은색에 이르기까지 나뭇잎을 바꾸어 가면서 한껏 자태를 과시한다.

09 limited

[However limited your ability may be,] you can

                부사절   S
make an important contribution to your school.

V   O

| 해설 | 「However + 형용사(부사) + S + V」 형태로 쓰여 '아무리 ~일지라도'로 해석되는 문장이다. 이 문장은 네모 안의 분사를 뒤로 넘기면, your ability may be limited(당신의 능력은 제한되어 있다)의 의미로 주어와 수동 관계에 있기 때문에 limited가 와야 한다.

| 해석 | 아무리 당신의 능력에 한계가 있더라도, 당신은 학교를 위해 중요한 기여를 할 수 있다.

Plus Tip

■ However(No matter how) + ~ing / p.p. + S + V
: 아무리 ~일지라도

~ing / p.p.를 문장 뒤로 넘겨서 판단한다.

However boring the book is ∨, you must read it.

                    ↑

아무리 그 책이 지루할지라도, 너는 그것을 읽어야만 한다.

10 released

[Once released into the atmosphere,] these gases

                   분사구문   S
trap heat and cause a gradual warming of the earth

V_1 O_1 V_2 O_2
[known as the "greenhouse effect"].

          분사구

| 해설 | 접속사(Once) 뒤에 「S(these gases) + be동사(are)」가 생략되어 these gases are released into the atmosphere(이 가스들은 대기 중으로 방출된다)의 의미로, 수동태가 되도록 과거분사 released가 와야 한다.

| 해석 | 일단 대기 중으로 방출되면, 이 가스들은 열을 가두고 '온실효과'라고 알려진 지구의 점진적인 온난화를 초래한다.

11 damaged → damaging

[Given that music appears to enhance physical and

   분사구문
mental skills,] are there circumstances [where music

             V   유도부사   S   ↑
is damaging to performance]?   관계부사절

| 해설 | 관계부사절 속의 문장이 music is damaging to

                            능동 관계
performance로 '음악이 작업 수행에 피해를 준다'의 의미로 능동 관계이기 때문에 현재분사인 damaging으로 고쳐야 한다.

| 해석 | 음악이 신체적, 정신적 기술을 향상시키는 것처럼 보인다는 점을 고려할 때, 음악이 작업 수행에 해를 끼치는 상황이 있는가?

12 고칠 필요 없음

Some young people choose jobs [that have modest

         S   V   O   관계대명사절(주격)

incomes but are very rewarding in other ways].

| 해설 | 선행사로 쓰인 jobs를 관계사절로 넘기면 jobs are very rewarding은 '직업들이 매우 보람이 있다'는 의미로 능동 관계가 되어 문맥이 자연스럽다. 과거분사 rewarded를 쓰면 보상을 받는 것은 사람인데, jobs are very rewarded(직업들이 매우 보상을 받는다)는 의미가 되어 문맥에 맞지 않는다.

| 해석 | 일부 젊은 사람들은 수입은 별로 많지 않지만 다른 면에서 매우 보람이 있는 직업들을 선택한다.

13 Giving → Given

[Given thirty minutes to describe herself,] Mary
              분사구문   S
couldn't say anything for a moment.
   V   O   부사구

| 해설 | 분사구문에 주절의 주어(Mary)를 써서 연결하면, Mary gave thirty minutes to describe herself(Mary는 자신을 설명하기 위한 30분을 주었다)인데, 주절이 Mary couldn't say anything ~(Mary는 아무 말도 할 수 없었다)이므로 문맥에 맞지 않는다. 따라서 수동의 의미인 Given으로 고쳐야 한다.

| 해석 | 그녀 자신을 설명하도록 30분의 시간이 주어졌을 때, Mary는 잠시 동안 아무 말도 할 수 없었다.

14 We considering → Considering

[Considering the effect of higher temperatures on
            비인칭 독립 분사구문
crop yields,] the urgency of cutting carbon emissions
                              S
sharply cannot be overlooked.
               V

| 해설 | We considering은 「명사 + ~ing」 형태로 쓰인 독립 분사구문이며, 풀어 쓰면 We consider(우리가 고려한다)로 의미상 맞는 표현이다. 그러나 '~을 고려하면'의 뜻으로는 의미상 주어 We를 항상 생략하고 쓰기 때문에 Considering(비인칭 독립 분사구문)으로 고치는 것이 옳다.

| 해석 | 농작물 수확에 대한 고온의 영향을 고려하면, 탄소 배출을 대폭 줄여야 하는 절박함은 간과될 수 없다.

15 performed → performing

I laced up her tiny skates, my fingers performing the
S   V   O   의미상의 주어   동시동작
act as if I did it every day.

| 해설 | I laced up her tiny skates, my fingers performed
           S   V   O   S'   V'

the act ~ 로 쓰면 두 개의 문장이 접속사 없이 연결되기 때문에 틀린
    O'
문장이 된다. 따라서 원래 문장은 I laced up her tiny skates, and my fingers performed the act ~ 형태로 두 문장을 연결하는 접속사 and가 필요한데, 뒤에 나오는 문장을 분사구문으로 고쳐서 my fingers performing the act ~로 써야 한다. 이 때, 뒷문장의 주어
           의미상의 주어   동시동작
는 앞문장의 주어와 다르기 때문에 my fingers를 생략하지 않고 써 준다.

| 해석 | 나는 그녀의 작은 스케이트의 끈을 묶어 주었는데, 내 손가락은 마치 그 일을 매일 하는 것처럼 그 행동을 수행했다.

┌─ *Plus Tip* ──────────────

■ S + V ~, 명사(의미상의 주어) + ~ing/p.p. ~

S + V ~, ~ing/p.p. 구조에서 동시동작으로 쓰인 ~ing/p.p.의
                  동시동작
행위주체가 앞의 주어와 다르기 때문에 의미상의 주어를 써 준 형태이다.

ex) They knelt on the floor, **tears** running down their cheeks.
    그들은 마루에 무릎을 꿇었는데, 눈물이 뺨 아래로 흘러내렸다.

A cat suddenly came flying out of the blue sky, **its paws** spread out.
    고양이 한 마리가 발을 편 채로 푸른 하늘로부터 갑자기 날아 왔다.

─────────────────────

16 taken → taking

[With the new rule taking effect in five months,]
    with   동시동작
concerns [over non-English speaking players in the
    S   전치사구
Premier League] are arising.
              V

| 해설 | with를 이용한 동시동작 표현으로 with를 제외하면 수동태로 「S(the new rule) + V(is taken) + O(effect)」로 쓰인다. 그런데 수동태는 목적어를 가질 수 없기 때문에 능동형인 taking으로 고쳐야 한다.

| 해석 | 새로운 법이 5개월 안에 효력을 가지면서, Premier League에 있는 영어를 말하지 못하는 선수들에 대한 걱정이 생겨나고 있다.

17 고칠 필요 없음

The chameleon's ability to change color is its most
                                  S   V   C

outstanding feature, [permitting it to blend into
many different environments].
연속동작 O O.C

| 해설 | 「S(The chameleon's ~ color) + V(is), ~ing (permitting ~)」 구조로 문맥상 연속동작으로 쓰인 문장이다. 주절의 주어를 분사구문에 연결시켜 보면 The chameleon's ability permits it to blend into many different environments로 '카멜레온의 능력은 그것(카멜레온)이 많은 다른 환경 속에 섞이도록 허용해 준다'의 의미이므로 맞는 문장이다.

| 해석 | 색깔을 바꾸는 카멜레온의 능력은 그것의 가장 뛰어난 특징이며, 그 능력은 그것이 많은 다른 환경 속에 섞이도록 허용해 준다.

18 고칠 필요 없음

[Other things being equal], we generally resist change
독립 분사구문   S   V   O
[until the pain of making a switch becomes less than
부사절
the pain of remaining in our current situation].

| 해설 | 「명사 + ~ing」로 쓰인 독립 분사구문 형태인데, 분사구문을 부사절로 고치면 If other things are equal '다른 것들이 같다면'으로 분사구문의 주어(other things)가 주절의 주어(we)와 다르기 때문에 삭제하지 않고 써 주었다. 따라서 맞는 문장이다.

| 해석 | 다른 것들이 같다면, 우리는 일반적으로 변화의 고통이 현 상태에 머물러 있는 고통보다 더 적을 때까지 변화를 거부한다.

19 고칠 필요 없음

[Suspicious about what the man said,] the police
분사구문   S
started to investigate his office.
V   O

| 해설 | 「형용사 ~, S + V ...」 구조의 문장으로 형용사 앞에 being이 생략된 분사구문이다. 즉, 부사절 As the police were suspicious about what the man said를 분사구문으로 고쳐서 Being suspicious about ~로 쓸 수 있는데, 형용사 앞의 being을 생략한 경우이다.

| 해석 | 그 남자가 말한 것에 대해 의심했기 때문에, 경찰은 그의 사무실을 조사하기 시작했다.

20 speaking → spoken

Another girl mentioned that girls were not supposed
S   V   O
to speak unless spoken to. Restraint in speech was
S   V

valued by these students and their families.
부사구

| 해설 | 목적어 역할을 하는 that절 속에서 ~ girls were not supposed to speak [unless (they were) spoken to]. 구조로
S   V
to부정사구   부사절
접속사 unless 뒤에 「S + be동사」 형태인 they(=girls) were가 생략되어 원래 문장은 unless they were spoken to로 「(누군가) 그들에게 말을 걸다」의 의미로 수동태 문장이 적절하기 때문에 speaking을 spoken으로 고쳐야 한다.

| 해석 | 또 다른 여학생은 "여자애들은 누가 말을 걸어오지 않으면 먼저 말해서는 안 된다."고 언급했다. 말에 있어서 절제가 이 학생들과 그들의 가족들에게 가치 있게 여겨졌다.

CHAPTER 09 대명사

PATTERN PRACTICE [유형 훈련]   본문 102쪽

01 it is

[Although American society is productive,] the
부사절
emphasis on academic success is not as strong as it
S   V   C
is in some other countries.

| 해설 | 「as + 원급 + as」로 쓰인 비교 표현인데, 네모 안에 쓰인 주어는 문맥상 앞에 쓰인 주어(the emphasis)를 받기 때문에 단수로 it is가 와야 한다.

| 해석 | 비록 미국 사회가 건설적이긴 하지만, 학문적인 성공에 대한 강조는 일부 다른 국가들에서만큼 강하지는 않다.

02 it

Many people think (that) breakfast hurts their efforts
S   V   O(접속사 생략)
to control calories because it means one more meal.
So they tend to skip their breakfast. But it won't
S   V   O   S   V
work.

| 해설 | 마지막 문장에서 주어는 문맥상 앞 문장의 부정사구인 to skip their breakfast(아침식사를 건너뛰는 것)를 받기 때문에 단수(it)가 와야 한다.

| 해석 | 많은 사람들이 아침식사는 식사를 한 번 더 하는 것을 의미하기 때문에 칼로리를 조절하기 위한 그들의 노력을 망친다고 생각한다. 그래서 그들은 아침식사를 건너뛰는 경향이 있다. 그러나 그것은 효과가 없다.

03 ① their ② them

Supplying food to the poor without teaching how to
<u>S</u>
grow their own food will help them only for as long
<u>V</u> <u>O</u> <u>부사구</u>
as the food lasts.

| 해설 | ①과 ②의 네모 안에 쓰인 대명사는 문맥상 앞의 the poor를 가리키는데, the poor는 '가난한 사람들'로 복수 명사의 의미이기 때문에 네모 안에는 각각 their와 them이 와야 한다.

| 해석 | 먹거리를 재배하는 방법을 가르치지는 않고 가난한 사람들에게 먹거리를 제공하는 것은 단지 그 먹거리가 있을 동안만 그들을 도와줄 뿐이다.

⎯ Plus Tip ⎯

■ the + 형용사(분사)

형용사나 분사 앞에 정관사 the를 쓰면 다음과 같은 의미를 가진다.

① 복수보통명사 : '~ 사람들'의 의미로 복수 취급한다.

> the rich 부자들   the dead 죽은 사람들
> the wounded 부상자들   the aged 노인들
> the handicapped(disabled) 장애인들

The aged deserve respect for their experience and wisdom. 노인들은 그들의 경험과 지혜 때문에 존경을 받을 만하다.

② 추상명사 : '~인 것'의 의미로 단수 취급한다.

> the true 진리   the ordinary 평범한 것
> the necessary 필요한 것 the expected 예상된 것
> the unknown 알려지지 않은(미지의) 것

Sometimes **the true** has its root in **the ordinary**.
때로 진리는 평범한 것 속에 그 뿌리를 가지고 있다.

04 it

By comparison, evaluation of performances such as
<u>S</u>

diving, gymnastics, and figure skating is more
<u>V</u> <u>C</u>
subjective — although elaborate scoring rules help
<u>S</u> <u>V</u>
(to) make it more objective.
<u>O</u>

| 해설 | elaborate scoring rules help make it / them more objective를 해석해 보면 '정교한 점수 규정이 그것/그것들 을 더 객관적인 것으로 만드는 데 도움을 준다'인데, 문맥상 앞에 쓰인 단수 명사인 evaluation을 지칭하기 때문에 it이 와야 한다.

| 해석 | 그에 비해, 정교한 점수 규정이 평가를 더 객관적인 것으로 만드는 데 도움을 주기는 하지만, 다이빙, 체조, 피겨스케이팅과 같은 동작에 대한 평가는 더 주관적이다.

05 its

In spite of its ethnic mix, Singapore has one of the
<u>부사구</u> <u>S</u> <u>V</u> <u>O</u>
world's lowest crime rates, according to the official
<u>부사구</u>
report.

| 해설 | In spite of its / their ethnic mix의 네모 안의 대명사는 문맥상 뒤에 쓰여 있는 주어(Singapore)를 받으므로 단수 its가 와야 한다.

| 해석 | 인종적인 혼합에도 불구하고, 공식적인 보고에 따르면 싱가포르는 세계에서 가장 낮은 범죄율을 가진 나라 중 하나이다.

⎯ Plus Tip ⎯

■ 미리 쓰인 대명사

대명사가 뒤에 쓰인 주어를 미리 받을 수도 있다.

Because of **its**(→Korea's) geographical location, Korea has had many attacks from neighboring countries.
그 지리적인 위치 때문에, 한국은 주변 국가들로부터 많은 공격을 받아 왔다.

06 them

There is a magical power with numbers, and people
<u>유도부사</u> <u>V</u> <u>S</u> <u>부사구</u> <u>S</u>
tend to give them various sorts of significance.
<u>V</u> <u>I.O</u> <u>D.O</u>

| 해설 | people tend to give them / themselves various sorts of significance에서 네모 안에 쓰인 목적어는 문맥상 앞에 쓰인 numbers를 받아 '숫자들에 다양한 종류의 의미를 부여하는 경향이 있다'는 뜻이 된다. 따라서 주어(people)와 일치하지 않기

때문에 재귀대명사 themselves가 아니라 them이 와야 한다.

| 해석 | 숫자는 마술적인 힘이 있으며, 사람들은 그것들(숫자들)에 다양한 종류의 의미를 부여하는 경향이 있다.

07 another

[Sometimes when I'm flying from one speaking engagement to another,] I find myself sitting next to someone who's quite talkative.

| 해설 | from one speaking engagement to another / other 를 해석하면 '한 강연회로부터 다른 강연회로'의 뜻인데, 네모 안의 의미는 '(여러 개 중의) 또 하나의 강연'을 의미하기 때문에 another가 와야 한다. other는 명사를 수식하는 형용사의 기능만 한다.

| 해석 | 때때로 내가 한 강연회로부터 다른 강연회로 비행기를 타고 이동할 때, 나는 나 자신이 매우 수다스러운 사람 옆에 앉아 있는 것을 발견한다.

08 the others

I have five boxes here. One is full of books and the others are all empty.

| 해설 | others / the others are all empty는 문장 속에 all이 쓰여 있어 '나머지는 모두 비어 있다'의 의미이므로 the others가 와야 한다.

| 해석 | 나는 여기 5개의 박스를 가지고 있다. 하나는 책으로 가득 차 있고, 나머지는 모두 비어 있다.

09 that

Large groups do visit wilderness, and their potential to disturb campsites differs from that of small groups.

| 해설 | their potential to disturb campsites differs from that / those of small groups에서 네모 안의 대명사는 의미상 앞의 potential(단수 명사)을 받기 때문에 that이 와야 한다.

| 해석 | 규모가 큰 무리도 황무지를 실제로 방문하는데, 그들이 야영장을 훼손할 잠재적 가능성은 규모가 작은 무리의 그것(훼손할 잠재적 가능성)과는 다르다.

10 themselves → them

Cancer patients demand high-priced drugs [that will keep them alive for only a few months longer], [in hopes that some miracle drug will come along and cure them].

| 해설 | 이 문장은 밑줄 친 themselves가 문장 전체의 주어(Cancer patients)와 일치하기 때문에 재귀대명사가 맞는 것으로 보기 쉽다. 그러나 밑줄 앞에는 주격 관계대명사(that)가 쓰여 있어 선행사(high-priced drugs)를 관계사절로 넘기면 「S(high-priced drugs)+V(will keep)+O(them(→cancer patients))+O.C(alive)」 구조로 목적어가 주어와 일치해서는 안 되기 때문에 them이 와야 한다.

| 해석 | 암 환자들은 어떤 기적의 약이 나와 그들을 치료해 주기를 바라면서, 그들이 단지 몇 개월만이라도 더 살 수 있도록 해 줄 비싼 약을 요구한다.

11 another → other

[Being a hybrid art as well as a late one], film has always been in a dialogue with other narrative genres.

| 해설 | another narrative genres는 우리말로 '다른 서사 장르'로 해석되지만 뒤에 수식받는 명사가 narrative genres로 복수 명사이기 때문에 other로 고쳐야 한다. another는 일반적으로 단수 명사를 수식한다.

| 해석 | 후발 예술이면서 동시에 혼합 예술이기도 한 영화는 다른 서사 장르와 항상 대화를 해왔다.

12 고칠 필요 없음

One of the things [(that) astronomers try to do] is to understand what the universe is like as a whole.

| 해설 | what the universe is like as a whole은 우리말로 '우주는 전체적으로 어떤 모습일까'로 해석되는데, 의문대명사 what이 뒤에 쓰인 전치사 like의 목적어 역할을 하는 형태로 맞는 문장이다.

| 해석 | 천문학자들이 하려고 시도하는 것들 중의 하나는 우주는 전체적으로 어떤 모습일지를 이해하는 것이다.

CHAPTER 10 관계대명사/관계부사

PATTERN PRACTICE [유형 훈련]   본문 108쪽

01 which have

Old coins may bear the only remaining images of
<u>S</u>   <u>V</u>   <u>O</u>
famous historical figures or of buildings [which
have long since disappeared].
관계대명사절(주격)

| 해설 | 이 문장은 등위접속사 or 뒤에서 'S(buildings) +
V(have ~ disappeared)' 형태로 보면 틀리게 된다. 왜냐하면 전치
사 of 뒤에 <S+V>로 절이 쓰일 수 없기 때문이다.
따라서 이 문장은 the only remaining images

┌ of famous historical figures
└ of buildings which have long since disappeared의 구조

로 판단해야 한다.

| 해석 | 옛날 동전들은 유명한 역사적 인물들이나 오래전에
사라진 건물들의 유일하게 남아 있는 모습을 간직하고 있을 수
있다.

02 are

We can use alternative sources of energy [that are
<u>S</u> <u>V</u>   <u>O</u>   관계대명사절(주격)
not as harmful to the environment as those
    as ~ as 원급 비교 구문
[which we are presently using]].
관계대명사절(목적격)

| 해설 | 「선행사 + 주격 관계대명사 + 동사」 구조에서 동사의 수(단
수/복수)를 묻는 문제로 선행사를 관계사절 속으로 보내 〈S(선행
사 + V)〉의 관계로 동사의 수를 결정하면 된다. 일반적으로 선행사는 관
계대명사 바로 앞에 위치하지만 선행사를 수식하는 어구 때문에 떨어질
수 있다. 따라서 이 문장은

energy + is + not as harmful to the environment ~ (에너
<u>S</u>   <u>V</u>   <u>C</u>

지가 환경에 해롭지 않다)가 아니라

alternative sources of energy + are + not as harmful to
<u>S</u>   <u>V</u>   <u>C</u>

the environment ~ (대체 에너지원이 환경에 해롭지 않다)는 의미가

되어야 한다.

| 해석 | 우리는 현재 이용하고 있는 에너지원만큼 환경에 해
롭지 않은 대체 에너지원을 이용할 수 있다.

─ Plus Tip ──────────

■ 선행사 위치 주의

선행사가 항상 관계대명사 바로 앞에 위치하는 것은 아니다.
선행사에 수식어구가 붙어 선행사와 관계대명사가 떨어질 수
도 있다.

We can see lots of photographs of the earth which **are**
                                    선행사
sent back to us through satellites.
우리는 위성을 통해서 우리에게 보내지는 지구의 많은 사진들을 볼 수 있다.

03 who

There are a lot of people in this job [who have
유도부사 V   S   관계대명사절(주격)
stomach problems from the tension].

| 해설 | this job을 선행사로 보면, this job have stomach
problems from the tension이 되어 '이 직업은 긴장감으로부터
생기는 위장병을 가진다'로 해석이 어색하고 동사도 has가 되어야 한
다. 따라서 선행사가 a lot of people(사람)이므로 주격 관계대명사
who가 와야 한다.

| 해석 | 이 직업에는 긴장감으로부터 생기는 위장병을 가진
사람들이 많이 있다.

04 whose

Plants [whose seeds go easily in many directions]
<u>S</u>   관계대명사절(소유격)
are often called weeds [because they grow in
<u>V</u>   <u>C</u>   부사절(이유)
unwanted places].

| 해설 | 관계대명사절 속의 문장이 '주어(seeds) + 자동사(go)'의
구조로 쓰여서 선행사 Plants가 주어나 목적어로 쓰일 수 없기 때문에
which는 답이 될 수 없고, 주어 seeds를 수식하는 소유격이 와야 한다.

| 해석 | 씨앗이 여러 방향으로 쉽게 흩어지는 식물들은 원하
지 않는 곳에서 자라기 때문에 종종 잡초라고 불린다.

05 which

Sewage [which we dump into warm water] creates a
<u>S</u>   관계대명사절(목적격)   <u>V</u>
perfect breeding ground for diseases like cholera.
              <u>O</u>

| **해설** | 관계대명사절은 「S(we)+V(dump)+O(sewage)+부사구(into warm water)」 구조로 선행사 Sewage가 동사 dump의 목적어 역할을 하기 때문에 목적격 관계대명사 which가 와야 한다.

| **해석** | 우리가 따뜻한 물속으로 버리는 하수 오물이 콜레라와 같은 질병을 일으키는 완벽한 온상을 만든다.

06 **through which**

The spectacles [through which you see the world] are $\underset{\text{V}}{\text{are}}$ $\boxed{\text{so}}$ $\underset{\text{C}}{\text{familiar}}$ [$\boxed{\text{that}}$ you hardly notice that you are wearing them].

The spectacles [through which you see the world] — 관계대명사절(목적격)

| **해설** | 선행사인 the spectacles를 관계대명사절 뒤로 넘기면 주어나 목적어 역할을 할 수 없기 때문에 which를 쓸 수 없고, 선행사(the spectacles)와 전치사(through)를 뒤로 넘기면 you see the world through the spectacles (당신은 안경을 통해 세상을 본다)의 의미이므로 through which가 와야 한다.

| **해석** | 당신이 세상을 볼 때 끼는 안경은 너무도 친숙하여 당신은 자신이 그것을 착용하고 있음을 거의 알아차리지 못한다.

07 **who**

One of the key ingredients to success is having a mentor [who (you are sure) will develop your passion for your goals].

who (you are sure) will develop your — 관계대명사절(주격)

| **해설** | 관계사절 「S(you)+V(are sure)+V'(will develop)+O'(your passion)+전치사구(for your goals)」 구조에서 will develop의 주어가 없기 때문에 주격 관계대명사 who가 와야 한다.

| **해석** | 성공을 위한 핵심적인 요소들 중의 하나는 당신의 목표를 위한 열정을 개발해 줄 것이라고 확신하는 스승을 얻는 것이다.

08 **are**

Some of the damage in your life has been self-inflicted, [comparing yourself to others who you think are more popular, beautiful, or accomplished].

comparing yourself to others who you — 분사구문(동시동작)

| **해설** | ~ others who you think $\boxed{\text{are / they are}}$ more popular, beautiful, or accomplished에서 네모 안에 they are를 쓰게 되면 주격 관계대명사 who 뒤에 오는 문장이

you think (that) they are more popular, beautiful, or accomplished로 완전한 문장 구조이기 때문에 틀린 문장이 된다. 따라서 이 문장은

~ others who (you think) are more popular, beautiful, or accomplished 구조로 주격 관계대명사 뒤에 삽입절(you think)이 쓰인 형태이기 때문에 네모 안에 are가 와야 한다.

| **해석** | 당신 인생의 상처 중 일부는 자신을 여러분이 생각하기에 더 인기 있거나, 더 아름답거나, 성취한 것이 더 많은 다른 사람들과 비교하면서, 자초한 것이다.

09 **demonstrate**

However, psychologists point to decades of research and more than a thousand studies [that demonstrate a link between media violence and real aggression].

that demonstrate — 관계대명사절(주격)

| **해설** | that 이하가 선행사 decades of research and more than a thousand studies를 수식하는 구조가 되어야 하기 때문에 demonstrate가 와야 한다. demonstrating(동명사)을 쓰면 '대중매체의 폭력과 실제 공격 사이의 연관성을 보여주는 것'으로 해석되면서 관계대명사 that 앞부분과 연결이 되지 못한다.

| **해석** | 그러나 심리학자들은 대중매체의 폭력과 실제 폭력 사이의 연관성을 보여주는 수십 년간의 연구와 천여 건 이상의 논문을 지적하고 있다.

10 **고칠 필요 없음**

In 19th century America, morphine was commonly prescribed for a wide variety of conditions. For example, elderly women [whose loved ones had died] were given morphine to relieve their sadness.

whose loved ones had died — 관계대명사절(소유격)
to relieve their sadness — 부정사구(목적)

| **해설** | 밑줄 친 소유격 관계대명사 whose 뒤에 'S(loved ones)+V(had died)' 형태로 쓰여 있고, 동사 had died는 자동사로 목적어를 필요로 하지 않기 때문에

elderly women whose loved ones had died + were given + morphine ~의 구조로 맞게 쓰였다.

| **해석** | 19세기 미국에서 모르핀은 매우 다양한 상태를 위해 흔히 처방되었다. 예를 들어, 사랑하는 사람들이 사망한 나이 든 여성들은 그들의 슬픔을 덜기 위해 모르핀을 투여받았다.

11 고칠 필요 없음

It was Mary's thirteenth birthday. Uncle Jack gave a
lengthy speech about how Mary was like a daughter
to Aunt Barbara. And then, he handed her an
envelope [in which was tucked a fifty-dollar bill].

| 해설 |　이 문장의 경우는 선행사(an envelope)와 전치사(in)를
관계대명사절 속으로 넘기면 in an envelope was tucked a fifty-
dollar bill 형태로 장소부사구인 in an envelope를 강조하기 위해 문두
에 쓰면서 〈장소부사구+V+S〉로 도치된 구조이기 때문에 맞는 문장이다.

| 해석 |　그 날은 Mary의 열세 번째 생일이었다. Jack 아저씨
는 Barbara 아주머니에게 Mary가 어째서 딸 같은 존재인지에
대해 장황한 연설을 했다. 그러고 나서, 그는 50달러짜리 지폐가
담긴 봉투를 그녀에게 건네주었다.

12 what → that

Try to think of a choice [(that) you have made] [that
was not in accord with your strongest inclination at
the time].

| 해설 |　~ you have made what was not in accord with
your strongest inclination ~에서 빈칸 뒤의 문장이 주어가 없는
불완전한 문장이기 때문에 선행사(주어)를 포함하는 관계대명사 what
이 올바르다고 생각하기 쉽다.

그러나 이 문장은 a choice [(that) you have made]
　　　　　　　　　　목적격 관계대명사절 수식

　　　　　　　a choice [that was not in accord with ~]
　　　　　　　　　　주격 관계대명사절 수식

의 구조로 선행사(a choice) 뒤에서 두 개의 관계대명사절이 수식하는
문장 구조이다.

| 해석 |　당신이 내린 선택인데 그 순간에 가장 강했던 당신의
성향과 일치하지 않았던 것을 생각해 보라.

⌐ Plus Tip ─────────

■ 관계 대명사절의 이중 제한

선행사 뒤에 두 개의 관계대명사절이 쓰여 선행사를 수식하
는 문장 구조이다.

Is there anything **that** you want **that** you do not have?
네가 원하는 것인데 가지지 않은 것이 있니?

There is no man **that** carries guilt about him **who** does
not receive a sting into his soul.
자신에 대한 죄의식을 가지고 있으면서 영혼 속에 아픔이 없는 사람은 없다.

13 in which → in that

Ecosystems are generally very efficient in cycling
matter [in that most matter is cycled over and over
within the ecosystem itself].

| 해설 |　이 문장을 ~ matter [in which most matter is cycled
over and over within the ecosystem itself] 구조로 보면 선행
사와 전치사를 관계대명사절 뒤로 넘겼을 때 most matter is cycled
over and over within the ecosystem itself in matter (대부
분의 물질이 물질 속에서 생태계 자체와 함께 재활용된다)의 의미로 문맥
이 맞지 않는다. 따라서 이 문장은 which를 that으로 고치면 「in
that+S+V ~ (~라는 점에서)」 형태로 문맥상 올바른 문장이 된다.

| 해석 |　생태계는 일반적으로 물질을 순환시키는 데 매우 효
율적인데, 대부분의 물질이 생태계 자체 내에서 반복적으로 순
환된다는 점에서 그러하다.

⌐ Plus Tip ─────────

■ in that + S + V ~ : ~라는 점에서

이때 that은 관계대명사가 아니라 접속사이며 따라서 뒤에 완
전한 문장이 나온다. 그리고 in that은 하나의 어구를 이루어
'이유(~라는 점에서)'를 나타내는 접속사 역할을 한다.

Man is also different from other animals **in that** intake
of vitamin C is required.
인간은 또한 비타민 C의 섭취가 필요하다는 점에서 다른 동물들과는 다르다.

2 관계대명사 that / 접속사 that / 관계대명사 what의 구분

PATTERN PRACTICE [유형 훈련]　　　본문 114쪽

01 that

The immune system in our bodies fights the bacteria
and viruses [that cause diseases].

| 해설 |　the bacteria and viruses를 관계사절 뒤로 넘기면 주
어 역할을 하기 때문에 관계대명사 that이 와야 한다.

| 해석 |　우리 몸속에 있는 면역 체계는 질병을 일으키는 박테
리아 및 바이러스와 싸운다.

02 what

Clearly the experiences of his past had helped him to
부사 　　　　　　　　　　　　　S　　　　　　　　V　　　　O
develop a belief: receiving praise for doing [what
　　O.C　　　　　　　　S
obviously was the right thing] would be totally
　　　　관계대명사절　　　　　　　V
inappropriate.
　C

| 해설 | ~ praise for doing that / what obviously was
right thing ~에서 네모 뒤의 문장이 주어가 없는 불완전한 문장이고
선행사도 없기 때문에 선행사(주어)를 포함하는 관계대명사 what이 와
야 한다.

| 해석 | 분명히 그의 과거의 경험들이 그로 하여금 신념을 형
성하도록 도와주었다. 즉, 명백히 옳은 일을 하는 것에 대해 칭찬
을 받는 것은 전적으로 부적절한 것이라는 사실이다.

03 that

People become so reliant on technology that they
　S　　　　V　　　　　　　　　　C　　　　　　부사절(결과)
are sure science can solve almost any problem.

| 해설 | 네모 이하는 they + are sure + (that) science can
　　　　　　　　　　　　　S　　　V　　　　O(접속사 that 생략)
solve almost any problem 구조로 완전한 문장을 이루고 있고,
앞의 so와 결합해「so + 형용사(부사) + that ...(매우 ~해서 그 결과
…하다)」구조이므로 부사절을 이끄는 접속사 that이 와야 한다.

| 해석 | 사람들은 기술에 너무 의존하게 되어서 과학이 거의
모든 문제를 해결할 수 있다고 확신한다.

04 that

The notion [that a giant comet or asteroid impact
　S　　　　　　　　　　　　동격절
killed off the dinosaurs] is not accepted by most
　　　　　　　　　　　　　V　　　　　부사구
scientists.

| 해설 | The notion [a giant comet or asteroid impact
　　　　　　　　　　　　　　　　　　　　S
+ killed off + the dinosaurs] 형태로 수식해 주지만 네모 뒷문장
　　V　　　　　　O
이 완전하므로 동격의 접속사 that이 와야 한다.

| 해석 | 거대한 혜성이나 소행성 충돌이 공룡을 멸종시켰다는
생각은 대부분의 과학자들에 의해 받아들여지지 않고 있다.

05 what

[If you are to enjoy good health,] you must have
　　　　　부사절　　　　　　　　　　　S　　V

much more to be grateful for. Simply start every day
　　　　부정사구(형용사적 용법)　　　　　　　　V
with a list of what you are grateful for.
　　　　　　부사구

| 해설 | 네모 앞에 선행사가 없고 you are grateful for에서 전치
사 for의 목적어가 없기 때문에 선행사(전치사의 목적어)를 포함하는
what이 와야 한다.

| 해석 | 만약 당신이 좋은 건강을 누리려면, 감사할 훨씬 많은
것을 가져야만 한다. 일단 당신이 감사하는 것들의 목록과 함께
하루하루를 시작해라.

06 what

I am interested [in what I think is important], and not
S V　　C₁　　　　　　　　　부사구
very interested in things [that somebody comes
　　　C₂　　　　　　　　　관계대명사절(목적격)
along and tells me that I have to be interested in].

| 해설 | 네모 뒤 I think + is + important 구조에서 is의 주어
　　　　　　　　　S　V　V'　　C'
가 없고 앞에 선행사도 없기 때문에 선행사(주어)를 포함하는 관계대명
사 what이 와야 한다.

| 해석 | 나는 내가 중요하다고 생각하는 것에 흥미가 있지, 누
군가 다가와서 내가 흥미를 가져야만 한다고 말하는 것들에는
별로 흥미가 없다.

07 which

More and more young people buy products [which
　　　　　　　S　　　　　　　V　　　O　　관계대명사절(주격)
they think are cute], such as cell phone straps with
　　　　　　　　　　　　　　　　전치사구
cartoon characters.

| 해설 | 네모 뒤 they think + are + cute 구조에서 are의 주어
　　　　　　　　　S　V　　V'　　C'
가 없는 형태이지만 앞에 선행사 products가 있으므로 which가 와
야 한다.

| 해석 | 점점 더 많은 젊은이들이 만화 주인공이 있는 휴대전
화 끈과 같은, 그들이 귀엽다고 생각하는 제품들을 구입하고 있다.

08 what

Many people [(who are) travelling to the island] are
　　S　　　　　관계대명사절　　　　　　　　　　　V
startled [to find that it is very different from what it
　C　　　　　부정사구(원인)
was twenty years ago].

| 해설 | 네모 뒤의 문장이 it + was + twenty years ago 형태로
　　　　　　　　　　　S(→ the island)　　부사구

be동사 뒤에 보어가 없고 네모 앞에 선행사도 없는 문장이다. 이런 경우 선행사(보어)를 포함하는 관계대명사 what을 써서 「what＋S＋be 동사」의 관용적 표현을 쓴다.

| 해석 | 그 섬을 방문하는 많은 사람들은 그 섬이 과거 20년 전의 모습과는 너무도 다르다는 사실을 발견하고는 깜짝 놀란다.

─ *Plus Tip* ─────────

■ what + S + be동사

'주어의 상태나 모습'을 표현하는 방식으로 쓰인다.

I owe **what I am** to my father.
내가 지금의 내가 된 것은 아빠 덕택이다.

He is not **what he was**. 그는 과거의 그가 아니다.

The temple is not **what it was** ten years ago.
그 절은 10년 전의 모습이 아니다.

09 What

<u>What</u> we call "music therapy" today <u>dates back</u> to
S   V
ancient Greece, <u>where</u> the writings of Aristotle and
부사구   관계부사   S
Plato <u>referred</u> to the healing influence of music on
        V   O
health and behavior.

| 해설 | 네모 뒤에 「S(we)＋V(call)＋O("music therapy")＋today」 구조의 완전한 문장으로 보면 '우리가 오늘날 "음악 치료"를 부르는 것'으로 어색한 해석이 된다. 따라서 '우리가 오늘날 "음악 치료"라고 부르는 것'이라는 의미로 「S(we)＋V(call)＋O.C("music therapy")＋today」 구조의 목적어가 없는 형태로 봐야 하기 때문에 목적어를 포함하는 what이 와야 한다.

| 해석 | 우리가 오늘날 '음악 치료'라고 부르는 것은 고대 그리스에 기원을 두고 있는데, 그곳에서 Aristotle와 Plato가 쓴 글이 건강과 행동에 대한 음악의 치료 효과를 언급했다.

10 which → that

There is <u>no evidence</u>, for instance, [that a person can
유도부사 V   S   동격절
learn math, a foreign language, or other complex
skills while asleep].

| 해설 | 이 문장은 가운데 접속어(for instance)를 빼면
There is <u>no evidence</u> <u>which a person can learn math</u>, ~

형태로 관계대명사 which절이 evidence를 수식해 주는 구조처럼 보이지만, which절 속이 <S＋V＋O> 형태의 완전한 문장으로 쓰여 있기

때문에 동격의 that절이 되어야 한다.

| 해석 | 예를 들어, 사람이 잠을 자는 동안 수학, 외국어 또는 다른 복잡한 기술을 배울 수 있다는 증거는 없다.

11 which → that

He judged (by the sound) that the fall was a mere
S   V   부사구   O
slip and could not have hurt his father.

| 해설 | 이 문장은 He judged (by the sound) that the fall
S   V   부사구   O
was a mere slip ~ 구조로 동사(judged)의 목적어로 완전한 문장을 이끄는 that절이 와야 한다.

| 해석 | 그는 넘어진 것은 단지 미끄러진 것이고 그의 아버지를 다치게 하지 않았을 것이라는 사실을 소리로 판단했다.

12 고칠 필요 없음

What we consider to be right in our culture can be
S   V
confusing to some foreigners.
C   부사구

| 해설 | 「S(we)＋V(consider)＋O(to be right)＋부사구(in our culture)」 구조로 완전한 문장으로 보면 '우리는 우리 문화에서 올바른 것을 간주한다'로 어색한 해석이 된다. 따라서 이 문장은 「S(we)＋V(consider)＋O.C(to be right)＋부사구(in our culture)」로 쓰여 5형식 구조(S＋V＋O＋O.C)에서 목적어가 빠진 형태이므로 what이 쓰인 게 맞다.

| 해석 | 우리가 우리 문화에서 올바른 것으로 간주하는 것이 일부 외국인들에게는 혼란스러울 수 있다.

13 고칠 필요 없음

With all the passion for being slim, it is no wonder
        부사구   가주어   C
that many people view any amount of fat on the
        진주어
body as something to get rid of.

| 해설 | that절 이하가 완전한 문장이고 it is no wonder that
                                        가주어   C
many people view ~의 구조로 쓰여 맞는 문장이다.
진주어

| 해석 | 날씬해지고 싶은 모든 열정으로, 많은 사람들이 자신의 몸에 있는 눈에 띄는 지방이 얼마만큼이든 간에 그것을 없애야 하는 것으로 여기는 것은 놀랄 일이 아니다.

PATTERN PRACTICE [유형 훈련]   본문 121쪽

01 which

The ash from volcanic eruption, [which contains many useful material], can be converted to a very fertile soil.

| 해설 | 네모 앞에 콤마가 있고, that은 계속적 용법으로 쓰이지 않기 때문에 which가 와야 한다.

| 해석 | 화산 분출로부터 나오는 재는, 많은 유용한 물질을 포함하고 있는데, 매우 비옥한 토양으로 전환될 수 있다.

02 which

Hope, [which seems like the thinnest little thread,] is an incredibly powerful force [(which is) leading us from the most horrible problems into a bright new day].
from A (in)to B : A로부터 B로

| 해설 | 「S(Hope)+V(is)+C(an incredibly powerful force ~)」 형태로 문장이 쓰여 있고, 주어 Hope 뒤에서 주어를 부가적으로 설명하는 또 하나의 절이 쓰인 형태로 두 문장을 연결하는 접속사가 필요하다. 따라서 네모 안에는 접속사를 포함하는 계속적 용법의 관계대명사 which(= and it(hope))가 와야 한다.

| 해석 | 희망은, 가장 가느다란 작은 실처럼 보이는데, 가장 무시무시한 문제들로부터 밝고 새로운 날로 우리를 이끄는 엄청나게 강력한 힘이다.

03 they

Scientists are developing biofuels to reduce greenhouse gases. Using ethanol from sugar cane, they can help (to) reduce global warming.

| 해설 | 네모 앞의 문장이 <S+V> 형태로 절로 쓰여 있지 않고 Using ethanol from sugar cane 형태로 분사구문을 이루고 있다. 따라서 콤마 뒤에는 분사구문에 이어진 주절(S+V) 형태로 they가 와야 한다.

| 해석 | 과학자들은 온실가스를 줄이기 위해 생물연료를 개발하고 있다. 사탕수수에서 나오는 에탄올을 이용하기 때문에, 그것(생물연료)들은 지구온난화를 줄이는 데 도움을 줄 수 있다.

04 some of which

We humans spend millions of dollars [trying to rid ourselves of insects], some of which are actually essential to our survival.

| 해설 | 「S(We humans)+V(spend)+O(millions of dollars) ~」 형태로 절이 쓰여 있고, 네모 뒤에 또 하나의 절이 쓰여 있기 때문에 접속사를 포함하는 some of which(=but some of them(insects))가 와야 한다.

| 해석 | 우리 인간들은 우리 자신들에게서 해충을 없애려고 노력하면서 수백만 달러를 쓰고 있으나, 그것들 중의 일부는 실제로 우리의 생존을 위해 필수적이다.

05 whom

The island is home to over 10 million people, most of whom are desperately poor and hardly in a position to be concerned with environmental conservation.

| 해설 | 네모 안에 쓰인 말이 주어 역할을 하기 때문에 네모 안에 주격 관계대명사인 who를 써서 ~ , most of who are desperately poor ~로 most of who로 쓰기 쉽다.
그러나 계속적 용법으로 쓰인 '~ , most of who'를 풀어 쓰면 '~ , and most of they'가 되어 전치사(of) 뒤에 주격 대명사인 they가 쓰여 문법적으로 틀리게 된다. 따라서 most of whom(=and most of them)이 와야 한다.

| 해석 | 그 섬은 천만 명이 넘는 사람들의 거처가 되고 있는데, 그들 중 대부분은 몹시 가난하고 환경 보존에 관심을 가질 처지가 아니다.

06 through which

Speech, [through which culture is shared and passed on], is the most important means of communication.

| 해설 | 「S, S'+V' ~, V ...」의 구조로 두 개의 절을 연결하는 접속사가 필요하기 때문에 Speech, through which(= and through it) culture is shared ~, is ... 구조로 연결되면서 접속사를 포함하는 through which가 와야 한다.
- S / 부사구 / S' / V' / V

| 해석 | 언어는, 그것을 통해 문화가 공유되고 전해지므로 의사소통의 가장 중요한 수단이다.

07 in which

The report's authors found no obvious relationship between children's well-being and how rich the country was in which they lived.
- S / V / O / 전치사구(relationship 수식)

| 해설 | how rich the country was which / in which they lived는 「how + 형용사/부사+ S + V」 구조(얼마나 ~인지)로 쓰인 문장인데, 원래는

how rich the country [in which they lived] was
- S(선행사) / 관계대명사절 / V

'그들이 살고 있는 나라가 얼마나 부유한지'로 써야 하지만, 선행사가 관계대명사절의 수식을 받으면서 길어져 선행사와 관계대명사절을 분리시켜 쓴 형태이다.

| 해석 | 그 보고서의 저자들은 아이들의 행복과 그들이 살고 있는 나라의 부유함 사이에 어떤 분명한 관계도 발견하지 못했다.

┌ *Plus Tip* ━━━━━━━━
■ 선행사와 관계대명사의 분리
「선행사 + 관계대명사」 형태로 쓰여 문장 속에서 길어지는 경우에 관계대명사절을 후치시켜 써서, 선행사와 관계대명사절이 분리되는 문장 형태이다.

A bill was introduced [that classifies a lot of popular
- S(선행사) / 주격 관계대명사절(A bill 수식)

nutritional supplements].
많은 인기 있는 영양 보충제를 분류하는 법안이 제출되었다.

How many things can you remember [that use electricity]?
- 선행사(목적어) / 주격 관계대명사절(many things 수식)
너는 전기를 이용하는 얼마나 많은 것들을 기억할 수 있니?

08 containing

Most nutrition experts today recommend a balanced diet [(which is) containing elements of all foods],
- S / V / O / 관계대명사절

largely because of our need for sufficient vitamins.

| 해설 | a balanced diet (which is) containing / contained ~
구조에서 a balanced diet is contained(균형식은 포함된다) 형태로 착각하기 쉽다. 그러나 뒤에 elements of all foods가 연결되면서 「S(a balanced diet) + V(is containing) + O(elements of all foods)」 형태가 되어야 하므로 능동형 containing이 와야 한다.

| 해석 | 대부분의 영양 전문가들은 주로 충분한 비타민에 대한 필요성 때문에 모든 음식의 성분들을 포함하는 균형식을 오늘날 추천하고 있다.

09 ① reduce   ② given off

Air-cleaning devices [(which are) used in factories and automobiles] reduce a great amount of pollution [(which is) given off].
- S / 관계대명사절 / V / O / 관계대명사절

| 해설 | ① Air-cleaning devices (which are) used ~ 구조로 쓰여 있기 때문에 뒤에는 문장의 동사 역할을 하는 reduce가 와야 한다.
② a great amount of pollution is given off로 쓰여 '엄청난 오염 물질이 방출된다'의 의미가 되어야 하므로

a great amount of pollution (which is) given off 구조로

given off가 와야 한다.

| 해석 | 공장과 자동차에서 사용되는 공기 정화장치는 방출되는 엄청난 양의 오염 물질을 줄여준다.

10 ① breaking down   ② left

Supplies of salts [that animals use to build up their substance] can only be maintained [through the activities of bacteria (which are) breaking down the organic matter (which is) left in the soil by other living things].
- S / 관계대명사절(목적격) / 부사구 / 관계대명사절 / 관계대명사절

| 해설 | ① 전치사(through) 뒤에 'S(the activities of bacteria) +V(break down)'의 형태로 절이 쓰일 수 없기 때문에

activities of bacteria (which are) breaking down ~ 구조로 breaking down이 와야 한다.
② the organic matter (which is) leaving / left ~ 구

조에서는 선행사 the organic matter를 관계사절 뒤로 넘기면 'S(the organic matter)+V(is left)'로 문맥상 수동태로 쓰여야 한다.

| 해석 | 동물들이 그들의 물질을 구성하기 위해 이용하는 소금의 공급은 다른 생명체들에 의해 토양 속에 남겨진 유기물질을 분해하는 박테리아의 활동을 통해서만 유지될 수 있다.

11 them → which

On January 10, 1992, a ship traveling through rough seas lost 12 cargo containers, one of which held 28,800 floating bath toys.

| 해설 | 이 문장은 a ship traveling through rough seas lost 12 cargo containers, one of them held 28,800 floating bath toys의 구조로 두 개의 문장이 접속사 없이 연결되고 있어 틀린 문장이다. 따라서 one of them을 접속사를 포함하는 one of which(= and one of them[12 cargo containers])로 고쳐 써야 한다.

| 해석 | 1992년 1월 10일, 거친 바다를 항해하던 배 한 척이 12개의 화물 컨테이너를 잃었는데, 그 중 하나는 28,800개의 물에 뜨는 욕실 장난감을 싣고 있었다.

12 most of whom → most of them

[Though many women say that part-time work reduces their chances for advancement,] most of them agree that even a part-time job is better than none at all.

| 해설 | 이 문장에서 most of whom을 쓰면 Though + many women + say ~, and most of them + agree ~ 구조로 접속사 and가 쓰이면서 종속절(Though+S'+V'~)과 주절(S+V~)이 분리되지 않고 연결되기 때문에 틀린 문장이 된다. 따라서 접속사(and)가 필요 없기 때문에 most of them이 와야 한다.

| 해석 | 많은 여성들이 파트타임 일자리가 승진을 위한 기회를 감소시킨다고 말하지만, 그들 대부분은 파트타임 일자리라도 전혀 일이 없는 것보다는 낫다는 데에 동의한다.

13 were spent → spent

In many countries, amongst younger people, the habit of reading newspapers has been on the decline and some of the dollars [(which were) previously spent on newspaper advertising] have migrated to the Internet.

| 해설 | 이 문장은 some of the dollars previously were spent on newspaper advertising have migrated~ 구조로 한 문장에 동사가 두 개가 쓰여 틀린 문장이다. 따라서 some of the dollars [(which were) previously spent on newspaper advertising] have migrated ~ 구조가 되도록 관계대명사절(주격 관계대명사 + be동사 생략) were spent를 spent로 고쳐야 한다.

| 해석 | 많은 나라에서 더 젊은 사람들 사이에서 신문을 읽는 습관이 감소해 오고 있으며, 전에 신문 광고에 쓰였던 돈의 일부가 인터넷으로 이동해 오고 있다.

14 after it → after which

Huge areas of rain forest fall victim to banana plantation. The land can be used for just twelve years or so, after which the soil is no longer fertile.

| 해설 | 두 번째 문장은 The land + can be used ~, after it + the soil + is ~ 구조로 두 개의 절이 접속사 없이 연결되기 때문에 틀린 문장이 된다. 따라서 콤마 뒤에 관계대명사를 써서 The land can be used ~, after which the soil is ~로 고쳐야 한다.
= and after it(앞 문장)

| 해석 | 다우림(多雨林)의 거대한 지역은 바나나 대농장의 피해 지역이 되고 있다. 그 땅은 단지 12년 정도 이용될 수 있는데, 그 후에 토양은 더 이상 비옥하지 않게 된다.

15 what → that

[If our students are to become lifelong readers], they must be convinced that reading is worthwhile and

enjoyable and that reading materials exist that are
O₂
interesting and relevant to their lives.

| 해설 | 뒤에 쓰인 that절 속의 문장은 원래

reading materials [that are interesting and relevant to
주어(선행사)   관계대명사절(주격)

their lives] exist 구조인데 선행사(reading materials)가 관계대
V

명사절의 수식을 받으면서 길게 쓰여, 선행사와 관계대명사가 분리되어
쓰인 형태이므로 what을 that으로 고쳐야 한다.

| 해석 | 우리 학생들이 평생 독서하는 사람들이 되려면, 독서
는 가치 있고 즐길만한 것이며 또한 그들의 삶에 흥미로울 뿐만
아니라 관련성이 있는 독서 자료들이 존재한다는 사실을 확신해
야만 한다.

16 고칠 필요 없음

The ultimate life force lies in tiny cellular factories
                S   V   부사구
of energy, (called mitochondria), [that burn nearly
                      삽입구   관계대명사절(주격)
all the oxygen we breathe in].

| 해설 | 이 문장은 〈S+V ~, that+V〉 구조로 that이 관계대명사
의 계속적 용법으로 쓰인 것으로 생각하여 틀린 문장으로 착각하기 쉽
다. 그러나 이 문장은

~ tiny cellular factories of energy, (called mitochondria),
          선행사   삽입구(부연 설명)

[that burn nearly all the oxygen ~] 구조로 제한적 용법으로 쓰
      관계대명사절
                    수식
인 관계대명사절이 선행사를 부연 설명하는 삽입구(called
mitochondria) 때문에 분리된 형태로 맞는 문장이다.

| 해석 | 궁극적인 생명력은 우리가 들이쉬는 거의 모든 산소
를 태우는, 미토콘드리아라고 불리는 아주 작은 에너지 세포 공
장에 있다.

17 that → which

Sometimes the computer system breaks down, in
                    S   V
which case you'll have to work on paper.
(=and in that case) S   V   부사구

| 해설 | 이 문장의 밑줄 친 that은 지시 형용사로 뒤에 나온 case
를 수식하는데

the computer system breaks down, in that case you'll
          S   V   부사구   S

have to work ~의 구조로, 두 개의 절을 연결시키는 접속사가 없어
          V
서 틀린 문장이다.

따라서 두 개의 절을 연결시키는 접속사(and)가 필요한데, 지시형용사
로 쓰인 that 대신에 〈관계대명사+형용사〉 기능을 하는 관계형용사
which로 바꾸면

the computer system breaks down, in which case you'll
          S   V   (=and in that case) S

have to work ~.
          V

구조로 맞는 문장이 된다.

| 해석 | 때때로 컴퓨터 시스템이 망가지기도 하는데, 그 경우
에는 문서로 작업을 해야만 한다.

━ Plus Tip ━

■ 관계형용사
관계대명사 which / what이 뒤에 오는 명사를 수식하여「관
계대명사 + 형용사」 기능을 하는 형태이며, 다음과 같은 의미
를 가진다.

① which

I said nothing, **which** fact made her angry.
                → and that fact
나는 아무 말도 하지 않았는데, 그 사실이 그녀를 화나게 했다.

I had to wait for five hours, during **which** time I could
eat nothing.   → and during that time

나는 다섯 시간 동안을 기다려야만 했는데, 그 시간 동안 아무것도 먹지 못했다.

It may rain, in **which** case the game will be cancelled.
              → and in that case
비가 올지도 모르는데, 그럴 경우 그 게임은 취소될 것이다.

② what

I gave him **what** money I had.
= I gave him **all the money that** I had.
나는 내가 가지고 있던 모든 돈을 그에게 주었다.

PATTERN PRACTICE [유형 훈련]

본문 129쪽

01 where

Now stricter regulations are in place to ensure that
부사　　S　　　　　　V　　부사구
fish pens are placed in sites [where there is good
to부정사구(stricter regulations 수식) ↑　　관계부사절
water flow to remove fish waste].

| 해설 |　네모 뒤의 문장이 there is good water flow to
유도부사 V　　　　　S ↑
remove fish waste 구조로 완전한 문장을 이루고 있고 선행사
to부정사(형용사적 용법)
(sites)를 관계사절 뒤로 넘기면 in sites(장소에서)의 의미로 부사구
역할을 하기 때문에 관계부사 where가 와야 한다.

| 해석 |　이제는 양식 가두리를 반드시 어류 폐기물을 제거할
수 있는 물의 흐름이 좋은 장소에 설치하도록 하는 더 엄격한 규
제들이 시행되고 있다.

02 which

[If you grew up with brothers and sisters], you no
부사절　　　　　　　　　　　S
doubt recall many remarkable moments [which you
부사구 V　　　　　　O　　　　　↑
shared together].
관계대명사절(목적격)

| 해설 |　~ many remarkable moments ┃which / when┃
you shared together에서 선행사 many remarkable
moments를 네모 뒤로 넘기면 you shared many remarkable
S　　V　　　　　O
moments together 구조이므로, 목적격 관계대명사인 which가
부사
와야 한다.

| 해석 |　당신이 만약 형제자매들과 함께 성장했다면, 당신은
틀림없이 함께 공유했던 많은 대단한 순간들을 회상할 것이다.

03 where

[As knowledge of agriculture spread,] groups of
부사절　　　　　　　　S
farmers clustered around the fertile areas [where their
V　　　　　　　　　　　　관계부사절
crops would thrive].

| 해설 |　선행사 the fertile areas는 동사 thrive의 목적어가 아
니라 their crops would thrive in the fertile areas(비옥한 지역

에서) 형태로 결합되기 때문에 관계부사 where가 와야 한다.

| 해석 |　농업 지식이 확산되면서 많은 농부들이 농작물이 잘
자라는 비옥한 지역에 모여들었다.

04 where

[When Einstein was ten], his family enrolled him in
부사절　　　　　　　S　　　V　　O
the Luitpold Gymnasium, where he developed a
부사구　　　　　　　(=and there) S'　　V'
suspicion of authority.
O'

| 해설 |　S(his family) + V(enrolled)~, there + S'(he) +
V'(developed) ~ 구조에서는 두 개의 절이 접속사 없이 부사
(there)로 연결되기 때문에 틀린 문장이다. 따라서 두 개의 절을 연결
시키며 '접속사＋부사(there)' 역할을 하는 관계부사 where가 와야
한다.

| 해석 |　Einstein이 열 살이 되었을 때, 그의 가족은 그를
Luitpold Gymnasium에 등록시켰고, 그 곳에서 그는 권위에
대해 의심을 품기 시작했다.

05 where

Emma was very fond of singing. [As she lived in a
S　　　V　　　　O　　　　부사절(이유)
small house, where she could not practice [without
S'　　V'　　　부사구
disturbing the rest of the family]], she usually
S
practiced her high notes outside.
V

| 해설 |　네모 뒤의 문장이 「S(she)＋V(could not practice)＋
부사구(without disturbing ~)」로 쓰여 있는데 해석상 선행사 a
small house가 동사 practice의 목적어로 쓰일 수가 없다. 따라서
문장 뒤에서 부사구를 이루어 in a small house(작은 집에서)의 형태
로 결합되기 때문에 관계부사 where가 와야 한다.

| 해석 |　Emma는 노래 부르는 것을 매우 좋아했다. 그녀는
나머지 가족들을 방해하지 않고 연습할 수 없는 작은 집에서 살
았기 때문에, 주로 바깥에서 고음을 연습했다.

06 whatever

At an early age, small kids eagerly try to participate
부사구　　　　　S　　부사 V₁　　　O₁
in their older siblings' activities ┃and┃ do whatever it
V₂　　　O₂
takes to be involved.

| 해설 | small kids do <u>whatever / however</u> it takes to
S V ———————— O

be involved ~의 구조로 네모 안에 목적어 역할의 명사절을 이끄는
whatever가 와야 한다.

whatever 이하의 문장은 <u>whatever</u> <u>it takes</u> <u>to be involved</u>
(=anything that) 가주어 V 진주어

구조로 whatever는 동사(takes)의 목적어를 포함하고 있다.

| 해석 | 어릴 때 어린 아이들은 나이 많은 형제들의 활동에 참여
하려고 열심히 노력하고 그러기 위하여 필요한 무엇이든지 한다.

07 however

<u>Never give up hope</u>, [however frightening the
V O 부사절
obstacles lying in your path are].

| 해설 | 명령문으로 쓰인 주절(Never give up hope) 뒤에서 부
사절을 이끄는 however가 쓰여야 하며,

「however frightening + the obstacles lying in your path
C S 분사구

+ are」 구조로 쓰인 문장이다.
V

| 해석 | 당신 길에 놓여 있는 장애물이 아무리 두려울지라도
절대 희망을 포기하지 마라.

08 ① how ② how

<u>Your brain</u> <u>is</u> far more sophisticated than any
S V C
<u>computer</u>. Just <u>think</u> of how many voices you
V O
<u>recognize</u> on the telephone and <u>you</u> <u>will discover</u>
S V
how amazing your memory is.

| 해설 | ① think of 뒤에서 전치사 of의 목적어(명사절) 역할을
하는 how절이 와야 한다.
② you will discover ~에 연결되면서 동사 discover의 목적어(명
사절) 역할을 하는 how절이 와야 한다.

| 해석 | 당신의 두뇌는 어떠한 컴퓨터보다도 훨씬 더 정교하
다. 전화상으로 당신이 얼마나 많은 목소리를 인식할 수 있는지
를 기억해 봐라, 그러면 당신의 기억력이 얼마나 놀라운지를 발
견할 것이다.

09 Whatever

[Whatever the reason is,] ozone levels in the earth's
부사절 S
<u>atmosphere</u> <u>appear</u> to have dropped recently.
V C

| 해설 | 관계대명사 what절은 '명사절(주어, 목적어, 보어 역할)'로
쓰이기 때문에 '부사절 + 주절' 형태로 쓰인 이 문장에서는 쓸 수 없다.
Whatever the reason is, ~는 No matter what the reason
is, ~ 형태로 부사절로 쓰이기 때문에 이 문장에서는 복합관계대명사
Whatever가 와야 한다.

| 해석 | 이유가 무엇이건 간에, 지구 대기층의 오존 수치가 최
근에 줄어든 것처럼 보인다.

10 Whichever

[Whichever style of learning you choose,] it is
부사절 가주어 V
<u>important</u> to practice daily and never give up.
C 진주어
| 해설 | 「Whichever + 명사 + S + V ~」 구조로 Whichever가
복합관계형용사 역할을 하는 경우이다. Whichever style of
learning you choose, ~는 No matter which style of learning
you choose, ~와 같다.

| 해석 | 당신이 어떤 학습 방법을 택하건, 매일 연습하면서 절
대 포기하지 않는 것이 중요하다.

Plus Tip

■ 복합관계형용사(whichever / whatever)

문장 속에서의 역할은 양보절로 쓰이는 복합관계대명사와 동
일하지만, 단지 'whichever(whatever) + 명사' 로 쓰이면서
no matter which(what)으로 바꾸었을 때
'no matter which(what) + 명사' 형태로 which/what이 명사
어떤/어느
를 수식하는 형용사 기능을 한다.

No matter what style of music you write, you need to

understand the uses of harmony and rhythm.
당신이 어떤 형태의 음악을 작곡하건, 하모니와 리듬의 사용을 이해할 필요가 있다.

11 whichever

<u>A strict vegetarian</u> <u>is</u> <u>a person</u> [who never in his or
S V C 관계대명사절(주격)
her life eats whichever is derived from animals].

| 해설 | whichever is derived from animals에서
whichever는 anything that으로 선행사가 포함되어 있기 때문에
anything을 같이 쓰면 안 된다.

| 해석 | 엄격한 채식주의자는 평생동안 동물로부터 나오는 어
떤 것도 절대 먹지 않는 사람이다.

12 고칠 필요 없음

I want to find a job [where I can make the best use
<u>S</u> <u>V</u>   관계부사절
of the computer skills [(which) I studied at
                관계대명사절(목적격)
university]].

| 해설 | where 뒤의 문장이 「S(I)+V(can make)+O(the best
use of the computer skills)」 형태로 완전한 문장으로 쓰여 있고,
선행사 a job을 where절 뒤로 넘기면
I can make the best use of <u>the computer skills</u> (which) I

studied at university in a job. 형태로 부사구를 이루면서 올
    목적격 관계대명사 생략
바르게 쓰였다.

| 해석 | 나는 내가 대학에서 배운 컴퓨터 기술을 최대한 활용
할 수 있는 직업을 찾기 원한다.

13 ① where → which   ② 고칠 필요 없음

<u>Paul and Brian</u> <u>are fond of</u> <u>fishing</u>. Now <u>they</u> <u>want</u>
        S   V   O   S V
<u>to try fishing in an area</u> [which they hear is really
       O   관계대명사절(주격)
nice] and [where they can catch wonderful salmon].
          관계부사절

| 해설 | ① 선행사 an area가 「삽입절(they hear)+V(is)+C
(really nice)」에서 V(is)의 주어 역할을 하기 때문에 which가 와야
한다.
② 선행사 an area를 where절 뒤로 넘기면 「S(they)+V(can
catch)+O(wonderful salmon)+부사구(in an area)」 형태로 관
계부사 where가 맞다.

| 해석 | Paul과 Brian은 낚시를 좋아한다. 이제 그들은 정
말 멋진 곳이라고 들었고 또 굉장한 연어를 잡을 수 있는 장소로
낚시가기를 원하고 있다.

14 고칠 필요 없음

<u>Whoever wants to perform this music for profit</u> <u>must</u>
                           S
<u>pay</u> <u>a royalty</u> to the copyright owner.
 V   O   부사구
| 해설 | Whoever wants to perform this music for profit
         (=Anyone who)
<u>must pay</u>~ 구조로 선행사(anyone)를 포함하는 복합관계대명사
  V
whoever는 올바르게 쓰였다.

| 해석 | 이익을 얻기 위해 이 음악을 이용하는 사람은 누구든

지 저작권 소유자에게 로열티를 지불해야만 한다.

15 when → which

It had long been something of a mystery where, and
가주어   V   C   진주어
on what, the northern fur seals of the eastern Pacific
                          → and it(the winter)
feed during the winter, which they spend off the
                               S   V
coast of North America from California to Alaska.
      부사구   부사구
| 해설 | ~ during the winter, when they spend off the
                 → and then S   V
coast of North America ~ 구조로 spend의 목적어가 없는 불완
       부사구
전한 문장이다. 따라서 spend의 목적어(the winter)가 필요하므로
관계부사 when을 관계대명사 which로 고치면 ~ during the
winer, which they spend off the coast of North America ~
    → and it[O] S   V   부사구
구조로 맞는 문장이 된다. (목적격 관계대명사의 계속적 용법)

| 해석 | 동태평양 북부의 모피 물개들이 캘리포니아에서 알래
스카까지 북아메리카의 연안에서 보내는 겨울 동안 어디에서 그
리고 무엇을 먹고 사는지는 오랫동안 다소 불가사의한 것이었다.

CHAPTER 11   형용사 · 부사/비교 표현

PATTERN PRACTICE [유형 훈련]   본문 141쪽

01 Walking

Walking on a regular basis everyday is more
               S   V C
effective than making intense efforts once in a
                              S와 비교 대상
while.
| 해설 | 비교 대상의 형태가 일치하는지를 묻는 문제로 접속사
than 뒤의 문장의 주어로 동명사(making)가 쓰였으므로 네모 안에도
동명사(Walking)가 와야 한다.

| 해석 | 매일 규칙적으로 걷는 것이 가끔씩 격렬한 운동을 하
는 것보다 더 효과적이다.

02 good

<u>Scientists</u> now <u>can make</u> <u>violins</u> [that have exactly
the same size and shape with old ones]. But <u>the new
violins</u> still <u>do not sound</u> as <u>good</u> as the old ones.

| 해설 | 원급 비교에서 형용사/부사를 선택하는 문제는 앞에 쓰인
as를 없앤 상태로 「S+V+형용사/부사」 구조로 판단하면 된다. 이 문
장은 앞의 as를 없애면 the new violins still do not sound
well/good 으로 연결되는데, sound(~처럼 들리다)는 2형식 동사
이기 때문에 뒤에 보어로 형용사(good)가 와야 한다.

| 해석 | 과학자들은 현재 오래된 것들과 정확하게 같은 크기
와 모양을 가진 바이올린들을 만들 수 있다. 그러나 그 새로운 바
이올린들은 여전히 오래된 것들만큼 소리가 좋게 들리진 않는다.

03 live

<u>Some New York hospitals</u> <u>are going</u> so far as to send
<u>fruit baskets</u> to new mothers, and (<u>are</u>) <u>offering</u> <u>tea
and live piano music</u> in their atriums.

| 해설 | ~ offering tea and live / alive piano music in
their atriums에서 형용사 alive(서술적 용법)는 제한적 용법으로 쓰
일 수 없기 때문에 live가 와야 한다.

| 해석 | 뉴욕에 있는 일부 병원들은 신생아의 엄마에게 과일
바구니를 보내기까지 하며, 병원의 안마당에서 차와 라이브 음
악을 제공하고 있다.

04 latest

<u>Our van</u> <u>comes</u> with highly-trained professionals
[equipped with exclusive cleaning solutions and the
latest equipment].

| 해설 | late의 최상급으로는 latest(가장 최근(최신)의)와 last(마
지막의) 두 가지가 있다. 이 문장에서는 '가장 최신의 장비'라는 의미이
므로 latest가 와야 한다.

| 해석 | 우리의 밴 차량은 독보적인 청소 해법과 가장 최신의
장비를 갖춘 고도로 훈련된 전문가들과 함께 갑니다.

05 amount

<u>Sara</u> <u>spent</u> <u>a great amount of time</u> [preparing for the
physics examination].

| 해설 | a great number of는 many의 의미이고, a great
amount of는 much의 의미인데, 이 문장에서는 네모 뒤에 셀 수 없는
명사(time)가 쓰여 있기 때문에 a great amount of가 되어야 한다.

| 해석 | Sara는 물리 시험을 준비하면서 많은 시간을 보냈다.

06 long

<u>The worm</u> <u>is</u> only about one centimeter <u>long</u>, but <u>it
can still cause</u> <u>serious trouble</u>.

| 해설 | 길이, 높이, 깊이, 넓이 등을 표현할 때는 「숫자 + 단위명사 +
형용사」의 형태로 써야 하기 때문에 네모 안에는 about one
centimeter long 형태로 형용사 long이 와야 한다.

| 해석 | 그 벌레는 길이가 약 1센티미터에 불과하지만, 여전
히 심각한 문제를 야기할 수 있다.

07 almost

<u>It</u> <u>is</u> often <u>said</u> that almost all physical problems are
caused, directly or indirectly, by stress.

| 해설 | 네모 뒤에 'all + 명사(physical problems)'가 연결되
기 때문에 all을 수식해 줄 수 있는 부사가 와야 하고, 의미상 '거의 모
든 신체적인 문제들'이 되어야 하기 때문에 almost가 와야 한다.

| 해석 | 거의 모든 신체적인 문제들은 직접적으로 또는 간접
적으로 스트레스로 인해 생긴다고 사람들은 종종 말한다.

08 effectively

<u>Sleep deprivation</u> <u>has</u> <u>a great influence</u> on the
immune system. <u>Our immune systems</u> <u>are not
functioning</u> as effectively [as they do when we are
well rested], and <u>we</u> <u>get</u> <u>sick</u>.

| 해설 | Our immune systems are not functioning as
effective / effectively as ~ 은 「as + 형용사(부사)의 원급 + as」
구조이므로 앞의 as를 없앤 상태로 문장을 써 보면,
Our immune systems are not functioning effectively 구조
이므로 부사인 effectively가 와야 한다.

| 해석 | 수면 부족은 면역 체계에 큰 영향을 미친다. 면역 체

계는 우리가 휴식을 잘 취했을 때만큼 효과적으로 기능하지 못하고 그래서 우리는 아프게 된다.

09 clear

Lower frequencies allow doctors to see structures deeper inside the body. The lower the frequency is, however, the less clear the image will become.

(주어: Lower frequencies / 동사: allow / 목적어: doctors / 목적격보어: to see structures)
(The lower the frequency is — C, S, V / the less clear the image will become — C, S, V)

| 해설 | 「the + 비교급 ~, the + 비교급 ~ (~할수록 더욱 더 ~하다)」 형태로 쓰인 문장인데, 네모 안의 the less clear / clearly 에서 정관사(the)를 제외한 부분을 문장 뒤로 넘겨보면
the image will become less clear 구조로 쓰여야 하기 때문에
(the image — S / will become — V / less clear — C)
네모 안에는 형용사인 clear가 와야 한다.

| 해석 | 더 낮은 주파수는 의사가 몸속 더 깊은 곳의 구조를 볼 수 있게 해 준다. 그러나 주파수가 낮을수록, 이미지는 덜 선명해진다.

─ *Plus Tip* ──────────

■ the + 비교급 ~, the + 비교급 ...

'~할수록 더욱 더 …하다'의 표현을 쓰기 위해 비교급 앞에 정관사(the)를 쓰는 구문인데, 구조를 판단하거나 해석하기가 어려울 때는 정관사(the)를 제외한 '비교급'으로 쓰인 단어를 주어와 동사 뒤로 넘겨보면 구조를 쉽게 알 수 있다.

The earlier you detect a problem, **the easier** it is to solve it.
→ You detect a problem **earlier**. + It is **easier** to solve it.
당신이 문제점을 빨리 발견할수록 해결하기는 더욱 더 쉽다.

The sooner you try to finish it, **the more likely** you are to make errors.
→ You try to finish it **sooner**. + You are **more likely** to make errors.
당신이 그것을 더 빨리 끝내려고 애쓸수록 실수를 저지르기가 더 쉽다.

10 do

Most amateur speakers do have some idea [that they should speak with more power on stage than they do on a one-to-one basis].

(주어: Most amateur speakers / 동사: do / 목적어: some idea / 동격절)

| 해설 | they should speak with more power on stage than they are / do on a one-to-one basis는 우리말로 '그들

이 일대일로 말할 때보다 무대에서 더 강력하게 말해야 한다'의 의미로 네모 안의 동사는 문맥상 앞에 쓰인 speak(일반동사)를 받기 때문에 do가 와야 한다.

| 해석 | 대부분의 아마추어 연사들은 일대일로 말할 때보다 무대에서 더 강력하게 말해야 한다는 생각을 가지고 있다.

11 likely

It's important to pay attention to good nutrition [since your teen will most likely prefer junk food].

(It — 가주어 / important — C / to pay attention to good nutrition — 진주어 / since ~ — 부사절)

| 해설 | likely(~할 것 같은, ~하기 쉬운)는 형용사로 쓰일 때 주로 be likely to-v 형태로 쓰여 '~할 것 같다, ~하기 쉽다'의 의미를 가지며, 따라서 이 문장도 likely 뒤에 to prefer를 선택하기 쉽다. 그러나 이 문장은 be likely to-v 형태가 아니라
your teen will (most likely) prefer junk food 구조로 likely가
(your teen — S / will — 조동사 / most likely — 부사 / prefer — V / junk food — O)
동사(will prefer)를 수식하고 있으며, 이때 likely는 '아마'의 뜻을 가지는 부사이다.

| 해석 | 당신의 십대아이는 십중팔구 정크 푸드를 좋아할 것이기 때문에 바람직한 영양 섭취에 주의를 기울이는 것이 중요하다.

12 ① an alone → a lonely   ② a few → a little
③ lonely → alone

TV creates a lonely world of viewing, [a passive state of receiving images and opinions and a little information]. This receiving is done essentially alone, which can be personally and socially very damaging.

(TV — S / creates — V / a lonely world of viewing — O / 동격[앞의 O를 구체적으로 설명] / This receiving — S / is done — V / which — 관계대명사 / can be — V' / personally and socially very damaging — C')

| 해설 | ① alone은 '혼자의, 홀로'의 뜻으로 형용사, 부사 모두 쓰이지만 형용사는 서술적 용법으로만 쓰인다. 여기에서는 an alone world 형태로 alone이 world를 수식하고 있는데 alone은 제한적 용법으로 쓰이지 않기 때문에 틀리며, '외로운 세계'의 의미로 a lonely world로 고쳐야 한다.
② information(정보)은 셀 수 없는 명사이기 때문에 a little로 고쳐야 한다.
③ This receiving is done essentially lonely는 '이러한 수신 행위는 본질적으로 외롭게 행해진다'로 해석되어 제한적 용법으로만 쓰이는 lonely가 동사(is done)를 수식하기 때문에 틀린 문장이며 그 자리에 부사 alone을 써야 한다.

| 해석 | TV는 외로운 시청의 세계, 즉 이미지와 의견과 약간

의 정보를 수동적으로 받아들이는 상태를 야기한다. 이러한 수신 행위는 본질적으로 홀로 행해지는데, 그것은 개인적으로나 사회적으로 매우 피해를 줄 수 있다.

Plus Tip

■ 용법에 따라 의미가 달라지는 형용사

제한적 용법과 서술적 용법으로 둘 다 쓰이지만 각각의 쓰임에 따라 의미가 달라지는 형용사들도 있으니, 알아두도록 한다.

I met a **certain** gentleman yesterday. 〈'어떤' – 제한적 용법〉
나는 어제 어떤 신사를 만났다.

He is **certain** to succeed. 〈'확실한' – 서술적 용법〉
그는 틀림없이 성공할 것이다.

What is your **present** address? 〈'현재의' – 제한적 용법〉
당신의 현주소는 어디입니까?

He wasn't **present** at the meeting. 〈'참석한' – 서술적 용법〉
그는 그 모임에 참석하지 않았다.

---

13 고칠 필요 없음

Polluted air drifts all over the earth, and it even rises high above the earth.

| 해설 | it even rises high above the earth는 '그것은 심지어 지구 위로 높이 올라간다'의 의미인데, '높이'의 뜻으로 high 대신 highly를 쓰기 쉽다. 그러나 highly는 very much의 의미이기 때문에 쓸 수 없고, '높이'의 뜻으로 쓰이는 high(부사)가 맞는 표현이다.

| 해석 | 오염된 공기는 지구 전역에 떠돌아다니며, 심지어는 지구 위로 높이 올라간다.

14 alike → like

The shape of fire is hard to define. In reality, fire comes in many forms like candle flame, charcoal fire, and torch light.

| 해설 | alike는 서술적 용법으로 쓰이는 형용사인데, 뒤에 목적어로 명사(candle flame, charcoal fire, and torch light)가 연결되어 틀린 문장이다. 이 문장은 '~와 같은'의 의미로 목적어를 취하는 전치사 like를 써야 한다.

| 해석 | 불의 형태를 정의 내리기는 어렵다. 실제로 불은 초 불꽃, 숯불, 횃불과 같은 많은 형태로 나타난다.

15 very → much

To sympathize is to be in harmony with someone else's feelings, but, in general, it is much easier to sympathize with sorrow [than to sympathize with joy].

| 해설 | 비교급으로 쓰인 형용사 easier 앞에 very가 쓰여 '매우 더 쉬운'의 뜻으로 맞는 것처럼 보이지만, very는 비교급을 강조하는 부사로 쓰일 수 없기 때문에 much로 고쳐야 한다.

| 해석 | 공감한다는 것은 다른 사람의 감정과 일치한다는 것을 의미하지만, 일반적으로 즐거움에 공감하기보다는 슬픔에 공감하기가 훨씬 더 쉽다.

16 the more like → the more likely

The better a young child can distinguish a lie from the truth, the more likely he or she is to lie [given the chance].

| 해설 | 「the + 비교급 ~, the + 비교급 ~ (~할수록 더욱 더 ~하다)」 형태로 쓰인 문장인데, 전치사인 like 앞에 비교급을 쓸 수가 없다. 따라서 the more like를 the more likely로 고친 다음 the more likely he or she is to lie ~ 형태에서 정관사(the)를 제외한 more likely를 문장 뒤로 넘기면 he or she is more likely to lie(그 아이는 더 거짓말하기가 쉽다)의 의미로 맞는 문장이 된다.

| 해석 | 어린 아이가 거짓말과 진실을 더 잘 구분하게 될수록, 기회가 주어지면 그 아이는 더 거짓말하기가 쉬워진다.

17 natural → naturally

Not many years ago, schoolchildren were taught that carbon dioxide is the naturally occurring lifeblood of plants, [just as oxygen is ours].

| 해설 | 이 문장은 carbon dioxide is the natural occurring lifeblood of plants 구조로 우리말로 옮기면 '이산화탄소는 자연적인 발생하는 생명의 원천'으로 의미가 맞지 않는다.
따라서 형용사 natural을 부사 naturally로 고치면 이 문장은 naturally occurring lifeblood of plants 구조로 '이산화탄소는 자연적으로 발생하는 생명의 원천'으로 맞는 문장이 된다.

| 해석 | 몇 년 전에 학교 아이들은 산소가 우리에게 꼭 그런 것처럼 이산화탄소가 식물에게 있어서 자연스럽게 발생하는 생명의 원천이라고 배웠다.

18 고칠 필요 없음

In some communities, music and performance have
(successfully) transformed whole neighborhoods as
profoundly [as The Guggenheim Museum did in
Bilbao].

| 해설 | 「as + 원급(형용사/부사) + as」 구문이 쓰인 문장으로 앞의
as를 없애면 music and performance have (successfully)
transformed whole neighborhoods profoundly ~ 구조로 문
법상 적절한 문장이기 때문에 고칠 필요가 없다.

| 해석 | 몇몇 지역 사회에서 Bilbao의 Guggenheim 박물관
이 그랬던 것만큼이나 음악과 공연이 동네 전체를 완전히 성공
적으로 바꾸어 놓았다.

CHAPTER 12 가정법

PATTERN PRACTICE [유형 훈련]   본문 151쪽

01 were

[If there were free medical care,] we could eliminate
many common diseases.

| 해설 | 주절이 가정법 과거 형태(could eliminate)로 쓰여 있으
므로, 가정법 과거이다. 가정법 과거에서 If절 속의 동사가 be동사일 때
에는 인칭이나 수에 관계없이 항상 were로 써야 한다.

| 해석 | 만약 치료를 무료로 할 수 있다면, 우리는 많은 흔한
질병들을 없앨 수 있을 것이다.

02 hadn't

A policeman, [who was on the beach], said that if
Clauss hadn't reacted so quickly and decisively,
there would have been two drownings instead of
one.

| 해설 | that절 안에서 주절이 가정법 과거완료 형태(would
have been)로 쓰여 있기 때문에 if절 속에는 hadn't reacted가
와야 한다.

| 해석 | 만약 Clauss가 그렇게 빠르고 단호하게 반응하지 않
았더라면, 한 명이 아닌 두 명의 익사자가 나왔을 거라고 해변에
있었던 한 경찰관이 말했다.

03 could rise

[If all the ice on land should melt,] the ocean level
could rise as much as 80 meters globally.

| 해설 | If절 속에 should가 쓰여 있는 가정법 미래 문장이므로,
주절에는 could rise가 와야 한다.

| 해석 | 육지의 모든 얼음이 녹는다면, 해수면은 전 세계적으
로 80미터 정도 상승할 것이다.

04 had been repaired

[If the recording equipment had been repaired
earlier,] we could have finished the work on time.

| 해설 | 주절이 가정법 과거완료 형태(could have finished)로
쓰여 있기 때문에 If절 속에는 had been repaired가 와야 한다.

| 해석 | 만약 녹음 장비가 더 빨리 수리되었더라면, 우리는 정
각에 그 일을 끝낼 수 있었을 것이다.

05 had checked

[If Mary had checked her papers more carefully,]
she would not have to get them typed again now.

| 해설 | 주절은 가정법 과거로 '그녀는 그것들(서류)을 지금 다시 타
자로 치지 않아도 될 텐데'로 해석된다. 그런데, Mary가 현재 다시 작성
해야만 하는 이유는 '현재가 아닌 과거에 서류를 신중하게 검토하지 않
았기 때문에' 일어난 일이므로 If절의 내용은 과거 사실의 반대로 가정법
과거완료(had checked)를 써서 혼합 가정법 문장이 되어야 한다.

| 해석 | 만약 Mary가 그 서류를 좀 더 신중하게 검토했더라
면, 지금 그것들을 다시 타자로 치지 않아도 될 텐데.

06 would not have been

Control over fire enabled early man to breed animals
and to clear land. Without this, agriculture would
not have been possible.

| 해설 | If절을 대신하여 가정법으로 쓰이는 "Without this, ~ " 앞의 문장에 과거 시제가 쓰여 있으므로, 네모 안에는 과거 사실의 반대를 나타내는 가정법 과거완료 형태인 would not have been이 쓰여야 한다.

| 해석 | 불에 대한 통제는 인간이 동물을 사육하고 땅을 개간할 수 있도록 해 주었다. 이것이 없었더라면 농업은 가능하지 않았을 것이다.

07 would have been injured

Many people would have been injured [had the earthquake occurred while they were sleeping].

(S / V / 가정법 과거완료(if 생략))

| 해설 | 네모 뒤에 쓰인 had the earthquake occurred ~는 원래 if the earthquake had occurred ~ 형태의 가정법 과거완료 문장에서 if가 생략된 도치 문장이므로, 네모 안에는 would have been injured가 와야 한다.

| 해석 | 만약 그 지진이 잠든 사이에 일어났더라면, 많은 사람들이 다쳤을 것이다.

08 had begun

We wish all countries had begun long ago to work on the problems of water shortage.

(S / V / O)

| 해설 | 네모 뒤에 과거 시점을 나타내는 부사구 long ago가 쓰여 있기 때문에 네모 안에는 과거 시점을 나타내는 형태가 되어야 한다. 그런데 앞에 We wish가 있는 가정법 구문으로, We wish는 현재 시제이므로 네모 안의 시제가 과거 시점을 나타내기 위해서는 가정법 과거완료인 had begun이 와야 한다.

| 해석 | 모든 나라들이 물 부족 문제를 해결하는 일을 오래 전에 시작했더라면 좋을 텐데.

09 were to be

The Gulf Stream brings warm water northward from the equator, which in turn warms northern Europe.

(S / V / 부사구 / 관계대명사(계속적 용법) / V / O)

What if this delicate cycle were to be interrupted?

(What if+가정법)

| 해설 | 네모가 포함된 가정법 문장 앞에 쓰여 있는 문장의 시제가 현재 시제(brings)로 쓰여 있기 때문에 네모 안에는 가정법 과거완료(had been interrupted)가 쓰일 수는 없고, 현재 시점에서 발생할 가능성이 극히 희박하다고 판단하는 가정법 미래(were to be)가 되어야 한다. if절 앞에 쓰인 주절은 What would happen 형태에서

would happen이 생략되고 What만 쓰인 표현이다.

| 해석 | 멕시코 만류는 따뜻한 해수를 적도로부터 북쪽으로 끌어오고, 이어서 그 해수는 북유럽을 따뜻하게 해 준다. 만약 이러한 미묘한 순환이 방해받는다면 무슨 일이 일어날까?

Plus Tip

■ What if + 가정법

가정법으로 쓰인 if절 앞의 주절에 의문사 What만 쓰인 형태로 What 뒤에 쓰인 would happen이나 would have happened를 생략하고 관용적으로 쓰는 표현이다.

What ┌ would happen if + 가정법 과거/가정법 미래
　　　│　→ 만약 ~한다면 어떻게 될까?
　　　└ would have happened if + 가정법 과거완료
　　　　　→ 만약 ~했더라면 어떻게 되었을까?

What (would happen) **if** you should be laid off tomorrow? 만약 당신이 내일 해고당한다면 어떻게 될까?

What (would have happened) **if** I had not started earlier? 만약 내가 더 일찍 출발하지 않았더라면 어떻게 되었을까?

10 고칠 필요 없음

[If creative minds like those of Galileo, Edison, and Einstein hadn't existed,] the world would be a very different place now.

(S' / V' / S / V / C)

| 해설 | 앞에 쓰인 If절은 과거 사실을 반대로 가정하는 가정법 과거완료이지만, 주절은 그 결과로 일어나는 현재 사실을 반대로 가정하는 문장이기 때문에 혼합 가정법의 형태로 올바르게 쓰인 문장이다.

| 해석 | 갈릴레오, 에디슨, 그리고 아인슈타인과 같은 사람들의 창의적인 정신이 없었더라면, 이 세상은 현재 매우 다른 장소가 되어 있을 것이다.

11 have → had

I wish I had more time to talk, but I'm afraid (that) I'm too busy today.

(S / V / O / S / V / C / 부사절(원인))

| 해설 | I'm afraid I'm too busy today는 '나는 오늘 너무 바빠서 유감이다'는 의미로 현재 사실을 나타내므로, 앞에 쓰인 「I wish + 가정법」은 현재 사실의 반대인 가정법 과거를 써서 I wish I had more time to talk로 고쳐야 한다.

| 해석 | 나는 대화할 더 많은 시간을 가졌으면 좋겠지만, 오늘 너무 바빠서 유감이다.

12 would miss → would have missed

I started at once; otherwise I would have missed the
S V 부사구 S V
last train.
O

| 해설 | I started at once(나는 즉시 출발했다)의 과거 시제 문장 뒤에서 otherwise는 If I had not started at once(가정법 과거완료)의 의미이기 때문에 밑줄 친 부분은 would have missed로 고쳐야 한다.

| 해석 | 나는 즉시 출발했다. 그렇지 않더라면, 마지막 기차를 놓쳤을 것이다.

13 고칠 필요 없음

A man was playfully teasing small boys [by making
S V O 부사구
a large fish move its mouth as if it were talking].
부사절

| 해설 | as if 앞의 문장은 과거 시제로 쓰여 있고, as if it were talking(마치 그것(물고기)이 말하는 것처럼)도 과거 시제가 쓰여 앞 문장과 같은 시제(과거)를 나타내므로 문맥상 올바르게 쓰인 문장이다.

| 해석 | 어떤 남자가 마치 큰 물고기가 말하는 것처럼 물고기의 입을 움직임으로써 어린 소년들을 재미있게 놀리고 있었다.

14 고칠 필요 없음

It is high time [that governments all over the world
가주어 V C 명사절
introduced emission controls on all vehicles].

| 해설 |
It is high time that + S + ⌈ 과거 시제 ⌉ ~
                        ⌊ should + 동사원형 ⌋

로 써서 '~해야 할 시간이다'를 나타내는 표현인데, 밑줄 친 부분에 과거 시제(introduced)가 쓰여 있으므로 맞는 문장이다.

| 해석 | 세계 도처의 모든 정부들이 모든 차량에 대한 배기가스 규제를 도입해야 할 때가 되었다.

15 고칠 필요 없음

[If I had known that Jane was in the hospital,] I
S' V' O' S
most certainly would have gone to visit her.
V 부정사구 (목적)

| 해설 | If절과 주절 모두 가정법 과거완료 형태로 쓰인 문장이다. 그런데 If절 속의 내용을 보면, If I had known(내가 알았더라면)은 실제로는 몰랐기 때문에 가정법 과거완료 문장이지만, that절 속의 Jane was in the hospital(Jane이 입원해 있었다)은 과거 사실을 반대로 가정하는 문장이 아닌 직설법 문장이기 때문에 과거 시제로 써서 맞는 문장이다.

| 해석 | 만약 내가 Jane이 입원해 있었다는 사실을 알았더라면, 나는 분명히 그녀를 방문하기 위해 갔을 것이다.

─ Plus Tip ─────────

■ if절 속의 종속절

가정을 나타내는 if절 속에 쓰인 종속절은 가정법과 무관하다.

If I had known it when I **attended** the meeting, I wouldn't have said so.

내가 그 모임에 참석했을 때 그것을 알았더라면, 나는 그렇게 말하지 않았을 것이다.

CHAPTER 13 병렬/도치/어순

PATTERN PRACTICE [유형 훈련] 본문 161쪽

01 marveling

He remembered seeing a pocket compass [when he
S V O₁
was five years old] [and] marveling that the needle
부사절 O₂
always pointed north.

| 해설 |
He remembered ⌈ seeing ~ '봤던 것을'
                ⌊ marveling ~ '놀랐던 것을'

의 의미이므로 네모 안에 seeing(동명사)과 병렬 구조를 이루는 marveling이 와야 한다.

| 해석 | 그는 다섯 살 때 작은 나침반을 보고 나침반의 바늘이 항상 북쪽을 가리키는 것에 놀랐던 일을 기억해 냈다.

02 making

Folk remedies for colds usually involve ingredients
S V₁ O₁
with a strong smell or taste and have the effect of
V₂ O₂
warming up the body and making it sweat.

| 해설 | have the effect of(~의 효과가 있다) 뒤에 두 개의
동명사구 ⌈ warming up the body ⌉ 가 병렬로 연결되기 때문에
        ⌊ making it sweat   ⌋
네모 안에는 making이 와야 한다.

| 해설 | 감기에 대한 민간요법은 흔히 강한 냄새와 맛을 내는 성분들을 가지고 있으며 몸을 따뜻하게 하고 땀을 흘리도록 하는 효과가 있다.

03 to take

The most important thing in the Olympic Games is
<u>S</u>   <u>V</u>
<u>not</u> to win <u>but</u> to take part in them.
             C

| 해설 | 「not A but B(A가 아니라 B)」는 A와 B가 같은 문법적 형태를 가져야 하는 상관접속사이기 때문에 to take가 와야 한다.

| 해석 | 올림픽 게임에서 가장 중요한 것은 이기는 것이 아니라 그 게임에 참가하는 것이다.

04 By replacing

[By replacing the trees near the edge of the yard and
      부사구
growing grapes on the fence,] we can still have
                     S   V
enjoyable outdoor living space.
          O

| 해설 | 등위접속사 and 뒤에 growing grapes(포도를 재배하는 것)으로 동명사(growing)가 쓰여 있기 때문에 네모 안에도 병렬 구조로 동명사(replacing)를 써서 By replacing이 와야 한다.

| 해석 | 뜰 가장자리 근처에 있는 나무를 없애고 울타리에 포도를 재배함으로써, 우리는 즐거운 야외 생활공간을 가질 수 있다.

05 is it

Color is an intimate part of our lives. Not only is it
<u>S</u> <u>V</u>   C   V S
present in every object [that surrounds us], but it
     C   관계대명사절(주격)   S
can also affect our actions.
   V   O

| 해설 | 「not only A but (also) B」는 'A뿐만 아니라 B도'라는 구문으로, A와 B 모두에 <S+V>로 절이 쓰이는 경우에 not only(부정어구) 뒤의 A는 <V+S>로 도치시켜 쓴다.

| 해석 | 색은 우리 삶의 친근한 부분이다. 색은 우리 주위에 있는 모든 사물에 존재하고 있을 뿐만 아니라 우리의 행동에도 영향을 줄 수 있다.

06 do

Studies have shown that men and women find
<u>S</u>   V   S'₁   V'₁
             ├── O(that절)
different things funny, and so do people of different
    O'   O.C'   V'₂   S'₂
age groups.
    ──→

| 해설 | so have/do people of different age groups는 '서로 다른 나이 집단의 사람들도 역시 그렇다'고 해석된다. 그런데 네모 안의 동사는 의미상 Studies have shown에 쓰인 have shown을 받는 것이 아니라 men and women find에 쓰인 find(일반동사)를 받기 때문에 do가 와야 한다.

| 해석 | 연구에 따르면 남자와 여자는 서로 다른 것들에 대해 재미를 발견하고, 서로 다른 나이 집단의 사람들도 역시 그렇다는 사실을 알 수 있다.

07 harsh a manner

Limiting children's freedom [in too harsh a manner]
           S   부사구
teaches a lifelong lesson [that they are always under
   V   O
tight control and have few options].
명사절(동격의 that절)

| 해설 | 네모 앞에 쓰인 too는 「too+형용사+a(n)+명사」의 어순으로 쓰기 때문에 harsh a manner가 와야 한다.

| 해석 | 지나치게 거친 방식으로 아이들의 자유를 제한하는 것은 그들이 항상 엄한 통제 하에 놓여 있고 선택권을 거의 가지고 있지 않다는 평생의 교훈을 가르친다.

08 are

Needed for a diver are nose clips and heavy gloves
p.p.(are에 연결)   V   S
[that provide protection for his hands against the
       관계대명사절(주격)
sharp edges of the oyster shell].

| 해설 | a diver가 주어가 아니라, Nose clips and heavy gloves ~ are needed for a diver.로 쓰인 수동태 문장에서 과거분사인 needed가 앞에 쓰이면서 도치된 문장이다. 따라서 주어가 복수(nose clips and heavy gloves)이므로 네모 안에는 are가 와야 한다.

| 해석 | 코마개와 굴 껍데기의 날카로운 모서리로부터 손을 보호해 줄 두터운 장갑이 잠수부에게 필요하다.

09 spending → spends

Before leaving the nest, a young albatross spends
        부사구   S   V
some time with its parents, [swimming in the ocean
    O   동시동작 ①
and learning to catch fish].
     동시동작 ②

| 해설 | 밑줄 친 spending을 뒤에 연결되는 swimming, learning과 병렬 관계로 보면, 문장 속에 동사가 없기 때문에 틀린 문장이 되므로 밑줄 친 spending을 spends(동사)로 고쳐야 한다.

| 해석 | 둥지를 떠나기 전에, 어린 알바트로스는 바다에서 헤엄치고, 물고기 잡는 것을 배우면서 부모와 함께 얼마간의 시간을 보낸다.

10 poison → poisoning

People use seas [as dumping grounds for waste],
　　S　V　O　　　　　　　　부사구
[destroying environments, poisoning sea creatures
　연속동작 ①　　　　　　　연속동작 ②
and threatening the health of the people who depend
　　연속동작 ③
on them].

| 해설 | 밑줄 친 poison은 앞에 쓰인 동사 use와 병렬 관계로 쓰인 형태가 아니라 등위접속사 and 뒤에 threatening이 쓰여 있기 때문에 poisoning으로 고쳐

```
People + use + seas ~, ┌ destroying ┐
  S      V     O     │ poisoning  │ 으로 연결되는 구조이다.
                      └ threatening ┘
                     연속동작(그래서 ~한다)
```

| 해석 | 사람들은 바다를 쓰레기장으로 이용한다. 그래서 환경을 파괴하고, 바다 생명체들을 해치고, 그것들에 의존하는 사람들의 건강을 위협한다.

11 hundreds of air pollutants are found → are found hundreds of air pollutants

[Inside a tightly sealed building with poor
　　　　　　장소 부사구
ventilation] are found hundreds of air pollutants.
　　　　　　　V　　　　　　　S
| 해설 | 문두에 장소 부사구가 쓰이면 「장소 부사구+V+S」로 도치시켜 써야 한다. 따라서 이 문장은 장소 부사구인 Inside a tightly sealed building ~ 뒤에 are found hundreds of air pollutants로 고쳐야 한다.

| 해석 | 형편없는 환기시설을 갖춘 단단히 밀폐된 빌딩 내부에서는 수백 가지의 대기 오염물질들이 발견된다.

12 so did my brother → neither did my brother

My friend Jack lent me a video camera, but I didn't
　　　S　　　V　I.O　　D.O　　　　　S　V
know how to use it and neither did my brother.
　　　　　O
| 해설 | 밑줄 친 so did my brother는 '나의 형도 역시 그랬다'로 해석되는데, 앞에 쓰인 동사가 didn't know로 부정문이기 때문에 so를 neither로 고쳐야 한다.

| 해석 | 내 친구 Jack이 나에게 비디오 카메라를 빌려줬는데, 나는 그것을 이용하는 법을 알지 못했고, 나의 형도 역시 그랬다.

13 고칠 필요 없음

[Only when the existence of bacteria became
　　　　　　부사절
known] could man begin to deal adequately with
　　　조동사　S　V　　　　　　　　O
food preservation.

| 해설 | 문두에 Only when the existence of bacteria became known으로 'Only + 부사절'이 쓰여 있어 밑줄 친 could man begin은 주어와 동사가 도치된 형태로 올바르게 쓰인 문장이다.

| 해석 | 박테리아의 존재가 알려졌을 때에야 비로소 인간은 음식 보관에 적절히 대처할 수 있게 되었다.

14 people have lived → have people lived

[Never before in history, at least in the developed
　　　　　부사구
world,] have people lived [in such a healthy
　　　　조동사　S　V(=p.p.)　　　부사구
environment].

| 해설 | 문두에 Never before in history로 부정어구가 쓰여 있기 때문에 밑줄 친 people have lived는 주어와 동사가 도치된 형태인 have people lived로 고쳐야 한다.

| 해석 | 역사상 적어도 선진국에서는 사람들이 그렇게 건강한 환경에서 생활해 본 적이 지금껏 결코 없었다.

15 was placed → were placed

One company developed what it called a 'technology
　　S　　　V　　　　　　O
shelf,' [created by a small group of engineers], on
　　　　　　　　분사구　　　　　　　　　　　
which were placed possible technical solutions [that
(=and on it)　V'　　　　　　S'
　부사구
other teams might use in the future].
　　　　　관계대명사절(목적격)
| 해설 | 이 문장은 ~ , on which were placed possible technical solutions ~에서 which가 앞에 쓰인 what it called a 'technology shelf'를 받는 계속적 용법의 목적격 관계대명사로 쓰였다. 따라서 which를 〈접속사(and)+대명사〉로 풀어 쓰면 ~ , and on it were placed possible technical solutions ~ 형태로 문
　장소부사구　V'(수동태)　　　　　　　S'
두에 장소부사구(on it)가 쓰여 주어와 동사가 도치된 형태이므로, 복수형 주어에 수일치하여 was placed를 were placed로 고쳐 써야 한다.

| 해석 | 한 회사는 '기술 선반'이라고 부르는 것을 개발했는데, 그것은 소집단의 기술자들에 의해 만들어졌고, 그 위에는 장차 다른 팀이 사용할 수도 있는 가능한 기술적인 해결책들이 올려져 있었다.

16 he or she can begin → can he or she begin

[Not until a student has mastered algebra] can he or she begin to understand the principles of physics.

| 해설 | 문두에 Not until a student has mastered algebra로 부정의 부사절이 쓰여 있기 때문에 밑줄 친 he or she can begin은 주어와 동사가 도치된 형태인 can he or she begin 형태로 고쳐야 한다.

| 해석 | 대수학을 완성하고 난 후에야 학생은 물리학의 원리를 이해하기 시작한다.

- **not until ~ : ~한 후에야(~하고 나서야) ~ 하다**

전치사 또는 접속사 역할을 하는 until이 문장 속에서 부정어 not과 결합하여 부정문으로 쓰인 경우에 'not until ~' 형태로 문두에 써서 의미를 강조할 수 있으며, 이때 이어지는 주절은 〈V + S〉로 도치시켜 쓴다.

We do not know the value of health until we lose it.
→ *Not until* we lose health **do we know** its value.
우리는 건강을 잃고 나서야 그 가치를 안다.

17 고칠 필요 없음

So intimate is the relation between a language and the people who speak it [**that** the two can scarcely be thought apart].

| 해설 | 이 문장은

The relation between a language and the people who speak it is so intimate [that the two can scarcely be thought apart]. 구조인데 보어로 쓰인 so intimate를 강조하기 위해 문두에 쓰면서 주어와 동사가 도치된 형태로 올바른 문장이다.

| 해석 | 언어와 그 언어를 말하는 사람들의 관계는 너무도 밀접해서 그 둘은 분리되어서는 거의 생각될 수 없다.

18 are → is

Now available to scientists is the equipment to measure the composition and structure of matter on a nano-scale.

| 해설 | The equipment to measure the composition and structure of matter on a nano-scale is now available to scientists. 구조에서 보어로 쓰인 available 이하를 강조하기 위해 문두에 쓰면서 주어(the equipment)와 동사(is)가 도치된 형태로, 주어가 단수 명사이므로 are를 is로 고쳐 써야 한다.

| 해석 | 물질의 구성과 구조를 나노 크기로 측정할 수 있는 장비가 이제 과학자들에게 이용 가능하다.

ANSWER & EXPLANATION

S U M M A   C U M   L A U D E

정답 및 해설

PART Ⅱ 실전 어법 100제

| ACTUAL TEST 01 | | | | 본문 166쪽 |

| 01. ② | 02. ① | 03. ③ | 04. ③ | 05. ⑤ |
| 06. ③ | 07. ① | 08. ③ | 09. ① | 10. ③ |

01

| 전문 해석 | 몇 년에 걸쳐 여섯 가지의 서로 다른 음식 그룹으로 구성된 먹이 피라미드가 바람직한 영양섭취의 기본 원리를 이해하는데 관심을 가진 소비자들에게 혼란을 준다는 이유 때문에 종종 비판받아 왔다. 그 음식 피라미드가 사라진 것으로 보아, 미국 농무부 종사자들이 그 불평을 들었던 것 같다. 이제 그 자리에는 MyPlate라 불리는 건강한 영양섭취를 나타내는 최신의 네 가지 색깔의 이미지가 위치하고 있다. MyPlate는 과일, 야채, 곡물 그리고 단백질의 네 가지 부분으로 나뉜다. 망신스럽게 쫓겨난 음식 피라미드와는 대조적으로, 지방은 현재의 영양을 나타내는 상징에서는 어디에서도 찾아볼 수 없다. MyPlate가 전하는 메시지는 한눈에도 명확하다. 과일과 야채가 우리의 하루 식단에서 주된 요소가 되어야 한다.

| 해설 | (A) 문장의 주어 역할을 하는 the food pyramid가 동명사 being confusing / confused to consumers의 의미상의 주어로, 우리말로 옮기면 '먹이 피라미드가 소비자들에게 혼란을 준다'로 '능동'의 의미이기 때문에 현재분사인 confusing이 와야 한다. (B) 문두에 장소 부사구가 쓰여 ⟨V + S⟩로 도치된 문장으로, 자동사인 lies

가 와야 한다. (C) 네모 안에 쓰인 말이 주어인 Fats와 수동 관계에 있기 때문에 수동형 부정사인 to be seen이 쓰여야 하므로 be seen이 오는 것이 적절하다. **정답 ②**

| 구문 분석 | ⟨1행⟩ Over the years, the food pyramid with its six different food groups was often criticized for being confusing to consumers [(who were) interested in understanding the basics of good nutrition].

▶ ⟨S + V⟩로 이루어진 1형식 문장이며, interested 앞에 「주격 관계대명사 + be동사」가 생략된 형태로 선행사인 consumers를 수식한다.

| Words & Phrases |
• **food pyramid** 먹이 피라미드 • **criticize** [krítisàiz] 비판하다 • **basics** [béisiks] 기본 원리 • **nutrition** [njuːtríʃən] 영양, 영양섭취 • **brand-new** 최신의, 첨단의 • **sound** [sàund] 건강한, 튼튼한 • **disgraced** [disgréist] 수치스런 • **dismiss** [dismís] 쫓겨나다 • **on sight** 한눈에

02

| 전문 해석 | 번개는 어떻게 만들어질까? 폭풍이 발달할 때 갑자기 빠르게 움직이는 돌풍은 구름 속에 있는 물방울과 얼음 결정체들이 서로 마찰하게 한다. 이것은 전하를 형성하고 구름

50 ● PART Ⅱ 실전 어법 100제

밖으로 번개가 치도록 한다. 번개는 항상 지상으로 가는 가장 빠른 길을 택한다. 높은 빌딩들이 가장 공격받기 쉽다. 뉴욕에 있는 Empire State 빌딩은 특별한 목표물이 되어 왔다. 그 건물은 일 년에 평균 23번 번개를 맞는다. 이 사실은 뇌우 속에서 있기에 가장 안전한 장소가 키가 큰 나무 아래라는 상식을 깨뜨린다. 비록 번개가 파괴적이기는 하지만, 그것은 또한 우리의 생존에서 중요한 역할을 한다. 번개는 질소를 대기 중으로 방출하고 빗방울이 그것을 땅으로 가져옴으로써, 생명에 필요한 성분을 가지고 땅을 비옥하게 해 준다.

| 해설 |　사역동사 make는 목적격 보어로 동사원형을 취하므로 ①의 to rub을 rub으로 고쳐야 한다.　　　　　　　　　　**정답 ①**

| 오답 확인 |　② It은 The Empire State Building을 가리키며, '빌딩이 번개를 맞는다'는 의미이므로 수동태로 맞게 쓰였다.

③ 앞의 명사 the myth를 수식하는 동격의 that절이다.

④ 「형용사(부사)+as+ 주어 + 동사 ~」는 양보 구문으로 '~이긴 하지만' 이라는 뜻으로 쓰인다.

⑤ 「S + V ~, ~ing」 구조로 '연속동작'을 나타내는 분사구문이다.

| 구문 분석 |　〈1행〉　The gusts of wind [that whip up when a storm is developing] make water droplets and ice crystals in clouds rub against each other.

▶ 사역동사 make의 목적격 보어로 동사원형인 rub이 쓰였다.

| Words & Phrases |
• gust [gʌst] 돌풍, 획 부는 바람　• droplet [dráplit] 작은 (물)방울　• crystal [krístl] 결정체　• rub against ~을 마찰하다　• buildup [bíldʌp] 형성, 발전　• electric charge 전하(電荷)　• vulnerable [vʌ́lnərəbəl] 취약한, 공격받기 쉬운　• dispel [dispél] 내쫓다, (근심·의심 등을) 없애다　• myth [miθ] 사회적 통념, 상식, 신화　• nitrogen [náitrədʒən] 질소　• ingredient [ingrí:diənt] 성분, 요소

03

| 전문 해석 |　UNICEF의 목표들 중의 하나는 아이들에게 인생에서 가능한 최고의 출발을 제공해 주는 것이다. 사실, UNICEF 예산의 절반 이상은 아이들의 처음 5년 간의 생에 있어서 더 나은 의료, 영양, 물, 위생, 그리고 교육을 제공하기 위해 사용된다. 그러나 세계 도처에서 어린 아이들의 빈곤 상태는 놀랄 만하다. UNICEF에 따르면, "한 해에 태어나는 100명의 아이들 중에서 30명은 태어난 지 5년 내에 영양실조에 걸릴 가능성이 매우 높으며, 26명은 기본적인 아동 질병에 대한 예방접종

을 받지 못하며, 19명은 안전한 식수를 마실 수 없으며, 40명은 적절한 위생 상태에 있지 못하며, 17명은 학교에 다니지 못하고 있다."고 한다. 매년 이러한 문제점들은 1,100만 명의 5세 미만 아동을 사망에 이르게 한다. 이러한 사실은 매일 30,000명의 아이들이 죽어가고 있으며, 이러한 사망의 대부분은 예방될 수도 있다는 것을 의미한다.

| 해설 |　(A) 분사가 보어 역할을 하는 문장으로, 주어(the needs)와 능동 관계에 있기 때문에 현재분사인 overwhelming이 와야 한다. (B) 「be likely to + 동사원형(~하기 쉽다)」으로 판단하여 likely to suffer를 정답으로 착각하기 쉽다. 그러나 이 문장은 likely 앞에 be동사가 없고 조동사(will)가 있으므로 will suffer로 연결시켜야 하며 likely는 동사를 수식하는 부사로 '아마도'의 뜻으로 쓰였다. (C) 앞 문장 전체를 받기 때문에 단수 대명사 It이 와야 한다. 따라서 It means가 적절하다.　　　　　　　　　　**정답 ③**

| 구문 분석 |　〈2행〉　In fact, more than half of UNICEF's budget is used [to help children in their first five years of life] [by providing them with better health care, nutrition, water, sanitation, and education].

▶ 1형식 구조(S+V)의 문장으로, 부사구에 「provide A with B(A에게 B를 제공하다)」 구문이 쓰였다.

| Words & Phrases |
• budget [bʌ́dʒit] 예산　• nutrition [nju:tríʃən] 영양, 영양 상태　• sanitation [sænətéiʃən] 위생　• overwhelming [òuvərhwélmiŋ] 짓누르는, 엄청난　• suffer from ~에 걸리다　• malnutrition [mælnju:tríʃən] 영양실조　• immunize [ímjunàiz] 예방접종하다　• access [ǽkses] 접근, 이용　• drinking water 식수　• adequate [ǽdikwət] 적절한

04

| 전문 해석 |　많은 소비자들은 그들이 매일 사용하는 흔한 제품 속에 들어 있는 화학제품에 대해 알지 못하고 있다. 화학물질은 특정한 속성을 주기 위해 매우 다양한 제품들 속에 존재한다. 예를 들어, 화학물질은 아동용 잠옷을 불에 견딜 수 있도록 만들기 위해 그것들에 첨가된다. 화학물질은 향수의 향기를 옮기는 데 도움을 준다. 플라스틱은 그것들을 더 유연하게 만들어 주는 화학물질을 포함하고 있다. 이것들은 아동용 장난감들과 음식 용기들에서도 흔하게 발견된다. 이러한 흔한 화학물질 중에 많은 것들이 포유류들과 다른 동물들에게 유해하다. 예를 들어, 비

닐 바닥재에 널리 쓰이고 있는 프탈레이트라는 한 부류의 화학 물질은 생식기 계통에 유해하다. 이러한 화학물질은 유해할 뿐만 아니라 박테리아에 의해 쉽게 분해되지도 않는다.

| 해설 | 선행사 chemicals를 관계사절 뒤로 넘기면 주어가 되며, 목적어로 쓰인 재귀대명사 themselves는 문맥상 Plastics를 가리켜 주어와 일치하지 않기 때문에 them으로 고쳐야 한다.　　　**정답 ③**

| 오답 확인 | ① present는 형용사로 '있는, 존재하는'의 뜻이며, be동사 뒤에서 보어로 쓰였다.
② them은 앞에 쓰인 주어 chemicals가 아니라 children's pajamas를 가리킨다.
④ 관계대명사의 계속적 용법으로 phthalates가 선행사이다.
⑤ 「Not only A but also B(A뿐만 아니라 B도)」에서 부정어 Not only가 문두에 나와 주어(these chemicals)와 동사(are)가 도치되었다.

| 구문 분석 | 〈8행〉 For example, one group of chemicals, [called phthalates], which are (widely) used [in vinyl flooring], are toxic [to the reproductive system].

▶ called 이하는 앞에 있는 주어(one group of chemicals)를 수식해 주는 분사구이고, which는 phthalates를 선행사로 가지는 주격 관계대명사로 and they로 풀어 쓸 수 있다.

| Words & Phrases |
• **a variety of** 다양한, 수많은　• **property** [prάpərti] 속성, 특성　• **scent** [sent] 향기, 냄새　• **perfume** [pə́ːrfjuːm] 향수, 향료　• **flexible** [fléksəbəl] 유연한　• **container** [kəntéinər] 그릇, 용기　• **toxic** [tάksik] 유해(유독)한, 독성의　• **mammal** [mǽməl] 포유류　• **reproductive** [rìːprədΛktiv] 생식의, 재생하는　• **dissolve** [dizάlv] 분해하다

05

| 전문 해석 | 일부 연구자들은 누가 더 오래 살 것인지를 결정하는 요소들을 불변 요소와 가변 요소의 두 개 범주로 구분한다. 성별, 인종, 그리고 유전은 불변 요소들로 비록 어떤 장기적인 사회적 변화가 그것들에 영향을 줄 수는 있지만 바뀔 수는 없는 것들이다. 예를 들어, 여성들은 남성들보다 더 오래 사는데, 태어날 때 그들의 기대 수명은 7~8세 정도 더 많다. 수명은 당신의 통제 능력 범위 내에 있는 많은 요소들에 의해 또한 영향을 받는다는 증거가 늘고 있다. 가장 분명한 것이 신체적인 생활방식이다. 칼로리를 줄이는 것이 당신이 할 수 있는 유일한 가장 중요한 생

활방식의 변화일 수도 있다. 실험실의 동물들을 통해 40%의 칼로리 감소가 수명을 50% 연장시킨다는 사실을 실험이 보여 준다. 적게 먹는 것이 다른 어떤 생활방식의 변화보다도 노화 과정에 훨씬 중대하고 다양한 영향을 미친다.

| 해설 | (A) 뒤에 주어(certain long-term social changes)와 동사(can influence)를 갖춘 절이 왔기 때문에 접속사 although가 와야 한다. (B) 뒤에 완전한 문장의 형태가 왔으므로 앞에 쓰인 명사 evidence를 수식해 주는 동격의 that절이 와야 한다. (C) 비교 표현에서 접속사 than 뒤의 동사는 앞의 주절 동사에 따라 결정된다. 이 문장에서 주절 동사 have는 일반동사(가지다)이므로 does가 와야 한다.　　　**정답 ⑤**

| 구문 분석 | 〈6행〉 **There** is increasing evidence [**that** length of life is also influenced by a number of elements] [**that** are within your ability to control].

（유도부사 There / V / S）
（동격절）
（관계대명사절(주격)）

▶ 유도부사 There가 쓰여 주어와 동사가 도치된 문장이며, evidence를 수식하는 that절은 동격절이고 a number of elements를 수식하는 that절은 주격 관계대명사절이다.

| Words & Phrases |
• **gender** [dʒéndər] 성(性)　• **race** [reis] 인종　• **heredity** [hərédəti] 유전, 세습　• **reverse** [rivə́ːrs] 뒤집다, 역전시키다　• **life expectancy** 기대 수명, 평균 수명　• **evidence** [évədəns] 증거, 물증　• **significant** [signífikənt] 중요한　• **extension** [iksténʃən] 연장　• **longevity** [lɑndʒévəti] 수명　• **profound** [prəfáund] 심오한, 중대한　• **diversify** [divə́ːrsəfài] 다양화시키다

Plus Tip

■ 같은 의미의 접속사와 전치사 구별

접속사와 전치사가 서로 같은 의미를 가진 형태가 있는데, 뒤에 연결되는 형태가 절(S+V)이면 접속사, 구이면 전치사를 쓴다.

접속사	전치사
because ~ 때문에	because of ~ 때문에
while ~ 동안에	during ~ 동안에
(al)though 비록 ~일지라도	despite ~에도 불구하고

We visited our relatives **while** we were on vacation.

We visited our relatives **during** our vacation.

우리는 휴가 중에 친척들을 방문했다.

06

| **전문 해석** | 대부분의 프로 피겨 스케이트 선수들이 행하는 기술적인 동작들 중의 하나는 원을 그리면서 회전하는 것이다. 이러한 회전을 실행하는 능력이 그들에게 명성을 얻게 해 주었다. 그것은 또한 그들이 어지럽게 되거나 균형을 잃지 않고 어떻게 그러한 회전을 빠르게 실행할 수 있는지에 대한 의문점을 제기한다. 광범위한 연구와 실험을 통해 생물학자들은 그 질문에 대한 해답이 귀 속에 있다는 것을 발견했다. 우리 양쪽 귀의 각각 안쪽에는 반고리관(semicircular canals)이라고 불리는 액체관이 있다. 우리가 움직일 때 그 액체는 이러한 관의 안쪽을 덮고 있는 여러 개의 미세한 털을 건드리고, 그 다음에 뇌에 메시지를 보낸다. 우리가 몸을 빠르게 회전하면 심지어 우리 몸이 움직임을 멈춘 후에도 귀 속에 있는 이러한 액체가 계속해서 움직이게 되며, 그 결과 현기증을 일으킨다. 이러한 문제에 대처하기 위해서 스케이트 선수들은 회전하고 있는 방향의 반대 방향으로 머리를 빠르게 홱 돌리게 된다. 그렇게 함으로써, 뇌는 몸이 움직이지 않는다고 믿고 스케이트 선수들은 넘어지지 않고 계속 공연을 할 수 있다.

| **해설** | 문두에 장소를 나타내는 부사구인 Inside each of our ears가 있으므로 주어와 동사가 도치된 문장인데, 동사 is 뒤에 있는 tubes(복수 명사)가 주어이기 때문에 are로 고쳐야 한다.　　**정답 ③**

| **오답 확인** |　① 「One of + 복수 명사」에서는 One이 주어가 되므로 단수 동사 is가 왔다.
② raise는 타동사이기 때문에 목적어를 취해야 하는데, 목적어로 questions가 있으므로 맞게 쓰였다.
④ 「주어 + 일반동사(causes) + 목적어 + to부정사」로 쓰이는 5형식 문장에서 목적격 보어 자리에 to move가 쓰였다.
⑤ 전치사 by 뒤에 목적어로 동명사 doing이 쓰였으므로 맞다.

| **구문 분석** |　〈7행〉　As we move, the fluid touches a series of tiny hairs [covering the inside of these tubes], **which** [in turn] send messages [to the brain].
▶ 관계대명사 which는 계속적 용법으로 these tubes가 선행사이며, and they로 풀어 쓸 수 있다.

〈9행〉　Turning our bodies quickly causes the liquid in our ears to move continuously [even after our bodies have stopped moving], **causing** the dizziness.
▶ 일반동사 causes가 쓰여 목적격 보어로 to부정사를 취한 5형식 문장이며, 콤마 뒤의 causing은 연속동작으로 쓰인 분사

구문이다.

| **Words & Phrases** |
• **spin** [spin] 돌다, 회전하다　• **execute** [éksikjùːt] 실행하다　• **as to** ~에 관한　• **dizzy** [dízi] 어지러운, 현기증 나는　• **extensive** [iksténsiv] 광범위한, 넓은　• **in turn** (순서대로) 이어서, 그 다음에　• **continuously** [kəntínjuəsli] 계속해서　• **counter** [káuntər] 반대하다, 맞서다　• **jerk** [dʒəːrk] 갑자기 움직이다, 홱 돌다　• **opposite** [ápəzit] 정반대의

07

| **전문 해석** | 모네는 1860년에서 1880년까지 프랑스에서 활동했던 '인상파'라 불렸던 화가들의 부류 중 한 사람이었다. 그들은 *Impression*이란 제목이 붙여진 일출을 그린 모네의 초기 작품들 중의 하나로부터 그 이름을 얻었다. 인상파들은 자연의 형상이 고정되어 변하지 않는 것이라고 믿지 않았다. 그들은 우리가 세상 속에서 바라보는 색이 실제로는 함께 섞여 있는 소량의 많은 색으로 구성되어 있다고 생각했다. 어떤 의미에서 그들은 순색(純色)의 수백 번의 가벼운 덧칠을 이용함으로써 그들이 본 물체로부터 반사되는 빛을 캔버스 위에 재창조했다. 붓놀림의 형태는 그들이 만들고자 하는 음영에 대한 전반적인 느낌을 주곤 했다. 게다가 밝고 튀는 색과 그 결과로 생겨나는 붓놀림의 질감을 강조하고 물체의 형태와 윤곽만의 관점에서 물체를 그릴 필요가 없다는 점을 보여줌으로써, 그들은 20세기 초 현대 미술의 많은 부분에 대한 토대를 마련했다.

| **해설** | (A) They felt (that) the color (that) we see in the world actually consists of many fragments ~의 구조로, 접속사 that 뒤에는 완전한 문장이 와야 하므로 동사인 consists of가 와야 한다.

(B) they recreated (on canvas) the light (which was) reflected from objects ~의 구조로, reflected 앞에는 '주격 관계대명사 + be동사'가 생략되어 분사구 형태로 앞의 명사 the light를 수식해야 하기 때문에 reflected가 와야 한다. (C) 등위접속사 and를 기준으로 앞의 by emphasizing과 병렬 구조를 이루고 있으므로 동명사인 showing이 와야 한다.　　**정답 ①**

| **구문 분석** |　〈10행〉　In addition, by **emphasizing** [bright, separated colors and the resulting texture of the brush strokes], and **showing** [that objects need not be painted in terms of their forms and outlines

alone], they laid the foundation for much of early
twentieth century modern painting.

S — they / V — laid / O — the foundation

▶ 전치사 by의 목적어로 쓰인 동명사 emphasizing과 showing이 병렬 구조로 연결되어 있다.

| Words & Phrases |
• **impressionist** [impréʃənist] 인상파 • **entitle** [intáitl] ~에 제목을 붙이다, ~라고 칭하다 • **fragment** [frǽgmənt] 조각, 일부, 소량 • **blend** [blend] 섞다, 혼합하다 • **in a sense** 어떤 의미에서 • **recreate** [rì:kriéit] 다시 만들다, 재창조하다 • **reflect** [riflékt] 반사하다, 반영하다 • **dab** [dæb] 칠하기 • **texture** [tékstʃər] 질감, 직물 • **brush stroke** 붓놀림 • **in terms of** ~의 관점에서 • **foundation** [faundéiʃən] 토대, 기초

08

| 전문 해석 | 고대 이집트에서 양파는 영원의 상징이었으며 따라서 숭배의 대상이었다. 이집트인들은 원 안에 또 원이 있는 구조 때문에 양파에서 영원한 생명을 보았다. 고대 이집트 그림에서 사제가 종교적 의식을 수행하는 동안에 그의 손에 양파를 들고 있는 모습이 종종 그려진다. 고대 이집트인들에게 양파는 또한 장례식과 죽음과 관련된 다른 관습에서도 두드러지게 나타났다. 양파는 장례식 제물로서 언급되며 대규모 장례식의 식탁에서도 보여진다. 양파의 그림은 이집트의 왕과 왕족이 묻혀 있는 피라미드의 내부 벽면에도 나타난다. 람세스 4세는 눈 위에 양파를 얹은 채로 묻혔다. 양파의 강한 냄새가 죽은 자를 다시 한 번 숨 쉬도록 자극할 것이라고 믿어졌기 때문에 이런 일이 행해졌다고 일부 연구자들은 믿고 있다.

| 해설 | appear는 자동사로 수동태를 쓸 수 없기 때문에 능동태인 appear로 고쳐야 한다.　　　　　　　　　정답 ③

| 오답 확인 | ① because of는 전치사로 뒤에 명사구가 와야 하므로 맞게 쓰였다.
② 접속사 while 뒤에 '주어+be동사'인 he(a priest) is가 생략된 형태이다.
④ 관계부사 where가 계속적 용법으로 쓰였으며, where는 and in the pyramids로 바꿔 쓸 수 있다.
⑤ that절이 진주어로 쓰여 '~라고 믿어진다'로 해석되기 때문에 수동태가 맞다.

| 구문 분석 | 〈11행〉 Some researchers think (that)

S — Some researchers / V — think / O — (that)

this was done [because **it** was believed **that** the
부사절 / 가주어 / 진주어
strong scent of onions would prompt the dead to
once again begin to breathe].

▶ that절이 목적어로 쓰인 3형식(S+V+O) 문장에서 접속사 that이 생략되어 있다. because 이하의 부사절 속에는 가주어 (it), 진주어(that절) 구문이 쓰였다.

| Words & Phrases |
• **eternity** [itə́:rnəti] 영원, 불멸 • **eternal** [itə́:rnəl] 영원한, 불멸의 • **priest** [pri:st] 성직자, 사제 • **ceremony** [sérəmòuni] 의식, 의례 • **figure** [fígjər] 나타나다, 보이다 • **prominently** [prάmənəntli] 두드러지게, 현저(탁월)하게 • **funeral** [fjú:nərəl] 장례식 • **offering** [ɔ́:fəriŋ] 봉헌물, 제물 • **feast** [fi:st] 잔치, 축제 • **royalty** [rɔ́iəlti] 왕족, 왕위 • **scent** [sent] 향기, 냄새 • **prompt** [prɑmpt] 자극하다, 재촉하다

09

| 전문 해석 | 개인주의를 소중히 여기는 미국인들과는 달리 피지인들은 개인으로서 그들 자신보다는 공동체의 이익에 대해 더 많은 신경을 쓴다. 그들에게는 대중 속에서 두드러지는 것이 친구들을 배려하는 태도를 보여주는 것만큼 결코 중요하지 않다. 그러면 친구들에게 당신이 배려하고 있다는 것을 보여줄 수 있는 주된 방법은 무엇일까? 그것은 물론 음식을 대접하는 것이다. 피지인들에게는 친구들과 가족에게 음식을 제공하는 것은 당신이 그들의 신체적, 정서적 행복에 관심이 있다는 것을 나타낸다. 저녁 식사 시간에 피지인들은 일상적으로 창문과 문을 열어 놓는데, 이것은 음식의 향기가 바깥으로 흘러나가서 지나가는 사람을 끌어들이기 위해서이다. 불쑥 찾아 온 사람에게 충분한 음식을 대접하지 않는 것은 사실상 수치스러운 일이다.

| 해설 | (A) 「as + 원급 + as」로 쓰인 비교 표현에서는 비교 대상이 문법적으로 일치하여야 한다. 이 문장에서는 네모에 쓰인 형태가 앞에 쓰인 주어 standing(동명사)과 병렬 관계에 있기 때문에 showing이 쓰여야 한다. (B) 주어가 동명사인 offering이기 때문에 단수 동사인 indicates가 쓰여야 한다. (C) 이 문장은 뒤에 쓰인 to부정사(not to have enough food ~)가 진주어 역할을 하기 때문에 네모 안에 가주어인 It이 쓰여야 한다.　　　정답 ①

| 구문 분석 | 〈6행〉 For the Fijians, offering food to
부사구 / S
friends and family indicates (that) you're concerned
V / O(접속사 that 생략)

about their physical and emotional well-being.

▶ 〈S + V + O〉로 쓰이는 3형식 문장에서 that절이 목적어로 쓰일 때, 접속사 that은 자주 생략된다.

| Words & Phrases |
• **prize** [praiz] 소중히 여기다　• **stand out** 두드러지다
• **aroma** [əróumə] 향기, 냄새　• **float** [flóut] 뜨다, (냄새) 떠돌다　• **disgrace** [disgréis] 수치, 불명예　• **drop-in** 갑자기 들르는 사람

10

| 전문 해석 |　연구에 의하면 더 건강한 식습관이 심장병, 뇌졸중, 암, 그리고 많은 다른 건강상의 문제들의 위험을 낮추는 데 도움이 될 수 있다고 한다. 당신의 식사를 빨리 개선할수록 당신은 더욱 좋아질 것이다. 더 많은 과일과 야채를 먹는 것으로 시작해라. 그것들은 당신을 질병으로부터 보호하는 데 도움이 되는 비타민과 미네랄, 그리고 섬유질을 자연적으로 함유하고 있다. 소량의 과일과 야채만을 먹는 사람들과 비교해서, 더 많은 과일과 야채를 먹는 사람들은 암과 뇌졸중, 그리고 심장병에 걸릴 위험이 줄어든다. 서로 다른 색을 가지는 과일과 야채는 비타민 A와 C 같은 중요한 영양소들의 수치에 있어서도 다양한 경향이 있다. 그러므로 식료품 가게에 갈 때는 농산물이 있는 통로로 걸어가면서 당신의 카트나 장바구니를 다양한 색깔로 채워라.

| 해설 |　분사구문으로 쓰인 문장인데, 주절의 주어인 those(사람들)가 '비교하는 것'이 아니라 '비교되어지는 것'이기 때문에 수동 관계에 있다. 따라서 Compared with로 고쳐야 한다.　정답 ③

| 오답 확인 |　① help가 '돕다'라는 뜻으로 쓰일 때, 목적어로 to 부정사나 동사원형이 올 수 있으므로 맞게 쓰였다.
② 앞에 쓰인 The sooner와 짝을 이루어 「the + 비교급 ~, the + 비교급 …(~하면 할수록 더 …하다)」으로 쓰인 문장이다.
④ reduced와 risk는 '감소된 위험'이라는 의미로 수동 관계에 있으므로 맞게 쓰였다.
⑤ 앞에 동사원형으로 쓰인 walk와 병렬 구조를 이루고 있으므로 맞게 쓰였다.

| 구 문 분 석 |　〈4행〉 They naturally contain
　　　　　　　　　　　　　　　 S　　　　　　　　 V
vitamins, minerals and fiber [that help **(to)** protect
　　　　　　　　 O(선행사) ←──────────┘ 관계대명사절(주격)
you from disease].

▶ 관계대명사절 속의 동사 help는 여기서 to가 생략된 부정사를 목적어로 가지며, 선행사는 vitamins, minerals and fiber 이다.

| Words & Phrases |
• **lower** [lóuər] 낮추다, 내리다　• **stroke** [strouk] 뇌졸증
• **better off** 부유한, 상황이 더 좋은　• **protect A from B** B로부터 A를 보호하다　• **nutrient** [njú:triənt] 영양소, 영양분
• **produce** [prádju:s] 농산물, 수확물　• **aisle** [ail] 통로, 복도　• **fill A with B** A를 B로 채우다

| 11. ② | 12. ⑤ | 13. ③ | 14. ⑤ | 15. ③ |
| 16. ③ | 17. ② | 18. ③ | 19. ③ | 20. ② |

11

| 전문 해석 |　훌라 춤의 기원은 신비함 속에 가려져 있다. 훌라 춤이 어떻게 생겨났는지를 설명하는 몇 개의 전설이 있기는 하지만, 분명해지는 않다. 하나의 전설에 따르면, 하와이의 여신인 Laka가 Molokai 섬에서 그 춤을 탄생시켰다고 한다. 또 다른 전설은 Hi'iaka를 언급하는데, 그녀는 화산의 여신인 그녀의 여동생 Pele를 잠잠하게 하기 위해 춤을 추었다는 것이다. 훌라 춤의 오래된 형태는 hula kahiko이다. 그것은 감각에 기쁨을 주기 위해 공연되는 매우 선율적이고 관능적인 춤이다. 춤을 추는 사람들은 노래를 부르고 손가락으로 이야기를 말하면서 엉덩이를 앞뒤로 부드럽게 움직인다. 그러나 가장 진지한 훌라 춤은 사원 내에서 행해지는 종교적인 공연이었다. 춤을 추는 사람들은 춤을 배우는 동안 사원 내에 격리되었다. 그들은 어느 누구에게도 춤추는 것이 목격될 수 없었으며, 그 춤을 암기해서 어떠한 실수도 없이 실행할 수 있을 때까지 떠나는 것이 허용되지 않았다.

| 해설 |　(A) 문맥상 앞에 쓰인 how the hula came to be로 절을 받기 때문에 단수인 it이 와야 한다. (B) 「S + V ~, ~ing/p.p.」로 동시동작을 나타내는 분사구문인데, 분사와 주어는 It(the hula kahiko) is performed(그것은 공연된다)로 수동 관계에 있기 때문에 과거분사인 performed가 와야 한다. (C) 지각동사의 수동태는 「be p.p. + to 부정사」로 쓰기 때문에 be seen 뒤에 to dance가 와야 한다.　정답 ②

| 구문 분석 | 〈11행〉 They could not be seen to dance by anybody, and were not allowed to leave until they knew the dance by heart and could execute it without any mistakes.

▶ 등위접속사 and를 중심으로 두 개의 동사가 연결된 구조의 문장이며, until이 시간을 나타내는 종속접속사로 쓰였다.

| Words & Phrases |
• **origin** [ɔ́:rədʒin] 기원 • **give birth to** 낳다, 탄생시키다 • **version** [və́:rʒən] 형태, 판 • **melodic** [məládik] 선율의, 곡조가 아름다운 • **sensual** [sénʃuəl] 관능적인, 육감적인 • **perform** [pərfɔ́:rm] 공연하다 • **back and forth** 앞뒤로 • **seclude** [siklú:d] 격리시키다 • **know ~ by heart** 암기하다 • **execute** [éksikjù:t] 실행하다

| 구문 분석 | 〈6행〉 They fantasized [about **working** hard, **failing** but not **being discouraged**, ① 동명사구 O₁ ② 동명사구 O₂ and finally **feeling** great about achieving success. ③ 동명사구 O₃

▶ ①, ②, ③ 모두 전치사 about의 목적어로 동명사가 병렬 구조를 이루고 있다.

| Words & Phrases |
• **achievement** [ətʃí:vmənt] 성취, 성과 • **motivation** [mòutəvéiʃən] 동기, 자극, 유도 • **fantasy** [fǽntəsi] 환상, 공상 • **concentrate** [kánsəntrèit] 집중하다 • **break A into B** A를 B로 나누다 • **manageable** [mǽnidʒəbəl] 다루기 쉬운, 처리하기 쉬운 • **fantasize** [fǽntəsàiz] 꿈에 그리다, 상상하다 • **discourage** [diskə́:ridʒ] 낙담시키다 • **afterwards** [ǽftərwərdz] 나중에 • **academic** [æ̀kədémik] 학업(학문)의

12

| 전문 해석 | 성취동기는 그들의 문화적인 교육이 어린 시절에 그것을 북돋아주지 않았던 사람들에게서 커질 수 있다. 예를 들어, 낮은 성취동기를 가진 고등학생들과 대학생들은 그들 자신의 성공에 대한 환상을 발전시키도록 격려받았다. 그들은 복잡한 문제를 작고 처리하기 쉬운 단계로 나누는 일에 집중하는 것을 상상했다. 그들은 열심히 일하고, 실패하지만 낙담하지 않고, 마침내 성공을 성취한 것에 대해 대단하게 느끼는 것을 꿈꾸었다. 나중에 그 학생들의 성적과 학업 성공은 향상되었으며, 그것은 그들의 성취동기에 있어서의 증가를 시사하는 것이었다. 다시 말해, 성취동기는 사회적, 문화적 학습 경험에 의해 그리고 이러한 경험을 만들어내는 데 도움을 주는 자신에 대한 믿음에 의해 강하게 영향을 받는다.

| 해설 | 밑줄 친 whom은 목적격 관계대명사로 앞에 쓰인 oneself를 선행사로 가지는 형태인데, 이 문장은 문맥상 oneself(사람)가 선행사가 아니라 the beliefs(무생물)가 선행사이기 때문에 whom을 which나 that으로 고쳐야 한다. **정답 ⑤**

| 오답 확인 | ① it은 주절에 주어로 쓰인 단수 명사 Achievement motivation을 받으므로 맞게 쓰였다.
② imagine의 목적어로 동명사 concentrating이 쓰였으며, themselves는 concentrating의 의미상 주어이다.
③ 전치사 about의 목적어로 동명사가 왔고, 주어 They와 수동 관계에 있다.
④ 「S+V ~, ~ing」 형태로 연속동작을 나타내는 분사구문이다.

13

| 전문 해석 | 과학자들은 아마존의 파괴가 기후의 혼란을 초래할 수 있다는 사실을 걱정하고 있다. 그것이 발생시키는 엄청난 양의 구름 때문에 아마존은 태양의 열이 지구 전체로 분배되는 방식에 있어서 주요한 역할을 한다. 이러한 과정의 어떠한 혼란도 광범위한 예측할 수 없는 결과를 만들어 낼 수 있다. 더욱이 아마존 지역은 그 나무들 속에 적어도 750억 톤의 탄소를 저장하고 있는데, 그것들이 태워질 때 대기 중으로 이산화탄소를 방출한다. 대기는 산업화된 국가들의 자동차들과 공장들에서 나오는 이산화탄소에 의해 이미 위험할 정도로 지나치게 넘쳐나고 있기 때문에, 아마존을 타오르게 하는 것은 온실효과를 확대시킬 수가 있다. 아무도 이산화탄소의 증가가 어떤 영향을 가져올지를 알지는 못하지만, 일부 과학자들은 지구가 가열되어 해결하기 힘든 기후 변화를 초래할 것이라는 사실을 두려워하고 있다.

| 해설 | (A) it 앞에 목적격 관계대명사 that(which)이 생략되어 있으며, 선행사를 관계대명사 that(which) 뒤로 넘기면 it generates the huge volume of clouds로 능동태가 되어야 한다. (B) which 의 선행사는 its trees이며 「접속사 + 선행사」로 쓰면, and **they** when S 삽입절 (they(its trees) are) burned **give off** carbon dioxide ~로 쓰 V O 인 문장으로, when burned 사이에는 '주어 + be동사'인 they(its trees) are가 생략되어 있다. and를 쓰면 the Amazon region **stores** ~, and **give off** ....로 연결되어 동사의 수가 맞지 않을 뿐만 아니라 문맥상으로도 어색하다. (C) 의문형용사로 쓰인 what절이 앞의

문장과 연결되어 간접의문문(의문사+주어+동사) 형태가 와야 한다.
정답 ③

| **구문 분석** | 〈2행〉 Because of the huge volume of
clouds (that(which)) [it generates], the Amazon
plays a major role [in **the way**] [the sun's heat is
distributed around the globe].

▶ 관계부사로 쓰이는 how는 선행사인 the way와 함께 쓰지
못하고 the way 또는 how로만 써야 한다. 이 문장도 the
way 뒤의 절은 how가 생략된 관계부사절이다.

| **Words & Phrases** |
• **chaos** [kéias] 무질서, 혼란 • **volume** [válju:m] 양, 부
피 • **generate** [dʒénərèit] 발생시키다 • **disturbance**
[distə́:rbəns] 혼란, 방해 • **far-reaching** [fá:rí:tʃiŋ] 광범위
한 • **unpredictable** [ʌnpridíktəbəl] 예측할 수 없는
• **give off** 방출하다 • **overburden** [òuvərbə́:rdn] 지나치
게 싣다 • **torch** [tɔ:rtʃ] 타오르다 • **magnify** [mǽgnəfài]
확대하다 • **buildup** [bíldʌp] 강화, 증가 • **bring on** 가져
오다, 초래하다 • **wrench** [rentʃ] 비틀다, 꼬다

14

| **전문 해석** | 계절이 바뀌는 이유는 지구의 축이 기울어져 있
기 때문이다. 축은 지구가 자전하는 가상의 선이다. 축은 태양과
의 관계에서 일직선이 아니기 때문에 빛이 지구의 모든 부분에
동일하게 도달하지는 않는다. 지구의 한쪽이 햇빛에 의해 따뜻
해지는 동안 다른 쪽은 빛의 양이 더 적게 되고 따라서 더 추워
질 것이다. 북반구가 태양 쪽을 향할 때 그쪽은 여름이다. 같은
시점에 남반구는 태양으로부터 떨어진 쪽을 향하며, 따라서 감
소된 양의 햇빛을 받는다. 이것이 북반구에서의 여름이 남쪽 지
역에서의 겨울과 일치하는 이유이다. 만약 지구의 축이 기울어
져 있지 않다면 지구의 모든 부분들은 일 년 내내 같은 양의 햇빛
을 받을 것이며, 계절은 존재하지 않을 것이다.

| **해설** | If절에 「If+주어+동사의 과거형 ~」의 형태를 취하는 가정
법 과거가 왔으므로, 주절에는 「조동사의 과거형+동사원형」의 형태가
와야 한다. 따라서 would receive로 고쳐야 한다. **정답 ⑤**

| **오답 확인** | ① 선행사 the imaginary line을 관계대명사 that
뒤로 넘기면 전치사 around의 목적어 역할을 하므로 목적격 관계
대명사 that이 오는 것이 맞다.
② 동사로 쓰인 does not reach를 수식하는 부사이므로 맞게 쓰였다.

③ 지구를 북반구와 남반구 두 개로 나누어 대조하고 있기 때문에 one
part of the Earth와 상응하여 the other part가 맞게 쓰였다.
④ 등위접속사 and를 기준으로 앞에 쓰인 pointing과 병렬 구조를 이
루고 있다.

| **Words & Phrases** |
• **axis** [ǽksis] (지구의) 축 • **tilt** [tilt] 기울이다 • **in
relation to** ~와 관련하여 • **hemisphere** [hémisfìər] 반
구 • **correspond to** ~와 일치하다, 부합하다 • **be at an
angle** 비스듬한 상태에 있다(기울어져 있다)

15

| **전문 해석** | 작년 여름 Colin Benton은 런던의 한 개인
병원에서 신장 이식을 받은 후에 사망했다. 그러나 몇 달 후, 그
의 미망인이 그녀의 남편의 신장 이식은 영국으로 비행기를 타
고 와 장기를 기증하고서 3,000달러를 지불받았던 터키인한테
서 받은 것이라는 사실을 폭로했을 때 그의 사례는 영국 전역에
서 신문의 머리기사가 되었다. 그 기증자는 자신의 딸을 위한 치
료비를 지불하기 위해 신장을 팔기로 결심했다고 말했다. 그 사
례에서 제기된 문제들에 대한 영국 내에서의 우려 때문에 이식
을 위한 인간 장기의 판매를 금지하고 있는 의회에서 1989년 7
월 28일에 법률이 통과되었다. 동일한 우려와 일부 다른 국가들
내에서의 이식 법률에 존재하는 허점에 관한 우려는 최근에 세
계보건기구로 하여금 그러한 관행을 비난하도록 이끌었다. 5월
에 내린 결정에서 그 기구는 회원국들에게 인간 장기에 있어서
의 밀거래를 막기 위해 입법을 포함한 적절한 대책을 취하도록
요구했다.

| **해설** | (A) 목적어로 쓰인 that절은 주절 동사 disclosed(과거
시제)보다 이전에 일어난 사실이므로 과거완료 시제인 had come이
와야 한다. (B) 'S(Concern)+V(led to)'의 형태로 쓰여 있고, lead
to는 뒤에 목적어로 명사나 동명사가 오기 때문에 'a law(의미상 주
어)+being passed(수동형 동명사)'로 쓰여야 한다. (C) 「S+일반동
사(asked)+O+to부정사」 구조이므로 to take가 와야 한다. **정답 ③**

| **구문 분석** | 〈9행〉 The same concerns and those
over *loopholes* [**in** *the transplant laws*] [**in** some
other nations] **led** the World Health Organization **to**
condemn the practice recently.

▶ 전치사구로 쓰인 ①, ②는 형용사구로 각각 앞에 있는 명사

loopholes와 the transplant laws를 수식하고 있다. 일반동사(led)가 쓰여 목적격 보어 자리에 to부정사(to condemn)가 쓰인 5형식 문장(S+V+O+O.C)이다.

| Words & Phrases |
- **kidney** [kídni] 신장, 콩팥 • **transplant** [trǽnsplæ̀nt] 이식 • **widow** [wídou] 미망인, 과부 • **disclose** [disklóuz] 폭로하다 • **donate** [dóuneit] 기증하다, 기부하다 • **organ** [ɔ́:rgən] 장기, 기관 • **lead to** 이끌다, 초래하다 • **Parliament** [pɑ́:rləmənt] (영국의) 의회, 국회 • **ban** [bæn] 금지하다 • **loophole** [lú:phòul] 허점, 빠져나갈 구멍 • **condemn** [kəndém] 비난하다 • **resolution** [rèzəlú:ʃən] 결정, 결심 • **appropriate** [əpróupriət] 적절한 • **measure** [méʒər] 대책, 조치 • **legislation** [lèdʒisléiʃən] 입법, 법률 • **traffic** [trǽfik] 부정 거래를 하다, 밀매하다

16

| 전문 해석 | 우리는 우리의 기억이 우리가 목격하거나 경험한 적이 있는 사건들을 정확하게 반영한다고 생각하고 싶어하지만, 우리의 회상은 우리가 믿는 것만큼 신뢰할 수 있는 것은 아니다. 현대의 기억 연구자들은 장기간의 기억이 경험의 정확한 복사본을 기록하는 비디오카메라처럼 기능한다는 견해를 받아들이지 않는다. 그들의 견해는 기억은 복원하는 과정이라고 주장한다. 우리가 기억으로부터 회상하는 것은 과거의 복제품이 아니라 과거를 표현하는 것, 즉 과거를 복원시키는 것이다. 우리는 과거의 경험과 사건들의 일관된 설명이나 기록을 형성하기 위해 장기간의 기억 속에 저장되어 있는 단편적인 정보들을 결합시킨다. 그러나 복원시키는 것은 사건과 경험의 왜곡된 기억을 야기할 수 있다.

| 해설 | That은 접속사이므로 뒤에 완전한 문장이 와야 하는데, 타동사인 recall의 목적어가 없기 때문에 목적어를 포함하는 관계대명사인 What으로 고쳐야 한다.   정답 ③

| 오답 확인 | ① think의 목적어 역할을 하는 명사절을 이끄는 접속사로 쓰였다.
② our recollections를 받는 대명사이다.
④ '~하기 위하여(목적)'로 해석되는 to부정사의 부사적 용법(목적)으로 쓰였다.
⑤ 뒤에 쓰인 memories를 수식하는데, '왜곡된 기억'으로 수동의 의미이기 때문에 과거분사가 쓰였다.

| 구문 분석 | 〈3행〉   Contemporary memory researchers reject the view **that** long-term memory works like a video camera **that** records exact copies of experience.

▶ 첫 번째 that은 동격을 나타내는 접속사이며, 그 that절 안에 주격 관계대명사 that이 쓰인 문장이다.

| Words & Phrases |
- **accurately** [ǽkjurətli] 정확하게 • **reflect** [riflékt] 반영하다 • **witness** [wítnis] 목격하다 • **recollection** [rèkəlékʃən] 회상, 기억 • **reliable** [riláiəbəl] 신뢰할 만한, 믿음이 가는 • **contemporary** [kəntémpərèri] 동시대의, 당대의 • **reconstructive** [rì:kənstrʌ́ktiv] 복원하는, 다시 짓는 • **recall** [rikɔ́:l] 회상하다 • **replica** [réplikə] 복제(품), 복사(품) • **representation** [rèprizentéiʃən] 표현, 묘사 • **stitch** [stitʃ] 꿰매다, 바느질하다 • **coherent** [kouhíərənt] 일관된, 응집력 있는 • **account** [əkáunt] 기록, 이야기, 은행 계좌 • **distort** [distɔ́:rt] 왜곡시키다

17

| 전문 해석 | 1912년 12월 18일에 Charles Dawson이라는 이름의 아마추어 고고학자와 그의 친구인 Arthur Smith Woodward가 그들이 놀라운 발견이라고 주장했던 것을 런던 지질학 협회에 제출했다. 그들은 반은 인간, 반은 유인원이라고 믿어지는 생명체의 해골을 제출했다. 그 두 사람은 인간과 유인원 사이에 사라진 연결고리라고 믿어지는 것을 발견했다고 주장했다. 별로 조사도 하지 않고, 그 골격을 칭하는 소위 Piltdown 맨은 진짜인 것으로 받아들여졌다. 그러나 시간이 지나면서 의심이 생겨나기 시작했고, 마침내 면밀한 분석 결과 누군가가 인간과 오랑우탄의 뼈를 결합함으로써 그 해골을 만들었다는 사실이 드러났다.

| 해설 | (A) 관계대명사 what 뒤에는 불완전한 문장이 와야 하므로 was를 쓰면 what (they claimed) was an extraordinary finding ~의 구조로 삽입절(they claimed)을 제외하면 관계대명사 what이 주어를 포함하고 있는 형태이다. (B) 네모 앞에 「주격 관계대명사＋be동사」가 생략된 형태로 수동의 의미가 되어야 하므로 believed가 쓰여야 한다. (C) 'Piltdown 맨은 진짜라고 받아들여졌다'의 의미가 되어야 한다. 따라서 네모 안의 형태가 주어인 Piltdown man을 설명하므로 형용사인 genuine이 쓰여야 한다.   정답 ②

| 구문 분석 | 〈5행〉 The two men claimed [(that) they had discovered what was believed to be the missing link between humans and apes.

S V S' V' O'

▶ 목적어로 쓰인 that절 속에 〈S + V + O〉로 3형식이 쓰였는데, 관계대명사 what이 이끄는 절이 목적어로 쓰여 있다.

| Words & Phrases |
- **extraordinary** [ikstrɔ́ːrdənèri] 대단한, 놀라운 • **skeleton** [skélətn] 해골, 골격 • **creature** [kríːtʃər] 생명체, 피조물 • **investigation** [invèstəgéiʃən] 조사, 연구 • **genuine** [dʒénjuin] 진짜의, 믿을만한 • **surface** [sɔ́ːrfis] (표면에) 떠오르다, 나타나다 • **fuse** [fjúːz] 융합하다, 섞다

18

| 전문 해석 | 곤충들이 생존하기 위한 두 가지 방법은 위장과 변장이라고 불린다. 둘 다 곤충이 주위 환경에 섞이도록 해 주고 잡아먹히는 것을 피하는 데 도움을 준다는 점에서는 서로 아주 유사하다. 그러나 약간의 차이는 있다. 위장할 때 곤충은 주위 환경에 흔히 있는 것과 비슷한 모양을 가진다. 예를 들어, 곤충은 납작한 삼각형 모양을 가질 수 있는데, 그 모양은 그 곤충을 그것이 앉아 있는 나뭇잎처럼 보이도록 만든다. 그래서 새와 같은 포식자는 그 곤충이 단지 나뭇잎이라고 생각하기 때문에 그것이 거기에 있다는 사실을 알아차리지 못한다. 위장과 아주 유사한 변장은 곤충이 그것이 앉아 있는 물체와 동일한 것처럼 보인다는 것을 의미한다. 곤충의 색깔과 모양이 그 곤충을 주위 환경과 완벽하게 섞이도록 도와준다. 만약 곤충이 움직이지 않는다면 포식자는 그 곤충이 거기에 있다는 사실을 절대 알지 못한다.

| 해설 | 사역동사 make의 목적격 보어로 과거분사형인 looked가 쓰였는데, look은 자동사이기 때문에 과거분사형을 쓸 수 없고 동사원형(look)으로 써야 한다. 그리고 look 뒤에 명사(the leaves)가 연결되기 때문에 look이 전치사 like와 함께 쓰인 것이다. **정답 ③**

| 오답 확인 | ① for insects to survive는 「의미상 주어+to부정사」의 형태로 앞의 Two ways를 수식하고 있다.
② '곤충이 잡아먹히는 것을 피하다'라는 의미로 avoid의 목적어로 수동형 동명사(being eaten)가 왔다.
④ 계속적 용법으로 쓰인 which는 「접속사 + 대명사」인 and it (disguise)으로 바꿔 쓸 수 있다.
⑤ it(the insect) is there는 '그것(곤충)이 거기에 있다'라는 의미로 맞게 쓰였다.

| 구문 분석 | 〈7행〉 Thus, a predator such as a bird will not notice [**that** the insect is there because the bird thinks {**that** the insect is only a leaf}].

S V V S' V' 부사 S'' V'' S''' V'''

▶ notice의 목적어인 that절 안에는 because ~의 부사절이 있으며, 이 부사절 내에는 thinks의 목적어인 that절이 있다.

| Words & Phrases |
- **camouflage** [kǽməflàːʒ] 위장 • **disguise** [disgáiz] 변장 • **blend** [blend] 섞이다 • **take on** (형태·모양 등을) 가지다 • **triangular** [traiǽŋgjulər] 삼각형의 • **predator** [prédətər] 포식자 • **identical** [aidéntikəl] 동일한

19

| 전문 해석 | 최초로 성공을 거둔 수혈은 17세기에 행해졌지만, 실제 시행은 그것이 환자에게 제기하는 위험 때문에 불법화되었다. 19세기 들어 다시 시행되었지만, 혈전과 신부전과 같은 무시무시한 위험이 동반되었다. 그러나 오스트리아 태생인 Karl Landsteiner는 한 가지 이론을 가지고 있었다. 그는 인간의 혈액은 타고난 차이와 유사점을 가지고 있다는 사실을 제시했다. 핵심은 그 차이와 유사점을 이해하는 것이었다. 1901년에 마침내 그는 헌혈자들을 A, B 그리고 O (AB는 1902년에 추가됨)라 불리는 3개의 다른 유형으로 분류하였고 그러한 발견이 있은 후 수혈은 비교적 안전한 절차가 되었다.

| 해설 | (A) the dangers(선행사) 뒤에 목적격 관계대명사가 생략된 구조로, 선행사를 뒤로 넘기면 it(S) +posed(V) +the dangers(O) 구조이므로 능동태인 posed가 쓰여야 한다. (B) 주절에 suggested (제안하다)가 쓰여 있지만, that절을 해석하면 '인간의 혈액은 타고난 차이와 유사점을 가지고 있다'로 당연성을 나타내는 의미가 아니므로 (should) have를 쓸 수 없고 주절의 동사와 시제를 일치시켜 had를 써야 한다. (C) 접속사 and 뒤에 following / followed that discovery가 분사구문으로 쓰인 구조이며, 주절의 주어인 the transfusion of blood와 의미상 능동 관계이므로 following이 쓰여야 한다. **정답 ③**

| 구문 분석 | 〈8행〉 By 1901, finally, he had classified blood donors [into three different categories (which were) called A, B, and O (AB was added in 1902),] and following that discovery, the transfusion of blood became a relatively safe procedure.

S V O 부사구 주격 관계대명사＋be동사 생략 분사구문 S V C

▶「S + V ~ , and -ing ~ , S + V」 구조로 두 개의 절이 연결되는데, 두 번째 절 앞에 분사구문이 쓰여 있는 문장이다.

| Words & Phrases |
• **blood transfusion** 수혈 • **outlaw** [áutlɔ̀:] 불법화하다
• **pose** [pouz] 제기하다 • **blood clot** 혈전(血栓) • **kidney failure** 신부전 • **blood donor** 헌혈자 • **procedure** [prəsí:dʒər] 절차

20

| 전문 해석 | 대부분의 미국인들은 거짓말 탐지기는 기계이기 때문에 범죄자와 죄 없는 사람을 실수 없이 구별해 낼 수 있다고 생각하는데 익숙해있다. 그러나 사실 거짓말 탐지기는 실수할 가능성이 있을 뿐만 아니라 실제로도 그렇다. 우선 테스트를 실시하는 사람들이 반드시 자격을 갖춘 전문가인 것은 아니다. 많은 주들이 거짓말 탐지기의 출력정보를 읽고 해석하도록 훈련받은 인가된 조사관들을 고용하지 않는다. 게다가 많은 조사 대상자들이 불안한 상태로 거짓말 탐지기 테스트에 반응한다. 그 결과로 그들이 진실을 말하고 있을 때조차도 마치 거짓말을 하고 있는 것처럼 그들의 신체가 반응한다. 불행하게도, 일부 사람들은 그들이 새빨간 거짓말을 할 때 침착한 상태를 유지해 주는 감정 이완 기법(relaxation techniques)을 이용할 정도로 영리하다.

| 해설 | 'S(lie detectors) +V(can separate)' 형태로 조동사 can 뒤에 동사원형이 쓰여야 하기 때문에 separating을 separate로 고쳐야 한다. **정답 ②**

| 오답 확인 | ① '~에 익숙하다'의 표현은 「be accustomed to +v-ing」 형태로 쓰기 때문에 맞게 쓰였다.
③ licensed examiners (who are) trained to read ~의 형태로 '주격 관계대명사+be동사'가 생략된 구조이다.
④ 「as if +S + 과거시제 ~」로 가정법 과거 시제가 쓰였는데, 주절 동사인 behave(현재 시제와 같은 시제를 나타내기 때문에 맞다.
⑤ 2형식 동사로 쓰인 remain 뒤에 형용사가 쓰여 맞다.

| 구문 분석 | 〈1행〉 Most Americans are accustomed [S] [V] to thinking [that lie detectors, (because they are 전치사구 thinking의 목적어 [S'] machines), can, without error, separate the guilty 부사구 [V'] [O'] from the innocent]. 부사구

▶ 동명사 thinking의 목적어로 that절이 쓰였으며, that절은 S(lie detectors)+V(can separate)+O(the guilty)로 연결되는 3형식 문장이다.

| Words & Phrases |
• **be accustomed to v-ing** ~에 익숙하다 • **lie detector** 거짓말 탐지기 • **administer** [ædmínistər] 실시하다, 집행하다 • **licensed** [láisənst] 인가된, 면허를 받은 • **a pack of lies** 새빨간 거짓말

ACTUAL TEST 03   본문 180쪽

21. ⑤	22. ④	23. ③	24. ③	25. ⑤
26. ②	27. ④	28. ①	29. ④	30. ⑤

21

| 전문 해석 | 우리 DNA의 거의 99%를 공유하고 있는 침팬지는 인간에 가깝지만, 여러분들은 우리가 그들을 다루는 방식을 보면 결코 그러한 사실을 안다고 할 수 없다. 사진작가인 Michael Nichols가 그의 충격적인 저서 Brutal Kinship에서 보여주는 것처럼 우리는 침팬지를 의학적인 연구와 재미를 위해 우리 마음대로 이용하고 학대한다. 그들의 고통에 대해 외면하기로 결정하면서 우리는 그들이 우리와 너무도 닮았다는 사실을 받아들이기를 거부한다. 그들의 모든 유사점에도 불구하고 우리의 이해관계가 충족되기만 하면 그들의 아픔과 고통을 외면하려는 것처럼 보인다. 우리에 갇혀 있거나 관들이 손에 매달린 채 멍한 표정으로 누워 있는 침팬지들의 이미지로 가득 차 있는 Nichols의 책을 훑어보면, 우리가 어떻게 우리와 외모와 행동이 너무도 닮은 생명체를 고문하고 불구로 만들 수 있는지 사실상 이해하기가 불가능하다.

| 해설 | (A) 「S, S' +V' ~, V⋯」 구조로 쓰면 두 개의 절을 연결시키는 접속사가 없기 때문에 틀린 문장이므로, 네모 안에 접속사를 포함한 계속적 용법의 관계대명사 who(→ and they)가 쓰여야 한다. (B) alike는 형용사이므로 뒤에 목적어 us를 취할 수 없고, 전치사 like를 써서 how like us they are 형태로 우리말로 '그들이 우리와 얼마나 같은지(→ 닮았는지)'의 의미가 된다. (C) in cages와 함께 앞에 쓰인 image of chimps를 수식하는 구조인데, 네모 안에 쓰인 lie는 '~한 상태로 있다'의 의미로 자동사이기 때문에 수동의 의미를 가지는 과거분사 lain이 쓰일 수 없고 lying이 쓰여야 한다. **정답 ⑤**

| 구문 분석 | 〈5행〉 [Determined to remain blind to their suffering], we refuse to grasp how like us they are.

(분사구문: Determined to remain blind to their suffering / S: we / V: refuse / O: to grasp how like us they are)

▶ Determined는 주절 주어인 we와 수동 관계에 있는 분사구문을 이끌고 있고, 주절에 쓰인 동사 refuse는 to부정사를 목적어로 가지는 동사이다.

〈8행〉 [Looking through Nichols's book, which is filled with image of chimps in cages or lying vacant-eyed with tubes dangling from their arms], it's practically impossible to understand how we can torture and maim creatures who look and behave so much like ourselves.

(분사구문: Looking through ... their arms / with 동시동작: with tubes dangling / 가주어: it / C: impossible / 진주어: to understand ... ourselves)

▶ Looking은 능동형 분사구문으로 쓰였으며, 분사구문 속의 which는 계속적 용법으로 쓰인 관계대명사로 선행사는 Nichols's book이다. 주절은 가주어(it) ~ 진주어(that절)로 이루어진 문장이다.

| Words & Phrases |

• **disturbing** [distə́ːrbiŋ] 혼란시키는; 충격적인 • **abuse** [əbjúːz] 학대하다 • **at will** 마음대로, 제멋대로 • **grasp** [græsp] 이해하다, 받아들이다 • **think little of** 무시하다 • **vacant-eyed** 멍한 • **dangle** [dǽŋgl] 매달리다 • **practically** [prǽktikəli] 사실상, 실제로 • **torture** [tɔ́ːrtʃər] 고문하다 • **maim** [méim] 불구로 만들다

22

| 전문 해석 | 기름진 땅을 사막과 같은 땅으로 바꾸는 과정은 사막화라고 불린다. 사막화는 기존의 사막 가장자리에서 자연적으로 발생하거나 가장 가까운 사막으로부터 수백 마일 떨어진 작은 땅에서도 시작될 수 있다. 벌목이 또한 사막화의 중대한 원인이 될 수 있다. 개발도상국들에서 사람들의 90퍼센트는 요리와 난방을 위해 나무를 이용한다. 그러나 땔감을 위해 나무를 베는 것은 땅을 태양에 노출된 상태로 남겨 둔다. 나무 아래에서 자라는 작은 식물들은 나무의 그늘이 없어 생존할 수가 없다. 그리고 토양을 비옥하게 해 줄 나뭇잎이 없어 토양은 메마르고 영양소를 빼앗기게 된다. 결국 작은 식물은 죽고, 불모의 땅을 제외한 어떤 것도 남지 않게 된다. 때때로 토양은 너무도 퇴화해서 콘크리트만큼이나 딱딱해진다. 농작물을 기르기 위해 제거된 넓은 땅은 짧은 기간 내에 쓸모없게 될 수도 있다.

| 해설 | ④의 밑줄 친 부분은 병렬 구조로 becomes와 연결되고 있어 The soil deprives of nutrients로 쓸 수 있는데, 동사 deprive는 「deprive A(목적어) of B(A에게서 B를 빼앗다)」로 쓰이기 때문에 틀린 문장이 된다. 따라서 동사로 쓰인 deprives를 과거분사인 deprived로 고쳐 주어(the soil)와 수동 관계로 보어 역할을 하며, poor와 병렬 관계에 놓이도록 해야 한다. **정답 ④**

| 오답 확인 | ① 「S(The process)+V(is called)+C(desertification)」의 구조로 '그 과정은 사막화라고 불린다'는 의미이므로 수동태가 맞다.

② 「부분 명사+of+명사」는 of 뒤의 명사에 따라 동사의 단·복수가 결정되는데, the people은 복수 명사이므로 use가 왔다.

③ 동사 leaves 뒤에서 5형식으로 쓰인 문장인데, 목적어 the land와 목적격 보어 exposed는 수동 관계이므로 맞게 쓰였다.

⑤ 「as+형용사(부사)의 원급+as」로 쓰인 원급 비교 문장에서 형용사나 부사를 판단하는 문제는 앞의 as를 없애고 연결시켜 보면 된다. 이 문장은 앞의 as를 없애면 hard(딱딱한)가 becomes의 보어 역할을 하고 있으므로 맞게 쓰였다.

| Words & Phrases |

• **turn A into B** A를 B로 바꾸다, 변화시키다 • **productive** [prədʌ́ktiv] (토지가) 비옥한, 기름진 • **desertification** [dizəːrtəfikéiʃən] 사막화 • **edge** [edʒ] 가장자리 • **patch** [pætʃ] 헝겊 조각, 작은 땅 • **deforestation** [diːfɔːristéiʃən] 벌목, 산림벌채 • **significantly** [signífikəntli] 중대하게, 엄청나게 • **expose** [ikspóuz] 노출시키다, 드러내다, 폭로하다 • **nutrient** [njúːtriənt] 영양소 • **barren** [bǽrən] 불모의, 열매를 맺지 못하는 • **degrade** [digréid] 타락시키다, 퇴화하다 • **clear** [kliər] 제거하다 • **season** [síːzən] 계절, 기간

23

| 전문 해석 | 공포 영화의 역사는 영화 관람의 역사만큼이나 오래된 것이다. 최초의 영화관은 1905년에 문을 열었다. 그러나 얼마 지나지 않은 불과 5년 만에 영화 제작자인 Thomas Edison과 함께 J. Searle Dawley는 Mary Shelley가 만든 인공 괴물에 관한 1910년 작 Frankenstein을 촬영한다. 10년 후에 독일 영화 감독인 Carl Boese와 Paul Wegener는 오늘날까지도 매우 인정받고 있는 고전적 공포 영화인 The Golem에서 인공 괴물의 주제를 다시 다루게 된다. 1920년대에 공포 영화를 소유했던 사람들이 독일인들이었다면, 1930년대 들어 그 장르를 떠 맡았던 사람들은 바로 미국인들이었다. 1930년대에는 Dracula, The mummy, The Phantom과

The Jekyll and Mr. Hyde와 같은 영화들이 등장했는데, 이 모든 영화들은 엄청난 성공작들이었다.

| 해설 | (A) 「It take＋시간+for 의미상의 주어+to-v」 구조로 '~가 …하는 데 시간이 걸리다'의 의미를 나타내는 표현이므로 네모 안에 to shoot가 쓰여야 한다. (B) 네모 앞에 '주격 관계대명사＋be동사'가 생략되어 수식하는 형태이므로 highly regarded가 쓰여야 한다. (C) 「S +V ~ , ~ing」 구조로 콤마 뒤에 동시동작을 나타내는 분사구문이 쓰였는데, 분사인 being 앞에 주절의 주어(The thirties)와 다른 의미상의 주어로 all of them이 쓰여야 한다. **정답 ③**

| 구문 분석 | 〈8행〉 [If the Germans owned the horror film in the twenties], **it** was the Americans **who** took over the genre in the thirties.
부사절 / 강조어

▶ 주절이 It ~ that 강조 구문으로 쓰인 문장인데, 강조어가 the Americans로 사람이며 주어 역할을 하기 때문에 that 대신에 who가 쓰여 있다.

| Words & Phrases |
• **along with** ~와 함께 • **shoot** [ʃuːt] (영화를) 촬영하다
• **man-made** 인공적인, 인위적인 • **subject** [sʌ́bdʒikt] 주제 • **take over** 인계받다 • **blockbuster** [blákbʌ̀stər] (영화) 대성공작

24

| 전문 해석 | 고대 중국의 의학 형태인 침술은 몸을 순환하고 있는 에너지가 건강을 통제한다는 철학에 기반을 두고 있다. 그래서 통증과 질병은 그러한 에너지 흐름이 방해받은 결과이며, 그것은 몸속의 특정한 부위에 길고 가는 침을 놓음으로써 바로잡을 수 있다. 각각의 부위는 몸의 서로 다른 상응하는 기관을 통제한다. 일단 침을 놓으면 그 침은 앞뒤로 부드럽게 돌려지거나 짧은 시간 동안 적은 양의 전류를 가지게 된다. 침술은 화학요법을 받는 암 환자들에게서 구역질을 완화시키는데 도움을 준다는 사실이 연구에서 밝혀졌다. 침술은 또한 만성 허리 통증 치료에도 도움이 되며, 과민성 대장 증후군에도 효과가 있을 수 있다.

| 해설 | 접속사로 쓰인 Once 뒤에 생략된 주절 주어(the needles)와 be동사를 써 보면 the needles are inserted가 되어 '침이 넣어지다'로 수동의 의미이므로 밑줄 친 inserting을 inserted로 고쳐야 한다. **정답 ③**

| 오답 확인 | ① '주격 관계대명사＋be동사'가 생략된 형태로 energy를 수식하는 분사이다.

---

② 계속적 용법으로 쓰인 관계대명사이며, 앞의 a disturbance가 선행사이다.
④ rotated와 charged가 or로 병렬구조를 이루고 있다.
⑤ 'helps (to) alleviate nausea'의 구조인데 동사 help의 목적어로 쓰인 to부정사에서 to는 생략 가능하다.

| 구문 분석 | 〈1행〉 An ancient Chinese form of medicine, acupuncture is based on the philosophy [that energy circulating through the body controls health].
주어인 acupuncture 설명 / S / V / 전치사구 / 동격절

▶ An ancient Chinese form of medicine은 주어로 쓰인 acupuncture를 설명하고 있으며, philosophy 뒤에 쓰인 that절은 동격절로 philosophy를 수식한다.

| Words & Phrases |
• **acupuncture** [ǽkjupʌ̀ŋktʃər] 침, 침술 • **disturbance** [distə́ːrbəns] 방해, 소란 • **corresponding** [kɔ̀ːrəspándiŋ] 상응하는 • **electric current** 전류 • **alleviate** [əlíːvièit] 완화시키다 • **nausea** [nɔ́ːziə] 구역질 • **chronic** [kránik] 만성의 • **lower back** 허리 • **irritable** [írətəbl] 과민성의 • **bowel** [báuəl] 장

25

| 전문 해석 | 화산 분출과 그 여파는 지구상의 가장 파괴적인 자연 현상들 중의 하나이다. 그러나 화산이 인간의 삶과 재산에 급박한 위협을 제기하는지는 활화산, 휴화산, 또는 사화산으로서의 그 상태에 달려 있다. 활화산은 현재 분출하고 있는 중이거나 또는 최근에 분출한 적이 있는 화산이다. 활화산은 호주를 제외한 모든 대륙과 모든 주요한 대양 분지의 밑바닥에서 발견될 수 있다. 휴화산은 최근에 분출하지 않았지만 미래에 분출할 가능성이 있는 것으로 간주되는 화산이다. 온천의 존재나 화산 가까이에서 발생하는 약한 지진은 화산이 깨어나기 위해 움직이고 있다는 것을 암시하는 것일 수도 있다. 화산은 아주 오랜 기간 동안(수만 년 정도) 분출한 적이 없다면 사화산으로 간주된다. 완전한 사화산은 마그마가 더 이상 공급되지 않기 때문에 더 이상 분출할 수가 없다.

| 해설 | (A) 절(whether a volcano poses ~ property)이 주어로 쓰였기 때문에 단수 동사인 depends on이 와야 한다. (B) 문맥상 현재 시제에서의 추측을 나타내는 may indicate가 와야 한다. (C) '~할 수 있다'의 뜻으로는 be capable of(=be able to)로 쓴다. **정답 ⑤**

| 구문 분석 | 〈1행〉 <u>Volcanic eruptions and their</u>
_S
<u>aftereffects</u> <u>are</u> [**among** the Earth's most destructive
_V　　　_{부사구}
natural events].

▶ 「S+be동사+among ~」의 형태로 쓰여 'S가 ~ 중의 하나이다'의 의미로 해석된다.

| Words & Phrases |

• **eruption** [irʌ́pʃən] 분출, 폭발 • **aftereffect** [ǽftərifèkt] 여파, 후유증 • **pose** [pouz] (위협, 문제들을) 제기하다, 불러일으키다 • **imminent** [ímənənt] 즉각적인, 급박한 • **property** [prápərti] 재산 • **status** [stéitəs] 상태, 상황 • **active** [ǽktiv] 활동(진행) 중인 • **dormant** [dɔ́ːrmənt] (화산이) 활동하지 않고 있는 • **extinct** [ikstíŋkt] (화산 따위가) 활동을 그친 • **basin** [béisn] 분지 • **stir** [stəːr] 움직이다, 동요하다 • **wakefulness** [wéikfəlnis] 깨어 있음

하므로 수동형이 맞다.

④ '한지는 대를 이어(현재까지) 전해 내려오고 있다'는 의미가 되어야 하므로 현재완료 수동태가 맞다.

⑤ 「not to mention+목적어」는 '~은 말할 것도 없이'라는 의미로 쓰인다.

| Words & Phrases |

• **literally** [lítərəli] 글자 그대로 • **process** [práses] 가공하다, 처리하다 • **bark** [baːrk] 나무껍질 • **fiber** [fáibər] 섬유 • **manual** [mǽnjuəl] 손의, 수공의 • **durably** [djúərəbli] 튼튼하게, 내구력으로 • **commune** [kəmjúːn] 친하게 지내다 • **bamboo** [bæmbúː] 대나무 • **willow** [wílou] 버드나무 • **reed** [riːd] 갈대 • **alkaline** [ǽlkəlàin] 알칼리성의 • **permanently** [pə́ːrmənəntli] 영구적으로 • **hand down** 전해주다, 물려주다 • **blend** [blend] 섞다, 혼합하다

26

| 전문 해석 | 글자 그대로 '한국의 종이'를 의미하는 한지는 뽕나무 껍질을 가공하여 손으로 만들어지는 전통적인 한국의 종이이다. 기계로 제작되는 종이와 달리 한지는 손으로 만들어지는 섬유질 종이이며 오랜 수작업의 과정을 거친다. 한지는 100% 순수 뽕나무로 만들어지며, 그것은 그 표면을 부드럽게 유지하면서 종이 섬유질을 매우 질기게 만들어 준다. 한지는 자연 친화적이기 때문에 '살아있는 종이'라고 불려오고 있다. 한지는 뽕나무 외에도 소나무, 대나무, 버드나무, 그리고 갈대에서 추출한 섬유도 이용한다. 한지는 약알칼리성이며, 그것은 오랫동안 보존되는 것을 가능하게 만든다. 사람들은 그것을 책, 문서, 그리고 영구적으로 또는 오랫동안 보존될 필요가 있는 예술작품을 위해 이용했다. 그것은 대를 이어 전해 내려오고 있으며, 혼합되어 있는 미적 감각은 말할 것도 없이 한국만의 전통적인 형태와 색을 여전히 보여주고 있다.

| 해설 | makes the paper fibers very durably는 「S+V+O+부사」로 3형식으로 쓰인 문장인데, 문맥상

「makes(V)+the paper fibers(O)+very durable(O.C)」로
　　→ the paper fibers are very durable

'종이 섬유질이 매우 튼튼하다'는 의미의 5형식 문장이 되어야 한다. 따라서 목적격 보어 자리에 형용사 durable이 와야 한다.　　**정답 ②**

| 오답 확인 | ① Unlike는 '~와는 달리'라는 뜻으로 쓰이는 전치사이다.

③ 진목적어로 쓰인 to부정사이며 '(한지는) 보존된다'는 의미가 되어야

27

| 전문 해석 | 인지 이론가들은 사람들이 사건을 해석하는 방식이 우울증과 같은 정서 장애의 원인이 된다고 믿는다. 가장 영향력 있는 인지 이론가들 중의 한 명은 정신과 의사인 Aaron Beck이다. Beck과 그의 동료들은 부정적으로 치우친 사고방식을 가지는 사람들은 그들이 실망스럽거나 불행한 삶의 사건들에 마주칠 때 우울증에 걸리기 쉽다고 믿는다. 그의 동료들과 함께 Beck은 인지 왜곡이라 불리는 많은 잘못된 사고 패턴들을 확인했다. 이러한 인지 왜곡은 부정적인 삶의 사건에 뒤이어 우울증이 시작될 수 있는 취약함을 증가시킨다고 믿어진다. 왜곡된 사고 패턴들이 한 사람의 삶을 더 많이 지배할수록, 우울증에 대한 취약함은 더욱 커진다.

| 해설 | (A) a (negative / negatively) slanted way of thinking을 우리말로 옮기면 '부정적으로 치우친 사고방식'의 의미로 뒤에 쓰인 분사 slanted를 수식하는 형태이므로 네모 안에 부사인 negatively를 써야 한다. (B) 뒤에 쓰인 negative life events를 목적어로 가지면서 앞에 쓰인 명사 depression을 수식하는 형태이므로 능동형인 following이 쓰여야 한다. (C) 'The more ~ , the greater …'로 「the+비교급 ~ , the+비교급 …」 구조를 이뤄야 하기 때문에 the greater가 쓰여야 한다.　　**정답 ④**

| 구문 분석 | 〈4행〉 <u>Beck and his colleagues</u>
　　　　　　　　　　　　　　　　　　_S
<u>believe</u> [that <u>people</u> {who adopt a negatively slanted
_V　_{목적어}　_{S'}　_{관계대명사절}

way of thinking} are prone to depression {when they
V'　　C'　　　　전치사구　　　　부사절
encounter disappointing or unfortunate life events}].

▶ 3형식 《S + V + O》 문장에서 that절이 목적어로 쓰였으며,
that절 속의 주어인 people은 주격 관계대명사절의 수식을 받
고 있다.

| Words & Phrases |
• **cognitive** [kágnətiv] 인지의, 인지적인 • **depression**
[dipréʃən] 우울증 • **influential** [ìnfluénʃəl] 영향력 있는
• **psychiatrist** [sikàiətrist] 정신과 의사 • **slanted** [slæntid]
치우친 • **be prone to** ~하기 쉽다 • **identify** [aidéntəfài]
확인하다 • **distortion** [distɔ́:rʃən] 왜곡 • **vulnerability**
[vʌ̀lnərəbíləti] 취약함 • **dominate** [dámənèit] 지배하다

28

| 전문 해석 |　사람들은 두 가지 다른 활동을 동시에 성공적으
로 수행할 수 있다. 두 가지 활동을 동시에 수행하기 위해서는 둘
중 하나는 반사적이어야만 한다. 예를 들어, 운전은 반사적이기
때문에 우리는 흔히 대화하면서도 운전을 할 수 있다. 우리는 또
한 관련된 일이나 활동이 다른 종류의 집중을 요구하면 동시에
두 가지 일을 할 수 있다. 피아노를 칠 때 건반을 누르는 것은 악
보를 읽는 것과는 다른 집중의 형태를 요구한다. 하나는 우리에
게 입력되는 자극에 대해 집중하도록 강요하며, 다른 하나는 반
응을 하도록 요구한다. 그러나 거의 불가능한 것은 대화를 하면
서 동시에 독서하는 것인데, 그 이유는 두 가지 활동 모두 유사한
형태의 집중에 의존하기 때문이다. 둘 중 어떤 것도 생각하지 않
고는 수행될 수 없다.

| 해설 |　①의 밑줄 친 부분 앞에 쓰인 To perform ~는 절이 아니
라 to부정사로 쓰인 구이다. 따라서 밑줄 친 부분에는 주절로 「주어 +
동사」가 쓰여야 하는데, 「대명사 + of + 관계대명사」 형태로 쓰인 one
of which를 풀어 쓰면 and one of them으로 접속사 and가 쓰여
'부사구, and + 주절」과 같이 틀린 문장이 된다. 따라서 접속사(and)
가 포함되지 않은 one of them으로 써야 한다.　　　정답 ①

| 오답 확인 |　② 동명사 pressing이 주어이므로 단수 동사
requires가 왔다.
③ 두 개 중에서 '하나는 ~, 다른 하나는 …'이란 표현을 할 경우에는
「One ~, the other …」로 표현하므로 맞게 쓰였다. 여기서는 문맥상
One은 reading the music을 가리키고, the other는 pressing
the keys를 가리킨다.
④ having은 동명사로 is 뒤에서 보어로 쓰였다.

⑤ neither는 「neither + 단수 명사」로 써서 '(둘 중) 어떤 명사도
~아니다'의 의미로 쓰이기 때문에 맞는 표현이다.

| Words & Phrases |
• **perform** [pərfɔ́:rm] 수행하다 • **simultaneously**
[sàiməltéiniəsli] 동시에(= at the same time) • **automatic**
[ɔ̀:təmǽtik] 자동의, 반사적인 • **separate** [sépərət] 분리된,
다른 • **stimuli** [stímjulài] 자극(stimulus의 복수형)

29

| 전문 해석 |　한국 경제가 성장해 왔던 것처럼 경제가 빠르게
성장할 때는 새로운 취업 기회, 소득 증가, 그리고 전반적으로 향
상된 삶의 질과 같이 대부분의 시민들을 위한 많은 혜택이 존재
한다. 그러나 그들의 집과 땅 근처의 개인적인 사업의 개발로 인
해 손해를 입을 수도 있는 사람들이 성장하는 경제의 도취감 속
에서 잊혀진다. 예를 들어, 새로운 아파트 단지의 건설은 그 지역
내의 단독 주택의 가치를 떨어뜨릴 수 있다. 새로운 고속도로와
같은 공공 부문 사업의 개발은 기본적으로 소유자들을 이롭게
해 주는 개인 부문 사업과는 반대로 다수의 사람들에게 이익을
주도록 의도되기 때문에 적어도 부분적으로는 다르다. 경제가
더 빠르게 성장할수록 그들의 땅에 인접해 있는 개인 사업의 개
발로 인해 손해를 볼 수도 있는 더 많은 희생자들이 생길 것이다.

| 해설 |　(A) 「as + 형용사(부사)의 원급 + as」로 쓰이는 원급 비교
표현으로 앞의 as를 없애고 연결시키면, an economy grows
rapidly는 '경제가 빠르게 성장하다'는 의미가 되므로 동사 grows를
수식하는 부사 rapidly가 와야 한다. (B) 이 문장은 「S + be + p.p.」의
수동태 문장에서 과거분사(p.p.)를 강조하기 위해 문두에 쓰면서
「p.p. + be + S」로 도치된 문장 구조이다. 따라서 이 문장의 주어는
those(사람들)이므로 동사로 복수형인 are가 와야 한다. (C) 뒤에 동
사(may lose)가 있어서 선행사(주어)를 포함한 관계대명사로 what
을 쓰기 쉽다. 그러나 뒤의 내용은 사람이 선행사로 쓰여야 하기 때문에
무생물을 포함하는 what은 문맥상 맞지 않는다. 따라서 이 문장은 선
행사 the more victims와 관계대명사가 분리된 문장으로 who가 와
야 한다.　　　정답 ④

| 구문 분석 |　〈11행〉 **The faster** an economy grows,
the more victims there will be [who may lose from
　　　　　　　S(선행사)　　유도부사　V　　관계대명사절(주격)
development of private projects adjacent to their
property].

▶ 「the + 비교급 ~ , the + 비교급 …」 구문은 '~할수록 더욱 더

…하다' 는 의미이다.

| Words & Phrases |

• **numerous** [njú:mərəs] 수많은 • **benefit** [bénəfit] 이익, 혜택, (v) 이롭게 하다 • **euphoria** [ju:fɔ́:riə] 행복감, 도취감 • **property** [prápərti] 재산, 토지 • **apartment complex** 아파트 단지 • **single-family homes** 단독 주택 • **victim** [víktim] 희생자 • **adjacent** [ədʒéisənt] 인접한, 부근의

30

| 전문 해석 | 분명하게 범죄자를 처형하는 문제를 둘러싸고 많은 논쟁이 지속되고 있다. 만약 처벌이 앞으로 일어날 범죄적인 행동을 막으려면, 그것은 신속하고도 확실해야만 한다는 사실에 연구자들은 일반적으로 동의한다. 그러나 미국 내에서는 이러한 조건들 중에서 어느 하나도 사형제도에 의해 충족되지 못하고 있으며, 처형당하는 사람과 같은 특정한 경우를 제외하면 사형이 (범죄) 억제책으로서 기능한다고 주장하는 이성적이고 교양 있는 사람은 오늘날 거의 없다. 사형제도가 있는 주(州)와 그렇지 않은 주(州) 간의 살인율을 비교하는 연구들도 어떠한 중대한 차이를 발견하지 못하거나 또는 사형제도가 있는 주(州)들이 실제로 더 높은 살인율을 가지고 있다는 사실을 밝혀주고 있다. 또한 판사들의 개인적인 특성이 그들의 판결에 영향을 준다는 사실은 혼란을 불러일으킨다.

| 해설 | disturbed is the fact that ~는 「S(the fact that ~) +V(is)+C(disturbed)」의 구조로 쓰인 문장인데, 주어가 길기 때문에 주격 보어로 쓰인 과거분사 disturbed를 문두로 보내 주어와 동사가 도치된 문장이다. 그런데 이 문장은 '그 사실은 혼란을 불러일으킨다'로 능동의 의미이기 때문에 현재분사(disturbing)로 고쳐야 한다.

정답 ⑤

| 오답 확인 | ① a great deal of는 much와 같은 개념으로 뒤에 셀 수 없는 명사가 오는데, 뒤에 controversy가 왔으므로 맞게 쓰였다.

② 「neither of+복수 명사+단수 동사」로 쓰였는데, 문맥상 수동태가 맞다.

③ comparing 앞에 '주격 관계대명사+be동사'인 which are가 생략되어 있고, 선행사인 studies를 관계사절 뒤로 넘기면 「S(studies)+V(are comparing)+O(murder rates)」로 맞게 쓰였다.

④ 상관접속사 「either A or B」에 의해서 연결된 A와 B는 문법적으로 동일한 형태가 되어야 하는데, 앞의 동사 find와 동일한 형태로

동사원형(disclose)이 왔으므로 맞게 쓰였다.

| 구문 분석 | 〈7행〉 Studies (which are) [comparing murder rates between states **with and without** death penalties] either find no significant difference or disclose ~.

S↑ ──────────── 분사구 V₁ V₂

▶ 분사구 속에 쓰인 states with and without death penalties에서 death penalties는 앞에 있는 전치사 with와 without 둘 다에 연결되어 '사형제도가 있는 주(州)와 그렇지 않은 주(州)' 라는 의미이다.

| Words & Phrases |

• **controversy** [kántrəvə̀:rsi] 논쟁, 논란 • **surround** [səráund] 둘러싸다 • **execute** [éksikjù:t] 처형하다, 집행하다 • **criminal** [krímənəl] 범죄자 • **discourage** [diskə́:ridʒ] 막다 • **death penalty** 사형(死刑)제도 • **informed** [infɔ́:rmd] 교양 있는, 박식한 • **capital punishment** 사형(死刑) • **deterrent** [ditə́:rənt] 억지물, 억제책 • **specific** [spisífik] 특정한, 구체적인 • **significant** [signífikənt] 중대한 • **disclose** [disklóuz] 드러내다, 밝히다 • **disturb** [distə́:rb] 혼란시키다, 방해하다 • **judge** [dʒʌdʒ] 판사

ACTUAL TEST 04			본문 187쪽	
31. ③	32. ④	33. ②	34. ②	35. ④
36. ③	37. ⑤	38. ④	39. ①	40. ③

31

| 전문 해석 | 기원전 3세기에 중국인들이 최초로 핼리혜성을 목격했다. 14세기에 이탈리아 플로렌스 지방의 화가 Giotto는 소용돌이치는 동그란 덩어리 형태의 빛을 그의 그림 중의 하나에 그렸다. 16세기에 Shakespeare는 그의 희곡 중의 두 편에

서 그것을 언급했다. 그러나 이러한 중국인들, 이탈리아인들, 그리고 영국인들에 의해 목격되었던 혜성이 정해진 스케줄에 따라 되돌아 오는 동일한 혜성이었다는 사실을 인지하게 된 것은 18세기 천문학자인 Edmund Halley가 등장한 이후였다. 많은 다른 혜성들이 나타나는 것처럼 보였던 현상을 연구하면서 Halley는 매 76년 마다 규칙적으로 나타나는 단 하나의 혜성이 존재할 수도 있다는 사실을 깨달았다. 그의 연구의 결과로 그는 그 혜성이 1758년에 돌아올 것을 예측했다. 그 혜성이 스케줄대로 나타났을 때 그의 예측은 옳았던 것으로 입증되었다.

| 해설 | (A) mention(언급하다)은 타동사로 뒤에 전치사 없이 목적어를 가지기 때문에 mentioned를 써야 한다. (B) 네모 뒤에 주어가 없는 불완전한 문장이 쓰였고, 앞에 선행사도 없기 때문에 관계대명사 what을 써야 한다. (C) 네모 안의 단어는 주어인 His prediction을 설명하는 주격 보어이기 때문에 형용사인 correct를 써야 한다.

정답 ③

| 구문 분석 | 〈5행〉 But it took the eighteenth
가주어 V
century astronomer Edmund Halley to recognize
진주어
[that the comet {(which had been) seen by the
목적어 S ↑ 「주격 관계대명사+be동사」 생략
Chinese, the Italians, and the British} was the same
V C
comet returning on a fixed schedule].
↑_____↑ 현재분사구(능동)

▶ 「It take +O(시간/노력/사람)+to-v」로 '~하는 데 시간/노력/사람을 필요로 하다' 의 의미를 나타내는 표현이며 that절 속의 주어인 the comet 뒤에는 「주격 관계대명사+be동사」가 생략되어 있다.

| Words & Phrases |
• sight [sait] 목격하다, 발견하다 • comet [kámit] 혜성
• whirl [wəːrl] 소용돌이치다 • astronomer [əstránəmər] 천문학자 • appearance [əpíərəns] 출현, 나타남
• regularly [régjələrli] 규칙적으로 • predict [pridíkt] 예측하다, 예상하다 • show up 나타나다

와 남극대륙 바다표범은 한때 크릴이라고 불리는 작은 갑각류 먹잇감을 놓고 경쟁했었다. 수염고래가 사실상 멸종하면서 바다표범은 거의 무제한적인 먹이 공급을 물려받게 되었다. 바다표범의 먹잇감에서의 그러한 증가가 바다표범이 귀환한 주된 이유로 간주된다.

| 해설 | 전치사 with 뒤에 〈S+V〉와 같은 절이 쓰일 수 없으므로, 「with +명사+-ing/p.p.」 형태로 with 동시동작을 나타내는 분사구문으로 쓰여야 하는데, the baleen whale과 become은 능동 관계에 있기 때문에 현재분사형인 becoming으로 써야 한다.

정답 ④

| 오답 확인 | ① 과거 시제이면서 능동태로 쓰여 적절하다.
② 현재분사인 astonishing이 뒤에 오는 명사 comeback을 수식하는 능동의 의미이므로 맞게 쓰였다.
③ 「other +복수명사」로 쓰이는데, 뒤에 factors가 쓰여 맞는 표현이다.
⑤ 문맥상 주어인 That increase와 수동 관계이므로 맞게 쓰였다.

| 구문 분석 | 〈4행〉 [Although scientists admit that
부사절
other factors may be responsible for the seal's
rebound], they are convinced [that the severe decrease
S V O
in the baleen whale population is a major cause].

▶ 주절에 쓰인 be convinced는 두 단어가 결합되어 '~을 확신하다' 의 뜻을 가지는 타동사 역할을 하며 that절을 목적어로 가지고 있다.
* S[사람]+be +형용사+that절
타동사 역할
ex) be certain(sure) 확신하다, be proud 자랑스러워하다,
be aware 알다

| Words & Phrases |
• wipe out 전멸시키다 • seal [siːl] 바다표범 • rebound [ribáund] 되돌아옴, 회귀 • practically [præktikəli] 사실상
• inherit [inhérit] 물려받다

32

| 전문 해석 | 19세기에 미국과 영국 어부들이 남극대륙 바다표범을 거의 전멸시켰다. 그러나 거의 멸종까지 간 후에 남극대륙 바다표범들은 놀랍게도 되돌아온다. 그 개체 수는 현재 급속도로 증가하고 있다. 과학자들은 바다표범이 되돌아온 데에는 다른 요인들이 원인이 될 수 있다고 인정하지만, 수염고래 개체 수의 엄청난 감소가 주된 원인이라고 확신하고 있다. 수염고래

33

| 전문 해석 | 우리들 중에서 산타클로스와 함께 성장했던 사람들에게는 놀랍게 보일 수 있지만, 산타클로스는 통통한 뺨과 두툼한 배, 그리고 긴 흰 수염을 가진 땅딸막한 모습으로 항상 그려진 것은 아니었다. 우리가 오늘날 알고 있는 산타클로스는 19세기 중반에 풍자만화가인 Thomas Nast에 의해 처음으로 만들어졌다. 산타클로스의 유럽식 원형인 성 니콜라스는 군더더기

살이라고는 전혀 없으며 키 크고 날씬하며 턱수염을 기른 주교의 모습으로 항상 그려졌다. 그러나 1863년에서 1885년에 걸친 기간 동안 Nast는 Harper's Weekly사로부터 크리스마스 그림 연작을 그리도록 의뢰받았는데, 그 기간 동안에 그는 오늘날 아이들의 총애를 받고 있는 포동포동한 형상을 만들어 냈다. 산타가 털 장식을 한 빨간색 옷과 모자를 착용하도록 했던 사람도 역시 Nast였다.

| 해설 | (A) 「-ing/p.p. +as +S +V ~」는 우리말로 '비록 ~일지라도'로 접속사 as가 '양보'의 의미로 쓰인다. -ing/p.p.의 알맞은 형태를 위해서는 ing/p.p.를 접속사 as절 뒤로 넘겨보면 되는데, 이 문장에서는 it may seem │ surprising / surprised │ to those of us ~로 주어로 쓰인 대명사 it이 콤마 뒤에 나오는 주절의 내용을 받기 때문에 문맥상 '놀라게 하는'의 의미로 현재분사형인 surprising이 쓰여야 한다. (B) during은 전치사이며 during that period를 쓰게 되면 「S +V ~, 전치사구 +S' +V' ~」 구조로 접속사가 없어 틀린 문장이 된다. 따라서 이 문장은 네모 안에 관계형용사 which를 써서 during which period가 되어야 맞는 문장이 된다. 여기서 during which period의 의미는 and during that period로 볼 수 있다. (C) 문맥상 '산타가 털 장식을 한 빨간색 옷과 모자를 착용해야 한다고 결정했다'의 의미로 주절 동사인 decided와 같은 시제로 「should + 동사원형」이 쓰여야 한다. **정답 ②**

| 구문 분석 | 〈10행〉 It was also Nast who decided that Santa should wear a fur-trimmed red suit and hat.
(강조어: Nast, It ~ that (who) 강조 구문)

▶ It ~ that 강조 구문으로 쓰인 문장인데, 강조어가 Nast로 사람이며 주어 역할을 하기 때문에 that 대신에 who가 쓰였다.

| Words & Phrases |
• **roly-poly** [róulipóuli] 땅딸막한 • **chubby** [tʃʌ́bi] 살찐, 통통한 • **figure** [fígjər] 모습, 형상 • **belly** [béli] 배 • **cartoonist** [kɑːrtúːnist] 풍자만화가 • **ancestor** [ǽnsestər] 조상, 원형 • **bearded** [bíərdid] 턱수염이 난 • **bishop** [bíʃəp] 주교 • **trace** [treis] 흔적 • **commission** [kəmíʃən] 의뢰하다, 주문하다 • **pudgy** [pʌ́dʒi] 땅딸막한, 통통한 • **fur-trimmed** 털 장식을 한

성에 대처하기 위한 노력의 일환으로 Gerald Ford 대통령은 질병통제센터(CDC)로 하여금 국가 유행성 감기 예방접종 프로그램(NIIP)이라 불리는 계획을 시작하도록 지시했다. 그 반응으로 네 개의 제조사들이 2억 명 분량의 약을 제조하기 시작했는데, 그 이유는 질병통제센터가 미국 내에 있는 모든 사람들이 그 질병에 대한 예방접종을 받기를 원했기 때문이다. 질병통제센터는 또한 학교, 공장, 양로원 그리고 보건 기관에서 제트 주사기 예방접종을 실시할 계획을 세웠다. 그러나 곧 문제가 생겼다. 세 명의 노인이 예방접종을 한 후 죽었을 때 언론은 증거가 부족함에도 불구하고 그들의 사망을 돼지독감 예방접종과 관련시켰다. 그러나 곧 돼지독감 예방접종과 신경 계통 질병 사이의 관련성이 밝혀졌고, NIIP는 마침내 1976년 12월 16일에 중지되었다.

| 해설 | 일반동사인 wanted가 5형식 문장으로 쓰여 목적격 보어 자리에 to부정사(to vaccinate)가 쓰였는데, 목적어 every person과 문맥상 수동 관계이므로 수동형 부정사(to be vaccinated)로 고쳐야 한다. **정답 ②**

| 오답 확인 |
① 일반동사 directed 뒤에 목적격 보어로 to부정사가 쓰인 5형식 문장 구조이므로 맞게 쓰였다.
③ began의 목적어로 to부정사가 쓰인 3형식 문장이다.
④ 전치사 despite 뒤에 명사구(a lack of evidence)가 왔으므로 맞게 쓰였다.
⑤ 문맥상 '국가 유행성 감기 예방접종 프로그램이 중지되었다'는 의미이므로 수동태 문장이 맞다.

| 구문 분석 | 〈1행〉 In 1976 (부사구 1) in an effort to combat the possible widespread outbreak of swine flu(SI), (부사구 2) President Gerald Ford(S) directed(V) the Centers for Disease Control(CDC)(O) to launch(O.C) a project (**which was**) called the National Influenza Immunization Program(NIIP). (분사구)

▶ 5형식 구조 〈S +V +O +O.C〉의 문장으로, called 앞에 「주격 관계대명사 + be동사」인 which was가 생략되었다.

| Words & Phrases |
• **widespread** [wàidspréd] 광범위한 • **outbreak** [áutbrèik] 발생, 발발 • **swine flu** 돼지 독감 • **direct** [dirékt] 지시하다, 명령하다 • **set out** 시작하다, 착수하다 • **dose** [dous] (약의) 1회 분량 • **vaccinate** [vǽksənèit] 예방접종을 하다 • **immunization** [ìmjunizéiʃən] 면역시킴, 예방접종 • **arise** [əráiz] (일·사건이) 일어나다 • **establish** [istǽbliʃ] (이론 등을) 입증하다

34

| 전문 해석 | 1976년에 광범위한 돼지독감(SI)의 발생 가능

35

| 전문 해석 | 혜성은 (물과 결빙 상태의 기체인) 얼음과 먼지로 주로 구성되어 있는 위성들이다. 모든 혜성들은 태양을 돌고 있는데 일부는 태양의 자전을 불과 몇 년 안에 끝마치는 한편, 다른 것들은 수십만 년을 필요로 한다. 혜성이 태양 가까이 지나갈 때 혜성의 얼음이 녹고 먼지 입자들이 방출된다. 이 먼지 입자들이 혜성의 유명한 꼬리, 즉 '긴 머리카락'을 만드는 데, 그것은 1,000만 킬로미터 이상으로 뻗칠 수 있다. 인간 역사의 많은 기간 동안 사람들은 혜성을 두려워했다. 이 매우 이상한 물체들은 어디선가 갑자기 나타나는 것처럼 보였다. 일부 사람들은 혜성이 다가올 재난의 소식을 가져오는 전령이라고 생각했다. 혜성은 지진, 전쟁, 홍수, 그리고 다른 재앙 때문에 비난받았다. 17세기가 지나고 나서야 Isaac Newton 경은 혜성이 예측 가능한 형태로 태양을 돈다는 사실을 발견했다.

| 해설 | (A) satellites 뒤에 '주격 관계대명사 + be동사'인 which are가 생략되어 (be) made up of(~로 구성되다)로 연결되는 동사구이므로, 동사를 수식하는 부사 mostly(주로, 대개)가 와야 한다. (B) '이 매우 이상한 물체들(혜성들)은 갑자기 나타나는 것처럼 보였다'는 의미로 부정사의 시제는 본동사로 쓰인 seemed(과거 시제)와 같은 시제인 동일형(to appear)이 쓰여야 한다. (C) 부정어구인 Not until이 문두에 왔으므로 「동사 + 주어」로 도치된 형태가 쓰여야 한다. **정답 ④**

| 구문 분석 | 〈9행〉 $\underset{S}{\text{Some people}}$ $\underset{V}{\text{thought}}$ $\underset{O}{\text{(that)}}$ $\underset{O}{\text{comets were messengers,}}$ $\underset{\text{동시동작}}{\textbf{bringing}}$ news of disasters to come.

▶ 목적어로 쓰인 명사절에서 접속사 that이 생략된 문장이며, bringing은 동시동작을 나타내는 분사구문이다.

| Words & Phrases |
- **comet** [kámit] 혜성 • **satellite** [sǽtəlàit] 위성, 인공위성
- **frozen** [fróuzən] 언, 결빙(結氷)한 • **dust** [dʌst] 먼지, 티끌 • **orbit** [ɔ́ːrbit] 궤도를 돌다, 선회하다 • **revolution** [rèvəlúːʃən] 회전, 자전 • **particle** [pá:rtikl] 입자, 작은 알갱이 • **release** [rilíːs] 방출하다, 배출하다 • **extend** [iksténd] 뻗다, 퍼지다 • **out of nowhere** 어디서 온지 알 수 없는, 느닷없이 • **disaster** [dizǽstər] 재난 • **catastrophe** [kətǽstrəfi] 재앙, 파멸 • **predictable** [pridíktəbl] 예측 가능한

36

| 전문 해석 | 소음은 몇 가지 관점에서 다른 형태의 오염과는

다르기 때문에 소음공해라는 용어는 오랫동안 정확하게 정의하기가 어려웠다. 일례로 소음은 완전히 사라질 수가 있다. 오염이 멈춘 후에도 공기, 물 또는 토양 속에 남아 있는 화학물질이나 다른 종류의 오염물질들과는 달리, 소음은 그 근원이 소음 발생을 멈춘 후에는 환경 속에 남아 있지 않는다. 둘째로, 소음공해는 다른 형태의 오염처럼 쉽게 측정될 수도 없다. 과학자들은 토양, 물, 그리고 공기가 얼마나 많은 오염물질들을 포함하고 있는지를 판단하기 위해 그것들의 표본을 분석할 수 있고 그런 다음 그 양이 건강에 해로운지를 결정할 수 있다. 그러나 소음에 대한 얼마만큼의 노출이 피해를 일으키는지를 결정하기는 더 어렵다. 마지막으로 이 세상의 소음에 대한 정의는 개인적인 의견에 영향을 받기 쉽다. 일부 사람들에게는 시끄러운 음악 소리나 오토바이 엔진의 굉음이 유쾌한 것일 수 있는 반면에 다른 사람들에게 그러한 같은 소리가 스트레스를 주는 것처럼 보일 수 있다.

| 해설 | how many pollutants they are contained는 '그것들이 얼마나 많은 오염물질을 포함하고 있는지'라는 의미로 how many pollutants가 동사 contain의 목적어로 쓰여 있기 때문에 수동태(are contained)를 능동태(contain)로 고쳐야 한다. **정답 ③**

| 오답 확인 | ① which는 계속적 용법의 관계대명사로 앞에 있는 명사구 chemicals and other kinds of pollutants를 가리킨다.
② 「as + 형용사(부사)의 원급 + as」의 원급 비교 문장으로 앞의 as를 없애면 noise pollution cannot be measured easily로 연결되어 부사인 easily가 동사를 수식하므로 맞게 쓰였다.
④ how much가 주어로 쓰인 셀 수 없는 명사 exposure를 꾸며주므로 맞게 쓰였다.
⑤ 자동사 seem 뒤에 형용사 stressful이 보어로 왔으므로 맞게 쓰였다.

| 구문 분석 | 〈3행〉 Unlike $\underset{\text{부사구}}{\text{chemicals and other}}$ kinds of pollutants, [which remain in the air, water, or soil after polluting stops,] $\underset{S}{\text{noise}}$ $\underset{V}{\text{does not}}$ remain in the environment $\underset{\text{주절 내의 부사절}}{\text{after its source ceases to}}$ generate it.

▶ 부사구(Unlike ~ stops) 안의 관계대명사절과 주절 속에 부사절이 각각 쓰여 있다.

〈10행〉 However, $\underset{\text{가주어}}{\textbf{it}}$ $\underset{V}{\text{is}}$ $\underset{C}{\text{more difficult}}$ $\underset{\text{진주어}}{\textbf{to determine}}$ how much exposure to noise causes damage.

▶ 주어로 쓰인 to부정사구가 길어져 「it(가주어) ~ to부정사(진주어)」 구문이 사용되었다.

| Words & Phrases |
- **accurately** [ǽkjurətli] 정확하게 • **define** [difáin] 정의

하다, 규정하다 • **respect** [rispékt] 관점 • **for one thing**
일례로, 한 가지는 • **chemicals** [kémikəlz] 화학물질, 화학약
품 • **pollutant** [pəlú:tənt] 오염물질 • **cease** [si:s] 멈추
다 • **generate** [dʒénərèit] 발생시키다 • **measure**
[méʒər] 측정하다, 치수를 재다 • **analyze** [ǽnəlàiz] 분석하
다 • **determine** [ditə́:rmin] 결정하다, 판단하다 • **be
subject to** ~에 영향받기 쉽다 • **opinion** [əpínjən] 의견, 견
해 • **roar** [rɔ:r] 굉음

37

| 전문 해석 | 미국 최초의 연속 만화물은 19세기말에 등장했
다. 그러나 1930년대에 들어와서야 비로소 만화책은 성공적으
로 미국 문화의 일부가 되었다. Dell Publishing Company
사가 출판한 최초의 만화책은 엄청난 실패작이 되어버렸지만,
역시 Dell사에서 출판한 두 번째 작품은 성공을 거두었다. "잘
알려진 재미있는 이야기들"로 불렸던 만화책 가격은 10센트였
으며, 총 3만 5천부가 순식간에 다 팔려버렸다. 훨씬 더 많은 만
화책들이 뒤따라 나온 것은 놀랍지 않은 일이었으며, 대부분의
책들은 Popeye와 Flash Gordon과 같이 원래 신문에 실렸었
던 풍자만화 캐릭터들을 주연으로 등장시켰다. 그러나 만화책에
서의 가장 큰 획기적인 발전은 1938년 슈퍼맨이라 불리는 빨간
색 망토를 걸치고 푸른색 복장을 한 인물의 등장과 함께 이루어
졌다.

| 해설 | (A) 앞에 부정어로 Not until the 1930s가 쓰여 있기 때
문에 네모 안에 〈V + S〉로 도치된 형태인 did comic books
successfully become이 쓰여야 한다. (B) 분사구문으로 the
comic book was called "Famous Funnies," ~ 형태로 주절
주어와 수동 관계에 있기 때문에 과거분사형인 Called가 쓰여야 한다.
(C) 네모 뒤에 주어가 없는 불완전한 문장이 쓰여 있어 what을 쓰기
쉬운데, 이 문장은 ~ cartoon characters, (such as Popeye and
Flash Gordon), [that had originally appeared] 구조로 선행사
<u>cartoon characters</u>(선행사) <u>전치사구</u>
<u>관계대명사절(주격)</u>
cartoon characters를 수식하므로 네모 안에 that이 쓰여야 한다.
정답 ⑤

| 구 문 분 석 | 〈4행〉 The first comic book,
S_1
published by Dell Publishing Company, was a huge
분사구 V_1 C
failure, but the second one, also published by Dell,
S_2 분사구
succeeded.
V_2

▶ The first comic book과 the second one 뒤에 각각 분사
구가 쓰여 주어를 수식해 주고 있다.

• **comic strip** 연속 만화 • **not surprisingly** 놀랄 것 없이,
당연히 • **feature** [fí:tʃər] 주연시키다, 특징을 이루다
• **originally** [ərídʒənəli] 원래, 본래 • **breakthrough**
[bréikθrù:] 획기적 발전, 큰 성공 • **introduction** [ìntrədʌ́kʃən]
도입 • **caped** [keipt] 망토를 걸친

38

| 전문 해석 | 맥주는 '알코올을 함유한 즐거움을 주는 음료'
라고 정의되어 왔다. 다른 주류에서처럼 맥주의 경우도 알코올
은 발효에 의해 만들어진다. 이 발효는 '즐거운' 화학적 반응으
로 그것에 의해 당분은 거의 같은 비율의 알코올과 이산화탄소
로 전환되며, 그것은 작은 식물, 즉 효모라고 알려진 미생물에 의
해 일어난다. 가장 오래된 발효 음료는 거의 확실하게 당분을 함
유한 과일즙의 우연한 또는 자연 발생적인 발효에 기초하고 있
었다. 그러나 맥주는 인간에게 알려져 있는 가장 오래된 곡물들
중 하나인 보리로부터 유래한다. 보리의 여문 씨앗은 자연적인
상태에서는 사실상 당분을 전혀 함유하고 있지 않아 달지 않지
만 그 씨앗은 녹말 형태로 있는 '갇힌', 즉 중합된 당분을 함유하
고 있다.

| 해설 | 「명사[A]-p.p.+명사[B]」는 'A에 의해 ~된 B'의 의미로
쓰이기 때문에 밑줄 친 부분은 '당분에 의해 포함된 과일'로 해석되어
어색하다. 따라서 'A를 ~한 B'의 의미로 쓰이는 「명사[A]-~ing+명
사[B]」로 바꾸면 sugar-containing fruits로 '당분을 함유한 과일'
이라는 의미가 되므로 옳게 된다.
정답 ④

| 오답 확인 | ① 동사 define은 「define A as B」 형태로 써서
'A를 B라고 정의하다'의 의미로 쓰이는데, 문맥상 '지금까지 죽 ~
정의되어 왔다'는 의미이므로 현재완료 수동태(has been
defined)가 왔다.
② 계속적 용법으로 쓰인 관계대명사 앞에 전치사 by가 쓰인 형태로
「접속사+대명사」로 풀어 쓰면, and by it(a happy chemical
reaction)이다.
③ 구동사로 쓰이는 bring about(~을 초래하다)이 수동태로 쓰인 문
장으로 맞게 쓰였다.
⑤ 과거분사로 쓰인 known 앞에 '주격 관계대명사+be동사'인
which are가 생략된 형태이며, be known to는 '~에게 알려져
있다'의 의미이다.

| Words & Phrases |
• **liquor** [líkər] 알코올 음료, 술 • **fermentation**
[fə̀:rmentéiʃən] 발효 (작용) • **reaction** [riǽkʃən] 반응

- **convert** [kənvə́:rt] 전환시키다 • **bring about** ~을 야기시키다, 초래하다 • **micro-organism** [màikrouɔ́:rɡənizm] 미생물 • **yeast** [ji:st] 효모 • **ferment** [fərmént] 발효시키다 • **accidental** [æ̀ksədéntl] 우연한 • **spontaneous** [spantéiniəs] 자연 발생적인, 자발적인 • **derive from** ~로부터 유래하다 • **barley** [bɑ́:rli] 보리 • **ripe** [raip] 여문, 익은 • **virtually** [və́:rtʃuəli] 사실상, 실질적으로 • **starch** [sta:rtʃ] 녹말

다 • **stimulate** [stímjulèit] 자극하다 • **release** [rilí:s] 배출, 방출 • **pine cone** 솔방울 • **waxy** [wǽksi] 매끈한 • **coating** [kóutiŋ] 껍질 • **encase** [inkéis] 싸다, 포장하다 • **eliminate** [ilímənèit] 제거하다 • **accumulate** [əkjú:mjulèit] 쌓이다, 축적되다 • **weed out** 제거하다, 치우다 • **removal** [rimú:vəl] 제거, 이동 • **competition** [kὰmpətíʃən] 경쟁 • **nutrient** [njú:triənt] 영양분, 영양소

39

| 전문 해석 | 산불은 비극적이고 때때로 거대한 자연 식물 지역을 파괴하기 때문에 예방되어야만 한다. 그러나 산불은 화재에서 나오는 재가 토양을 비옥하게 하면서 새로운 성장을 만들기 때문에 이득이 된다. 화재는 또한 새로운 씨앗의 방출을 자극한다. 예를 들어, Lodgepole 솔방울은 화씨 113도 이상의 온도가 그것들을 감싸고 있는 매끈한 껍질을 녹일 때에만 새로운 씨앗을 방출한다. 화재는 또한 나뭇잎과 가지를 태우고, 그래서 씨앗 성장에 필요한 햇빛이 숲의 바닥면에 도달하도록 한다. 화재는 또한 주위에 쌓여 있는 죽은 물질을 제거함으로써 현재 자라고 있는 것들을 강하게 해 준다. 또한 화재는 보다 작은 식물들을 제거하는 데 도움을 준다. 살아있는 식물과 죽은 식물 모두를 이렇게 제거하는 것은 물, 햇빛, 영양분, 그리고 공간을 차지하기 위한 남아 있는 식물들의 경쟁을 감소시켜 주며, 그래서 그들이 더 강하게 자라도록 해 준다.

| 해설 | (A) 「with+명사+~ing/p.p.」 형태로 with 동시동작을 나타내는 분사구문인데, with를 제외하면 the ash from a fire enriches the soil로 '화재에서 나오는 재가 토양을 비옥하게 한다'는 의미의 능동태 문장이 되므로 enriching이 와야 한다. (B) 선행사인 sunlight를 부가적으로 설명하는 절이 연결되는 형태로 앞에 쓰인 절과 연결하는 접속사(and)가 필요하기 때문에 관계대명사 which (and it)를 써야 한다. (C) '살아 있는'의 의미로 vegetation을 수식해야 하는데, alive는 제한적 용법으로 쓰일 수 없기 때문에 live가 와야 한다. **정답 ①**

| 구문 분석 | 〈7행〉 Fire also burns away trees' leaves and branches, **allowing** sunlight, which is necessary for seed growth, **to reach** the forest floor.
▶ 분사구문 안에 「일반동사(allow)+O+to부정사」로 5형식이 쓰였고, which는 sunlight를 가리킨다.

| Words & Phrases |
• **tragic** [trǽdʒik] 비극적인 • **enrich** [inrítʃ] 비옥하게 하

40

| 전문 해석 | 최근에 연구자들이 한 개 언어를 말하는 가정에서 태어나 한 개 언어만을 사용하는 유아들과 두 개 언어를 사용하는 환경에 놓여져 두 개 언어를 사용하는 유아들을 비교해 보았다. 출생 후 6개월이 되었을 때 한 개 언어를 사용하는 유아들은 소리의 차이를 구분할 수 있었는데, 그들이 익숙하게 들었던 언어로 말하건 아니면 그들 가정에서 들어본 적이 없는 다른 언어로 말하건 간에 동일했다. 그러나 10 내지 12개월 무렵에 그 아이들은 제2외국어로는 더 이상 소리를 구분하질 못하고 오직 그들이 늘 들었던 언어로만 구분할 수 있었다. 대조적으로 두 개 언어를 말하는 유아들은 상이한 발달 과정을 따랐다. 6 내지 9개월 무렵에 그 아이들은 둘 중 어떤 언어든 소리의 차이를 감지하지 못하지만, 좀 더 성장하여 10 내지 12개월 무렵이 되면 두 개 언어 모두에서 소리를 구분할 수 있었다. 이것은 우리의 경험이 뇌를 형성한다는 또 다른 증거이다.

| 해설 | 밑줄 친 동사 uttered의 주어는 문맥상 the monolingual infants가 아니라 sounds이며 따라서 주어와 수동 관계로 they (=sounds) were uttered의 의미이기 때문에 밑줄 친 부분을 were uttered로 고쳐야 한다. **정답 ③**

| 오답 확인 | ① 전치사의 목적어 역할을 하는 목적격 관계대명사로, 선행사(homes)와 전치사를 관계대명사절 뒤로 넘기면 only one language was spoken in homes로 맞게 쓰여 있다.
② 앞에 「주격 관계대명사+be동사」가 생략된 형태로 수동 관계를 나타내는 exposed가 bilingual infants를 수식하고 있다.
④ either 뒤에는 단수 명사가 쓰여야 하는데, 단수 명사인 language가 쓰여 맞다.
⑤ 앞에 쓰인 명사 evidence를 수식하는 동격의 명사절이다.

| 구문 분석 | 〈3행〉 They found that at six months, the monolingual infants could distinguish between sounds, [whether they were uttered in the language

70 • PART II 실전 어법 100제

{(that) they were used to hearing} or in another
語 목적격 관계대명사 생략
language {(which was) not spoken in their homes}]].
語 「주격 관계대명사 + be동사」 생략
▶ 목적어로 쓰인 that절 속에 부사절로 whether절이 쓰여 있으
며, whether절 속에는 목적격 관계대명사와 「주격 관계대명사
+be동사」가 생략된 두 개의 관계대명사절이 각각 선행사를 수
식하고 있다.

| Words & Phrases |
• **monolingual** [mànəlíŋgwəl] 한 개 언어를 사용하는
• **bilingual** [bailíŋgwəl] 두 개 언어를 사용하는 • **utter** [ʌ́tər]
말하다 • **detect** [ditékt] 감지하다, 발견하다

ACTUAL TEST 05				본문 194쪽
41. ⑤	42. ②	43. ⑤	44. ②	45. ④
46. ⑤	47. ③	48. ⑤	49. ②	50. ③

41

| 전문 해석 | 만약 시골에서 살아본 적이 있다면, 당신은 아마
도 개구리들이 밤에 우는 소리에 친숙할 것이다. 많은 시골 사람
들에게 그것은 편안한 소리, 즉 도시가 멀리 떨어져 있다는 표시
이다. 그러나 강력한 조치가 즉시 취해지지 않는다면 개구리의
울음소리는 앞으로 10년 후에는 어느 누구도 들을 수 없는 소리
가 될지도 모른다. 수많은 증거에 따르면 개구리와 양서류라고
알려진 그 부류의 다른 것들도 멸종 위기에 처해 있다는 사실을
알 수 있다. 중앙아메리카와 남아메리카에 있는 몇몇의 양서류
종(種)들 중에 3분의 2가 사라졌다고 하는 보고서도 이미 존재한
다. 양서류가 사라지는 두 가지 원인은 오염과 그들의 자연 서식
지를 침범하는 인간들이다. 개구리와 다른 양서류들을 구하기
위한 노력으로 환경보호론자들은 Amphibian Ark를 설립했
는데, 그것은 세계 도처의 동물원과 접촉해서 그들에게 적어도
500종의 양서류들을 보살펴 달라고 요청하는 프로젝트이다.

| 해설 | (A) 문맥상 선행사가 the class(단수 명사)가 아니라
others(복수 명사)이므로 복수 동사 are가 와야 한다. (B) 「부분 명사
+of+단·복수 명사」에서 동사의 수는 전치사 of 뒤에 쓰인 명사의 수
에 따라 결정된다. 여기서는 전치사 of 뒤에 복수 명사(several

amphibian species)가 왔으므로 have vanished가 와야 한다.
(C) find와 found는 둘 다 타동사로, find는 '찾다, 발견하다'는 뜻이
고, found는 '설립하다'의 뜻이다. 여기서는 문맥상 '설립하다'의 의미
이므로 have founded가 와야 한다.   정답 ⑤

| 구문 분석 | 〈11행〉 In an effort to save frogs and
other amphibians, conservationists have founded
語 부사구   語 S   語 V
Amphibian Ark, [a project that contacts zoos around
語 O   語 S'(선행사)   語 V'₁
the globe and asks them to care for at least 500
語 V'₂
members of the amphibian class].

▶ a project ~ class는 Amphibian Ark와 동격의 관계이다.

| Words & Phrases |
• **be familiar with** ~에 친숙하다 • **croak** [króuk] (개구리
가) 울다 • **dweller** [dwélər] 주민, 거주자 • **immediately**
[imí:diətli] 즉시 • **amphibian** [æmfíbiən] 양서류, 양서류
의 • **extinction** [ikstíŋkʃən] 멸종 • **vanish** [vǽniʃ] 사
라지다 • **invade** [invéid] 침범하다 • **conservationist**
[kɑ̀nsərvéiʃənist] 환경보호론자

42

| 전문 해석 | 한 동안의 따뜻한 날씨가 계속되고 살충제 사용
이 감소하면서 불개미가 만연하게 되었다. 실제로, 화창한 날씨
와 살충제 미사용은 수많은 개미들이 농부들의 들판에 그들의 집
을 짓도록 해 주었고, 거기에서 개미들은 감자와 다른 농작물들
을 여유롭게 먹어치울 수 있다. 트랙터가 그들이 보금자리를 갈
아엎으면, 격노한 개미들이 그 기계 위로 몰려가 운전자를 공격
한다. 희생자의 피부를 움켜잡기 위해 턱을 이용하면서, 그 개미
들은 살 속으로 침을 밀어 넣은 다음 25초 정도까지 같은 자세를
유지한다. 그렇게 찔리면 엄청난 통증을 만들어 내며, 몇 주 혹은
몇 달 동안 지속되는 고통스런 감염을 빈번하게 초래한다.

| 해설 | 밑줄 친 there는 부사이므로 이 문장은 〈S+V ~ , there
(부사)+S' +V' ~〉 구조로 두 개의 절을 연결시키는 접속사가 없어서
틀린 문장이다. 따라서 there 대신 접속사를 포함하는 관계부사
where(계속적 용법)로 고쳐야 한다.   정답 ②

| 오답 확인 | ① have encouraged whole armies of ants
語 V(일반 동사)   語 O
to make ~ 의 5형식 구조로 맞는 문장이다.
語 O.C
③ 이 문장은 원래 If a tractor should overturn their nests로
써야 하는데, 가정을 나타내는 문장에서 접속사 If가 생략되어
〈V +S〉로 도치된 문장 구조이다.

ACTUAL TEST 05 • **71**

④ 분사구문으로 쓰였는데, 주절의 주어 they와 능동 관계에 있기 때문에 맞게 쓰였다.

⑤ 앞에 쓰인 동사 produces와 병렬 구조를 이루고 있다.

| 구문 분석 | 〈6행〉 [Using their jaws to hold the victim's skin](분사구문), they(S) thrust(V) their stingers(O) into the flesh(부사구), [maintaining the same position for up to twenty-five seconds](연속동작).

▶ Using은 주절 앞 문두에서 분사구문을 이끌고 있으며, 뒤에 쓰인 maintaining은 연속동작을 나타내는 분사구문이다.

| Words & Phrases |
• spell [spel] (특정한 날씨가) 계속되는 기간 • pesticide [péstəsàid] 살충제 • plague [pleig] 역병, 전염병, (해충의) 만연 • munch [mʌntʃ] 베어 먹다, 우적우적 먹다 • overturn [òuvərtə́rn] 뒤엎다 • furious [fjúəriəs] 격노한 • swarm [swɔːrm] 모여들다 • thrust [θrʌst] 밀쳐 넣다, 밀치다 • stinger [stíŋgər] 침 • infection [infékʃən] 감염

43

| 전문 해석 | 이전보다 더 많은 십대들이 우울증, 알코올 중독, 그리고 마약 남용과 같은 문제들로 고생하고 있다는 사실을 받아들인, 절박한 부모들은 도움을 찾고 있다. 많은 부모들이 황무지 프로그램에 의존하고 있는데, 그 프로그램은 젊은이들에게 야외 생활을 경험하게 하고 그 생활을 훈련시킴으로써 그들의 태도와 행동을 변화시켜 줄 것을 약속한다. 이 프로그램의 일부는 농장이나 사막에서 진행된다. 거의 모든 프로그램은 동일한 전제를 공유하고 있는데, 즉 아이들이 스스로를 부양해야만 하는 자연세계를 지속적으로 경험하는 것은 어려움에 처한 소년과 소녀들에게 새로운 기술과 증가된 자신감을 제공할 수 있다는 것이다. 그러나 이러한 프로그램은 효과적인 것처럼 들릴지 모르지만, 무시무시하고 때로는 통제 불가능한 위험이 도사린 황무지가 어려움에 처한 아이들을 치료할 수 있는 장소가 실제로 될 수 있을까 하는 매우 중대한 문제를 제기한다.

| 해설 | (A) 분사구문으로 쓰인 문장이므로 주절의 주어 desperate parents를 분사 앞에 쓰면, desperate parents are given that ~이다. 이는 '절박한 부모들이 (that절의 사실·상황을) 받아들이다'라는 의미로 주어와 수동 관계에 있기 때문에 Given이 와야 한다. (B) 뒤에 쓰인 대명사 all과 결합하여 '거의 모든 프로그램'이라는 의미가 되어야 하므로 Almost가 와야 한다. (C) 「형용사(부사)+as+S+V」 형태로 양보절로 쓰인 문장인데, 형용사나 부사를 as절

속으로 넘겨 생각하면 sound(~처럼 들리다)는 2형식 동사이기 때문에 보어로 형용사 effective가 와야 한다.　　　　**정답 ⑤**

| 구문 분석 | 〈3행〉 Many(S) are turning(V) to wilderness programs(부사구), which(S') promise(V') to change the attitude and behavior of the young people(O') [by exposing them to and training them for life in the outdoors](부사구).

▶ which의 선행사는 wilderness programs로 and they로 풀어 쓸 수 있으며, 부사구 속의 to는 뒤에 쓰인 for와 함께 life in the outdoors에 연결된다.

| Words & Phrases |
• than ever before 이전보다 • struggle [strʌ́gəl] 애쓰다, 분투하다 • depression [dipréʃən] 우울증 • alcoholism [ǽlkəhɔːlìzəm] 알코올 중독(증) • drug [drʌg] 마약, 마취제 • abuse [əbjúːs] 남용 • desperate [déspərət] 필사적인, 절망적인 • turn to 의존하다 • wilderness [wíldərnis] 황무지, 황야 • expose [ikspóuz] 노출시키다, ~을 겪게 하다 • premise [prémis] 전제 • sustain [səstéin] 지속하다, 떠받치다 • support [səpɔ́ːrt] 부양하다 • crucial [krúːʃəl] 매우 중요한 • overwhelming [òuvərhwélmiŋ] 압도적인, 대항할 수 없는

44

| 전문 해석 | "만약 지구를 구할 수 있는 1시간이 나에게 주어진다면, 나는 문제를 정의하는 데 59분을 보내고 그 문제를 해결하는 데 1분을 보내겠다."라고 아인슈타인은 말했다. 이것은 지혜로운 말이지만, 대부분의 조직들은 혁신적인 프로젝트를 다룰 때에 이 말을 따라가지 않는다. 사실상 새로운 제품이나 과정을 개발할 때 대부분의 회사들은 그들이 해결하려고 하는 문제를 정의하거나 중요한 관련 문제들을 확인하는 데 충분한 노력을 기울이지 않는다. 문제를 정의하려는 그러한 노력이 없으면 조직들은 기회를 놓치게 되고 자원을 낭비하며 결국에는 보다 광범위한 전략과 조화되지 못하는 좁은 혁신 프로젝트를 쫓아가게 된다. 여러분은 어떤 프로젝트가 하나의 방식으로 진행되어 가지만 시간이 좀 지난 후에 결국에는 그것이 다른 방식으로 진행되었어야만 했다고 느낄 때가 얼마나 많은가?

| 해설 | ②의 밑줄 친 부분은 등위 접속사 or 뒤에서 병렬로 연결되는 구조인데, 의미상 앞에 쓰인 동명사 defining과 병렬 구조를 이루기 때문에 identifying으로 고쳐 써야 한다.　　　　**정답 ②**

| 오답 확인 | ① 「If+S+과거 시제 ~, S+would+동사원형」의

구조로 가정법 과거 문장이다.

③ 「end up +~ing」는 '결국 ~하다'의 의미로 쓰인다.

④ 앞에 지각동사 have seen이 있으므로 목적격 보어로 동사원형인 go가 쓰여 맞다.

⑤ should have p.p.는 '~했어야만 했는데'의 의미로 과거에 대한 유감을 표현하는데, 밑줄 친 부분은 '(다른 방식으로) 진행되었어야만 했다'고 해석되어 문맥상 맞게 쓰였다.

| 구문 분석 | 〈10행〉 How many times have you seen a project go down one path only to realize later that it should have gone down another?
(결과: ~했으나 결국 …하다)

▶ 지각동사(have seen) 뒤에 목적격 보어로 동사원형(go)이 쓰인 5형식 문장이며, only to realize ~ 는 '~했으나 결국 …하다'로 해석되어 '결과'를 나타내는 to부정사의 부사적 용법으로 쓰인다.

| Words & Phrases |

• **define** [difáin] 정의하다, 규정하다 • **resolve** [rizálv] 해결하다 • **tackle** [tǽkəl] 다루다, 착수하다 • **innovation** [ìnouvéiʃən] 혁신 • **end up ~ing** 결국 ~하다 • **pursue** [pərsú:] 뒤쫓다 • **strategy** [strǽtədʒi] 전략

45

| 전문 해석 | 속담은 은유적이고 기억할 수 있는 형태로 지혜, 진리, 교훈, 그리고 전통적인 관점이 담겨져 있으며, 대대로 전해 내려오는, 사람들이 보편적으로 알고 있는 짧은 문장이다. 그러므로 인류 유산의 일부로서 속담은 흥미로운 연구 주제이며, 민담과 인류학의 연구에서 많은 관심을 받고 있는데, 그 연구에서 속담은 특정한 문화에 대한 스냅사진을 제공하는 것으로 종종 묘사된다. 다른 관점에서 보면, 많은 사람들이 어려운 상황에 처해 있을 때 속담이 용기를 주고 위로해 준다는 사실을 알게 되고, 일종의 도움이나 인생의 지표로 속담을 이용할 수도 있다는 점에서 속담은 심리 사회학적인 기능을 수행할 수 있다. 속담에 대한 접근 방식이 무엇이건 간에, 속담의 가치는 "모든 속담은 그 속에 뭔가를 가지고 있다."는 아이슬란드의 속담에 요약되어 있다.

| 해설 | (A) 계속적 용법으로 쓰인 관계대명사는 접속사(and)를 포함하고 있기 때문에 and which가 틀린 것으로 착각하면 안 된다. 네모 안의 관계대명사는 a short, generally known sentence of the folk를 선행사로 가지면서 which contains wisdom ~와 병렬 구조로 연결되기 때문에 and which가 와야 한다. (B) 앞의 as가 전

치사로 쓰였기 때문에 전치사의 목적어 역할을 하는 동명사 (providing)가 와야 한다. (C) 네모 뒤에 be동사의 보어가 빠진 불완전한 문장이 왔으므로, 보어 역할을 하며 양보의 의미를 지닌 복합관계 대명사 Whatever가 와야 한다. 복합관계부사 However는 뒤에 형용사나 부사가 나온 후 주어와 동사가 온다는 것에 주의한다. **정답 ④**

| 구문 분석 | 〈8행〉 From another perspective, proverbs can serve a psycho-sociological function, in that many people find proverbs encouraging or soothing [when they are in difficult situations], and may use proverbs as a kind of support or signpost.

▶ '~라는 점에서'로 해석되는 in that 이하의 절에서 동사 find 가 현재분사인 encouraging과 soothing을 목적격 보어로 취하고 있다.

| Words & Phrases |

• **folk** [fouk] 사람들(= people) • **moral** [mɔ́:rəl] 도덕, 교훈 • **view** [vju:] 관점 • **metaphorical** [mètəfɔ́:rikəl] 은유(비유)적인 • **memorizable** [mémərizəbl] 기억할 수 있는 • **hand down** (후세에) 전해주다 • **heritage** [héritidʒ] 유산 • **folklore** [fóuklɔ̀:r] 민담, 민속 • **anthropological** [æ̀nθrəpəládʒikəl] 인류학의 • **portray** [pɔrtréi] 그리다, (글이나 말로) 묘사하다 • **perspective** [pərspéktiv] 관점, 견해 • **soothing** [sú:ðiŋ] 진정시키는, 위로하는 • **signpost** [sáinpòust] 단서, 지표, 지침 • **summarize** [sʌ́məràiz] 요약하다

46

| 전문 해석 | 한 연구에서 과학자들이 334명의 건강한 성인들의 코 속에 감기를 일으키는 바이러스를 투여했다. 좋은 기분으로 지내는 경향이 있는 사람들은 훌쩍거림, 기침 그리고 다른 감기 증상에 거의 걸리지 않았다. 긍정적인 감정을 보여주는 사람들도 심지어 의학적인 테스트가 그들이 감기에 걸렸다는 사실을 나타낼 때조차도 의사들에게 그들의 상태를 잘 언급하지 않았다. 그 결과는 흥미로운 것이기는 하지만, 어떤 사람의 감정이 그 사람이 아프게 될지에 영향을 준다는 것을 입증하지는 못했다. 그 대신 사람의 성격이 실제로 중요하다는 것은 여전히 그럴 싸하다. 예를 들어, 어떤 사람들은 천성적으로 행복하고 자신감 있게 되기가 더 쉽다는 것을 증거가 보여준다. 이것은 우리가 어떻게 느끼느냐가 아니라 우리가 누군가가 결국에는 감기에 걸릴 가능성을 결정한다는 사실을 의미한다.

| 해설 | 밑줄 친 decide의 주어는 who we are로 의문사절이기 때문에 단수형인 decides로 고쳐야 한다. **정답 ⑤**

| 오답 확인 | ① be likely to부정사(~하기 쉽다)에서 형용사인 likely 앞에 부정 의미의 부사 little의 최상급인 least가 수식하는 형태이다.
② '흥미를 불러일으키는'의 의미로 주어(Those results)와 능동 관계로 보어 역할을 하는 형용사가 맞게 쓰였다.
③ 가주어(it) 뒤에서 진주어를 이끄는 접속사이다.
④ 선행사(주어)를 포함한 관계대명사이다.

| 구문 분석 | 〈3행〉 **People** [who showed positive emotions] **were** also less likely to mention their conditions to their doctors, [even when medical tests indicated that they caught cold].
▶ 주격 관계대명사 who 이하의 수식을 받고 있는 People이 주어이고, 동사는 were이다.

| Words & Phrases |
• **spirit** [spírit] 기분, 원기 • **sniffle** [snífəl] (코를) 훌쩍거림
• **cough** [kɔːf] 기침 • **symptom** [símptəm] 증상, 징후
• **indicate** [índikèit] 지적하다, 나타내다 • **personality** [pə̀ːrsənǽləti] 성격, 성질 • **matter** [mǽtər] 중요하다, 문제가 되다 • **evidence** [évədəns] 증거, 물증 • **confident** [kánfədənt] 자신감 있는 • **ultimately** [ʌ́ltəmətli] 결국

| 해설 | (A) 선행사 permanent nest를 관계사절 뒤로 넘기면, 「S(they)+V(leave)+O(permanent nest)」인데 '그들은 영구 서식지를 떠난다'는 의미로 동사 leave의 목적어 역할을 하기 때문에 목적격 관계대명사인 which가 와야 한다. (B) avoid의 의미상 주어인 Some animals와 연결시키면, '일부 동물들은 발견되는 것을 피한다 (Some animals avoid being spotted)'는 의미가 적절하므로 수동형 동명사 being spotted가 와야 한다. (C) 앞에 쓰인 Some animals, Other animals와 상응하여 '또 다른 (일부) 동물들은'의 의미이므로 others가 와야 한다. **정답 ③**

| 구문 분석 | 〈2행〉 Many animals simply avoid being seen [by predator], **finding** *safe places* [in which to hide, sleep, rest, and raise their young].
▶ finding은 '동시동작'으로 쓰인 분사구문이며, in which to hide 이하의 부정사구는 「전치사+which+to부정사」의 구조로 앞의 명사 safe places를 수식하는 형용사적 용법으로 쓰였다.

| Words & Phrases |
• **defend** [difénd] 방어하다 • **predator** [prédətər] 포식자 • **toad** [toud] 두꺼비 • **crawl** [krɔːl] 기어가다, 포복하다 • **crack** [kræk] (갈라진) 틈 • **permanent** [pə́ːrmənənt] 영원한 • **spot** [spɑt] 찾다, 발견하다 • **blend** [blend] 섞다, 혼합하다 • **assume** [əsúːm] (양상·성질을) 띠다, 추정하다 • **twig** [twig] 잔가지 • **evolve** [iválv] 진화하다, 발전시키다 • **armor** [áːrmər] 갑옷, (동물의) 껍질 • **venom** [vénəm] 독

47

| 전문 해석 | 동물들은 적으로부터 자신을 방어하기 위한 많은 방법을 발달시켰다. 많은 동물들은 숨고, 자고, 쉬고 그리고 새끼들을 기르기 위한 안전한 장소를 찾으면서 포식자에게 들키는 것을 피한다. 예를 들어, 사막 두꺼비들은 포식성의 새들로부터 피하기 위해 진흙 속의 틈으로 기어 들어가는 반면, 토끼들은 영구 서식지를 만들고 그들이 발견되기가 더 어려운 밤에만 그 장소를 떠난다. 어떤 동물들은 주변 환경 속에 섞여 적들에게 발견되는 것을 피하기 위해 주변 환경의 특성들을 지니게 된다. 예를 들어, 카멜레온은 그 배경과 어울리기 위해 색깔을 바꾸고 대벌레는 자기가 밟고 지나가는 잔가지의 모양과 색을 띤다. 다른 동물들은 공격자로부터 도망가거나 헤엄치거나, 날아감으로써 포식자들을 피하는 한편, 또 다른 동물들은 거북의 껍질이나 코브라의 독과 같은 보호용 껍질이나 화학적인 방어물을 발달시켜 왔다.

48

| 전문 해석 | 모든 살아있는 언어들은 지속적으로 변화하고 발달한다. 현대 세계의 빠르고 쉬운 통신 수단이 나오기 이전 시대에, 한 무리의 사람들이 다른 무리로부터 떨어져서 이동해 다녔을 때는 그들은 당연히 서로 접촉을 할 수 없었다. 그때 그들의 언어는 아마도 각각 다른 방식으로 발달했을 것이다. 각각의 무리는 그 자신만의 발음을 발달시키고 변화하는 환경에 적응하기 위해 새로운 단어를 선택하거나 고안하면서 그 자신만의 사투리를 만들었을 것이다. 새로운 지역에서 다른 민족들과의 접촉은 더 많은 변화를 초래하였고, 많은 세대가 지난 후에 한 무리의 사람들은 다른 무리의 언어를 더 이상 쉽게 이해할 수 없었을 것이다. 그 무렵에 새로운 언어가 발달했을 것이라고 말할 수 있는데, 그 두 언어는 공통의 조상 언어(parent language)에서 유래했기 때문에 기본적으로 동일한 '가족'에 속해 있었다.

| 해설 | 밑줄 친 stemmed 앞에 접속사 and가 쓰여 있어 could be said ~ and stemmed ... 또는 to have developed, and stemmed ... 형태의 병렬 구조로 보면 뒤에 따라오는 they both belonged to ~의 문장과 연결되는 접속사가 없어 틀린 문장이 된다. 따라서 and는 그 앞 문장과 뒷문장을 연결하는 접속사로, 밑줄 친 stemmed는 분사구문으로 쓰였는데, 주어인 they와 문맥상 능동 관계에 있기 때문에 stemming으로 고쳐야 한다.   **정답 ⑤**

| 오답 확인 | ① '모든 살아있는 언어들'이라는 의미로 올바른 형태이다.

② 조동사 관용 표현으로 쓰이는 「may well + 동사원형」은 '당연히 ~ 하다'의 의미로 과거 시제로 쓰였다.

③ 주어로 쓰인 단수 명사 group을 받는 소유격으로 단수형인 its가 쓰였다.

④ peoples는 '민족들'이라는 의미로 쓰인다.

| 구문 분석 | 〈1행〉 In the days before the rapid and easy communications of the modern world, [when one group of people moved away from another,] they might well lose contact with each other.

▶ 주절 앞에 부사구와 부사절이 길게 쓰여 있는 문장 구조이다.

〈5행〉 Each group would form its own dialect, developing its own pronunciation and picking up or devising new words to suit changing circumstances.

▶ 등위접속사 or로 연결되는 picking up과 devising은 developing과 병렬 구조로 연결되는 분사구문이다.

| Words & Phrases |
• **may well + 동사원형** ~하는 것도 당연하다 • **separately** [sépərətli] 각각, 단독으로 • **dialect** [dáiəlèkt] 사투리, 방언 • **pronunciation** [prənʌ̀nsiéiʃən] 발음 • **pick up** 선택하다 • **devise** [diváiz] 발명하다, 고안하다 • **territory** [térətɔ̀:ri] 영토, 영역 • **stem from** ~로부터 유래하다

49

| 전문 해석 | 물질은 그 원자 에너지가 분자들 사이의 응집된 결합을 깨뜨릴 정도로 높이 올라갈 때 액체 상태로 전환된다. 그러므로 액체로서의 물질은 특정한 구조를 지탱할 수 있는 능력을 잃어버린다. 액체는 그 자신의 형태를 유지하지 않고 도리어 그것이 담겨 있는 그릇의 형태를 가진다. 그러나 액체 분자들 사

이의 힘과 상호작용은 그 분자들을 긴밀한 접촉상태로 유지할 정도로 충분히 강하다는 사실 때문에 고체의 부피와 마찬가지로 액체의 부피도 일정한 상태로 있다. 액체는 또한 탄력적인 막처럼 결합하여 기능하면서, 액체의 표면 위에 있는 분자들의 얇은 층에 의해 만들어진 표면장력을 보여주는데, 이것(표면장력)은 일부 밀도가 더 큰 물체들이 액체의 표면 위에 떠 있을 수 있도록 해 준다. 예를 들어, 바늘은 유리잔의 표면 위에 뜨게 된다.

| 해설 | (A) 문맥상 '그 원자 에너지가 높이 올라가다'는 의미로 목적어 없이 「S + V(자동사)」로 쓰인 문장이다. 따라서 자동사 rises가 와야 한다. (B) 전치사구의 수식을 받을 때 대명사는 that이나 those로 쓰는데, 이 문장에서는 앞에 쓰인 단수 명사(the volume)를 받기 때문에 that이 와야 한다. (C) 일반동사 allow 뒤에 목적격 보어로 to부정사가 쓰여야 하기 때문에 to rest가 와야 한다.   **정답 ②**

| 구문 분석 | 〈9행〉 Liquids also exhibit surface tension, caused [by a thin layer of molecules on the surface of a liquid] [that together act like an elastic membrane], which allows some denser objects to rest [on the surface of the liquid].

▶ 주격 관계대명사로 쓰인 that절의 선행사는 molecules이며, 계속적 용법으로 쓰인 which의 선행사는 surface tension으로 which는 and it으로 풀어 쓸 수 있다.

| Words & Phrases |
• **convert** [kənvə́:rt] 전환되다 • **cohesive** [kouhí:siv] 응집된, 접착력 있는 • **bond** [bɑnd] 결합, 결속 • **molecule** [mάləkjù:l] 분자 • **uphold** [ʌ̀phóuld] 지탱하다, 지지하다 • **container** [kəntéinər] 그릇, 용기 • **interaction** [ìntərǽkʃən] 상호작용 • **volume** [vάlju:m] 부피 • **surface tension** 표면장력 • **elastic** [ilǽstik] 탄력적인 • **dense** [dens] 조밀한, 고밀도의 • **rest** [rest] 있다, 존재하다

50

| 전문 해석 | McDonald's와 Burger King 그리고 Taco Bell과 같은 패스트푸드 식당들은 그들이 판매하는 음식의 지방 함유량에 대한 경고 문구를 게시할 필요가 있다. 동물 연구는 지방질 음식을 섭취하는 것이 중독성이 있는 행동을 유발하는 것 같다는 사실을 보여 준다. 또 다른 연구에 따르면 고지방 음식은 뇌의 쾌락중추를 자극해서 니코틴과 헤로인 같은 마약과 비슷한 효과를 만들어 낼 수 있다고 한다. 정부는 담배제조업자들에게 흡연이 암과 죽음을 불러 오는 중독성 습관이라는 사실을 소비

자들에게 알리는 경고 문구를 모든 담뱃갑에 인쇄하도록 요구하고 있다. 그렇다면 모든 패스트푸드 포장지와 상자도 그 중독성 있는 내용물이 비만과 죽음을 불러 올 것이라는 사실을 분명하게 알리도록 동일하게 명시되어야 이치에 맞다.

| 해설 | warning labels on every pack which <u>informs</u> consumers ~에서 주격 관계대명사로 쓰인 which의 선행사는 문맥상 every pack이 아니라 warning labels가 맞다. 즉, 선행사를 관계대명사절 뒤로 넘기면 <u>warning labels on every pack inform</u> S   ↑ 전치사구   V

<u>consumers</u> 구조로, 복수 명사인 warning labels가 선행사이므로 O

inform으로 고쳐 써야 한다.   정답 ③

| 오답 확인 | ① 밑줄 친 to provoke는 to부정사 형태로 주어인 eating fatty foods와는 능동 관계에 있고, 동사인 seems(현재 시제)와 동일 시제를 나타내어 문맥상 맞게 쓰여 있다.
② 밑줄 친 부분은 「S +V ~ , ~ing」 구조로 쓰여 연속동작을 나타내고 있다.
④ 앞에 쓰인 It은 가주어이고 밑줄 친 접속사 that절 이하가 진주어로 맞는 문장이다.
⑤ make it clear that their addictive contents will lead to 가목적어 O.C   진목적어

obesity and death. 구조로 맞게 쓰여 있다.

| 구문 분석 | 〈7행〉 The government requires   S   V cigarette manufacturers to print warning labels on   O   O.C every pack [which inform consumers that smoking   주격 관계대명사절(4형식) is an addictive habit that causes cancer and death].

▶ 5형식 문장에서 목적격 보어로 to부정사(to print ~)가 쓰인 문장이며, 주격 관계대명사 which가 이끄는 절은 4형식 문장 구조로, 선행사는 warning labels이다.

| Words & Phrases |
• **content** [kάːntent] 함유량, 내용물 • **provoke** [prəvóuk] 자극하다, 유발하다 • **addictive** [ədíktiv] 중독성의
• **stimulate** [stímjəlèit] 자극하다 • **center** [séntər] (생리) 중추 • **stand to reason** 이치에 맞다, 당연하다 • **carton** [kάːrtən] 상자 • **obesity** [oubíːsəti] 비만

ACTUAL TEST 06   본문 201쪽

51. ②	52. ⑤	53. ③	54. ①	55. ②
56. ⑤	57. ③	58. ③	59. ①	60. ⑤

51

| 전문 해석 | 고래는 그 크기와 호흡을 목적으로 수면으로 올라와야 하는 특성 때문에 잡기가 상당히 쉽다. 그들을 발견하기 위해 레이더와 항공기가 동원되면서 대량 도살이 능률적으로 되었다. 쾌속선과 포경포, 그리고 죽은 고래를 공기로 가득 채워서 떠오르게 해 주는 부풀어 오르는 창 등이 이 거대한 생명체를 포획하는 데 또한 도움을 주었다. 포경은 전통적인 방식을 유지해 왔으며 1925년과 1975년 사이에 포경선들이 백오십만 마리로 추정되는 고래를 포획했다. 그러한 남획은 주요 종 11개 중 8개 종의 개체수를 감소시켜서 상업적인 멸종 상태로 만들었는데, 이는 고래를 발견하기가 너무 힘들어져서 그들을 쫓아가 잡는 것이 더 이상 이득이 되지 않았다는 것을 의미했다. 뿐만 아니라 흰긴수염 고래 같은 일부 상업적으로 가치 있는 종들은 생물학적으로 거의 멸종 직전까지 몰고 갔다.

| 해설 | (A) '그들의 정확한 위치를 찾아내다'의 능동적 의미가 적절하기 때문에 능동형 부정사인 locate가 쓰여야 한다. (B) 문장의 본동사가 없는 구조이기 때문에 빈칸에는 과거 시제의 동사 aided가 쓰여야 한다. (C) 이 문장은 it no longer paid to hunt   가주어   V   진주어 and kill them 구조로 네모 안에는 가주어 it이 쓰여야 한다. 정답 ②

| 구문 분석 | 〈6행〉 Whale harvesting has followed   S   V a classic pattern [**with** whalers killing an estimated   O   with 동시동작 1.5 million whales between 1925 and 1975].

▶ with whalers killing ~은 「with + 명사 + ~ing」 형태로 '~하면서/~한 채'로 해석되는 with 동시동작 구문이다.

| Words & Phrases |
• **surface** [sə́ːrfis] 수면, (사물의)표면 • **mass** [mæs] 대량
• **slaughter** [slɔ́ːtər] 학살, 도살 • **locate** [loukéit] (위치를) 찾다, 발견하다 • **harpoon gun** 포경포 • **inflation** [infléiʃən] 팽창, 부풀어 오름 • **lance** [læns] 창 • **harvest** [hάːrvist] 포획하다, 수확하다 • **estimate** [éstəmèit] 추정(추산)하다
• **reduce** [ridjúːs] 감소시키다, 축소하다 • **extinction** [ikstíŋkʃən] 멸종 • **pay** [pei] 이익이 되다 • **drive** [draiv] ~의 상태로 몰고 가다 • **prized** [praizd] 가치 있는, 소중한 • **brink** [briŋk] (절벽·벼랑의)가장자리, 위기

52

| 전문 해석 | 진화론자들은 양서류가 물에 의존하는 원시 물고기의 후손으로, 공기를 호흡하는 폐를 가진 물고기로부터 발달했다고 주장한다. 많은 양서류들이 폐를 가지고 있지만, 그들의 피부도 보조적이거나 때로는 주된 호흡기관으로 기능한다. 양서류는 지구 대기의 공기를 호흡하는 수단을 발달시켰기 때문에 항상 수중 환경에서 완전히 잠수해야 할 필요성을 스스로에게서 제거했다. 그러나 물은 피부를 통하여 쉽게 증발하기 때문에 대부분의 양서류는 여전히 굉장히 습기 있는 서식지를 필요로 한다. 많은 양서류들의 삶은 두 가지 단계로 나타나는데, 그 첫 단계 동안에 양서류는 물에서만 생활하는 올챙이로 존재한다. 이후에 올챙이가 성장할 때 그들의 아가미는 퇴화되고 폐가 발달된다.

| 해설 | 이 문장은 The life of many amphibians occurs ~,
S   V
[during the first of them] amphibians exist ~ 구조로 두 문장
부사구   S   V
을 연결하는 접속사가 없기 때문에 틀린 문장이다. 따라서 접속사(and)를 포함하는 형태인 관계대명사를 써서 during the first of which(= and during the first of them)로 고쳐야 한다. **정답 ⑤**

| 오답 확인 | ① 「명사[A]~~ing + 명사[B]」로 'A를 ~하는 B'의 의미로 맞게 쓰였다.
② 밑줄 친 접속사 Though 뒤에 절이 연결되어 있으므로 맞다.
③ 주어인 they와 일치하므로 목적어 자리에 재귀대명사가 쓰였다.
④ 부사인 extremely가 형용사 moist를 수식하고 있다.

| Words & Phrases |
• **evolutionist** [èvəlúːʃənist] 진화론자 • **amphibian** [æmfíbiən] 양서류, 양서류의 • **descend** [disénd] 유래하다 • **primitive** [prímətiv] 원시적인 • **organ** [ɔ́ːrgən] 기관, 장기 • **clear A of B** A에서 B를 제거하다 • **submerge** [səbmə́ːrdʒ] 가라앉다, 잠수하다 • **aquatic** [əkwǽtik] 수중의 • **at all times** 항상, 언제나 • **moist** [mɔist] 축축한, 습기 있는 • **habitat** [hǽbitæt] 서식지, 거주지 • **evaporate** [ivǽpərèit] 증발하다 • **exclusively** [iksklúːsivli] 오로지 • **tadpole** [tǽdpòul] 올챙이 • **gill** [gil] 아가미

53

| 전문 해석 | 역설적으로 의학 기술이 향상되면서 장기 부족은 악화되고 있다. 새로운 기술과 약 때문에 장기를 필요로 하는 더 많은 사람들이 더 오랫동안 살아있는 상태로 지낸다. 동시에 사회적인 무관심과 두려움이 기증자들의 수를 일정하게 유지하

기 때문에 예상되는 기증자들의 수는 연간 만 명에 불과하다. 이러한 심각한 문제에 대처하기 위한 한 가지 방법은 동물 이식을 이용하는 것이다. 과학적으로는 이종(異種) 간의 이식으로 알려진 동물로부터 나온 장기와 조직을 인간에게 이식하는 것은 실제로는 오랜 역사를 가지고 있다. 일찍이 17세기부터 이종(異種) 간 이식 시도에 대한 기록이 존재한다. 1682년 러시아에서는 개의 뼈 조직이 부상당한 어떤 귀족의 두개골을 치료하기 위해 이용되었다. 일설에 의하면 이 수술은 성공적이었지만 종교 지도자들은 불쾌해 했다.

| 해설 | (A) 수동태로 쓰인 동사(are being kept) 뒤에서 보어 역할을 하기 때문에 서술적 용법으로 쓰이는 alive가 와야 한다. (B) 동사로 쓰인 keep 뒤에서 문맥상 의미가

V(keep) + O(the number of donors) + O.C(constant) '기증
           → the number of donors is constant
자의 수가 일정하다'로 5형식 문장이기 때문에 형용사인 constant가 와야 한다. (C) 문맥상 '~하기 위하여 이용되다'의 의미로 「be used to + V」 형태가 와야 한다. 「used to + V」는 조동사로 과거의 습관(~하곤 했다)을 나타낸다. **정답 ③**

| 구문 분석 | 〈7행〉 [**Known** scientifically as
분사구문
xenotransplantation,] transplants of organs and
                                     S
tissues [**from animals to humans**] actually have a
              전치사구   V
long history.
    O

▶ Known ~는 수동형 분사구문으로 쓰였으며, 주절의 주어 뒤에 쓰인 전치사구는 주어를 수식하는 형용사구 역할을 한다.

| Words & Phrases |
• **ironically** [airánikəli] 역설적으로 • **shortage** [ʃɔ́ːrtidʒ] 부족 • **predict** [pridíkt] 예상하다 • **donor** [dóunər] 기증자 • **annually** [ǽnjuəli] 연간 • **deal with** 다루다, 대처하다 • **transplant** [trǽnsplænt] 이식 • **tissue** [tíʃuː] (신체) 조직 • **skull** [skʌl] 두개골, 해골 • **nobleman** [nóublmən] 귀족 • **operation** [àpəréiʃən] 수술, 운영, 작용 • **reportedly** [ripɔ́ːrtidli] 소문(보도)에 의하면, 들리는 바에 의하면 • **offend** [əfénd] 기분을 상하게 하다, 불쾌하게 하다

54

| 전문 해석 | 개미는 수십만 년 동안 성공적으로 존재해 온 종이 되기 위해서 필요로 하는 것을 우리에게 가르쳐 줄 수 있다. 우선적으로 우리는 수백 또는 수백만 마리의 개미들이 하루 종

일 같은 길 위에서 왔다 갔다 하는 것을 보지만 한 마리의 개미도 죽거나 부상당하는 교통사고를 목격하지 못한다. 개미들은 왕래하는 기술을 터득했다. 개미들은 오고 갈 때 부주의하거나 경솔하지 않으며 분노나 고함치는 일이 그들의 길 위에서는 존재하지 않는 것 같다. 이런 이유로 개미들은 아마도 인간과는 달리 다투기 좋아하는 좋은 아닌 것 같다. 그래서 나는 이 작고 가냘픈 생명체를 바라보면서 그들이 공동의 목적을 위해 완벽한 조화를 이루어 협력한다는 것과 우리 인간보다도 더 잘 조직되고 더 완벽한 사회를 갖고 있다는 생각을 떠올리게 된다.

| 해설 | 「It take +O +to-v」는 '…하는 데에 ~을 필요로 하다'의 의미를 가진다. 밑줄 친 ①번 뒤의 문장을 보면 it takes to be a
(가주어) (V) (진주어)
successful species 구조로 목적어가 없기 때문에 that 대신에 목적어(선행사)를 포함하는 관계대명사 what을 써야 한다.   **정답 ①**

| 오답 확인 | ② 지각 동사 see 뒤에서 목적어인 hundreds or millions of ants와 능동 관계로 연결되는 목적격 보어로 맞게 쓰였다.

③ traffic accidents를 선행사로 취하는 관계부사로 뒤에 완전한 문장이 있기 때문에 맞게 쓰였다.

④ unlikely(~할 것 같지 않은)는 likely(~할 것 같은)와 마찬가지로 주로 형용사로 쓰이는데, 이 문장에서는 be동사 뒤에서 보어로 쓰여 맞다.

⑤ 앞에 쓰인 have(일반동사)를 받기 때문에 맞게 쓰여 있다.

| 구문 분석 | 〈9행〉 So [as I watch these tiny little
(부사절)
creatures], it strikes me that they are working
(가주어) (V) (O) (진주어 1)
together, in perfect unity, for a common goal and
that they have a better organized and more perfect
(진주어 2)
society than we humans do.

▶ strike는 '(생각이) 떠오르다'의 뜻으로 쓰일 때, 「It + strike + 사람 + that절」 구조의 가주어(It) ~ 진주어(that절) 구문으로 많이 쓰인다.

| Words & Phrases |
• **species** [spí:ʃi(:)z] (생물 분류상의) 종 • **for one thing** 우선, 첫째로 • **to and fro** 이리저리 • **injured** [índʒərd] 부상을 입은, 다친 • **commute** [kəmjú:t] 통근하다, 왕래하다 • **careless** [kέərlis] 부주의한 • **inconsiderate** [ìnkənsídərit] 경솔한, 무분별한 • **anger** [ǽŋgər] 분노 • **quarrelsome** [kwɔ́:rəlsəm] 다투기 좋아하는, 걸핏하면 싸우려 드는 • **creature** [krí:tʃər] 생명체 • **strike** [straik] 생각나다 • **unity** [jú:nəti] 단일체, 조화

55

| 전문 해석 | 나는 위기 예방과 관련하여 최상의 접근법은 비상사태가 일어나기 전에 아이들이 비상사태에 대처하는 방법에 대하여 생각하는 것이라고 믿는다. 시간이 있을 때마다 모든 종류의 비상사태에 대처하는 것을 연습하는 것이 좋다. 비록 예방 효과가 없을지라도 그런 방식으로 젊은이들은 자신감 있게 비상사태에 대처할 수 있다. 우리 가족은 일 년에 몇 번 가상 비상사태(Pretend Emergency) 게임을 했다. 형, 엄마, 아빠, 그리고 나는 "가상 비상사태 놀이하자."라고 말하곤 했다. 그러면 우리들 중 한 명이 생각하고 있던 응급사태가 무엇인지를 말하고, 우리 모두는 마치 그것이 현실인 것처럼 반응하곤 했다. 만일 그 비상사태가 '화재'라면 우리는 911에 전화하는 척하고, 애완용 동물을 포함한 모든 가족들이 안전하다는 것을 확인한 다음 밖으로 뛰어나가곤 했다. 누군가는 모든 가족들이 집 밖으로 나가는 데 얼마나 오랜 시간이 걸리는지를 알아보기 위해 스톱워치를 사용하기도 했다.

| 해설 | (A) 문맥상으로는 미래 시제가 맞지만 시간을 나타내는 부사절이기 때문에 현재 시제로 arise가 와야 한다. (B) 「as if(though) + 가정법」 문장으로, 네모 안의 동사 시제는 문맥상 앞의 주절 동사(would react)와 같은 과거 시제이므로 were가 와야 한다. (C) 「It + take + 시간 + for 의미상 주어 + to부정사」는 '~가 …하는 데 (시간이) 걸리다'라는 의미로 시간을 나타내는 부분이 의문사 how와 결합하여 앞에 쓰이면서 간접의문문 형태를 취하고 있다. 따라서 네모 안에는 진주어 역할을 하는 to부정사로 to get이 와야 한다.   **정답 ②**

| 구문 분석 | 〈9행〉 If the emergency was a "fire,"
(S') (V')
we'd pretend to call 911, ensure that all family
(S) (V₁) (V₂)
members, including pets, were safe and run outside.
(V₃)

▶ 단순 가정문이며 주절의 would는 '~하곤 했다'로 해석한다. 한편, 주절의 동사는 pretend, ensure, run이다.

| Words & Phrases |
• **approach** [əpróutʃ] 다가옴, 접근법 • **concerning** [kənsə́:rniŋ] ~에 관한, ~와 관련하여 • **prevention** [privénʃən] 예방, 방지 • **emergency** [imə́:rdʒənsi] 비상사태, 응급사태 • **arise** [əráiz] 일어나다, 발생하다 • **all sorts of** 모든 종류의 • **permit** [pə:rmít] 허락하다, 허용하다 • **confidence** [kánfədəns] 자신감 • **a couple of** 둘의, 약간의(= a few) • **pretend** [priténd] ~인 척하다 • **suppose** [səpóuz] 가정하다, 가령 ~이라고 하다 • **ensure** [enʃúər] 안전하게 하다, 지키다 • **including** [inklú:diŋ] ~을 포함하여

56

| 전문 해석 | 놀랍게도 시간이 거의 또는 전혀 역할을 하지 못하는 일부 문화가 존재한다. 아마존 열대 우림의 Piraha 부족이 그러한 집단의 예다. 숫자에 대한 개념이 없을 뿐만 아니라 그들의 언어에는 과거시제가 없다. 그들에게는 모든 것이 현재 속에 존재한다. 어떤 것이 더 이상 인식되지 않을 때 그것은 존재하지 않는 것이 된다. 그들 언어의 한계 때문에 Piraha 부족은 과거에 대해 생각하거나 걱정하면서 시간을 보내지 않는다. 현재 중요하지 않은 것은 무엇이든지 빨리 잊혀진다. 시간 의존적인 문화에 속한 사람들이 Piraha 부족의 관점을 이해한다는 것은 어려울 수도 있지만, 그들의 생활방식은 여유를 가지고 매 순간을 충분히 즐기는 방식에 대한 귀중한 교훈을 제공해 줄 수도 있다.

| 해설 | it is perhaps difficult for people in time-
가주어   C   의미상의 주어

dependent cultures to understand ~ 구조가 되어야 하기 때문
진주어

에 밑줄 친 understanding을 to understand로 고쳐 써야 한다.

정답 ⑤

| 오답 확인 | ① some cultures를 선행사로 가지는 관계부사 뒤에 완전한 문장이 연결되어 맞게 쓰였다.

② 문두에 부정어 Not only가 쓰였으므로 〈V+S〉로 도치되어 있다.

③ 동사 stop이 동명사(existing)를 목적어로 취하여 '존재하는 것을 멈추다'의 의미로 쓰였다.

④ 선행사(주어)를 포함하는 복합관계대명사로 맞게 쓰였다.

| 구문 분석 | 〈8행〉 [Although it is perhaps
부사절
difficult for people in time-dependent cultures to understand the perspective of the Piraha tribe], the Piraha way of life may provide a valuable lesson in
   S   V   O
how to slow down and enjoy each moment more
전치사구
fully.

▶ Although가 이끄는 '양보' 부사절이 쓰였으며, 주절은 3형식 〈S+V+O〉인데 in 이하의 전치사구에서 「의문사+to부정사」 형태인 how to slow down ~이 전치사 in의 목적어로 쓰였다.

| Words & Phrases |
• **rainforest** [réinfɔ̀:rist] 열대 우림 • **exist** [igzíst] 존재하다 • **perceive** [pərsí:v] 인식하다, 깨닫다 • **limitation** [lìmətéiʃən] 한계 • **time-dependent** 시간에 의존하는 • **perspective** [pərspéktiv] 관점, 시각 • **slow down** 느긋해지다, (속도·진행을) 늦추다

57

| 전문 해석 | 정부의 영어 몰입교육안에 대하여 일부 옹호자들은 인터넷 내용(기사)의 90퍼센트 이상은 영어로 쓰여 있고, 인터넷을 통해 유용한 정보를 찾기 위해서는 영어가 필요하다고 주장한다. 사실, 대부분의 한국인들은 정보를 찾기 위해 영어로 된 기사를 이리저리 검색하기를 원하지 않는다. 단지 학문적인 목적이나 특정한 사업 목적을 위해서만 소수의 사람들이 영어로 된 기사에 접근한다. 공교육은 소수의 사람들만을 위한 것이 아니고, 그 명칭이 의미하듯이 대중을 위한 것이다. 게다가, 내용 중심 수업이 전국에서 영어로 진행된다면 해외에서 온 몇 명의 학생들이 수업에서 지배적인 역할을 하게 되고 나머지는 조용히 앉아 있거나 뒤에서 졸고 있을 것이다. 영어가 학문적인 성취를 결정하게 될 것이다.

| 해설 | (A) 복수 명사인 Some advocates가 주어이므로 argue가 와야 한다. (B) 문두에 'Only+부사구'가 쓰여 도치된 문장인데, 복수 명사인 a small number of people이 주어이므로 do가 와야 한다. (C) 「with+명사+~ing」로 쓰인 with 동시동작을 나타내는 표현이며, stay(~한 상태로 있다)는 자동사(2형식)이기 때문에 보어 역할을 하는 형용사 silent가 와야 한다.

정답 ③

| 구문 분석 | 〈1행〉 Some advocates of the
           S
government's English immersion plan _argue_ [**that**
          V   O₁
more than 90 percent of Internet contents are written
in English] and [**that** English is necessary in order to
          O₂
seek useful information through the Internet].

▶ 주어는 Some advocates이고, 주절의 동사 argue의 목적어로 두 개의 that절이 쓰였다.

〈9행〉 ~, a few returned students from abroad will
           S   V
take a dominant part in class, **with** _the rest_ **staying**
       O   분사 ①
silent or **sleeping** in the back.
      분사 ②

▶ 등위접속사 or에 의해 연결된 staying과 sleeping은 「with+명사+현재분사」의 형식을 취하는 구문으로 동시동작의 의미를 나타낸다.

| Words & Phrases |
• **advocate** [ǽdvəkət] 옹호자 • **immersion** [imə́:rʒən] 몰입 (교육) • **contents** [kɑ́ntentz] 내용, 기사 • **surf** [sə:rf] 인터넷을 검색하다 • **specific** [spisífik] 특정한 • **imply** [implái] 의미 (암시)하다 • **carry out** 수행하다 • **dominant** [dɑ́mənənt] 지배적인, 우세한 • **determine**

[ditə́ːrmin] 결정하다, 결심하다 • **achievement** [ətʃíːvmənt]
성취, 달성

58

| 전문 해석 | 많은 사람들이 특허와 상표 간의 차이점을 알지
못하지만 차이가 존재한다. 흔히 17년간 인정받는 특허는 어떤
제품의 이름과 그 제조 방법을 보호해 준다. 예를 들어, 1895년
과 1912년 사이에 Shredded Wheat 회사는 특허를 보유하
고 있었기 때문에 그 회사를 제외한 어떤 회사도 잘게 빻은 밀을
제조할 수 없었다. 상표는 이름이나 상징 또는 어떤 제품을 식별
하고 그 제품을 소비자들의 마음속에서 기억할 수 있도록 만들
어 주는 다른 도안이다. 상표가 지니고 있는 힘을 인식하고 있기
때문에 회사들은 그 상표를 보호하기 위해 애쓰며 그 외의 다른
사람들이 허가 없이 그 상표를 이용하는 것을 허용하지 않는다.
그러나 가끔 어떤 회사는 부주의해서 상표에 대한 통제를 할 수
없게 된다. 예를 들어, Aspirin은 더 이상 상표로 간주되지 않
고 있는데, 어떤 회사도 진통제를 아스피린이라고 부를 수 있다.

| 해설 | identifies ~는 관계사절로 사용되어 이 문장의 보어
other device를 수식해 주어야 문맥도 통하고 어법도 맞다. 따라서
관계대명사(사물 주격) which가 identifies 앞에 와야 한다 **정답 ③**

| 오답 확인 | ① 분사구문으로 쓰인 문장이며, 주절의 주어인 a
     patent와 수동 관계에 있다.
② but은 전치사로 '~을 제외하고'의 뜻으로 쓰였다.
④ 형용사(Aware) 앞에 Being이 생략된 분사구문이다.
⑤ no longer는 '더 이상 ~하지 않다'의 뜻이며, 동사로 쓰인 is
   considered는 주어인 Aspirin과 수동 관계에 있다.

| 구문 분석 | 〈2행〉 [(**Being**) usually granted for
                                  분사구문
seventeen years,] a patent protects both the name of
                    S   V   O
a product and its method of manufacture.

▶ (Being) usually granted에서 Being이 생략된 분사구문
으로, 주절의 주어(a patent)와 수동 관계에 있다.

| Words & Phrases |
• **patent** [pǽtənt] 특허 • **trademark** [tréidmàːrk] 상
표 • **grant** [grænt] 인정하다 • **but** [bʌt] ~을 제외하
고 • **device** [diváis] 도안, 장치 • **identify** [aidéntəfài]
식별하다, 확인하다 • **memorable** [mémərəbəl] 기억할 수 있
는 • **be aware of** ~을 알다, 인식하다 • **permission**
[pərmíʃən] 허가, 허락 • **tablet** [tǽblit] 알약

59

| 전문 해석 | 해안 또는 해안선은 바닷물이 육지에 인접해 있
어 다양하고 매우 중요한 생태계를 만드는 독특한 지역이다. 그
것은 강과 개울에 의해 옮겨진 민물이 바다로 흘러와 바닷물과
섞인 다음 다양한 해양 식물과 동물에게 풍부한 영양소와 음식
을 제공한다는 점에서 특별하다. 해안의 끊임없이 변화하는 환
경은 조수 흐름의 지속적인 움직임에 의존한다. 태양과의 관계
에 따른 달의 위치에 따라 해안에 몰려오는 파도는 육지로 다가
오거나 멀어진다. 이러한 움직임은 간만(干滿)이라고 불리며 해
수면이 상승하여 육지에 물이 들어오면 만조(밀물)가 생기고 그
반대인 경우에는 간조(썰물)가 생긴다. 만조 동안에 가라앉고
간조 때에 수면 위로 나오는 해안 지역은 조간대로 불린다. 조하
대는 항상 수면 아래에 놓여 있다.

| 해설 | (A) carried는 앞에 '주격 관계대명사 + be동사'가 생략
된 형태의 분사구로 주어인 the fresh water를 수식하고 있으므로, 동
사 역할을 하는 flows가 와서 뒤에 쓰인 동사 mixes와 병렬 구조를
이뤄야 한다. (B) according to + 구(as + 절)의 형태로 둘 다 '~에
따라'라는 뜻을 가지는 관용 표현이다. 이 문장에서는 네모 뒤에 구가
왔으므로 to가 정답이다. (C) 이 문장에서 submerged는 동사가 아
니라 분사구 형태로 주어인 The area of the seashore를 수식하고
있고, 뒤에 쓰인 is called가 동사이다. 따라서 네모 뒤에 이어지는 형
태는 구이므로 전치사인 during이 와야 한다.   **정답 ①**

| 구문 분석 | 〈1행〉 The seashore or coastline is the
                                            S   V
unique area [where seawater borders land to create
     C   관계부사절 S'   V'   O'   부정사구
a diverse and very important ecosystem].

▶ 관계부사절 속에 쓰인 부정사구 to create는 '결과'를 나타내
는 부사적 용법으로, 앞에 쓰인 seawater borders land를 해
석한 다음 이어서 해석해 주어야 한다.

| Words & Phrases |
• **seashore** [síːʃɔːr] 해안 • **coastline** [kóustlàin] 해안
선 • **unique** [juːníːk] 독특한 • **border** [bɔ́ːrdər] 인접하
다 • **diverse** [divə́ːrs] 다양한, 다른 • **ecosystem**
[íːkousìstəm] 생태계 • **in that ~** ~라는 점에서, ~이므로
• **fresh water** 민물, 담수 • **stream** [striːm] 시내, 개울, 흐
름 • **nutrient** [njúːtriənt] 영양소, 영양분 • **a variety of**
다양한 • **marine** [məríːn] 해양의, 바다의 • **depend on**
~에 의존하다 • **tidal** [táidl] 조수의, 주기적인
• **placement** [pléismənt] 위치 • **pound** [paund] 때리다,
치다 • **tide** [taid] 조수(潮水), 간만(干滿) • **drown** [draun]
젖게 하다, 익사하다 • **reverse** [rivə́ːrs] (방금 언급한 것의) (정

반대 • **submerge** [səbmə́:rdʒ] 가라앉다

60

| 전문 해석 | 면역체계는 수십 가지 형태의 백혈구 세포로 구성되어 있으며, 그것들은 두 가지의 주요 집단으로 구분된다. B세포라고 불리는 한 집단은 질병 유기체에 의해 만들어지는 독을 제거하는 화학물질을 생산한다. T세포라고 불리는 또 다른 집단은 침입하는 박테리아와 바이러스를 파괴한다. 그럴 때 면역체계는 혈액 속의 호르몬을 통해 간접적으로, 또는 신경과 신경 화학물질을 통해 직접적으로 뇌에 의해 통제를 받는다. 암의 원인에 대한 한 가지 이론은 암 세포는 우리 몸속에서 항상 발달하지만 일반적으로는 백혈구 세포에 의해 파괴된다고 말한다. 이 이론에 따르면 암은 면역체계가 약해져 더 이상 암 세포와 싸울 수 없을 때 나타난다. 그래서 면역체계에 대한 뇌의 통제를 혼란시키는 것은 무엇이든지 암이 발병하는 것을 더 쉽게 만든다.

| 해설 | 밑줄 친 부분에는 upsets의 주어(선행사)를 포함하면서 동사 makes의 주어 역할을 하는 형태로 복합관계대명사인 whatever가 쓰여야 한다. however는 「however+형용사(부사)+주어+동사」의 형태로 양보절(아무리 ~일(할)지라도)을 이끌기 때문에 밑줄 친 부분에 쓸 수 없다. 　　　　정답 ⑤

| 오답 확인 | ① 단수 명사인 One group이 주어이므로 단수 동사 produces가 왔다.
② 앞에 쓰인 two main groups에 이어 One group과 상응하여 맞게 쓰였다.
③ 단수 명사인 One theory가 주어이므로 단수 동사 states가 왔다.
④ 2형식 동사 becomes 뒤에서 주어와 수동 관계로 보어 역할을 하는 과거분사가 쓰였다.

| 구문 분석 | 〈5행〉 <u>The immune system</u>, then, <u>is</u>
<u>S</u>　　　　　　　　　　　<u>V</u>
<u>controlled</u> by the brain, **either** indirectly through
hormones in the blood, **or** directly through the
nerves and nerve chemicals.
▶「either A or B」 구문이 쓰였는데 'A 또는 B 둘 중 하나'라는 뜻이다.

| Words & Phrases |
• **immune** [imjú:n] 면역의　• **chemicals** [kémikəlz] 화학물질　• **eliminate** [ilímənèit] 제거하다　• **poison** [pɔ́izən] 독　• **organism** [ɔ́:rɡənìzəm] 유기체　• **invade** [invéid] 침입하다　• **upset** [ʌpsét] 혼란시키다, 어지럽히다

61

| 전문 해석 | 전통적으로 흡연 예방 프로그램은 흡연의 장기적인 건강상의 위험을 설명하는 데에 초점을 맞추어 왔다. 그러나 사람들은 그러한 비관적이고 장기적인 경고를 마음에 두지 않는 경향이 있어서 이러한 프로그램은 확실히 비효과적이었다. 보다 최근에 사람들은 젊은이들로 하여금 담배를 피워 보도록 종종 유도하는 사회적인 압력에 저항하는 방법을 학생들에게 가르칠 것을 강조해 오고 있다. 예를 들어, 학생들은 어떤 청소년이 친구에 의해 담배를 제공받지만 그것을 거절하는 상황을 담은 비디오테이프를 본다. 그런 다음 그 학생들은 역할 연기, 즉 담배를 거부하는 행동을 실천할 수 있는 기회를 가지게 된다. 그러한 훈련은 그들이 실제 생활 속에서 비슷한 사회적 상황에 효과적으로 대처할 수 있도록 준비시키는 데 도움을 주며, 흡연을 하지 않기로 결심하는 쪽으로 학생들에게 영향을 주는 데 있어서 최근에 성공을 거두고 있는 것 같다.

| 해설 |　(A) try ┌ to부정사 (~하려고 노력하다)
　　　　　　　└ ~ing (시험 삼아 ~해 보다) 의 의미를
가지는데, 이 문장은 문맥상 '시험 삼아 담배를 피워보다'의 의미이므로 smoking이 와야 한다. (B)「타동사+부사」로 이루어진 구동사가 대명사를 목적어로 가질 때는 「타동사 + 대명사 + 부사」로 쓰기 때문에 turns it down이 와야 한다. (C) 본동사인 seems는 현재 시제이지만 네모 안의 부정사를 주어와 연결시키면 문맥상 현재완료 시제(Such training has been successful recently.)로 본동사보다 한 시제 이전이기 때문에 이전형인 to have been이 와야 한다. 　정답 ①

| 구문 분석 | 〈4행〉 More recently, <u>people</u> <u>have</u>
　　　　　　　　　　　　　　　　　　　<u>S</u>　　<u>V</u>
<u>emphasized</u> teaching <u>**students**</u> <u>**how to resist the**</u>
　　　　　　　　　　<u>O</u>　　　<u>I.O'</u>　　　　　<u>D.O'</u>
<u>**social pressures**</u> [that often lead young people to try
　　　　　　　　　↑_____ 관계대명사절(주격)
smoking].
▶ 3형식 문장(S+V+O)이며, 목적어로 쓰인 동명사 teaching이 뒤에 간접목적어와 직접목적어를 가진 문장이다.

| Words & Phrases |
• **prevention** [privénʃən] 예방, 방지　• **focus on** ~에 초점을 맞추다　• **gloomy** [ɡlú:mi] 우울한, 비관적인　• **notably** [nóutəbli] 뚜렷하게, 명백하게　• **emphasize** [émfəsàiz] 강

조하다 • **resist** [rizíst] 저항하다, 견디다 • **adolescent** [æ̀dəlésnt] 청소년 • **turn down** 거절하다 • **deal with** 다루다, 대처하다 • **direction** [dirékʃən] 방향

62

| **전문 해석** | 과학적인 연구에서 동물을 이용하는 것은 양측에 격한 감정을 유발시키는 논쟁이 되고 있는 주제이다. 동물 권리 운동가들은 동물을 생각하고, 느끼고, 괴로워할 수 있는 의식이 있는 존재로 정의한다. 그러므로 그들은 동물의 권리가 인정되고 존중되어야만 한다고 주장한다. 보다 보수적인 동물 권리 운동가들은 연구에서 동물을 이용하는 것은 엄격하게 관리되어야만 한다고 주장하는 반면, 보다 급진적인 운동가들은 동물을 이용하는 연구는 완전히 금지되어야만 한다고 주장한다. 이러한 반대에 반응하여 동물에 대한 실험을 하는 연구 과학자들은 관련된 동물을 더 잘 보호할 수 있도록 그들의 연구를 재편성해 오고 있다. 그러나 그들은 동물에 대한 연구는 인간의 생명을 구하고 인간의 고통을 덜어주기 때문에 윤리적일 뿐만 아니라 필요하다고 주장한다.

| **해설** | 이 문장은 insist(주장하다)의 목적어로 쓰인 that절에 조동사 should가 쓰여 있는데, 글의 문맥상 '연구가 윤리적이고 필요로 해야 한다'는 '당위'를 주장하는 게 아니라 '연구가 윤리적이고 필요하다'는 '사실'을 주장하고 있는 것이므로 조동사 should 없이 문맥상 주절 동사(insist)와 같은 시제로 is가 되어야 한다. **정답 ⑤**

| **오답 확인** | ① 주격 관계대명사 that 뒤에서 strong emotions를 목적어로 가지는 타동사로 쓰였다.
② insist(주장하다)의 목적어로 쓰인 that절에서 당위를 나타내는 조동사 should가 생략된 형태이다.
③ altogether는 '완전히'라는 뜻의 부사이다.
④ '주격 관계대명사+be동사'가 생략된 형태로 the animals를 수식하는 분사이다.

| **구문 분석** | 〈5행〉 The more conservative animal rights activists argue [**that** the use of animals in research should be strictly monitored], while the more radical activists insist [**that** research using animals should be banned altogether].
▶ 주절과 종속절에 있는 두 개의 that절이 모두 목적어로 사용되었다.

〈8행〉 In response to these objections, research

scientists [who experiment on animals] have reorganized their research **to take** better **care of** the animals [involved].
▶ 전체 3형식 구조(S+V+O)의 문장으로, to take better care of ~는 to부정사의 부사적 용법(목적)으로 쓰였다.

| Words & Phrases |
• **controversial** [kɑ̀ntrəvə́:rʃəl] 논쟁상의, 논란의 여지가 있는
• **provoke** [prəvóuk] (감정 등을) 불러일으키다 • **activist** [ǽktəvist] 운동가, 활동가 • **define** [difáin] 정의하다, 규정하다 • **conservative** [kənsə́:rvətiv] 보수적인 • **strictly** [stríktli] 엄격하게 • **monitor** [mɑ́nətər] 감시하다, 관리하다 • **radical** [rǽdikəl] 급진적인, 과격한 • **ban** [bǽn] 금지하다 • **objection** [əbdʒékʃən] 반대

63

| **전문 해석** | 미국 정부는 이 나라의 철도 서비스를 개선하고 확장시키기 위해서 더 많은 돈을 투자할 필요가 있다. 특히 의회는 고속철도의 전국적인 도시 간 연결망 개발에 관심을 기울여야만 한다. 국제적인 운송 체계는 위기 시에 미국인들을 이동할 수 있도록 하는 데 필수적이다. 한 가지 형태의 운송을 무너뜨리는 국가적인 비상사태 동안에는 다른 운송 수단들이 교통 수요를 흡수해서 사람들이 계속 이동 가능하도록 해 줄 수 있어야만 한다. 예를 들어, 2001년 9월 테러리스트의 공격 이후에 며칠 동안 비행기가 지상에 묶여 있었을 때 사람들은 그들이 필요로 하는 곳으로 가기 위해 Amtrak(미국 철도 여행 공사) 여객 열차에 의존했다. 기차가 없었더라면 우리나라는 마비되었을 것이다. 철도 운송은 중요한 공공 서비스이며 효율적이고 최신 상태로 유지될 필요가 있다.

| **해설** | (A) pay attention to(~에 주의를 기울이다)는 전치사 to의 목적어로 동명사를 써야 하기 때문에 developing이 와야 한다. (B) 네모 뒤에 if가 생략된 형태의 가정법 과거완료로 had it not been for가 쓰여 있기 때문에 주절에 would have been paralyzed가 와야 한다. (C) 네모 앞에 수동형 부정사(to be kept)가 쓰였는데, 능동형으로 고쳐 보면 to keep it(railroad transportation) efficient로 5형식 문장 구조(keep+O+O.C)이므로 efficient가 와야 한다. **정답 ④**

| **구문 분석** | 〈5행〉 **During** a national emergency [**that** disrupts one mode of transportation], the

others should be able to **absorb** the traffic [and]
S   V₁
(to) **allow** people to continue to travel.
      V₂

▶ During 뒤에는 특정 기간을 내포하는 명사(구)가 오며, that
절은 관계사절로 a national emergency를 수식하고 있다.

〈7행〉 For example, when airplanes were grounded
                                              부사절
for several days [**following** terrorist attacks in
        ↑   분사구
September 2001], people relied on Amtrak passenger
                    S   V   O
trains [**to get** them where they needed to be].
        부정사구

▶ 부사절에서 following 이하의 분사구는 several days를 수
식하며, 주절의 부정사구는 목적(~하기 위하여)을 나타내는 부
사적 용법으로 쓰여 있다.

| Words & Phrases |
• **invest** [invést] 투자하다 • **expand** [ikspǽnd] 확장시키
다 • **intercity** [ìntərsíti] 도시 간의 • **disrupt** [disrʌ́pt]
붕괴시키다, (교통을) 두절시키다 • **absorb** [əbsɔ́ːrb] 흡수하
다 • **ground** [graund] 지상에 두다 • **rely on** 의존하다
• **paralyze** [pǽrəlàiz] 마비시키다, 무력(무능)하게 하다 • **up
to date** [ʌ̀ptədéit] 최신의

64

| 전문 해석 | 가족은 미국 인구만큼이나 다양해졌고 서로 다
른 전통, 믿음 그리고 가치를 반영한다. 예를 들어 흑인 가정에서
는 여성들이 가장 역할을 하면서 전통적인 성 역할이 종종 뒤바
뀌기도 한다. 강렬한 종교적 헌신처럼 혈연관계의 유대감이 여
러 가정을 종종 묶어주기도 한다. 중국계 미국인 가정에서는 배
우자 둘 다 맞벌이하면서 스스로를 생계를 책임진 사람으로 여
길 수는 있지만, 아내는 의사결정에 있어 동등한 역할을 갖지 못
할 수도 있다. 라틴아메리카계 가정에서는 아내와 어머니들이
치료자이자 지혜의 공급자로 인정받고 존경받는다. 동시에 그들
은 남편들을 존중해야 하는데, 남편들은 스스로를 강한 힘을 지
니고 보호자 역할을 하는 권위 있는 가장이라고 여긴다.

| 해설 | '~ their husbands, who see them as …'에서 계속
적 용법으로 쓰인 관계대명사 who의 선행사가 their husbands이고
목적어로 쓰인 대명사 them도 문맥상 their husbands를 가리키기
때문에 재귀대명사인 themselves를 써야 한다. 정답 ⑤

| 오답 확인 | ① 밑줄 앞에 쓰인 as를 없애면 2형식 동사인
become 뒤에 형용사인 diverse가 쓰여 맞다.
② 'with women serving' 형태로 with 동시동작이 쓰인 문장으

로, women과 serving이 능동 관계에 있으므로 어법상 맞다.
③ 밑줄 친 does는 앞에 쓰인 일반동사 unite를 받기 때문에 맞다.
④ 수동태가 쓰인 문장으로 문맥상 맞다.

| 구문 분석 | 〈10행〉 At the same time, they are
                                                S   V
expected to defer to their husbands, who see
              C   전치사구   관계대명사
themselves [as the strong, protective, dominant
    O   전치사구
head of the family].

▶ who는 계속적 용법으로 쓰인 관계대명사로 and they(their
husbands)로 바꾸어 쓸 수 있다.

| Words & Phrases |
• **reverse** [rivə́ːrs] 역전시키다 • **kinship** [kínʃip] 혈연관
계, 친족관계 • **bond** [band] 유대, 결속 • **commitment**
[kəmítmənt] 헌신 • **Hispanic** [hispǽnik] 라틴아메리카계
의 • **dispenser** [dispénsər] 분배자, 공급자 • **defer to**
존중하다, 양보하다 • **dominant** [dámənənt] 권위 있는, 지배
적인

65

| 전문 해석 | 당신이 반드시 다루어야 하는 과목들과 또 치러
야만 하는 여러 종류의 시험들을 공부해야만 한다는 점에서 시
험 준비는 학습 과정 초기에 시작해야만 한다. 보다 효과적인 평
가를 위해서는 꽤 자주 보는 시험이 바람직한데, 왜냐하면 중요
한 시험에 대비하여 이미 여러 차례 복습했던 것을 다시 학습하
는 데는 거의 노력이 요구되지 않기 때문이다. 장기적인 기억을
위해서는 중간의 복습 기간이 또한 바람직하다. 중요한 시험 직
전에 하는 최종 복습은 마지막 순간에 서두르는 것을 피하기 위
해 일정에 맞게 신중하게 계획되어야만 한다. 규칙적인 공부, 신
중한 계획, 그리고 운동과 여가 활동을 고려한 정상적인 일과를
통해 시험 걱정을 피할 수 있다.

| 해설 | (A) 선행사 the subjects를 관계대명사절 속으로 넘기면
to cover의 목적어 역할을 하기 때문에 목적격 관계대명사 which가
와야 한다. (B) 네모 앞에 쓰인 for an important examination은
부사구로 쓰여 있어, relearn의 목적어로 선행사를 포함한 관계대명사
what이 와야 한다. (C) 문맥상 현재 시제에서 의무를 나타내는
should be carefully planned가 와야 한다. 정답 ②

| 구문 분석 | 〈1행〉 Preparation for examinations
                                            S
should begin at the outset of a course of study, in the
    V
sense [**that** you should study the subjects [**which**
          동격절   ↑

you are required to cover] and the kinds of

관계대명사절(목적격)
examinations [**which** you will have to take]].
　　　　　　　└──────┘ 관계대명사절(목적격)

▶ that 이하의 동격의 that절로 쓰인 명사절이며, 뒤에 쓰인 관계대명사절은 둘 다 목적격으로 앞의 명사를 수식한다.

〈4행〉 [**For** more effective assessment] fairly
　　　　　　　　　　　　　　　부사구
frequent tests are desirable, **for** little effort is
　　　　　　 S　　 V　　 C　　　　　 S'
required to relearn [for an important examinations]
　 V'　　　　　　　　　　 부사구
what has already been gone over a number of times.
└────── relearn의 목적어 ──────┘

▶ 앞의 For는 전치사, 뒤의 for는 접속사(이유)로 사용되었다.

| Words & Phrases |
• **outset** [áutsèt] 시작, 개시, 발단 • **be required to** 반드시 ~하다 • **assessment** [əsésmənt] 평가, 판단 • **go over** 복습하다, 검토하다 • **retention** [riténʃən] 보류, 유지, 기억(력) • **intermediate** [ìntərmí:diət] 중간(중급)의 • **precede** [prisí:d] 앞서다, 선행하다 • **allow for** ~을 고려하다

66

| 전문 해석 | '생각하는 사람'으로 불리는 동상에 대해 당신이 첫 번째로 느끼는 것은 무엇인가? 많은 사람들은 그 동상이 어떤 심각한 주제에 관해 깊이 생각하고 있는 사람을 보여준다고 응답한다. 이 동상은 지옥에 간 사람들에게 일어나는 일들을 보여주는 한 짝의 큰 대문 위에 놓이도록 설계되었기 때문에 그러한 반응은 일리가 있는 것이다. 그러나 처음에 비평가들은 그 동상의 표면이 주름지고 울퉁불퉁하기 때문에 로댕이 그의 작품을 완전하게 마무리하지 않았다고 생각했다. 그러나 그 동상의 표면을 주름지고 울퉁불퉁한 상태로 남겨둔 것은 만약 부드럽다면 그 동상이 가질 수 없는 효과를 주고 있다. '생각하는 사람'은 움직이지 않는 조용한 상태의 사람을 보여주지만, 그 형체의 '외관'은 너무도 많은 움직임을 보여주기 때문에 우리는 여기에(이 동상에) 많은 일들이 일어나고 있다는 느낌을 받는다. '생각하는 사람'의 울퉁불퉁한 표면은 분명히 그 사람이 상당히 많이 생각하고, 느끼고 있다는 인상을 더해준다. 이런 방식으로 로댕은 그의 작품만이 보여줄 수 있는 것 이상의 것을 표현할 수 있었다.

| 해설 | 밑줄 친 부분을 과거분사로 쓰인 분사구문으로 보면 콤마 뒤에 동사(gives)가 쓰여 있어 주어가 없기 때문에 틀린 문장이다. 따라서 Left를 Leaving(동명사)으로 고쳐 'S(Leaving) + V(gives)' 구조로 써야 한다.　　　　　　　　　　　정답 ②

| 오답 확인 | ① this statue was designed to be placed는

'이 동상은 놓이도록 설계되었다'는 의미로 수동형 부정사가 맞다.
③ if절이 가정법 과거 형태로 쓰여 있는데, 앞의 주절 역할을 하는 문장에 가정법 과거 형태(it would not have)가 쓰여 있어 맞는 표현이다.
④ 앞에 쓰인 the impression을 수식하는 동격의 that절이다.
⑤ 명사 바로 뒤에 쓰인 부사 alone은 'only'의 뜻을 가진다.

| 구문 분석 | 〈7행〉 Leaving the surface of the
　　　　　　　　　　　　　　　 S
statue wrinkled and rippled, though, gives the statue
　　　　　　　　　　　　　　　　　　　 V　　　 I.O
an effect [(**that**) it would not have **if** it were smooth].
└── D.O　　 관계대명사절(목적격 생략)

▶ give는 수여동사로「give+간접목적어+직접목적어」의 형태를 취하고 있고, if 이하의 절은 관계사절 내에 포함된 종속절이다.

〈9행〉 ***The Thinker*** shows a man in a still, quiet
　　　　　　 S₁　　 V₁
position, |but| [because the "skin" of the figure
　　　　　　　　　 부사절　　　　　 S'
shows so much movement,] we get the feeling
　 V'　　　　　　　　　　　 S₂ V₂
there's a lot happening here.

▶ 두 개의 문장이 등위접속사 but으로 연결되는데, but 이하의 because ~ movement는 두 번째 문장의 부사절이다.

| Words & Phrases |
• **statue** [stǽtʃu:] 동상 • **hell** [hel] 지옥 • **critic** [krítik] 비평가, 평론가 • **properly** [prápərli] 적당히, 완전하게 • **wrinkled** [ríŋkəld] 주름진 • **rippled** [rípəld] 물결치는 듯한, 울퉁불퉁한 • **still** [stil] 정지한, 움직이지 않는 • **subject matter** 내용, 소재, 재료

67

| 전문 해석 | 인간 몸속의 생물학적인 바이러스와 마찬가지로 컴퓨터 바이러스도 자기 스스로를 복제할 수 있기 때문에 자료가 다른 컴퓨터 시스템과 공유될 때 그것은 계속 감염될 수 있다. 예를 들어, 2000년에 이메일 메시지를 통해 퍼진 유명한 '러브(Love Bug)' 바이러스는 세계 도처에 있는 컴퓨터의 파일을 파괴했다. 웜(Worm) 역시 복제되어 퍼져 나가는 악성 프로그램이다. 그러나 바이러스와는 달리 그것들은 다른 파일에 스스로를 첨부할 필요가 없다. 그것들은 독자적으로 작동하며 컴퓨터망을 통해 그들 스스로 퍼져 나가는 프로그램이다. 그래서 그것들은 하나의 컴퓨터에서 다른 컴퓨터로 퍼져 나가기 위해 인간의 개입을 필요로 하지 않는다. 예를 들어, 1988년의 유명한 인터넷 웜(Internet worm)은 인터넷상에서 스스로를 복제한 다음 확산되면서 많은 컴퓨터 시스템을 파괴시켰다.

| 해설 | (A) 문장 앞에 명백한 과거를 나타내는 부사구(In 2000)가 쓰여 있으므로 과거 시제인 destroyed가 와야 한다. (B) 주어인 they와 문맥상 일치하기 때문에 재귀대명사(themselves)가 와야 한다. (C) 앞에 쓰인 one computer와 상응하여 '(막연하게) 또 다른 컴퓨터'를 의미하므로 another가 와야 한다.　　　　　**정답 ③**

| 구문 분석 | 〈1행〉 [Just like a biological virus in the human body,] a computer virus replicates itself, [**so that** it will continue to be contagious] [when data is shared with another computer system].

▶ so that 이하는 '그래서 ~한다'로 결과를 나타내는 부사절이다.

| Words & Phrases |
- **biological** [bàiəlάdʒikəl] 생물학적인　• **replicate** [réplikèit] 복제하다, 복사하다　• **contagious** [kəntéidʒəs] 전염성의　• **via** [váiə] ~을 통해　• **malicious** [məlíʃəs] 악의가 있는　• **reproduce** [rì:prədjú:s] 재생하다, 복제(복사)하다　• **on one's own** 스스로　• **intervention** [ìntərvénʃən] 간섭, 개입　• **make one's way** 나아가다

68

| 전문 해석 | 보통 성인의 순환계는 약 5리터의 혈액을 옮기는데, 그 중 60퍼센트는 혈장이라고 알려져 있는 액체로 된 물질이다. 거의 전부 물로 구성되어 있는 혈장은 생명을 유지하기 위해 필요한 많은 종류의 이온과 분자를 옮겨주고 포도당, 지방 그리고 아미노산과 같은 영양소와 이산화탄소와 같은 노폐물을 포함하고 있다. 그것은 또한 핏덩어리를 만들어 몸이 출혈로 죽는 것을 막아 주는 단백질뿐만 아니라 항체, 호르몬, 그리고 효소를 가지고 있다. 혈액의 나머지 40퍼센트는 적혈구와 백혈구 세포로 구성되어 있다. 적혈구 세포는 산소의 운반을 책임진다. 단지 130일 동안만 생존하는 적혈구 세포는 골수에 의해 지속적으로 대체되는데, 골수는 놀랍게도 1초에 약 200만 개의 적혈구 세포를 생산할 수 있다. 백혈구 세포는 끔찍한 바이러스, 박테리아, 그리고 다른 외부 침입자들을 강력하게 막는 역할을 한다.

| 해설 | The circulatory system ~ carries ..., 60 percent of it consists에서 두 문장을 연결시키는 접속사(and)가 없기 때문에 밑줄 친 부분은 60 percent of which 혹은 and 60 percent of it으로 고쳐야 한다.　　　　　**정답 ①**

| 오답 확인 | ② 분사구문으로 쓰인 문장이며, 주절의 주어 plasma와 수동 관계에 있다.

---

③ 등위접속사 and를 기준으로 앞의 transports와 병렬 구조를 이룬다.
④ 「keep+O+from ~ing(O가 ~하는 것을 막다」 형태로 쓰여 있다.
⑤ bone marrow를 선행사로 가지는 주격 관계대명사이다.

| 구문 분석 | 〈10행〉 [**Living** for no more than 130 days,] they are constantly replaced by bone marrow, [which can amazingly produce about two million red blood cells in a single second].

▶ Living ~ 130 days는 분사구문으로 주절 주어인 they와 능동 관계에 있다.

| Words & Phrases |
- **circulatory** [sə́:rkjulətɔ̀:ri] 순환하는　• **be comprised of** ~로 구성되다(= consist of)　• **molecule** [mάləkjù:l] 분자　• **nutrient** [njú:triənt] 영양소　• **glucose** [glú:kous] 포도당　• **antibody** [ǽntibὰdi] 항체　• **enzyme** [énzaim] 효소　• **clot** [klɑt] (피 따위의) 엉긴 덩어리　• **amazingly** [əméiziŋli] 놀랍게도　• **defense** [diféns] 방어, 수비, 방지책　• **intruder** [intrú:dər] 침입자

69

| 전문 해석 | 음과 멜로디를 즐기도록 하는 신경계의 요소들을 지니고 있지 않은 사람은 거의 없다. 사실상 우리 모두에게 있어, 우리가 스스로를 특별히 음악적이라고 상상하든 안 하든 관계없이, 음악은 대단한 힘을 가지고 있다. 음악에 반응하는 이러한 경향은 갓난아기 때에 나타나며, 그것은 모든 문화에 존재하는 것처럼 보인다. 아마도 이러한 성향은 인류의 시초로 거슬러 올라가는 것 같다. 각각의 문화와 환경은 이러한 성향을 다른 방식으로 발달시키고 형성시키며, 각각의 개인은 그 자신 특유의 장점을 가지고 있지만 음악에 대한 이러한 사랑은 인간 본성의 매우 심오한 부분이어서 그것은 선천적인 것처럼 보인다. 유효한 증거로 판단해 보면 인간은 언어적인 종(種)일뿐만 아니라 음악적인 종(種)이기도 하다.

| 해설 | (A) 네모 뒤의 문장이 완전한 문장으로 쓰여 있고, 해석상으로도 접속사인 that과 whether 둘 다 가능한 것처럼 보인다. 그러나 that절은 전치사(regardless of) 뒤에서 목적어로 쓰일 수 없기 때문에 whether가 와야 한다. (B) each는 「each+단수 명사+단수 동사」로 써야 하며, 단수 명사를 받는 소유격은 당연히 단수 형태인 his로 써야 한다. (C) 분사구문으로 쓰인 형태인데 주절의 주어인 human beings와 의미상 수동 관계에 있기 때문에 Judged from이 맞는 것처럼 보인다. 그러나 Judge from은 일반적인 분사구문과는 달리 일

반인 주어(We)가 생략된 형태인 비인칭 독립 분사구문으로 쓰이기 때문에 Judging from(~로 판단하면)으로 써야 한다. **정답 ④**

| 구 문 분 석 | 〈7행〉 Each culture and each
$\underset{S_1}{}$
environment may develop and shape it differently,
and each individual has his own particular strengths,
$\underset{S_2}{}$
but this love of music is **such** a deep part of human
$\underset{S_3}{}$
nature **that** it seems inherent.

▶ 세 개의 문장이 등위접속사 and와 but으로 연결되어 있고, 세 번째 문장의 「such+a(an)+형용사+명사+that ...」 구문은 '매우 ~해서 …하다(결과)'의 의미이다.

| Words & Phrases |
• **possess** [pəzés] 소유하다, 가지고 있다 • **nervous** [nə́:rvəs] 신경의 • **tone** [toun] 음조, 어조 • **virtually** [və́:rtʃuəli] 사실상 • **significant** [signífikənt] 중요한, 대단한 • **tendency** [téndənsi] 경향 • **respond to** ~에 반응(대응)하다 • **in all likelihood** 아마도 • **inclination** [ìnklənéiʃən] 경향, 성향 • **go back to** ~로 거슬러 올라가다 • **inherent** [inhíərənt] 타고난, 고유의 • **linguistic** [liŋgwístik] 언어의, 언어학의

70

| 전문 해석 | 피라미드 내부와 바로 아래에 이집트의 노동자들은 왕과 그의 소유물이 놓여 있는 다양한 방과 침실로 통하는 정교한 복도를 조각했다. 예술가들은 무덤의 벽을 정교한 그림으로 가득 채웠다. 그들은 그 장면이 사후 세계에서 실현될 것으로 믿었기 때문에 그들의 그림은 사후 세계에서 죽은 왕의 편안함과 즐거움을 보장하기 위해 일상생활의 즐거움을 묘사했다. 이집트인들은 피라미드가 영원한 내세를 위한 안전한 휴식처를 제공할 것으로 믿었다. 그러나 도굴꾼들이 종종 피라미드에 침입해서 금과 보석을 훔치고, 관을 파괴하고, 연료용으로 미라를 태워 버렸다. 연속적인 침입으로 인해 이후의 많은 이집트 왕들은 절벽 끝에 그들 자신을 위한 비밀 무덤을 만들지 않을 수 없게 되었다.

| 해설 | 밑줄 친 which 뒤에 동사(lay)가 쓰여 있어 which가 주격 관계대명사로 맞게 쓰인 것처럼 착각하기 쉽다. 그러나 which 뒤의 문장은 the king and his possessions lay로 '왕과 그의 소유물이 놓여 있었다'는 의미의 문장에서 주어가 길기 때문에 〈V+S〉로 도치된 형태이다. 따라서 선행사 the various rooms and chambers를 which 뒤로 넘기면 the king and his possessions lay <u>in</u>

the various rooms and chambers로 전치사가 필요하기 때문에 관계부사로 where(= in which)를 써야 한다. **정답 ①**

| 오답 확인 | ② 「in order to + V」는 '~하기 위하여'로 목적을 나타내는 부정사의 부사적 용법이다.
③ 동사 trusted의 목적어 역할을 하는 명사절을 이끌고 있다.
④ 앞에 쓰인 stealing, destroying과 병렬 구조로 연속동작을 나타내는 분사구문이다.
⑤ 일반동사 prompted 뒤에 목적격 보어로 쓰인 5형식 문장 구조이다.

| 구 문 분 석 | 〈1행〉 [Inside and beneath the
$\underset{부사구}{}$
pyramid,] Egyptian workers carved elaborate
$\underset{S}{}$ $\underset{V}{}$ $\underset{O}{}$
corridors [**leading** to the various rooms and
$\underset{분사구}{}$
chambers] [where lay the king and his possessions].
$\underset{관계부사절}{}$

▶ leading 이하는 분사구로 elaborate corridors를 수식한다.

| Words & Phrases |
• **carve** [kɑːrv] 조각하다 • **elaborate** [ilǽbərət] 정교한 • **corridor** [kɔ́:ridər] 복도 • **chamber** [tʃéimbər] 방, 침실 • **come to life** 실현되다, 살아나다 • **depict** [dipíkt] 묘사하다, 설명하다 • **assure** [əʃúər] 보장하다, 확실하게 하다 • **decease** [disí:s] 죽다 • **secure** [sikjúər] 안전한, 튼튼한 • **eternal** [itə́:rnəl] 영원한, 불멸의 • **afterlife** [ǽftərlàif] 내세, 사후 • **break into** 침입(난입)하다 • **coffin** [kɔ́:fin] 관 • **mummy** [mʌ́mi] 미라 • **successive** [səksésiv] 연속적인 • **raid** [reid] 습격, 급습 • **prompt** [prɑmpt] 재촉하다, (행동을) 자극하다

ACTUAL TEST 08

본문 215쪽

71. ①	72. ④	73. ⑤	74. ③	75. ②
76. ②	77. ④	78. ③	79. ⑤	80. ①

71

| 전문 해석 | 프랭클린 델라노 루즈벨트는 재정적인 위기와 경제적 불안정의 시기였던 1930년대 경제공황 기간에 재임했다. 그러나 루즈벨트는 위기에서 수완을 발휘했다. 일명 "루즈벨트 두뇌 위원회"로 알려진 미국 내에서 가장 뛰어난 일부 인재들을 자기 주변에 불러 모은 후에 루즈벨트 대통령은 "뉴딜 정책"이라 불리는 급진적인 경제 프로그램을 도입했다. 뉴딜 정책의 중심에는 일자리를 창출하는 동시에 미국 시민들이 이용할 수 있는 재화와 서비스를 개선시키게 될 정부 재정 자금 프로그램을 통하여 자유 시장 제도에 기꺼이 개입하려는 루즈벨트의 의지가 깔려 있었다. 공공사업 촉진국(The Works Progress Administration)은 정부의 경제 회복 프로그램에서 가장 규모가 큰 연방 기관이었는데, 팔백만 개 가량의 일자리를 제공했다.

| 해설 | (A) 분사구문이 쓰인 문장으로 주절의 주어인 the president와 능동 관계에 있기 때문에 Gathering이 맞다. (B) 문두에 장소 부사구 At the heart of the New Deal이 쓰여 있어 〈V + S〉로 도치된 문장 구조로, 원래 문장은 Roosevelt's willingness(S) ~+was(V)+at the heart of the New Deal(부사구) 구조이므로 네모 안에 was가 쓰여야 한다. (C) 「S+V ~ , ing/p.p.」 형태로 연속동작을 나타내는 분사구문이 쓰였는데, 주어(The Works Progress Administration)와 능동 관계에 있기 때문에 providing이 적절하다. 정답 ①

| 구문 분석 | 〈3행〉 Gathering around him some of
the finest minds in the country, known as "Roosevelt's
brain trust," the president introduced a radical
economic program [(which was) called the "New
Deal."]

▶ Gathering은 분사구문으로 쓰였으며, 과거분사로 쓰인 known 이하의 분사구는 the finest minds를 수식하고 있다.

| Words & Phrases |
• **hold office** 재직하다, 재임하다 • **crisis** [kráisis] 위기, 고비
• **instability** [ìnstəbíləti] 불안정 • **the Great Depression** 경제대공황 • **mind** [maind] 인재 • **radical** [rǽdikəl] 급진적인 • **willingness** [wíliŋnis] 기꺼이 함 • **intervene**

72

| 전문 해석 | 현대에 들어와서야 대부분의 사람들이 사랑 때문에 결혼하게 되었다. 아주 먼 옛날에 대부분의 사람들은 돈과 일 때문에 결혼을 했는데, 즉 결혼은 가족들 사이에 경제적인 타협이었으며 사랑은 문제되지 않았다. 그러므로 결혼을 준비할 때 부모들에게 감정적인 애착은 중요한 것이 아니었으며 신부나 신랑 중 누구도 결혼으로부터 사랑(emotional fulfillment: 감정적인 성취)을 기대하지 않았다. 부부가 표현했던 가장 일반적인 감정은 분개심과 분노였던 것처럼 보인다. 아내 구타가 흔했으며 남편 구타 역시 그러했다. 아내가 남편을 구타했을 때 사회로부터 처벌받는 대상은 흔히 아내가 아니라 남편이었는데, 그 이유는 남편이 아내를 올바르게 통제를 하지 못함으로써 마을을 수치스럽게 했다는 것이 그 이유였다.

| 해설 | 「so+V+S」로 쓰여 '~도 역시 그렇다'는 표현인데, 앞 문장인 Wife beating was commonplace에 be동사인 was가 쓰였기 때문에 밑줄 친 did를 was로 고쳐 써야 한다. 정답 ④

| 오답 확인 |
① 문두에 only로 시작하는 부사구가 쓰여 있어 도치되어 있다.
② 'of+추상명사'는 형용사 역할을 하기 때문에 be동사 뒤에서 보어로 쓰일 수 있다.
③ to have p.p.는 본동사 보다 이전 시제를 나타내는데, 밑줄 친 부분은 문맥상 본동사인 seem(현재 시제)보다 이전인 과거 시점을 나타내기 때문에 맞게 쓰여 있다.
⑤ 「It be ~ that」 강조 구문이 쓰인 문장인데, 강조어가 the husband, not the wife로 사람이며 주어 역할을 하므로 that 대신에 who를 쓸 수 있다.

| 구문 분석 | 〈6행〉 The most common emotions
[(that) couples expressed] seem to have been
resentment and anger.

▶ 선행사인 The most common emotions 뒤에 목적격 관계 대명사가 생략되어 있으며, 보어로 쓰인 to have been(이전형 부정사)은 본동사인 seem(현재 시제)보다 한 시제 이전인 과거 시제를 의미한다.

| Words & Phrases |
• **marry** [mǽri] 결혼하다 • **arrangement** [ərʤéindʒmənt] 배열; 준비; 타협 • **emotional** [imóuʃənəl] 감정적인

- **attachment** [ətǽtʃmənt] 애정, 애착 • **groom** [gru(:)m] 신랑 • **fulfillment** [fulfílmənt] 성취감 • **express** [iksprés] 표현하다 • **resentment** [rizéntmənt] 반감 • **commonplace** [kámənplèis] 흔한, 일반적인 • **punish** [pʌ́niʃ] 처벌하다

73

| 전문 해석 | 이메일 주소를 갖고 있는 대부분의 컴퓨터 이용자들은 상품이나 서비스를 광고하는 원하지 않는 이메일 메시지인 스팸 메일에 익숙하다. 그것은 메일박스나 온라인상의 전화 광고 같은 것에 전달되는 '정크 메일'의 전자식 형태이다. 대부분의 소비자들은 스팸 메일이 매우 성가시다고 생각한다. 어떤 메시지가 스팸 메일인지를 결정해서 그것들을 삭제하는 것은 짜증나고 시간을 소비하는 일이다. 원하지 않는 이메일은 인터넷 서비스 공급업체에 가입한 사람들의 주된 불평들 중의 하나이다. 고용주들 또한 스팸 메일을 싫어한다. 직장에서 근로자들이 스팸 메일을 처리하느라 하루에 불과 몇 분만을 소비할 때도 노동비용은 빠르게 상승한다. 결과적으로 많은 회사들이 스팸 메일을 완전히 가려내기 위한 여과 장치에 추가적인 비용을 쓰고 있다. 그러나 이러한 여과 장치는 중요하고 필요한 메시지가 통과하는 것을 막을 수도 있기 때문에 종종 문제를 일으킨다.

| 해설 | (A) 이 문장에서 앞에 쓰인 It은 가주어가 아니고 앞에 쓰인 spam을 받는 대명사이며, 네모 안에 쓰인 부정사는 형용사적 용법으로, 문맥상 수동 관계이며 앞의 명사 the "junk mail"을 수식해야 한다. (B) and를 기준으로 뒤에 쓰인 deleting(동명사)과 병렬 구조를 이루기 때문에 Determining이 와야 한다. (C) 사역동사 have 뒤에 무생물인 important, necessary messages가 목적어로 쓰여 있어 「have+O(무생물)+p.p.」 형태로 blocked가 와야 한다. **정답 ⑤**

| Words & Phrases |
- **version** [və́ːrʒən] 판, 형태 • **equivalent** [ikwívələnt] 동등한 것, 상당하는 것 • **annoying** [ənɔ́iiŋ] 성가시게 하는 • **determine** [ditə́ːrmin] 결정하다, 결심하다 • **delete** [dilíːt] 삭제하다 • **irritating** [írətèitiŋ] 짜증나게 하는, 불쾌한 • **complaint** [kəmpléint] 불평, 불만 • **subscriber** [səbskráibər] 가입자, 기부자 • **deal with** 다루다, 처리하다 • **additional** [ədíʃənəl] 추가적인 • **filter** [fíltər] 여과기, 여과 장치 • **screen out** 가려내다, 선별하다 • **block** [blɑk] 막다, 차단하다 • **get through** 통과하다

74

| 전문 해석 | 사람들은 때때로 대양으로부터 빛의 반사가 빙하가 푸른색으로 보이도록 만드는 것이라고 믿는다. 실제로 빙하가 푸른빛의 색조를 드러내도록 하는 것은 얼음 속까지 관통해 지나가는 빛이다. 우리가 가정에서 이용하는 얼음과 같은 일반 얼음은 어떤 눈에 띄는 변화없이 빛이 들어오고 나갈 수 있기 때문에 흰색처럼 보인다. 이것은 부분적으로는 얼음이 얇기 때문이지만, 그 투명한 구조 또한 중요한 역할을 한다. 빙하는 우리가 냉동실에서 얻는 얼음보다 훨씬 더 밀도가 높다. 빙하를 구성하는 얼음 결정체들은 더 많은 얼음이 오래된 얼음 주변으로 형성되면서 수십 년간의 얼고 또 어는 과정을 통해 단단하게 압축되어 있다. 빙하는 계속 움직이면서 더욱 커진다. 이러한 빙하의 거대한 표면은 더욱 더 많은 빛을 흡수하도록 해 준다.

| 해설 | 밑줄 친 동사 produces는 앞의 명사 the ice와 the ice produces(얼음이 생산한다)로 〈S+V〉 관계에 있지만 전치사 (without) 뒤에는 절이 쓰일 수 없기 때문에 틀린 문장이다. 따라서 produces를 producing으로 고치면 전치사 뒤에서 「의미상 주어 (the ice)+동명사(producing)」 구조로 맞는 문장이 된다. **정답 ③**

| 오답 확인 | ① 선행사(주어)를 포함하는 관계대명사로 맞다.
② 관계대명사 what이 이끄는 절이 주어로 단수 동사 is가 맞다.
④ '단단하게 압축된다'는 의미로 수동태가 맞는 문장이다.
⑤ 「비교급+and+비교급」 형태로 의미를 강조하는 표현이다.

| 구문 분석 | 〈9행〉 **The ice crystals** [that make up a glacier] **are** tightly **compressed** from decades of freezing and refreezing [as more ice form around older ice].

▶ that 이하가 주어 The ice crystals를 수식하고 있으며, 동사는 are compressed이다.

| Words & Phrases |
- **reflection** [riflékʃən] 반사, 반영 • **glacier** [gléiʃər] 빙하 • **actually** [ǽktʃuəli] 실제로 • **exhibit** [igzíbit] 드러내다 • **bluish** [blúːiʃ] 푸르스름한 • **hue** [hjuː] 색조 • **penetrate** [pénətrèit] 관통하다, 투과하다 • **all the way through** ~까지 내내(줄곧) • **discernible** [disə́ːrnəbəl] 구분(식별)할 수 있는 • **in part** 부분적으로 • **composition** [kàmpəzíʃən] 구성, 합성, (물질의) 구조 • **as well** 또한, 역시 • **considerably** [kənsídərəbli] 상당히, 꽤 • **dense** [dens] (농도가) 짙은, (밀도가) 높은 • **freezer** [fríːzər] 냉동 장치, 냉동실 • **crystal** [krístl] 결정체 • **tightly** [táitli] 단단

히, 꽉 • **compress** [kəmprés] 압축하다 • **absorb** [əbsɔ́:rb] 흡수하다

75

| 전문 해석 | 지구상의 더욱 더 많은 대기업들이 그들의 시장을 자국만이 아닌 전 세계로 여기게 되었다. 자동차, 컴퓨터 그리고 통신 분야에 있어서의 투쟁은 세계 시장의 점유를 위한 것이다. 그래서 우리는 IBM이나 General Motors와 같은 회사들이 원자재의 구입뿐만 아니라 판매 촉진 노력의 방향과 관련하여 전 세계를 그들의 목표로 생각하고 있다는 사실을 알게 된다. 현대의 신속한 운송수단과 고도로 조직화된 생산과 분배 조직을 갖추고 있기 때문에 상품을 제조하는 일은 상품을 가장 저렴하게 생산하는 모든 나라들로 더욱 더 쉽게 이동되고 있는 한편, 그 상품의 판매는 가장 풍부한 시장을 가진 나라들에 초점이 맞추어지고 있다. 그래서 예를 들어 우리는 부품은 말레이시아에서 만들어지고, 중국에서 조립된 다음, 최종적인 판매는 미국에서 이루어지는 DVD player를 소유한다.

| 해설 | (A) 이 문장의 동사로 쓰인 find는 「find + O + ~ing/p.p.」 형태로 분사가 목적격 보어 역할을 하는 5형식 문장으로 쓰일 수 있다. 그런데 네모 안의 분사는 the entire globe를 목적어(분사의 목적어)로 가지면서 문장의 목적어로 쓰인 companies와 능동 관계에 있기 때문에 현재분사인 considering이 와야 한다. (B) manufacturing goods는 '상품을 제조하는 것'으로 해석되어 manufacturing이 동명사로 주어 역할을 하기 때문에 단수 동사인 is가 와야 한다. (C) 네모 뒤의 절이 완전한 문장으로 쓰여 있기 때문에 주격 또는 목적격 관계대명사로 쓰이는 which는 쓰일 수 없고, 소유격 관계대명사인 whose가 와야 한다.　　　　　**정답 ②**

| 구문 분석 | 〈4행〉 That is why we find companies
　　　　　　　　　　　　　　　　　S　V　　O
[such as IBM or General Motors] considering the
　　전치사구　　　　　　　　　　　　　　　　　O.C
entire globe as their target, not only with regard to
분사(considering)의 목적어
the purchase of raw materials, but also **to the
direction** of sales effort.

▶ 상관접속사인 「not only A but also B(A뿐만 아니라 B)」가 쓰였으며, with regard to(~에 관하여)에 연결되는 to the purchase와 to the direction이 병렬 구조로 쓰여 있다.

〈7행〉 [With modern rapid transportation and
　　　　　　　　　　　　　부사구
highly organized systems of production and
distribution], manufacturing goods is more and more
　　　　　　　　　　　　S　　　　　　V

easily moved to **whatever** country produces them
　　　　　　　전치사 to의 목적어
most cheaply, [while their sale is focused on *the
　　　　　　　　부사절
countries* [**that** represent the richest markets]].
　　　　　　　관계대명사절(주격)

▶ whatever 이하는 전치사 to의 목적어로 쓰였으며, while이 이끄는 부사절 내에 that 이하의 관계대명사절이 선행사 the countries를 수식하고 있다.

| Words & Phrases |
• **struggle** [strʌ́gəl] 투쟁, 노력　• **share** [ʃɛər] 몫, 시장 점유율　• **entire** [intáiər] 전체의, 완전한　• **target** [tá:rgit] 과녁, 목표　• **with regard to** ~와 관련하여　• **raw material** 원료, 원자재　• **distribution** [dìstrəbjú:ʃən] 분배, 배급, 분포　• **manufacture** [mæ̀njufǽktʃər] 제조하다, 생산하다　• **parts** [pɑ:rts] (기계 등의) 부품

76

| 전문 해석 | 기후 변화와 그 위협적인 결과에 대응하는 것은 매우 중대한 일이지만, 절망적은 아니며, 모든 예측 가능한 결과 또한 불가피한 것도 아니다. (오염물질) 배출을 줄이고 변하는 환경에 적응하기 위한 현실적이고도 효과적인 해결방식이 존재한다. 게다가 이러한 행동의 대부분은 돈을 절약해 주고 다른 이유들 때문에도 의미가 있는데, 그 이유는 그러한 행동이 점점 더 부족한 석유 공급에 대한 의존을 감소시키고, 대기 오염을 줄여주며, 우리가 의존하고 있는 생태 과정을 유지하도록 도와주는 생태계를 보존함으로써 생존 가능성이라고 하는 보다 광범위한 문제를 또한 다루기 때문이다. 기술적인 해결에 초점을 맞추고 싶은 것이 사실이지만, 기술을 발달시키는 소비와 생활방식의 문제를 다루는 것 또한 필수적이다.

| 해설 | 「so+V+S」 형태로 '~도 역시 그렇다'를 나타내는 형태로 쓰였는데, 앞 문장이 부정문이고 글의 흐름으로 보아 so를 nor(또는 and neither)로 고쳐야 한다.　　　　　**정답 ②**

| 오답 확인 | ① 동명사(Responding)가 주어로 쓰였기 때문에 단수 동사인 is가 왔다.
③ 주어가 「부분 명사 +of+복수 명사」로 쓰여 있어 복수 동사(save)가 맞다.
④ 주격 관계대명사(that) 앞의 선행사가 복수 명사(ecosystems)이기 때문에 help(복수 동사)가 맞게 쓰였으며, help 뒤의 maintain은 to가 생략된 동사의 원형 형태로 help의 목적어 역할을 한다.
⑤ it이 가주어, to focus가 진주어로 쓰인 문장에서 tempting은 보어로 쓰인 분사이며, 진주어와 능동 관계에 있다.

| 구문 분석 | 〈4행〉 In addition, most of these
actions save money and make good sense for other
reasons **as** they also deal with the broader issues of
sustainability [through **reducing** dependency on
increasingly scarce petroleum supplies, **cutting** air
pollution, and **preserving** the ecosystems that help
(to) maintain the ecological processes (that) we rely
on].

▶ '이유'의 부사절로 쓰인 as절 속에서 동명사인 reducing, cutting, preserving이 병렬 구조로 전치사 through의 목적 어로 쓰였다.

| Words & Phrases |
• **respond to** ~에 대응하다, 반응하다 • **threatening** [θrétniŋ] 위협적인 • **consequence** [kánsəkwèns] 결과 • **foreseeable** [fɔːrsíːəbəl] 예측 가능한 • **outcome** [áutkʌm] 결과 • **inevitable** [inévətəbəl] 불가피한, 피할 수 없는 • **realistic** [rìːəlístik] 현실적인 • **emission** [imíʃən] 방출, 배출 • **adjust to** ~에 적응하다 • **broad** [brɔːd] 넓은, 광범위한 • **sustainability** [səstèinəbíləti] 생존 가능성 • **dependency** [dipéndənsi] 의존 • **scarce** [skɛərs] 부족한, 희귀한 • **ecosystem** [íːkousìstəm] 생태계 • **ecological** [iːkəládʒikəl] 생태계의 • **tempting** [témptiŋ] 유혹하는, 마음을 끄는 • **drive** [draiv] 추진시키다

77

| 전문 해석 | 사람들은 파란색이 다른 색들, 특히 빨강색, 초록색, 흰색 또는 검은색보다 상징적인 의미로 덜 표현되기 때문에 매우 인기 있다는 느낌을 받는다. 대부분의 사람들의 의견에서 파란색이 싫어하는 색으로 거의 간주되지 않는다는 사실은 그 색의 중립적인 위치를 확증해 주는 것 같다. 파란색은 놀라게 하거나, 화나게 하거나 또는 혐오스럽게 하지 않는다. 이와 마찬가지로 파란색이 사람들의 절반 이상이 좋아하는 색이라는 사실은 적어도 그 색은 폭력적이지도 않고 비도덕적이지도 않으며, 아마도 상대적으로 약한 상징적 힘을 나타낸다는 표시이다. 결국 우리가 좋아하는 색이 파란색이라고 밝힐 때, 우리는 실제로 우리 자신에 대한 어떤 것을 드러내는 것일까? 아무것도 거의 드러내는 것이 없는데, 그 이유는 그 반응이 이미 예측 가능하기 때문이다. 하지만 검은색이나 빨강색 또는 심지어 초록색을 좋아

한다고 말하는 것은 더 많은 것을 드러내 준다. 이것은 서양 세계의 색 상징에 있어서 파란색의 본질적인 특징들 중의 하나인데, 즉 우리는 차분하고 거의 중립적이라고 생각하는 것에 파란색으로 색칠한다.

| 해설 | (A) 네모 앞에 비교급(less symbolically)이 쓰여 있기 때문에 than이 와야 한다. (B) 동격의 that절의 수식을 받고 있는 the fact의 동사로 is가 와야 한다. (C) 네모 앞에 선행사가 없고 we think is calm ~는 <S+V+V'> 구조로 쓰여 V'에 대한 S'가 필요하기 때문에 주어를 포함하는 관계대명사 what이 와야 한다.　　　**정답 ④**

| 구문 분석 | 〈3행〉 The fact [that (**in most people's opinion**) blue is least often regarded as a disliked color] seems to confirm its neutral position.

▶ The fact가 주어, seems가 동사인 문장이며, 동격의 that절 속에 부사구가 삽입되어 있다.

〈5행〉 In the same way, the fact [**that** blue is the favorite color of more than half the population] is [at least] a sign [**that** it is neither violent nor immoral, and probably shows its relatively weak symbolic power].

▶ 2형식 문장(S+V+C)이며, 주어인 the fact와 보어인 a sign 뒤에 동격의 that절이 각각 수식하고 있다.

| Words & Phrases |
• **impression** [impréʃən] 느낌, 인상 • **symbolically** [simbálikəli] 상징적으로 • **notably** [nóutəbli] 뚜렷하게, 특히 • **confirm** [kənfə́ːrm] 확인하다 • **neutral** [njúːtrəl] 중립적인, 중성의 • **offend** [əfénd] 화나게 하다, 기분을 상하게 하다 • **disgust** [disgʌ́st] 혐오감을 주다 • **at least** 적어도 • **violent** [váiələnt] 폭력적인 • **immoral** [imɔ́ːrəl] 비도덕적인, 외설적인 • **relatively** [rélətivli] 비교적, 상대적으로 • **declare** [diklɛ́ər] 선언하다, 표명하다 • **after all** 결국, 마침내 • **reveal** [rivíːl] 드러내다 • **response** [rispáns] 반응, 대답 • **predictable** [pridíktəbəl] 예측(예상)할 수 있는 • **preference** [préfərəns] 선호, 편애 • **characteristic** [kæ̀riktərístik] 특징

78

| 전문 해석 | 교육은 자석이 철을 끌어들이듯이 잘못된 정보

를 끌어들이는 것처럼 보이는 주제들 중의 하나이다. 그러므로 사실적인 근거를 거의 전혀 갖지 못하는 교육에 대한 일반적인 잘못된 믿음들이 존재하고 있다. 하나의 고전적인 예는 IQ 지수는 변하지 않는다는 믿음인데, 사실은 변할 수 있을 뿐만 아니라 실제로 변하기도 한다. 특히 어린 아이들에게서는 몇 개월 사이에 5내지 10점 정도의 변화가 생길 수 있다. 오랫동안 지속되어 온 또 다른 잘못된 믿음에 따르면 능력별로 학생들을 묶는 것이 그들의 성적을 향상시켜 준다는 것이다. 그러나 사실 이러한 주장을 뒷받침해 주는 연구는 거의 없다. 마지막으로 교육에 종사하는 많은 사람들은 또한 직접적인 교수법보다는 학생들이 직접적인 문제 해결 과정을 통해 과학적인 원칙들을 습득하는 방식인 발견 학습이 과학을 가르치는 가장 좋은 방법이라고 주장해 왔다. 그러나 그 반대가 사실임이 입증되고 있다.

| 해설 | grouping students by ability는 우리말로 '능력별로 학생들을 묶는 것'으로 동명사 grouping(단수 취급)이 주어이기 때문에 밑줄 친 improve를 improves로 고쳐 써야 한다.　　**정답 ③**

| 오답 확인 | ① 뒤에 완전한 문장이 연결되는 접속사로 앞에 쓰인 가주어(it)와 연결되어 진주어절을 이끌고 있다.
② occur는 자동사로 수동태의 형태로 쓰이지 않으므로 적절하다.
④ 앞에 쓰인 discovery learning을 선행사로 가지는 계속적 용법의 관계부사로 뒤에 완전한 문장이 이어지고 있다.
⑤ turn out은 '입증되다'의 뜻으로 쓰일 때 자동사이므로 수동태로 쓰지 못한다.

| 구문 분석 | 〈8행〉 Finally, many in education have also insisted [that discovery learning, [where students master scientific principles through problem solving rather than direct instruction], was the best way to teach science].
▶ 3형식 문장인 〈S + V + O〉 구조로 목적어로 쓰인 that절 속에서 계속적 용법으로 쓰인 관계부사 where는 선행사가 discovery learning이며 and there로 바꾸어 쓸 수 있다.

| Words & Phrases |
• **attract** [ətrǽkt] 유인하다, 끌어들이다　• **misinformation** [mìsinfɔːrméiʃən] 잘못된 정보　• **myth** [miθ] 신화, 근거 없는 믿음　• **factual** [fǽktʃuəl] 사실의, 사실적인　• **basis** [béisis] 근거　• **shift** [ʃift] 변화　• **long standing** 오랫동안 지속된　• **master** [mǽstər] 완전히 익히다　• **problem solving** 문제 해결　• **turn out** 입증되다, 판명되다, 밝혀지다　• **opposite** [ápəzit] 정반대의, 다른 편의

79

| 전문 해석 | 바나나 생산자들은 단일 작물에 그들의 노력을 집중하는데, 그것은 해충과 질병이 대농장 전역으로 퍼져나가도록 하기 때문에 문제가 된다. 무덥고 습기가 많은 열대지방의 조건은 그 문제를 더 악화시킨다. 또한 대농장에서 가장 흔하게 경작되는 바나나 품종인 Cavendish는 질병에 대한 내성이 약하다. 따라서 많은 양의 바나나 수확은 곤충을 죽이는 화학물질과 비료의 집중적인 사용을 통해서만 보장될 수 있다. 때때로 산업 국가들에서는 엄격한 통제를 받거나 심지어 금지되고 있는 화학물질이 사용되고 있다. 또 다른 문제는 이러한 화학물질 중의 대다수가 매우 분해하기 어렵다는 것인데, 즉 그것은 그 화학물질들이 오랜 기간에 걸쳐 계속 영향을 미쳐 당연히 토양 속에 쌓인다는 것이다. 그런 다음에 이러한 유독한 화학물질들은 빗물에 의해 강이나 호수, 그리고 바다로 흘러들어간다.

| 해설 | (A) 네모 안에는 콤마 앞의 절과 뒤의 절을 연결하는 계속적 용법의 관계대명사가 쓰여야 하는데, that은 계속적 용법으로 쓰지 못하기 때문에 which가 와야 한다. (B) 네모 앞에 쓰인 that은 주격 관계대명사이며 선행사는 chemicals(복수 명사)이기 때문에 are가 와야 한다. (C) 「may well+동사원형」으로 써서 '당연히 ~이다'로 해석되는 관용표현이다.　　**정답 ⑤**

| 구문 분석 | 〈9행〉 Another problem is [that many of these chemicals are very stable], which means [that they may continue to be effective over time and may well build up in the soil].
▶ 앞 문장의 that절은 보어 역할을 하는 명사절이며, 뒷문장에 쓰인 that절은 목적어 역할을 하는 명사절로 각각 쓰여 있다. 콤마 뒤에 계속적 용법으로 쓰인 관계대명사 which의 선행사는 앞의 that절 속에 쓰인 문장 전체이다.

| Words & Phrases |
• **concentrate** [kánsəntrèit] 집중하다　• **encourage** [inkə́ːridʒ] 촉진하다　• **pest** [pest] 해충　• **plantation** [plæntéiʃən] 대농장　• **damp** [dæmp] 습기, 축축한, 습기 많은　• **tropical** [trápikəl] 열대의, 열대지방의　• **variety** [vəráiəti] 종류, 품종　• **cultivate** [kʌ́ltəvèit] 경작(재배)하다　• **resistant** [rizístənt] 저항력 있는　• **yield** [jiːld] 수확, 생산　• **guarantee** [gæ̀rəntíː] 보장하다　• **intensive** [inténsiv] 집중적인　• **fertilizer** [fə́ːrtəlàizər] 비료　• **be subject to** ~을 받기(겪기) 쉽다　• **strict** [strikt] 엄격한, 가혹한　• **forbidden** [fərbídn] 금지된　• **stable** [stéibl] 안정된, 분해하기 어려운　• **poisonous** [pɔ́izənəs] 독성의, 유독한

80

| 전문 해석 | 지리와 여행에 관심 있는 사람들은 아마도 지구의 극 지역 중의 하나로 여행하는 것이 어떨지 궁금해 할 것이다. 확실히 모험심 많은 사람은 북극으로 여행하고 싶을지도 모른다. 사실, 사람이 여행할 수 있는 곳은 두 군데인데, 하나는 자기 북극이고 또 하나는 지자기 북극이다. 자기 북극은 캐나다에 위치해 있는데 Ellesmere Island라고 불리는 곳에서 가깝다. 만약 어떤 사람이 나침반을 들고 있다면 그 바늘은 자기 북극 방향을 가리킬 것이다. 게다가 막대자석의 북쪽 끝도 이 방향으로 끌린다. 지자기 북극 또한 자석의 북쪽 끝을 끌어당기지만, 자기 북극과 같은 곳에 위치해 있지는 않다. 지자기 북극은 캐나다가 아닌 Greenland 연안에 위치해 있다.

| 해설 | 밑줄 친 부분을 「be likely to + 동사원형」으로 보면 관계대명사 what 뒤에 완전한 문장 구조가 쓰이게 되어 틀린 문장이 된다. 따라서 이 문장은 가주어(it)와 진주어(to travel)가 쓰인 문장이며 likely를 전치사 like로 고쳐 「what+S+be동사+like」로 의문사 what이 전치사 like의 목적어 역할을 하면서 'S의 모습이나 상태'를 나타내는 표현으로 써야 한다. **정답 ①**

| 오답 확인 | ② 선행사로 쓰인 two places가 전치사 to의 목적어 역할을 하는 목적격 관계대명사이다.

③ '~에 위치하다'의 뜻으로는 항상 수동태로 be located를 쓴다.

④ 문맥상 '끌린다'의 뜻으로 수동태가 맞다.

⑤ 「the same + 명사 + as」로 써서 '~와 같은 명사'로 해석된다.

| Words & Phrases |
• **pole** [poul] (천체나 자석의) 극 • **to be certain** 확실하게
• **adventurous** [ædvéntʃərəs] 모험심 많은 • **magnetic** [mægnétik] 자석의, 자기(磁氣)의 • **be located** ~에 위치하다 • **compass** [kʌ́mpəs] 나침반 • **needle** [níːdl] 바늘 • **magnet** [mǽgnit] 자석 • **attract** [ətrǽkt] 끌어당기다 • **off the coast of** ~의 연안에 있는

ACTUAL TEST 09			본문 222쪽
81. ④	82. ②	83. ③	84. ④	85. ⑤
86. ④	87. ⑤	88. ④	89. ①	90. ⑤

81

| 전문 해석 | 오늘날의 삶은 과거와 비교할 수 없을 정도로 더 편리하다. 그러나 오늘날 우리의 과도한 소비는 조상들이 이룩한 축적된 부(富)를 빠르게 고갈시키고 있을 뿐만 아니라 후손들의 부(富)로부터도 차용해 오고 있다는 사실을 우리는 인식해야만 한다. 적어도 우리는 장기적인 생각을 단기적인 편리함보다 중요시 여기는 조상들의 생활방식을 거부하는 우리의 소위 진보적인 태도를 즉시 버려야만 한다. 우리 조상들의 인상적인 재활용 방식은 단기적으로는 비합리적이고 비효율적이었던 것처럼 보인다. 그러나 그들은 벼농사를 광범위하게 이용했다. 쌀 재배는 엄청난 양의 육체 노동과 보살핌이 수반되는 것이었지만, 그럼에도 그것은 재활용 방식으로써 귀중한 것이었다. 오늘날에도 전통적인 쌀농사가 지속되고 있는 이유는 쌀농사는 현대 산업이 가하고 있는 끊임없이 증가하는 부담을 환경에 짐 지우지 않기 때문이다.

| 해설 | (A) 「not only A but also B」는 상관접속사로 A와 B가 동일한 문법 형태로 쓰여야 한다. 이 문장에서는 not only 뒤에 앞의 be동사와 연결되는 진행형으로 using이 쓰여 있기 때문에 but also 뒤에 borrowing이 와야 한다. (B) 앞의 본동사 may appear는 현재 시제로 쓰여 있지만, 네모 안의 부정사는 과거 시제의 의미이기 때문에 이전형인 to have been이 와야 한다. (C) 네모 안의 동사는 주절에 쓰인 일반동사 impose를 받기 때문에 does가 와야 한다. **정답 ④**

| 구문 분석 | ⟨12행⟩ <u>The reason</u> [**that** traditional
　　　　　　　　　　　　S　　　　① 관계부사절
rice agriculture continues today] is [**that** it did not
　　　　　　　　　　　　　　　　　 V　　 C ② 명사절
impose ever *increasing burden* on the environment
[**that** modern industry does].
③ 관계대명사절 (목적격)

▶ ① that은 the reason 뒤에서 관계부사 why 대신에 쓰여 형용사절을 이끌며, ② that은 접속사로 be동사 뒤에서 보어 역할을 하는 명사절을 이끈다. ③ that은 목적격 관계대명사이며 선행사는 increasing burden이다.

| Words & Phrases |
• **incomparably** [inkʌ́mpərəli] 비교할(견줄) 수 없을 정도로
• **convenient** [kənvíːnjənt] 편리한 • **excessive** [iksésiv] 지나친 • **use up** 고갈시키다 • **accumulated** [əkjúːmjulèitid] 축적된, 쌓인 • **ancestor** [ǽnsestər] 조상, 선조 • **descendant** [diséndənt] 후손, 자손 • **as well** 또한, 역시 • **abandon** [əbǽndən] 포기하다 • **immediately** [imíːdiətli] 즉시, 곧 • **progressive** [prəgrésiv] 진보적인 • **ahead of** ~앞에 • **impressive** [imprésiv] 인상적인, 감동적인 • **irrational** [irǽʃənəl] 비합리적인 • **inefficient**

[ìnifíʃənt] 비효율적인 • **extensive** [iksténsiv] 광범위한, 넓은 • **accompany** [əkʌ́mpəni] 동반하다 • **tremendous** [triméndəs] 엄청난, 거대한 • **impose A on B** B에 A를 부과(강요)하다 • **burden** [bə́ːrdn] 짐, 부담, 책임

82

| 전문 해석 | 오늘날 많은 회사들은 가장 재능이 있는 사람들이 그들 회사를 위해 일하기를 원하고 있다. 지적이고 창의적이며 의욕이 넘치는 직원을 모집하는 것이 그들에게는 중요하며, 그래서 가능한 최고의 사람들을 끌어모으기 위해 다른 회사들과 경쟁한다. 인터넷 회사인 Google은 현명하고 열심히 일하는 직원을 찾기 위해 많은 액수의 돈과 자원을 쓰고 있는 회사의 잘 알려진 사례가 되었다. 그 회사는 매우 풍부한 혜택을 제공하면서 그 회사에서 근무하는 경험을 가능한 한 행복한 것으로 만들기 위해 노력하고 있다. Google은 거의 어떤 회사와도 견줄 수 없는 혜택을 제공한다. 대부분의 전문 직종 근로자들은 그들의 근무 시간을 선택할 수가 있다. 많은 직원들은 또한 그들 자신의 아이디어에 기초하여 새로운 것을 개발할 수 있는 기회를 가질 수 있는 것에 흥미를 느끼고 있다. 흥미로운 일자리를 찾고 있는 매우 의욕적인 재능 있는 사람들이 Google에 입사지원하고 있다는 사실은 놀라운 것이 아니다.

| 해설 | 「as+형용사(부사)」의 원급과 as」로 쓰이는 원급 비교 표현으로 앞의 as를 없애고 연결시키면 'make + O(the experience of → the experience of working at the company) + O.C(happy)'로 5형식 문장 구조가
working at the company is happy
맞는 표현이기 때문에 목적격 보어로 형용사인 happy를 써야 한다.
정답 ②

| 오답 확인 | ① 앞에 가주어(It)가 쓰여 있으므로 진주어 역할을 하는 to부정사이다.

③ few는 셀 수 있는 명사를 수식하여 「few + 복수 명사」로 써야 하므로, 밑줄 친 부분의 복수 명사 companies는 맞는 표현이다.

④ 주격 보어 역할을 하는 분사로 쓰였는데, 주어인 Many workers와 수동 관계에 있기 때문에 과거분사가 맞다.

⑤ 주어가 highly motivated talented people로 복수 명사이기 때문에 복수 동사(apply)가 맞다.

| Words & Phrases |
• **recruit** [rikrúːt] 모집하다 • **creative** [kriéitiv] 창의적인, 창조력이 있는 • **motivated** [móutəvèitid] 의욕이 넘치는 • **compete** [kəmpíːt] 경쟁하다 • **attract** [ətrǽkt] 끌어모으다 • **generous** [dʒénərəs] 관대한, 풍부한 • **apply to** ~에 지원하다

83

| 전문 해석 | 미국인들은 병에 든 생수에 중독되어 있다. 그러나 점점 많은 수의 미국 도시들이 미국인들에게 그 습관을 버리도록 요구하고 있다. 작가인 Charles Fishman은 사람들이 병에 든 생수를 지나치게 많이 마시고 있어서 환경을 해치기 시작했다고 말한다. "병에 든 생수는 그렇게 중대한 영향을 미칠 것이라고 당신이 의심하지 않을 수도 있는 것이다."라고 Fishman은 말한다. 작년에 미국인들은 300억 병 이상의 생수를 소비했다. 약 80퍼센트에 달하는 그러한 병들의 종착지는 쓰레기 매립지이다. 끝과 끝을 맞닿게 놓는다면 그것은 지구 둘레를 150번 이상 돌 수 있을 만큼 충분한, 미생물에 의해 분해되지 않는 플라스틱 양에 해당한다. "우리는 몸에 배어온 이러한 낭비적이고 환경 재해를 일으키는 소비 습관을 떨쳐버리고 수도꼭지에서 나오는 물을 마시는 것으로 되돌아 갈 필요가 있다."고 전문가들은 말한다. 전문가들은 또한 병에 든 생수가 수돗물보다 더 낫다는 널리 퍼진 인식은 전혀 사실이 아니라고 말한다.

| 해설 | (A) ┌ so + 형용사 + a(n) + 명사 ┐ 어순으로 쓰기
└ such + a(n) + 형용사 + 명사 ┘
때문에 네모 안에는 such a significant impact가 와야 한다. (B) 분사구문으로 쓰인 문장인데, Lain은 수동태로 쓸 수 없는 자동사 Lie의 과거분사형이기 때문에 쓸 수 없고, 타동사인 Lay의 과거분사형인 Laid가 와야 한다. (C) 문맥상 and를 기준으로 앞의 to get away와 병렬 구조를 이루고 있으므로 get back이 와야 한다. 또한 get back에서 get은 '가다'의 뜻으로 쓰인 자동사이기 때문에 수동태를 쓸 수도 없다.
정답 ③

| 구문 분석 | 〈2행〉 Author Charles Fishman says
S   V
people drink **so** much bottled water **that** it's starting
O(목적절)
to hurt the environment. / 〈4행〉 "Bottled water is
S   V
something that **(you wouldn't suspect)** would have
C   주격 관계대명사
such a significant impact," says Fishman.

▶ 「so ~ that ...(매우 ~해서 …하다)」 구문에서 so 뒤에는 「so + 형용사(부사) + that ...」이나 「so + 형용사 + 명사 + that ...」이 올 수 있다. such 다음에 오는 형용사와 명사의 어순은 「such + a(n) + 형용사 + 명사」이고, you wouldn't suspect는 삽입절이다.

〈12행〉 Experts also say (that) the widely held
S   V   S'
perception [**that** bottled water is better than tap
동격절
water] is simply not true.
V'   C'

▶ 3형식 문장이며, 목적절 속의 주어(the widely held

perception)가 동격절의 수식을 받고 있다.

| Words & Phrases |
• **be addicted to** ∼에 중독되다 • **call on** 요구하다, 부탁하다 • **kick the habit** 습관을 버리다 • **suspect** [səspékt] 의심하다 • **significant** [signífikənt] 중대한 • **impact** [ímpækt] 영향 • **billion** [bíljən] 십억 • **end up** 결국 ∼로 끝나다 • **landfill** [lǽndfil] 쓰레기 매립지 • **circle** [sə́ːrkl] 둘레를 돌다 • **disastrous** [dizǽstrəs] 재해를 일으키는 • **tap** [tæp] 수도꼭지 • **perception** [pərsépʃən] 인식

84

| 전문 해석 | 지난 30년 내지 40년 동안 우리는 알레르기로 고생하는 아이들의 수가 엄청나게 증가한 것을 목격해 왔으며, 과학자들은 아직도 그 설명을 찾고 있는 중이다. 알레르기 증가에 대한 최근의 일반적인 설명은 소위 '위생 가설'이다. 그 기본적인 생각은 지나치게 청결한 환경에서 양육된 어린 아이들은 알레르기에 걸릴 위험이 훨씬 더 크다는 것이다. 오늘날 사람들은 과거보다 더 자주 목욕하고 옷을 세탁하고 있으며, 진공청소기 덕택에 가정 또한 먼지가 더 적은 상태이다. 이러한 모든 변화들 중의 한 가지 결과는 어린 시절에 아이들이 알레르기 유발 물질에 보다 덜 노출된다는 것이며, 이것은 그들의 몸이 그 물질에 대한 자연적인 면역을 형성할 수 없다는 것을 의미한다. 간단히 말해서, 알레르기 유발 물질에 대한 노출은 그 물질에 대한 자연적인 방어력을 발달시키기 위해 필요한 것이다.

| 해설 | 계속적 용법으로 쓰인 관계대명사 which가 앞에 쓰인 문장이나 구를 선행사로 받으면 단수 동사를 써야 한다. 이 문장은 선행사가 앞에 쓰인 that절이기 때문에 단수 동사인 means로 고쳐야 한다.

정답 ④

| 오답 확인 | ① 주어가 The past thirty to forty years로 과거에서 현재까지 걸친 시점을 나타내므로 현재완료 시제가 맞다.
② brought 앞에 '주격 관계대명사 + be동사'가 생략된 분사구로 앞의 young children을 수식해 준다.
③ 동사 bathe and wash를 꾸며주는 부사이므로 맞는 표현이다.
⑤ 주어가 exposure로 단수 명사이므로 단수 동사 is가 왔다.

| 구문 분석 | 〈4행〉 The basic idea is **that** young children [**brought** up in an environment] [**which** is too clean] are more at risk of developing allergies.

▶ that절은 보어 역할을 하는 명사절이며, that절 속에서 brought는 분사구로 주어(young children)를 수식하고

---

which는 주격 관계대명사절로 an environment를 수식한다.

〈11행〉 Simply put, exposure to allergy-causing substances is necessary **for natural protection against them** to develop.

▶ for natural protection against them은 to develop의 의미상 주어로 쓰였다.

| Words & Phrases |
• **hygiene** [háidʒiːn] 위생 • **hypothesis** [haipáθəsis] 가설 • **bring up** 기르다, 양육하다 • **vacuum cleaner** 진공청소기 • **be exposed to** ∼에 노출되다 • **allergen** [ǽlərdʒən] 알레르기 유발 물질 • **immunity** [imjúːnəti] 면역

85

| 전문 해석 | 로봇은 공상 과학 영화에서 볼 수 있는 수다스런 친구가 되기에는 아직 멀었다. 그러나 일부 장난감 로봇은 아주 정교한 기계 그 이상이 되고 있다. 로봇공학 교수인 James Kuffner에 따르면, 로봇이 20개 또는 그 이상의 모터를 가지면 대부분의 인간의 동작을 모방할 수 있다고 한다. 그러한 로봇이 인간 모양의 형체를 가지는 것은 우연이 아니다. "식기 세척기는 단지 그릇을 세척하지만 인간 모양의 로봇은 더 많은 것을 할 수 있다."고 그는 말한다. 로봇이 하는 것들 중에는 싸움을 하는 것이 포함된다. 장난감 로봇산업의 중심지인 한국과 일본에서는 사람들이 종종 장난감 로봇 전투를 즐긴다. 그는 2026년 무렵에는 일반 소비자들이 사용하는 로봇이 사람들이 위험하게 여기거나 하기 싫어하는 일을 수행할 것이라고 보고 있다. 로봇 디자인과 연구에서 선도적인 한 회사는 전형적인 12살 된 아이 크기의 로봇이 대부분의 집안일을 수행할 것이라는 전망을 하고 있다. 그러한 크기의 로봇을 만드는 데 대한 걸림돌은 무게 그리고 비용과 관련이 있다. 로봇이 더 커질수록 그것들은 움직이기 위하여 더 많은 기어를 필요로 할 것이며, 그 결과 로봇은 더 무겁고 더 비싸질 것이다.

| 해설 | (A) 뒤에 쓰인 that절이 진주어로 쓰여 있어 네모 안에는 가주어 역할을 하는 It이 필요하기 때문에 It is가 와야 한다. (B) 네모 뒤의 문장이 「S(people) + V(find) + O.C(hazardous or unpleasant)」로 쓰여 있는데, 5형식 문장에서 목적어가 없는 형태이기 때문에 목적어를 포함하는 관계대명사로 what을 써야 한다. (C) 「the+비교급 ~, the+비교급 ...」으로 써서 '~하면 할수록 더욱 더 ...하다'를 표현하는 문장인데, 이 표현을 쓰기 이전의 원래 문장은 「S(they) + V(need)+O(more gears)+ to move(그것들은 움직

이기 위하여 더 많은 기어를 필요로 한다)」로 목적(~하기 위하여)을 나타내는 to부정사가 쓰여야 문맥상 맞는 표현이다. **정답 ⑤**

| 구문 분석 | 〈7행〉 [**Among** the things that they
do] is **having** a fight.

▶ 부사구가 강조되어 문두에 쓰였으며, having a fight는 동명사구로 주어 역할을 한다.

| Words & Phrases |
• **be far from** ~와 거리가 멀다 • **chatty** [tʃǽti] 수다스런, 말하기 좋아하는 • **companion** [kəmpǽnjən] 친구, 동료 • **sophisticated** [səfístəkèitid] 정교한 • **robotics** [roubátiks] 로봇공학 • **imitate** [ímətèit] 모방하다, 흉내 내다 • **accident** [ǽksədənt] 우연 • **estimate** [éstəmèit] 어림잡다, 평가하다 • **perform** [pərfɔ́ːrm] 수행하다, 실행하다 • **hazardous** [hǽzərdəs] 위험한 • **prospect** [práspekt] 전망, 가망 • **obstacle** [ábstəkəl] 장애(물), 걸림돌 • **have to do with** ~와 관련이 있다

86

| 전문 해석 | 어른들과 마찬가지로 아이들도 배가 고픈 채로 학교에서 또는 놀다가 집으로 돌아왔을 때, 무엇이든지 가장 손쉬운 것을 먹으려고 한다. 때때로 그들이 선택한 음식은 그들이 만들 수 있는 건강에 가장 좋은 것만은 아니다. 그러나 만약 적절한 재료를 이용할 수 있다면 아이들은 멋진 선택을 할 수가 있고 또한 그 과정에서 요리하는 것도 배울 수가 있다. 예를 들어, 손쉽고 건강에도 좋은 피자 간식을 위한 조리법이 여기에 있다. 첫째, 반쪽으로 자른 영국식 머핀 위에 스파게티 소스를 바른다. 이것 위에 얇게 썬 올리브와 고기 조각 그리고 신선한 야채를 올린다. 데우기 전에 그 위에 약간의 치즈를 뿌리는 것을 잊으면 안 된다. 그런 다음 치즈가 녹을 때까지 토스터나 전자레인지에 이 피자를 데운다. 마지막으로 중요한 것은 스스로 만든 손쉬운 피자를 즐겁게 먹기 전에 그것을 약간 식혀야 한다는 것이다.

| 해설 | forget 뒤에 동명사인 sprinkling이 목적어로 쓰였는데, forget이 동명사를 목적어로 가지면 '과거에 일어난 일을 잊다'의 의미이기 때문에 이 문장의 문맥과는 맞지 않는다. 이 문장은 문맥상 '미래의 사실'을 나타내기 때문에 목적어로 to부정사(to sprinkle)를 써야 한다. **정답 ④**

| 오답 확인 | ① 복합관계대명사인 whatever가 is의 주어를 포함하고 있으며 whatever절은 본동사인 eat의 목적어 역할을 하는 명사절로 쓰였다.

② 'the + 형용사' 형태로 추상명사로 쓰여 '건강에 가장 좋은 것'의 뜻을 나타내는 표현이다.
③ 주어 없이 동사원형으로 시작하는 명령문으로 쓰인 문장이다.
⑤ 사역동사인 let 뒤에서 목적격 보어로 동사원형이 쓰여 맞는 표현이다.

| 구문 분석 | 〈1행〉 Just like adults, when children
arrive [home from school or play] **feeling hungry**,
they will eat **whatever** is easiest.

▶ feeling hungry는 주어의 상태를 설명하고 있고, whatever는 복합관계대명사로서 anything that ~의 의미이다.

| Words & Phrases |
• **ingredient** [ingríːdiənt] 재료, 성분 • **available** [əvéiləbəl] 이용 가능한 • **process** [práses] (일련의) 과정 • **recipe** [résəpì] (요리의) 조리법 • **top** [tap] 덮다, 씌우다 • **sprinkle** [spríŋkəl] 뿌리다 • **melt** [melt] 녹다 • **last but not least** 마지막으로 중요한 것은

87

| 전문 해석 | 환경은 인간의 적응을 자극하는 가장 중요한 요인들 중의 하나이다. 기후적인 변화는 보통 인간이 영향을 주거나 피할 수 있는 것이 아니다. 이런 점에서 적응할 필요성이 존재하는 것이다. 예를 들어, 어떤 사람이 서늘하고 비가 많이 오는 해안 지역에서 무덥고 건조한 산악 지형으로 이동할 때, 그는 새로운 환경에서의 생존을 가능하게 해 주는 많은 생리적인 변화를 겪어야만 한다. 첫째로 몸은 체온을 더 효율적으로 조절하기 위해 변화한다. 심장을 혹사시키는 것을 막기 위해 몸의 심장 박동이 느려진다. 게다가 몸은 또한 탈수를 막기 위해 땀을 덜 흘리게 된다. 더욱이 높은 고도에서 살아가는 것이 익숙하지 않은 사람들은 감소된 산소 수치 때문에 일반적으로 호흡에 어려움을 가진다. 에리스로포이에틴이라 불리는 호르몬이 적혈구 세포를 증가시켜, 사람들이 보다 높은 고지에서 호흡하는 것을 가능하게 해 준다. 인간의 몸은 그것이 새로운 환경에서 생존하기 위해 할 수 있는 모든 것들을 하려고 노력한다.

| 해설 | (A) 「Here + V + S」로 쓰이는 문장에서 동사는 목적어를 가질 수 없는 자동사가 쓰이기 때문에 lies가 와야 한다. (B) be unaccustomed to(~에 익숙하지 않다)는 전치사 to의 목적어로 동명사가 쓰여야 하기 때문에 living이 와야 한다.
(C) 이 문장은 all (that) it can (do) to survive in a new
                           └ 목적격 관계대명사 생략
environment 구조로 조동사 뒤에 주절에 쓰인 동사원형(do)이 생략

된 형태로 선행사 all은 do의 목적어 역할을 하며, to survive는 목적을 나타내는 to부정사의 부사적 용법으로 쓰였다. **정답 ⑤**

| 구문 분석 | 〈12행〉 A hormone [**called** erythro-
poietin] causes an increase in red blood cells,
making it possible for humans **to breathe** in higher
elevations.

▶ called 이하는 분사구로 주어인 A hormone을 수식하며, 분사구문으로 연속동작을 나타내는 making 뒤에 가목적어와 진목적어가 쓰인 문장이다.

| Words & Phrases |
• **prompt** [prɑmpt] 자극하다, 촉구하다 • **adaptation** [æ̀dəptéiʃən] 적응, 순응 • **variation** [vɛ̀əriéiʃən] 변화, 변동 • **mountainous** [máuntənəs] 산악 지형의 • **undergo** [ʌ̀ndərgóu] 겪다 • **physiological** [fìziəlɑ́dʒikəl] 생리적인 • **regulate** [régjulèit] 조절(조정)하다 • **efficiently** [ifíʃəntli] 효율적으로 • **perspire** [pərspáiər] 땀을 흘리다, 발한하다 • **dehydration** [dì:haidréiʃən] 탈수 • **be unaccustomed to** ~에 익숙하지 않다 • **altitude** [ǽltətjùːd] (산·천체·비행기 등의) 높이, 고도 • **elevation** [èləvéiʃən] 고지, 높은 지대

88

| 전문 해석 | 유전체학에서의 진보는 의학 분야를 엄청나게 변화시키기 시작했다. 과학자들이 인간의 게놈(genome)을 배열했다고 발표한 지 3년 후에 우리의 유전자가 건강에 어떤 방식으로 영향을 주는지에 관한 새로운 지식은 질병이 이해되고, 진단되고, 치료되는 그리고 심지어는 예측되는 방식까지도 변화시키고 있다. 오늘날 유전자 테스트는 1,300가지 이상의 질병에 이용 가능하다. 그리고 오늘날 유전자 선별 검사가 더 저렴하고 빨라지게 되면서, 연구자들은 복합적인 유전자를 포함하는 보다 복잡한 질병들, 예를 들어, 알츠하이머병, 심장병 그리고 우울증과 같은 심각하고 치명적인 질병들의 생물학적인 근거를 추적하고 있다. 그러나 게놈의 발전에 의해 제공되는 엄청난 잠재력에도 불구하고 과학적인 혁명은 현실에 의해 알맞게 조절되어야 한다. 유전자는 복잡한 질병과 관련된 유일한 요소가 아니며 생활방식과 환경적인 영향 또한 중요한 것이다. 그리고 새로운 테스트와 치료에 대한 예측은 연구자들이 희망하는 것만큼 빨리 나오지 않을 수도 있으며, 아예 나오지 않을 수도 있다.

| 해설 | 접속사 Though 뒤에 'S(the vast potential)+

V(offered)' 형태로 절이 쓰여 맞는 문장인 것처럼 보인다. 그러나 offered는 동사가 아니라 앞에 '주격 관계대명사+be동사'가 생략된 형태의 과거분사이며 분사구를 이끌어 앞의 명사 the vast potential을 수식하는 형태이므로 전치사 Despite를 써야 한다. **정답 ④**

| 오답 확인 |
① 과거 시제로 쓰인 본동사 announced보다 한 시제 이전인 대과거를 나타낸다.
② 「의문사+S+V」 형태로 쓰인 간접의문문이며 전치사 about의 목적어로 쓰였다.
③ 동사 get 뒤에서 형용사의 비교급 형태로 주격 보어 역할을 한다.
⑤ the only는 명사를 수식하여 '유일한'의 뜻을 가진다.

| 구문 분석 | 〈2행〉 [Three years after scientists announced (that) they had sequenced the human genome,] new knowledge about **how** our genes affect our health is transforming the way [(**how**) diseases are understood, diagnosed, treated — and even predicted].

▶ how 이하는 전치사 about의 목적어로 쓰였고, the way 뒤에는 관계부사 역할을 하는 how가 생략되어 있다.

| Words & Phrases |
• **advance** [ədvǽns] 진보, 발전 • **revolutionize** [rèvəlúːʃənàiz] 엄청나게 변화시키다 • **face** [feis] 얼굴, 외관 • **sequence** [síːkwəns] 배열(정리)하다 • **genome** [dʒíːnoum] 게놈, 유전자 정보 집합체 • **gene** [dʒiːn] 유전자, 유전 인자 • **transform** [trænsfɔ́ːrm] 변화시키다, 변형시키다 • **diagnose** [dáiəgnòus] 진단하다 • **predict** [pridíkt] 예측(예언)하다, 예보하다 • **genetic** [dʒənétik] 유전자의, 유전의 • **screen** [skriːn] 선별하다, 가려내다 • **hunt down** 뒤쫓다 찾다 • **disorder** [disɔ́ːrdər] 장애, 질병 • **multiple** [mʌ́ltəpəl] 복합적인, 다수의 • **deadly** [dédli] 치명적인, 심한 • **depression** [dipréʃən] 우울증 • **vast** [væst] 거대한, 엄청난 • **potential** [pəténʃəl] 잠재력 • **temper** [témpər] 누그러뜨리다, 조절하다 • **critical** [krítikəl] 중요한, 결정적인 • **prediction** [pridíkʃən] 예측, 예상 • **come to pass** 일어나다, 발생하다

89

| 전문 해석 | 인간은 광범위한 용도로 새에 의존해 오고 있다. 토착새의 개체수를 보존함으로써 파생되는 잠재적 가치는 대단히 크지만 대체로 무시당하고 있다. 인간의 문화는 제외하고 새

는 지구 생태계의 핵심적인 기능을 하는 한 부분이다. 새는 곤충 개체수의 증가를 제한하는 활동을 하는 중요한 사냥꾼이다. 우리는 해로운 곤충의 수가 급속히 증가하고 있다는 점에서 새가 사라지고 있다는 사실을 짐작할 수 있다. 1880년대에 Washington 주 북부에서 연구자들은 벌레를 잡아먹는 새들이 산림농장을 보호하는 데 있어서 상당한 (비용) 절감을 가져온다는 사실을 발견했다. 새들은 또한 그들이 없다면 해낼 수 없는 엄청나게 많은 식물 종들을 위한 중요한 꽃가루 매개체이고 씨앗을 퍼지게 하는 역할을 하며, 또한 씨앗의 확산을 통해 수십 개의 새로운 종의 나무와 관목들이 생기게 하는 데도 중요하다. 사실 새들이 없다면 많은 종들이 멸종 위기에 직면할 것이다.

| 해설 | (A) 네모 안의 대명사는 앞에 있는 단수 명사 The potential value를 받기 때문에 it is가 와야 한다. (B) found 뒤에 접속사 that이 생략되어 있고, 주격 관계대명사로 쓰인 that절의 수식을 받는 birds에 대한 동사가 있어야 하기 때문에 시제 일치상 brought가 와야 한다. (C) 「but for+명사(~이 없다면)」가 쓰여 가정을 나타내는 문장이므로 가정법 과거 시제로 would가 와야 한다. **정답 ①**

| 구문 분석 | 〈9행〉 They **are** also important polli-
$\underline{\text{They}}_{S}$ $\underline{\textbf{are}}_{V_1}$ $\underline{\text{also important polli-}}_{C_1}$
nators and seed-spreaders for *countless thousands of plant species* [**that** could not manage without them],
└─ 관계대명사절(주격)
$\boxed{\text{and}}$ $\underline{\textbf{are}}_{V_2}$ $\underline{\text{vital}}_{C_2}$ to giving birth to new generations of
dozens of tree and shrub species through spreading
giving birth to의 목적어 / 부사구
seeds.

▶ 등위접속사 and를 기준으로 두 개의 동사가 병렬 구조를 이루고 있고, 관계대명사 that절이 앞의 선행사 countless thousands of plant species를 수식하고 있다.

| Words & Phrases |
- **rely on** 의존하다, 의지하다 • **a wide range of** 광범위한
- **potential** [pəténʃəl] 잠재적인 • **native** [néitiv] 토착의 • **vital** [váitl] 중요한, 핵심적인 • **function** [fʌ́ŋkʃən] 기능하다, 구실을 하다 • **ecosystem** [íːkousìstəm] 생태계
- **absence** [ǽbsəns] 부재, 부족 • **considerable** [kənsídərəbəl] 상당한, 엄청난 • **pollinator** [pálənèitər] 꽃가루 매개체 • **countless** [káuntlis] 수많은 • **give birth to** 낳다, 생기게 하다 • **shrub** [ʃrʌb] 관목 • **extinction** [ikstíŋkʃən] 멸종

90

| 전문 해석 | 재즈 가수인 Ella Fitzgerald는 그녀가 50년 넘게 너무도 아름답게 불렀던 사랑을 거의 경험하지 못했던 조용하고 소박한 여성이었다. 그녀가 심한 관절염을 겪고 있던 노년기에도 그녀의 목소리는 완고한 청중들조차 발가락으로 박자를 맞추게 하는 맑고 밝은 에너지로 항상 충만해 있었다. 흑인이었던 Fitzgerald는 인종차별이 만연해 있던 시대에 성년이 되었지만, 그녀가 느낀 어떤 것도 그녀의 음악을 통해 흘러나오지 않았다. 그녀는 모방하기 불가능한 똑같은 편안함과 우아함을 드러내며 백인인 Cole Porter와 흑인인 Duke Ellington의 가사를 노래했으며, 그래서 노년기에 그녀에게 주어진 모든 상을 받게 되었다. 1958년 Carnegie Hall에서 Duke Ellington과 공연했을 때, 비평가들은 Fitzgerald를 '노래의 퍼스트레이디'라고 불렀다. 그녀는 1996년에 죽었지만, 어느 누구도 그녀의 칭호에 도전하지 못했으며, Ella Fitzgerald는 여전히 재즈의 퍼스트레이디이다.

| 해설 | 분사구문으로 쓰인 문장인데 주절 주어 critics를 연결시켜 보면, critics performed(비평가들이 공연했다)로 문맥에 맞지 않는다. 문맥상 performing의 의미상 주어는 Fitzgerald이기 때문에 분사구문 이전의 부사절로 형태로 When she performed로 고쳐야 한다. She performing 형태로 독립 분사구문을 쓰기 쉬운데, 의미상 주어로 사람이 쓰이는 독립 분사구문은 일반적으로 쓰지 않는 것이 원칙이다. **정답 ⑤**

| 오답 확인 | ① she 앞에 목적격 관계대명사가 생략되어 있고, 선행사 the love를 관계사절 뒤로 넘기면 전치사 about의 목적어 역할을 하기 때문에 맞는 표현이다.
② 현재분사인 crippling이 능동 관계로 arthritis를 수식하고 있다.
③ 「leave +O+~ing」 구조로 5형식으로 쓰인 문장인데, 목적어인 the toes와 목적격 보어인 tapping이 능동 관계에 있기 때문에 맞는 표현이다.
④ whatever she felt에서 복합관계대명사인 whatever가 목적어를 포함하여 명사절(주어)을 이끌고 있으며, anything that she felt로 바꿔 쓸 수 있다.

| 구문 분석 | 〈3행〉 $\underline{\text{Her voice,}}_{S}$ [even in later years
부사구
when she suffered from crippling arthritis,] $\underline{\text{was}}_{V}$
always $\underline{\text{filled}}$ with *a clear, light energy* [**that** could
V'
$\underline{\text{leave}}$ the toes of even the stubborn listeners
O'
tapping].
O.C'
▶ that could ~ 관계사절이 선행사 a clear, light energy를 수식하고 있다. 관계사 that절 이하는 5형식 문형이다.

| Words & Phrases |
- **humble** [hʌ́mbəl] 겸손한, 소박한 • **exquisitely**

[ikskwízitəli] 아름답게, 훌륭하게 • **crippling** [krípliŋ] 심한 손상(부상)을 입히는, 치명적인 • **arthritis** [ɑ:rθráitis] 관절염 • **stubborn** [stʌ́bərn] 완고한 • **come of age** 성년이 되다 • **era** [íərə] 시대, 연대 • **racism** [réisizəm] 인종차별 • **prevalent** [prévələnt] 널리 퍼진 • **spill** [spil] 흘러나오다 • **lyrics** [líriks] 가사 • **ease** [i:z] 편안함 • **grace** [greis] 우아함 • **award** [əwɔ́:rd] 상 • **heap** [hi:p] 쌓다, 듬뿍 주다 • **critic** [krítik] 비평가

| Words & Phrases |

• **complaint** [kəmpléint] 불평, 불만 • **advertising** [ǽdvərtàiziŋ] 광고 • **misleading** [mislí:diŋ] 오해시키는 • **claim** [kleim] 주장 • **authority** [əθɔ́:rəti] 권위, 권한 • **voluntarily** [váləntèrəli] 자발적으로 • **practice** [prǽktis] 관행, 관습 • **questionable** [kwéstʃənəbəl] 의심스러운 • **contract** [kántrækt] 계약(서) • **upon reflection** 심사숙고하면 • **cooling-off period** 냉각기간, 계약 취소 기간

ACTUAL TEST 10

본문 229쪽

91. ②	92. ④	93. ⑤	94. ③	95. ①
96. ⑤	97. ④	98. ③	99. ⑤	100. ④

91

| 전문 해석 | 광고에 대한 가장 흔한 불평은 그것이 상품에 대해 오해하게 만들거나 거짓된 주장을 표현한다는 것이다. 미국에서는 연방 거래 위원회(Federal Trade Commission)가 오해를 불러일으킨다고 간주하는 광고를 중단시킬 수가 있다. 그러나 광고 회사들이 자발적으로 사원들을 통제하는 경향이 있기 때문에 그러한 권한은 거의 사용되지 않고 있다. 부정직한 판매 관행이 통제하기가 가장 어려운데, 그 이유는 많은 의심스러운 판매 관행들이 불법적이지 않기 때문이다. 예를 들어, 영리한 외판원은 구매자가 심사숙고하면 원하지 않을 수도 있는 물건을 사도록 하기 위해 계약서에 서명하도록 설득할 수 있다. 많은 미국의 주들과 일부 국가들은 소위 '계약 취소' 기간을 두어서 이러한 종류의 판매 행위를 규제하고 있으며, 그 기간 동안에 구매자들은 판매 계약에서 벗어날 수 있다.

| 해설 | (A) it 앞에 목적격 관계대명사가 생략되어 있고, 선행사 advertising을 관계사절 뒤로 넘기면 'S(it)+V(considers)+O (advertising)+O.C(misleading)'으로 5형식 문장 구조를 만들기 때문에 능동태로 considers를 써야 한다. (B) tend는 '~하는 경향이 있다'의 뜻으로 뒤에 to부정사를 쓰기 때문에 to control이 와야 한다. (C) 콤마 앞의 문장과 뒤의 문장을 연결하는 접속사가 필요하기 때문에 계속적 용법의 관계대명사인 which를 써야 하며, in the course of which는 and in the course of it(a "cooling-off" period)으로 풀어 쓸 수 있다.　　　　　**정답 ②**

92

| 전문 해석 | 우리가 매일 사용할 뿐만 아니라 재료로 이용하는 많은 종류의 흔한 물질들이 존재하고 있다. 이러한 물질들에는 나무, 금속, 물, 그리고 기름 등이 있다. 전자의 두 물질은 고체로 간주되고, 후자의 두 물질은 액체로 간주된다. 그러나 그렇게 쉽게 분류될 수 없는 또 다른 종류의 물질이 존재하는데, 그것은 바로 유리이다. 약 2세기 전에 어떤 건설 현장 근로자들이 오래된 교회를 복원시키고 있었다. 그들은 창문에 있는 창유리가 위쪽보다 아래쪽에서 더 두껍게 보이는 것을 목격했다. 다른 건설 현장 근로자들 역시 다른 건물의 창문에서 같은 현상을 목격하기 시작했다. 이것은 사람들로 하여금 유리의 실재적인 특질에 관하여 생각하기 시작하도록 만들었다. 그 이후로 오랜 세월 동안 사람들은 유리가 액체 또는 고체 중 어느 것으로 분류해야 가장 좋은지를 궁금해 하고 또 토론해 오고 있다. 이것은 과학자들과 비과학자들 사이에서 매우 일반적인 화젯거리이다.

| 해설 | 지각동사가 쓰이면 목적격 보어 자리에 동사원형이나 분사를 쓴다. 이 문장은 앞에 지각동사 watch가 쓰여 있어 밑줄 친 부분을 appear로 고쳐야 한다.　　　　　**정답 ④**

| 오답 확인 | ① 앞에 쓰인 The former(전자의)에 상응하여 The latter(후자의)가 쓰였다.

② 유도부사 there가 쓰인 문장은 「there+V+S」로 쓰인다. 이 문장은 단수 명사인 another kind of material이 주어이기 때문에 is가 맞다.

③ 명백한 과거를 나타내는 부사구 About two centuries ago가 쓰여 있어 과거 시제가 맞다.

⑤ 앞에 사역동사인 made가 쓰여 있어 목적격 보어로 동사원형이 왔다.

| Words & Phrases |

• **solid** [sálid] 고체, 고형물 • **liquid** [líkwid] 액체, 유동체 • **categorize** [kǽtəgəràiz] 분류하다 • **restore** [ristɔ́:r] 복원하다, 회복시키다 • **pane** [pein] 창유리 • **as well** 또한, 역시 • **debate** [dibéit] 토론하다

93

| 전문 해석 | Albert Einstein은 물리학을 넘어선 여러 방면의 열정을 가지고 있었다. 그는 인권, 민주주의, 그리고 교육 개혁에 관해 생각하고, 글을 쓰고 연설하면서 많은 시간을 보냈다. 그러나 철학에 대한 그의 기여는 거의 잘 알려져 있지 않다. Einstein은 지식과 현실의 본질, 즉 과학적인 이론과 그 이론의 세상과의 연관성에 관하여 깊이 생각했다. 그는 종종 그의 방정식이 설명했던 드러나지 않고 볼 수 없는 세계가 어떻게 가능한지를 궁금해 했다. 어떻게 정신이 우리의 일상적인 경험과 분리된 지식의 영역으로 나아갈 수 있을까? Einstein은 과감한 철학적 신념을 가지고 답했는데, 즉 우리의 마음은 우리가 볼 수 있는 것 너머에 있는 현실에 접근할 수 있다는 것이다. 이것은 논쟁거리가 되는 심지어 경솔한 말일 수도 있지만, Einstein은 새로운 분야(학문)의 깊은 바다 속으로 걸어 들어가는 것을 좀처럼 두려워하지 않았다.

| 해설 | (A) 수동태 문장에서 주어가 길어서 「p.p.+be+S」로 도치되어 쓰인 문장인데, 주어가 his contributions로 복수 명사이기 때문에 복수 동사 are가 와야 한다. (B) 선행사 the hidden, unseen world를 관계사절 뒤로 넘기면 타동사 described의 목적어 역할을 하기 때문에 목적격 관계대명사인 which가 와야 한다. (C) 네모 앞에 부정어인 rarely가 쓰여 있으므로 '동사 + 주어'로 도치된다. **정답 ⑤**

| 구문 분석 | 〈6행〉 He often wondered **how the hidden, unseen world which his equation described was possible**.
- $\underset{S}{}$ $\underset{V}{}$ $\underset{O}{}$

▶ how 이하의 의문사절이 목적어로 쓰인 3형식(S+V+O) 문장이다.

| Words & Phrases |
- **passion** [pǽʃən] 열정, 정열 • **reform** [rifɔ́ːrm] 개혁, 개선, 개정 • **contribution** [kàntrəbjúːʃən] 기여, 공헌, 기부(금) • **philosophy** [filásəfi] 철학 • **equation** [ikwéiʒən] 방정식, 등식 • **venture into** 과감히 나아가다, 위험을 무릅쓰고 가다 • **realm** [relm] 분야, 영역 • **divorce** [divɔ́ːrs] 이혼하다, 분리하다 • **bold** [bould] 대담한, 과감한 • **conviction** [kənvíkʃən] 확신, 신념 • **access** [ǽkses] 접근, 출입, 이용 • **controversial** [kàntrəvə́ːrʃəl] 논쟁의 • **rash** [ræʃ] 경솔한, 무모한 • **discipline** [dísəplin] 학문의 부문(분야)

94

| 전문 해석 | 남극 대륙은 지구상의 담수 공급량의 대략

70%를 포함하고 있으나, 지구상의 가장 큰 사막 중의 하나로 여겨진다. 그것은 남극 대륙의 거대한 담수 공급량이 두께가 평균 2km 이상인 얼음 속에 갇혀 있기 때문이다. 만약 얼음 덩어리가 녹는다면 바다는 60m만큼이나 상승할 것이다. 그러나 지구상의 다른 모든 사막들처럼 남극 대륙은 연간 250mm 미만의 강우량을 갖는다. 5억 년 전 남극 대륙이 온화한 기후였고 무성한 식물로 덮여 있었다는 사실을 믿기 어렵다. 남극 대륙의 표면은 대부분의 생명체들에겐 살기에 적합하지 않지만, 그 대륙을 둘러싸고 있는 물은 생명체들로 가득 차 있다. 남극 대륙 바다의 먹이 사슬 제일 밑에는 엄청난 수의 크릴이 먹는 내한성(耐寒性)의 해조류가 존재한다.

| 해설 | all과 every는 둘 다 '모든'을 의미하는 형용사로 쓰일 수 있는데, all은 복수 명사를 수반하지만, every는 단수 명사를 수반하기 때문에 밑줄 친 every를 all로 고쳐야 한다. **정답 ③**

| 오답 확인 | ① it은 Antarctica를 가리키며 is considered는 '~로 간주되다'로 수동태가 맞다.
② averages는 주격 관계대명사로 쓰인 that 뒤에 동사로 쓰였으므로 맞는 표현이다.
④ 「most + 명사」는 '대부분의 (명사)'라는 의미로 맞게 쓰였다.
⑤ 장소 부사구인 At the bottom of the food chain ~가 문두에 쓰여 주어와 동사가 도치된 문장인데, a hardy type of algae(단수 명사)가 주어이므로 단수 동사 is가 왔다.

| 구문 분석 | 〈3행〉 That's [because Antarctica's
- $\underset{S}{}$ $\underset{V}{}$ $\underset{C}{}$

enormous supply of fresh water is locked up in *ice*
- $\underset{S'}{}$ $\underset{V'}{}$

[**that** averages over two kilometers in thickness]].
- $\underset{V'}{}$

▶ because 이하는 보어 역할을 하는 명사절이며, that절은 ice를 수식하는 주격 관계대명사절이다.

| Words & Phrases |
- **Antarctica** [æntάːrktikə] 남극 대륙 • **approximately** [əprάksəmətli] 대략, 대체로, 거의 • **fresh water** 담수, 민물 • **enormous** [inɔ́ːrməs] 엄청난, 거대한 • **average** [ǽvəridʒ] 평균 ~이다, 평균하다 • **ice sheet** (빙하의) 얼음 덩어리 • **melt** [melt] 녹다 • **luxuriant** [lʌɡʒúəriənt] 무성한, 풍부한 • **vegetation** [vèdʒətéiʃən] (한 지방의) 식물, 초목 • **inhospitable** [inháspitəbl] 살기에 부적당한, 황폐한, 야박한 • **hardy** [hάːrdi] 튼튼한, 내한성(耐寒性)의

95

| 전문 해석 | 작년에 일본 도로 상에서의 전기자전거의 수가

급속히 증가했다. 전기자전거를 타는 것의 좋은 점은 그것이 아주 간단하다는 것이다. 즉, 모터를 움직이기 위해서 페달을 돌리거나 버튼을 누르면, 앞으로 나아가게 된다. 그것은 보통 자전거를 타는 것과 매우 비슷하지만 훨씬 적은 노력을 요한다! 전기자전거를 탈 때는 열심히 페달을 밟을 필요가 없으며, 길고 가파른 언덕을 쉽게 올라갈 수 있다. 작년에 거의 30만 대가 판매되었는데, 제조회사들은 그들의 판매 노력을 근처의 역까지 매일 자전거를 타고 가는 직장인이나 학생들에게 기울이지 않고 있다. "우리가 주로 판매 대상으로 하는 사람들은 노인들이나 아이가 있는 30대 주부입니다."라고 Panasonic Cycles의 한 매니저는 말한다. 이와 비슷하게 Yamaha Motor 회사 역시 그러한 자전거의 경제성에 관심을 가지는 피자 회사와 같은 배달 서비스를 하는 회사들 사이에서 판로를 개발하고 있다고 말한다.

| 해설 | (A) 네모 앞의 like는 '~와 같은, 처럼'의 뜻으로 쓰인 전치사이기 때문에 뒤에 목적어로 동명사 riding이 와야 한다. (B) during 뒤에는 '특정한 기간'을 나타내는 명사가 오고, for 뒤에는 「수사＋명사」 형태로 '일반적인 기간'을 나타내는 명사가 온다. 이 문장에서는 뒤에 특정한 기간을 나타내는 last year가 쓰였기 때문에 during이 와야 한다. (C) The people 뒤에 목적격 관계대명사가 생략된 문장이며, 선행사 The people을 관계사절 뒤로 넘기면 문맥상 전치사 to의 목적어 역할을 하기 때문에 sell to가 와야 한다. **정답 ①**

| 구문 분석 | 〈12행〉 Similarly, Yamaha Motor Corporation reports (that) they are also developing a market among *companies* **that** provide delivery services, such as *pizza companies*, **which** are attracted by the economy of such bicycles.
　　관계대명사절 ①
　　관계대명사절 ②
▶ 목적절의 두 개의 관계대명사절 중 첫 번째 것은 companies를 수식하는 제한적 용법으로 쓰였으며, 두 번째 것은 계속적 용법으로 pizza companies가 선행사이다.

| Words & Phrases |
• **boom** [buːm] (갑작스러운) 인기, 급격한 증가 • **activate** [ǽktəvèit] 활성화시키다, 작동시키다 • **cycle** [sáikl] 자전거를 타다 • **manufacturer** [mæ̀njufǽktʃərər] 제조업자, 제조회사 • **direct** [dirékt] (노력 등을) ~로 돌리다, 기울이다 • **senior** [síːnjər] 연장자, 노인

96

| 전문 해석 | 증발, 특히 식물을 통한 물의 배출을 통제하는 것은 분명 물이 부족한 지구상의 모든 지역에서 매우 중요하다.

이것은 농업용으로 바닷물을 이용하는 것과 관련하여 철저하게 연구되고 있는 중이다. 바닷물은 특정한 토양에서 자라는 특정한 식물에게 물을 공급하기 위해 실제로 이용될 수 있다. 그러나 바닷물이 음식을 위한 유용한 식물을 기르기 위해 광범위하게 사용되기는 쉽지 않을 것이며, 또한 토양의 아래쪽에 있는 염분의 축적물이 토양을 쓸모없게 만들기 전에 그것(바닷물)이 얼마나 오랫동안 지속될 수 있는지는 전혀 확실하지 않다. 그러므로 농업용으로 바닷물을 사용하기 위한 대부분의 시도는 우선 과잉의 염분을 제거하는 데 달려 있다. 염분 제거에는 두 가지 기본 방식이 있다. 하나는 물은 통과시키지만 소금은 막는 얇은 막을 이용하는 방법에 의존한다. 또 다른 하나는 증류 과정인데, 그 과정에서 소금을 함유하지 않은 수증기나 증기는 응축될 때 담수를 만든다.

| 해설 | 접속사 when 뒤에 '주절 주어＋be동사'가 생략된 형태로, when water vapor or steam is condensed로 수동태가 되어야 맞는 문장이기 때문에 밑줄 친 condensing을 condensed로 고쳐야 한다. **정답 ⑤**

| 오답 확인 | ① 'of＋추상명사'는 형용사 역할을 하기 때문에 be동사 뒤에서 보어로 쓰일 수 있다.
② 전치사 for 뒤에서 certain plants를 목적어로 가지는 동명사이다.
③ likely (unlikely)는 형용사로, 보어로 쓰일 수 있다. 이 문장은 it ~ that으로 가주어와 진주어가 쓰인 문장이며 unlikely는 seems의 보어로 맞는 표현이다.
④ 「S＋일반동사(allow)＋O＋to부정사」로 쓰이는 5형식 문장에서 목적 보어 자리에 to pass가 쓰였으므로 맞는 문장이다.

| 구문 분석 | 〈7행〉 ~, and **it** is not at all **certain**
　　　　　　　　　　　　　　가주어　　　　　　　　　C
[**how long** it can be carried on before the accumu-
　　　　　진주어
lation of salt in the lower parts of the soil makes it unusable].
▶ 가주어(it) 뒤에 how long 이하의 의문사절이 진주어로 쓰인 문장이다.

| Words & Phrases |
• **evaporation** [ivæ̀pəréiʃən] 증발 • **crucial** [krúːʃəl] 중요한, 결정적인 • **scarce** [skɛərs] 부족한 • **investigate** [invéstəgèit] 조사하다, 연구하다 • **thoroughly** [θə́ːrouli] 철저하게, 완전하게 • **not at all** 전혀(조금도) ~가 아니다(=never) • **accumulation** [əkjùːmjuléiʃən] 축적 • **attempt** [ətémpt] 시도, 노력, 꾀하다 • **excess** [iksés] 초과, 과잉 • **membrane** [mémbrein] (얇은) 막 • **hold back** 막다, 억누르다 • **distillation** [dìstəléiʃən] 증류 • **water vapor**

수증기 • **condense** [kəndéns] 응축하다

97

| 전문 해석 |　수십 년 동안 과학자들은 극북(the far north) 지역에서의 (인간의) 거주를 추적하기 위해 노력해 오고 있다. 가장 초창기의 고대 에스키모인들은 약 4,500년 전에 북극 지방 전역에 나타났지만, 약 1,000년 전에 신 에스키모인이라 불리는 새로운 이주자들에 의해 대체되었는데, 연구자들은 그들이 Inuit족과 같은 현대 에스키모인들의 조상이라고 결론짓고 있다. 과학자들은 20년 전 고대 에스키모인들이 살던 지점에서 발굴 작업을 하는 동안에 인간의 머리카락을 발견했는데, 그 DNA는 영구 동토층에 의해 잘 보존되어 있었다. 그 머리카락에서 추출한 DNA는 D2a1이라 불리는 비교적 희귀한 유전자 표지를 가지고 있었는데, 그 표지는 현대 토착 미국인에게는 없는 것이다. 고대 에스키모인들의 표본과 신 에스키모인들 간의 연관성이 있을 가능성을 확인하기 위해서 과학자들은 Greenland 지역의 14개 Inuit족들에서 추출한 DNA를 분석했으나 아무도 D2a1 표지를 갖고 있지 않았다. 고대 에스키모인들에게서 발견된 D2a1 표지는 현재 Bering 해(海) 지역에 거주하고 있는 사람들에게서 발견되고 있는 D2a1a라 불리는 표지와 밀접하게 관련되어 있다. 과학자들은 이것은 고대 에스키모인들이 이 지역에서 출몰했다는 사실을 시사하는 것이라는 데 동의하고 있다.

| 해설 |　(A) 계속적 용법으로 쓰인 관계대명사인데, 네모 뒤에 researchers have concluded are the ancestors ~로 〈S+V+V'〉가 쓰여 V'에 대한 주어가 필요하기 때문에 주격 관계대명사인 who가 와야 한다. (B) 이 문장은 'S(The DNA)+V(carried)'로 연결되고 있으므로 네모 안에는 동사 was derived가 쓰일 수 없고, 분사구로 주어(The DNA)를 수식하는 형태인 derived가 와야 한다. (C) arise(발생하다, 일어나다)는 자동사로 수동태로 쓰일 수 없기 때문에 arose가 와야 한다.　　　**정답 ④**

| 구문 분석 |　〈2행〉 The earliest Paleo-Eskimos(S₁) showed up(V₁) all across the Arctic region about 4,500 years ago, but about 1,000 years ago, they(S₂) were replaced(V₂) by *new migrants* (who were) **called** the Neo-Eskimos, [**who** (researchers have concluded) 관계대명사절(주격)　삽입절 are the ancestors of modern Eskimo groups such as the Inuit].

▶ called 이하 분사구는 new migrants를 수식하고 있고, who는 계속적 용법의 관계대명사로 and they(the Neo-Eskimos)로 바꿔 and researchers have concluded they are the ancestors로 쓸 수 있다.

| Words & Phrases |
• **trace** [treis] 추적하다　• **people** [píːpl] ~에 살다, 거주하다　• **show up** 나타나다　• **Arctic** [áːrktik] (the ~) 북극　• **replace** [ripléis] 대체하다　• **migrant** [máigrənt] 이주민　• **ancestor** [ǽnsestər] 조상, 선조　• **excavation** [èkskəvéiʃən] 굴착, 발굴　• **site** [sait] 위치, 지점　• **derive A from B** B로부터 A를 이끌어내다　• **rare** [rɛər] 드문, 희귀한　• **genetic marker** 유전자 표지　• **absent** [ǽbsənt] 부재하는, 없는　• **analyze** [ǽnəlàiz] 분석하다　• **be related to** ~와 관계가 있다　• **inhabitant** [inhǽbətənt] 주민, 거주자

98

| 전문 해석 |　자존심은 우리 자신에 대한 긍정적 그리고 부정적인 평가를 가리킨다. 일부 사람들은 다른 사람들보다 더 높은 자존심을 가지고 있지만, 자신의 가치에 대한 느낌은 돌에 영구적으로 쓰여진 단일한 특성은 아니다. 자존심의 필요성에 대해서는 두 가지의 사회심리적인 해답이 존재한다. 한 가지 이론은 사람들은 본래 사회적인 동물이어서 자존심의 필요성은 타인과 관계를 맺고 그들의 인정을 얻고자 하는 이러한 보다 기본적인 욕구에 의해 생겨난다는 것이다. 그래서 우리의 자존심은 다른 사람들의 눈에 우리가 어떻게 행동하고 있는지를 나타내는 지표로서 기능한다. 또 다른 이론은 개인적으로 우리 모두를 괴롭히는 죽음에 대한 깊게 뿌리박힌 두려움에 대처하는 방식으로 사람들은 그들 자신을 귀중한 사회 구성원으로 간주하도록 동기부여된다는 것이다. 일련의 실험에서 참가자들은 그들의 자존심을 향상시키는 긍정적인 반응을 얻은 후에 죽음에 대한 생생한 장면이나 자기 자신의 죽음을 생각하는 것에 대해 덜 방어적이고 덜 걱정스럽게 반응한다는 사실을 연구자들은 발견했다.

| 해설 |　전치사 of 뒤에서 의문사(how)절이 목적어로 쓰였는데, 의문사절이 다른 문장과 연결되는 형태이기 때문에 간접의문문(의문사+S+V)으로 how we are doing이 되어야 한다.　**정답 ③**

| 오답 확인 | ① '주격 관계대명사 + be동사'가 생략된 분사구 형태로 a single trait를 수식한다.
② 앞에 쓰인 that절과 병렬 구조로 보어 역할을 하는 명사절이다.
④ rooted는 수동의 의미로 fear를 수식하는 과거분사이며, 부사 deeply는 rooted를 수식한다.
⑤ 문맥상 수동태가 맞는 표현이며, 4형식 동사(give)가 수동태로 쓰이면서 뒤에 positive feedback을 목적어로 가진 형태이다.

ACTUAL TEST 10 • 101

| 구문 분석 | 〈11행〉 In a series of experiments, investigators found that [**after** participants were given positive feedback that boosted their self-esteem,] **they** reacted to graphic scenes of death, or to the thought of their own death, with less defensiveness and anxiety.

▶ 3형식 문장(S+V+O) 구조로 after ~ self-esteem은 목적절인 that절 내의 부사절이며, that절의 주어는 they이다.

| Words & Phrases |
- **self-esteem** [sélfistí:m] 자존심, 자부심 • **refer to** 가리키다, 언급하다, 참조하다 • **evaluation** [ivæljuéiʃən] 평가
- **permanently** [pə́:rmənəntli] 영원하게, 불변하게, 상실로
- **psychological** [sàikəládʒikəl] 심리적인 • **inherently** [inhíərəntli] 본래, 근본적으로 • **drive** [draiv] 운전, 몰고 가다
- **primitive** [prímətiv] 원시의, 기본의 • **approval** [əprú:vəl] 승인, 인정 • **indicator** [índikèitər] 지표, 척도
- **motivate** [móutəvèit] 동기를 주다, 자극하다 • **cope with** 대처하다 • **haunt** [hɔ:nt] 괴롭히다, (생각이) 떠나지 않다 • **investigator** [invéstəgèitər] 연구자 • **feedback** [fí:dbæk] 반응, 의견 • **boost** [bu:st] 향상시키다, 증대시키다, 후원하다 • **graphic** [grǽfik] 생생한, 눈앞에서 보는 것 같은
- **defensiveness** [difénsivnis] 방어(적임) • **anxiety** [æŋzáiəti] 걱정

99

| 전문 해석 | 방글라데시 사람들이 그 축복을 세어 본다면 아마 세 가지, 즉 Brahmaputra, Meghna 그리고 거대한 Ganges 강을 꼽을 것이다. 그러나 이러한 축복들은 그 지역의 여름 계절풍 기후와 결합될 때는 또한 저주가 되고 만다. 방글라데시에는 매년 거의 2미터의 비가 오지만, 3분의 2 이상이 불과 4개월 동안에 내린다. 연중 대부분의 기간에 그 세 개의 강에 의해 형성되어 있는 거대한 삼각주는 바싹 말라 있지만, 여름마다 강둑이 터져 엄청난 홍수를 일으킨다. 적절한 위생 설비와 물 저장 시설이 없어서 방글라데시 사람들은 또한 수인성(水因性) 질병의 유행병에 걸리기 쉽다. 게다가 기후 변화가 상황을 악화시키고 있는데, 변화하는 강우 형태와 상승하는 해수면이 거대한 농지를 쓸모없는 상태로 만들 우려가 있다. 방글라데시가 지구상의 물 문제를 해결하고 싶어하는 모든 사람들에게 하나의 도전적인 사례 연구를 제시하고 있다는 것은 분명하다.

| 해설 | (A) 주어(these blessings) 뒤에 분사구문으로 쓰인 형태이며, 접속사가 있는 부사절로 전환하면, as they are allied with ~로 수동태 문장이기 때문에 수동형 분사인 allied가 와야 한다. (B) with 동시동작을 나타내는 표현으로 with를 없애면 shifting patterns of rainfall and rising sea levels threaten to ~로 능동태 문장이기 때문에 threatening이 와야 한다. (C) 복합관계대명사의 격과 관련된 문제로 네모 뒤에 동사(wants)가 쓰여 있고 주어 자리가 비었으므로 주격인 whoever가 와야 한다.   **정답 ⑤**

| 구문 분석 | 〈8행〉 **Lacking** proper sanitation and water-storage facilities, Bangladesh is also prone to epidemics of water-borne disease.

▶ Lacking은 분사구문으로 쓰였으며, 주절의 주어인 Bangladesh와 능동 관계에 있다.

| Words & Phrases |
- **blessing** [blésiŋ] 축복 • **mighty** [máiti] 강력한, 거대한 • **ally** [əlái] 동맹을 맺다, 결합하다 • **region** [rí:dʒən] 지역 • **monsoon** [mɑnsú:n] 계절풍 • **curse** [kə:rs] 저주 • **vast** [væst] 거대한, 광대한 • **delta** [déltə] (하구의) 삼각주 • **massive** [mǽsiv] 엄청난, 거대한 • **flood** [flʌd] 홍수 • **sanitation** [sæ̀nətéiʃən] 위생, 위생 설비 • **facility** [fəsíləti] 시설 • **be prone to** ~하기 쉽다 • **epidemic** [èpədémik] 유행병, 전염병 • **water-borne** [wɔ́:tərbɔ:rn] 수인성(水因性)의 • **make matters worse** 상황을 악화시키다 • **shift** [ʃift] 이동시키다, 전환하다 • **threaten** [θrétn] 위협 (협박)하다 • **render** [réndər] ~가 되게 하다, 만들다(=make)
- **tract** [trækt] 지역, 구역

100

| 전문 해석 | 2011년 일본을 강타했던 쓰나미 재앙의 결과로 수십만 명의 사람들이 집을 잃어버렸다. 그 비극의 여파로 많은 사람들이 심각한 우울증 증상으로 고통받기 시작했다. 가족들을 다시 결합시키고 손실된 주택을 복구하기 위한 노력이 진행 중에 있지만, 정상 회복을 위한 이러한 모든 노력들은 시간이 걸릴 것이다. 그러나 이러한 극심한 슬픔과 비통함의 기간에도 파로라는 이름을 가진 솜털로 뒤덮인 로봇 물개가 한 가지 작지만 빠른 해결책으로 등장했다. 파로는 사람들이 만지면 반응하도록 프로그램이 되었고 목숨을 제외한 모든 것을 잃어버린 사람들 사이에서 우울증을 극복할 목적으로 이용되고 있다. 사람들이 쓰다듬으면 그 물개는 기뻐서 까르륵거리는 소리를 내며

발을 흔들어 댄다. 물개가 어느 정도 좋은 이로움을 끼치고 있다는 징후가 있다.

| 해설 | in response to be stroked는 우리말로 옮기면 '쓰다듬는 것에 반응하여'의 의미로 to가 전치사이기 때문에 to부정사로 쓰인 be stroked는 틀린 형태이다. 따라서 밑줄 친 부분을 전치사 to의 목적어 역할을 하는 동명사 형태인 being stroked로 고쳐야 한다.

정답 ④

| 오답 확인 | ① 형용사인 homeless가 주어로 쓰인 hundreds of thousands of people을 설명하고 있기 때문에 맞게 쓰였다.

② 앞에 쓰인 reunite와 등위접속사 and에 의해 병렬 구조를 이루어 (to) rebuild는 맞게 쓰였다.

③ 우리말로 "우울증을 극복하기 위해 이용되고 있다"로 문맥상 올바르게 쓰여 있다.

⑤ 완전한 문장을 이끄는 접속사로 앞에 쓰인 some signs를 수식하는 동격의 that절이다.

| 구문 분석 | 〈6행〉 In this period of intense sorrow and heartache, though, one small, quick fix has emerged in the shape of a fluffy, robot seal (which is) called Paro.

> 1형식 문장인 〈S + V〉의 구조이며 called 앞에는 〈주격 관계대명사 + be동사〉가 생략되어 있다.

| Words & Phrases |
• **disaster** [dizǽstər] 재앙, 재난   • **tragedy** [trǽdʒədi] 비극   • **symptom** [símptəm] 증상   • **depression** [dipréʃən] 우울증   • **reunite** [rìːjuːnáit] 재회하다   • **fix** [fiks] 해결책   • **fluffy** [flʌ́fi] 솜털의, 복슬복슬한   • **seal** [siːl] 물개   • **stroke** [strouk] 쓰다듬다   • **emit** [imít] 내뿜다; (소리를) 내다   • **wiggle** [wígəl] (몸, 꼬리를) 흔들다   • **flipper** [flípər] (물개 등의) 지느러미 발   • **do good** 이익(이로움)을 주다

SUMMA CUM LAUDE - ENGLISH

상위권을 향한 튼튼한 개념교과서

'제대로' 공부를 해야 공부가 더 쉬워집니다!

"공부하는 사람은 언제나 생각이 명징하고 흐트러짐이 없어야 한다. 그러자면 우선 눈앞에 펼쳐진 어지러운 자료를 하나로 묶어 종합하는 과정이 필요하다. 비슷한 것끼리 갈래로 묶고 교통정리를 하고 나면 정보간의 우열이 드러난다. 그래서 중요한 것을 가려내고 중요하지 않은 것을 추려내는데 이 과정이 바로 '종핵(綜核)'이다." 이는 다산 정약용이 주장한 공부법입니다. 제대로 공부하는 과정은 종핵처럼 복잡한 것을 단순하게 만드는 과정입니다. 공부를 쉽게 하는 방법은 복잡한 내용들 사이의 관계를 잘 이해하여 간단히 정리해 나가는 것입니다. 이를 위해서는 무엇보다도 먼저 내용을 제대로 알아야 합니다. 숨마쿰라우데는 전체를 보는 안목을 기르고, 부분을 명쾌하게 파악할 수 있도록 친절하게 설명하였습니다. 보다 쉽게 공부하는 길에 숨마쿰라우데가 여러분들과 함께 하겠습니다.

〈내신〉·〈수능〉·〈토익〉 등 어떤 시험에도 자신 있다!!

영어의 기본은 어휘를 많이 알아두고, 문법을 익혀 영어 문장에 익숙해져 빠른 독해에까지 나아가는 것입니다. 〈숨마쿰라우데 영어 매뉴얼 시리즈〉는 영어의 기본에 충실하게 하여 한 단계 업그레이드 된 능력을 갖추도록 친절하게 안내해 줍니다. 〈숨마쿰라우데 매뉴얼 시리즈〉로 영어의 기본기를 다지고, 더 나아가 〈내신〉·〈수능〉·〈토익〉 등 어떤 시험에도 자신감을 가지고 공부하십시오.

학습 교재의 새로운 신화! 이룸이앤비가 만듭니다!